元素118の新知識〈第２版〉

引いて重宝、読んでおもしろい

桜井 弘 編著

ブルーバックス

●装幀／芦澤泰偉・五十嵐徹
●カバーイラスト／星野勝之
●本文デザイン・図版制作／鈴木知哉＋あざみ野図案室

編著者

桜井 弘（さくらい・ひろむ）	京都薬科大学名誉教授 （生命錯体化学・代謝分析学）

執筆者（五十音順）

荒野 泰（あらの・やすし）	千葉大学名誉教授 （分子画像薬品学）
小谷 明（おだに・あきら）	金沢大学名誉教授 （臨床分析科学）
高妻孝光（こうづま・たかみつ）	茨城大学大学院理工学研究科教授 （量子線科学）
佐治英郎（さじ・ひでお）	京都大学名誉教授 （病態機能分析学）
鈴木晋一郎（すずき・しんいちろう）	大阪大学名誉教授 （生物無機化学）
中山祐正（なかやま・ゆうしょう）	広島大学大学院 先進理工系科学研究科准教授 （高分子化学）
根矢三郎（ねや・さぶろう）	千葉大学名誉教授 （薬品物理化学）
羽場宏光（はば・ひろみつ）	理化学研究所 仁科加速器科学研究センター RI 応用研究開発室室長 （核化学）
廣田 俊（ひろた・しゅん）	奈良先端科学技術大学院大学 先端科学技術研究科教授 （機能超分子化学）
藤井敏司（ふじい・さとし）	甲南大学 フロンティアサイエンス学部教授 （生物無機化学）

元素周期表

10	11	12	13	14	15	16	17	18
								4.003 2He ヘリウム
			10.81 5B ホウ素	12.01 6C 炭素	14.01 7N 窒素	16.00 8O 酸素	19.00 9F フッ素	20.18 10Ne ネオン
			26.98 13Al アルミニウム	28.09 14Si ケイ素	30.97 15P リン	32.07 16S 硫黄	35.45 17Cl 塩素	39.95 18Ar アルゴン
58.69 28Ni ニッケル	63.55 29Cu 銅	65.38 30Zn 亜鉛	69.72 31Ga ガリウム	72.63 32Ge ゲルマニウム	74.92 33As ヒ素	78.97 34Se セレン	79.90 35Br 臭素	83.80 36Kr クリプトン
106.4 46Pd パラジウム	107.9 47Ag 銀	112.4 48Cd カドミウム	114.8 49In インジウム	118.7 50Sn スズ	121.8 51Sb アンチモン	127.6 52Te テルル	126.9 53I ヨウ素	131.3 54Xe キセノン
195.1 78Pt 白金	197.0 79Au 金	200.6 80Hg 水銀	204.4 81Tl タリウム	207.2 82Pb 鉛	209.0 83Bi ビスマス	(210) 84Po ポロニウム	(210) 85At アスタチン	(222) 86Rn ラドン
(281) 110Ds ダームスタチウム	(280) 111Rg レントゲニウム	(285) 112Cn コペルニシウム	(278) 113Nh ニホニウム	(289) 114Fl フレロビウム	(289) 115Mc モスコビウム	(293) 116Lv リバモリウム	(293) 117Ts テネシン	(294) 118Og オガネソン

152.0 63Eu ユウロピウム	157.3 64Gd ガドリニウム	158.9 65Tb テルビウム	162.5 66Dy ジスプロシウム	164.9 67Ho ホルミウム	167.3 68Er エルビウム	168.9 69Tm ツリウム	173.0 70Yb イッテルビウム	175.0 71Lu ルテチウム
(243) 95Am アメリシウム	(247) 96Cm キュリウム	(247) 97Bk バークリウム	(252) 98Cf カリホルニウム	(252) 99Es アインスタイニウム	(257) 100Fm フェルミウム	(258) 101Md メンデレビウム	(259) 102No ノーベリウム	(262) 103Lr ローレンシウム

原子量の数値は、日本化学会「4桁の原子量表(2022)」より記載。

(　)内の数値は、安定同位体がなく天然で特定の同位体組成を示さない元素について、その元素の代表的な同位体の質量数を記した。

104番から118番までの元素の化学的性質はまだ詳しくわかっていない。

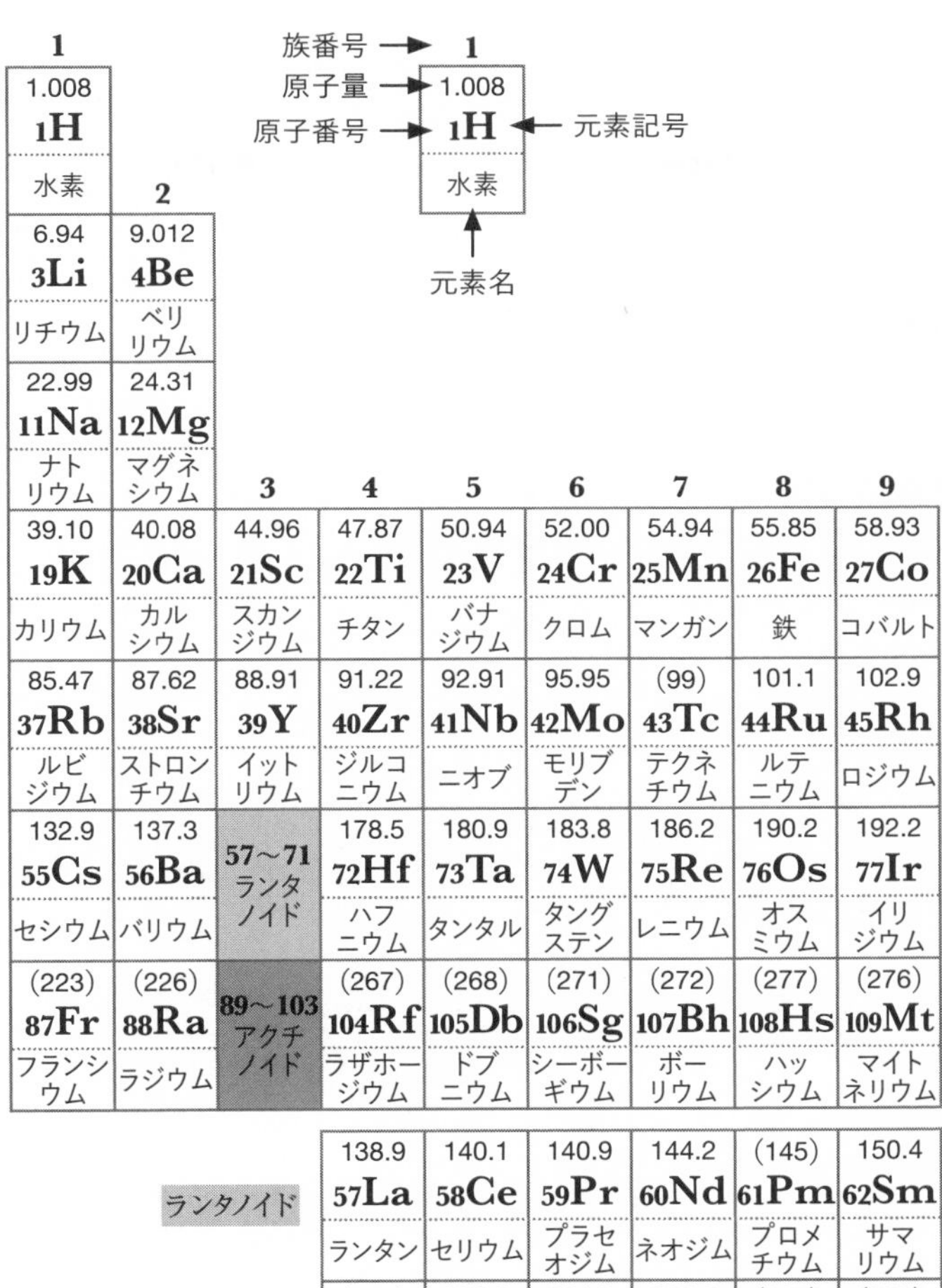

1	2	3	4	5	6	7	8	9
1.008 **1H** 水素								
6.94 **3Li** リチウム	9.012 **4Be** ベリリウム							
22.99 **11Na** ナトリウム	24.31 **12Mg** マグネシウム							
39.10 **19K** カリウム	40.08 **20Ca** カルシウム	44.96 **21Sc** スカンジウム	47.87 **22Ti** チタン	50.94 **23V** バナジウム	52.00 **24Cr** クロム	54.94 **25Mn** マンガン	55.85 **26Fe** 鉄	58.93 **27Co** コバルト
85.47 **37Rb** ルビジウム	87.62 **38Sr** ストロンチウム	88.91 **39Y** イットリウム	91.22 **40Zr** ジルコニウム	92.91 **41Nb** ニオブ	95.95 **42Mo** モリブデン	(99) **43Tc** テクネチウム	101.1 **44Ru** ルテニウム	102.9 **45Rh** ロジウム
132.9 **55Cs** セシウム	137.3 **56Ba** バリウム	**57～71** ランタノイド	178.5 **72Hf** ハフニウム	180.9 **73Ta** タンタル	183.8 **74W** タングステン	186.2 **75Re** レニウム	190.2 **76Os** オスミウム	192.2 **77Ir** イリジウム
(223) **87Fr** フランシウム	(226) **88Ra** ラジウム	**89～103** アクチノイド	(267) **104Rf** ラザホージウム	(268) **105Db** ドブニウム	(271) **106Sg** シーボーギウム	(272) **107Bh** ボーリウム	(277) **108Hs** ハッシウム	(276) **109Mt** マイトネリウム

ランタノイド	138.9 **57La** ランタン	140.1 **58Ce** セリウム	140.9 **59Pr** プラセオジム	144.2 **60Nd** ネオジム	(145) **61Pm** プロメチウム	150.4 **62Sm** サマリウム
アクチノイド	(227) **89Ac** アクチニウム	232.0 **90Th** トリウム	231.0 **91Pa** プロトアクチニウム	238.0 **92U** ウラン	(237) **93Np** ネプツニウム	(239) **94Pu** プルトニウム

はじめに――〈第2版〉刊行にあたって

本書の第1版である『元素118の新知識』は2017年に、118種類の光り輝く個性をもつ元素の基本と最新情報を紹介することを目的として出版された。刊行から6年の歳月が流れ、科学と産業の進歩や社会経済構造の変動とともに、元素の科学、産業利用、社会経済的な見方などが大きく変化した。

たとえば、地球環境を守る方策として水素エネルギーの利用を目指した水素自動車や水素列車の開発、ジェイムズ・ウェッブ宇宙望遠鏡の主体反射鏡に用いられた金属・ベリリウムによる宇宙の驚異的な画像の獲得、ダイヤモンド半導体や次世代の東海道新幹線の客室の床板に使われるマグネシウム合金の開発、リチウムイオン電池の正極に使われるニッケルや自動車排ガス浄化のための触媒として用いられているパラジウムの価格変動、ネオジムなど価格変動の激しい希土類元素（レアアース）に代わる脱レアアース磁石の開発、あるいは食糧問題の解決を目指したアンモニア合成の新触媒の開発など、身近な話題から宇宙観測まで、これまでに見られなかった元素の新しい利用法の開発が伝えられている。

一方、元素周期表中の「遷移元素」や「アルカリ土類金属元素」の定義も見直されてきた。遷移元素は、従来の磁性を取り入れた定義から、d電子とf電子の存在を重視した定義に変化してきている。これにしたがって、遷移元素は周期表のdブロック元素、fブロック元素として扱い、周期表中の第3族から第12族までの元素として扱う書籍が多く見られるようになった。

また、アルカリ土類金属元素は、ベリリウムとマグネシウムの化学的性質が他の第2族元素と異なっているために、歴史的には第2族元素の第4周期以降の元素として定義されてきた。しかし最近では、ベリリウムとマグネシウムを含めて第2族のすべての元素をアルカリ土類金属元素とする定義が一般的に採用されている。

このような状況の中で、日本化学会から２０１５年に「高等学校化学で用いる用語に関する提案」がなされた。従来は第3～11族元素の総称とされてきた遷移元素を第3～12族元素の総称として使用することに加え、アルカリ土類金属元素についても、第2族元素のすべての元素を含めることなどが推奨されている。

第1版を刊行した２０１７年の時点ですでに、日本化学会の上記提案を取り入れることを視野に入れてはいたものの、当時の高等学校の化学の教科書はほとんど、従来の定義で記載されていたため、提案を早々に採用して刊行することは大いに躊躇(ためら)われた。しかし、２０２３年現在、高校化学の教科書や参考書では、遷移元素とアルカリ土類金属元素の定義に、日本化学会の先の提案を受け入れるものが多くなってきている。こうした現状をふまえ、第2版では、この新たな定義を取り入れることとした。国際標準となっている最新版の元素周期表に対応した次第である。

第2版は、第1版の記述を基本としつつ、できるかぎり最新の情報を取り入れ、また用語の定義変更などを考慮して、追加・変更・修正などをおこなったものである。

本書を通じて元素の基本を知るとともに、元素を通して新しい世界を知り、大いに楽しんでいただきたい。

最後に、第2版の刊行をご提案していただき、さらに建設的できめ細かいご提案をいただいた講談社の倉田卓史氏に、心から感謝申し上げる。

２０２３年３月

編著者　桜井　弘

〈第1版〉のまえがき

現代に生きる私たちは、毎日の生活や広大な宇宙が、最も基本的な要素としての〝元素〟から成り立っていることを知っている。

私たちは、自然界に存在する約90種類の元素から構成される世界に生きている。およそ700万年前に誕生したと推定される人類が、自然の中で輝く金や銅のかたまりを見出して感動した瞬間こそ、人類と〝元素〟の初めての遭遇であろう。人類が進化し、文明や文化を築いていく中で、多くの元素が発見され、人類はそれらを、時に道具として、時に武器として、あるいはまた宝や貨幣として用いる技術や方法を考案してきた。

アラビア半島で生まれた錬金術は、中世ヨーロッパに伝わって〝科学〟として発展し、17世紀にはイギリスのボイル、18世紀にはフランスのラボアジェ、19世紀にはイギリスのドルトンらが〝元素〟という考え方を確立していった。ラテン語を語源とする「element」(元素)という言葉が、科学的用語として使われるようになった。ラボアジェは、当時知られていた33種類の元素をまとめて、初めての「元素表」を作成している。そして、19世紀も半ばを過ぎた1869年に、ロシアのメンデレーエフが63種類の元素をまとめ、人類史上初となる「元素周期表」を提案した。

19世紀の末ごろ、それ以前には「自然界に安定に存在している」とされてきた元素に対する考え方が一変する瞬間が訪れた。1898年、フランスのキュリー夫妻が黒い石「ピッチブレンド」からポロニウムとラジウムを発見し、これらが自ら壊変して、別の元素に変化することが見出されたのである。この壊変の現象を探っていく中で、原子の内部構造が解明され始め、イギリスのモーズリーは１９１３年、「元素周期表」に物理的な意味づけを加え、メンデレーエフの提案した「元素周期性」に確固たる基盤を与えた。

20世紀を迎えると、スイスのウェルナーがメンデレーエフの「元素周期表」を改良し、「長周期型周期表」を提案した。１９０５年のことである。１９４５年には、アメリカのシーボーグがこの周期表を発展させて、それまでに発見されていたランタノイドとアクチノイドに別枠を設けて配置した「拡張型元素周期表」を作成した。これが現在、私たちが日常的に用いている「元素周期表」である。

２０１６年には、この「元素周期表」の第7周期までのすべての位置に元素名が刻まれることとなった。すなわち、原子番号118番までの元素が並んだ「元素周期表」が完成したのである。メンデレーエフの最初の提案から、実に１５０年近い歳月が流れた末のことであった。〝元素探究〟に対する、人類の〝志〟の高さと執念をまざまざと感じることができる。

こうして完成を見た最新の「元素周期表」には、日本発の元素である「ニホニウム」が記載されている。「ニホニウム」は、森田浩介を中心とする理化学研究所のチームが合成発見した元素であり、わが国の国名である日本に由来する名前がつけられ、周期表上の113番目の位置に配置された。

従来は欧米の人々が中心的役割を果たしてつくられてきた周期表に、わが国はもちろん、アジアとしても初めての人工元素「ニホニウム」が掲載されたことは、日本中の人々に夢と感動を与える一大ニュースであった。

ところで、118種類もの元素はそれぞれ、どのようにして発見されてきたのだろうか？人類が森や洞窟に棲み始めたころ、おそらくは偶然に、輝く金や銅などを見つけたのだろう。この驚きと感動が、やがていくつかの元素やそれらを含む鉱物を見出すきっかけとなったに違いない。

現時点の調査では、金、銀、銅、鉄、鉛、スズ、水銀、亜鉛、ビスマス、炭素、硫黄、アンチモン、ヒ素の13元素が有史以前に発見され、使用されていたと推定されている。これらはすべて、人々の肉眼で見える形で存在していたものである。

歴史の針が進んだ17世紀に、画期的な事件が発生した。ドイツの錬金術師であり、化学者でもあったブラントが1669年、人の尿から〝リン〟を見つけたのである。ブラントは、人類史上初めて、肉眼では見ることのできない元素を「目に見える形」にして取り出し、示してみせたのである。実験にもとづく元素発見の、最初の事例であった。

こうしてヨーロッパでは、自然界から元素を見出すための探索が進められていく。1817年には、スウェーデンのアルフェドソンが鉱物界から初めて元素を発見し、ギリシャ語の〝石〟にちなんで〝リチウム〟と名づけた。このののち、自然界、特に鉱物界からの元素発見が相次いで報告されている。なかでも、スウェーデンのイッテルビーで見つかった重くて黒い石「ガドリン石」に、9

種類もの元素が隠されていた事実は、人々に驚きと感動を与える逸話となった。北欧の人々を中心とした100年を超える努力と情熱が、現代社会に欠かすことのできない希土類元素（レアアース）の存在を明らかにした。

その後、フランスのキュリー夫妻による放射性元素の発見を経て、人類はついに、人工的に元素を作り出す夢を1937年に実現した。最初の人工元素には、象徴的な名称である「テクネチウム」が与えられた。以降、現在までに29種類の人工元素が合成発見されている。

こうして、現代の私たちは、日常生活のあらゆるところで118種類の元素と関わりをもちながら暮らしている。人工知能（AI）、パソコン、スマートフォン、液晶テレビ、地球温暖化、健康と病気、遺伝子、そして芸術や経済活動……、そのいずれにも元素が関わっている。しかし、それら各元素に対する理解が十分であるとは、どうやらいえなさそうだ。

たとえば、次のような質問に、すぐに答えることができるだろうか？

「日本近海で発見されたコバルトリッチクラストってなに？」

「レアアースとレアメタルはどう違うの？」

「カルシウムが不足すると骨粗鬆症（こつそしょうしょう）になりやすいの？」

「毒のあるヒ素が本当に白血病の治療に使われているの？」

「虹色に輝くビスマスってなんなの？」

ここに挙がっているコバルト、レアアース、レアメタル、カルシウム、ヒ素、ビスマスとはいったい何だろう？　このような疑問に気軽にお答えしようと企画されたのが、本書『元素118の新知識』である。

「元素」に関する書籍は、書店へ行けばたくさん見つかる。しかし、多くの類書とは異なり、本書は、次の四つのスタンスをもって書かれている。

①辞書的な要素をもちながら、同時に、読み物として面白いこと。随所に具体的なエピソードをまじえ、元素の本質をいきいきと描き出している。

②事柄を列挙するのではなく、重要なポイントをできるだけ深く掘り下げること。元素の特性や用途、生体にとっての必要性をただ並べるだけでなく、事象を挙げた理由を可能なかぎり詳しく記述している。また、元素発見の将来像までも探っている。

③私たち人を含め、生命と元素との関係について、できるだけ詳しく言及すること。生命に必須の元素や、いまだその存在が謎に包まれている元素と、生命、健康、病気との関連性を記述している。意外な元素が、生命と関係をもっていることに驚かれるであろう。

④元素に関する数値は、可能なかぎり最新の値を採用すること。さまざまなニュースや書籍を見聞きする際に、これらの元素データが意外に重要であることを認識されるであろう。

本書に目を通していただければ、118個の元素たちがそれぞれに個性的で、素晴らしい働きや機能をもっていることを理解されることと思う。本書をきっかけに、あらためて「元素とは何だろう?」と考えてみる機会をもっていただければ幸いである。

私たちは1997年、本書の前身となる『元素111の新知識』を出版した。20年の歳月が流れる間に多数の新元素が発見され、さらには、既知の元素の新しい性質や働き、用途などが見出されてきた。本書『元素118の新知識』は、前書をベースにしながらも、最新のデータを可能なかぎり取り入れ、新時代に対応できるよう改稿したものである。

各元素にはまだまだ未知の部分も多く、また紙幅の関係もあって、すべてを解説するにはいたっていないことも付記しておく。著者・編者の能力をはるかに超える点について、知識不足や理解不十分な点、誤解などがあれば、ご寛恕・ご指摘いただければ幸いである。

本書の作成にあたっては、巻末に掲げた参考文献をはじめ、掲載しきれなかった多数の書籍や論文を参考にさせていただいた。各執筆者の方々に、感謝申し上げる。最後に、本書の作成をお勧めいただいた講談社の倉田卓史氏に、心から感謝申し上げる。

2017年7月

編者　桜井 弘

元素118の新知識〈第2版〉もくじ

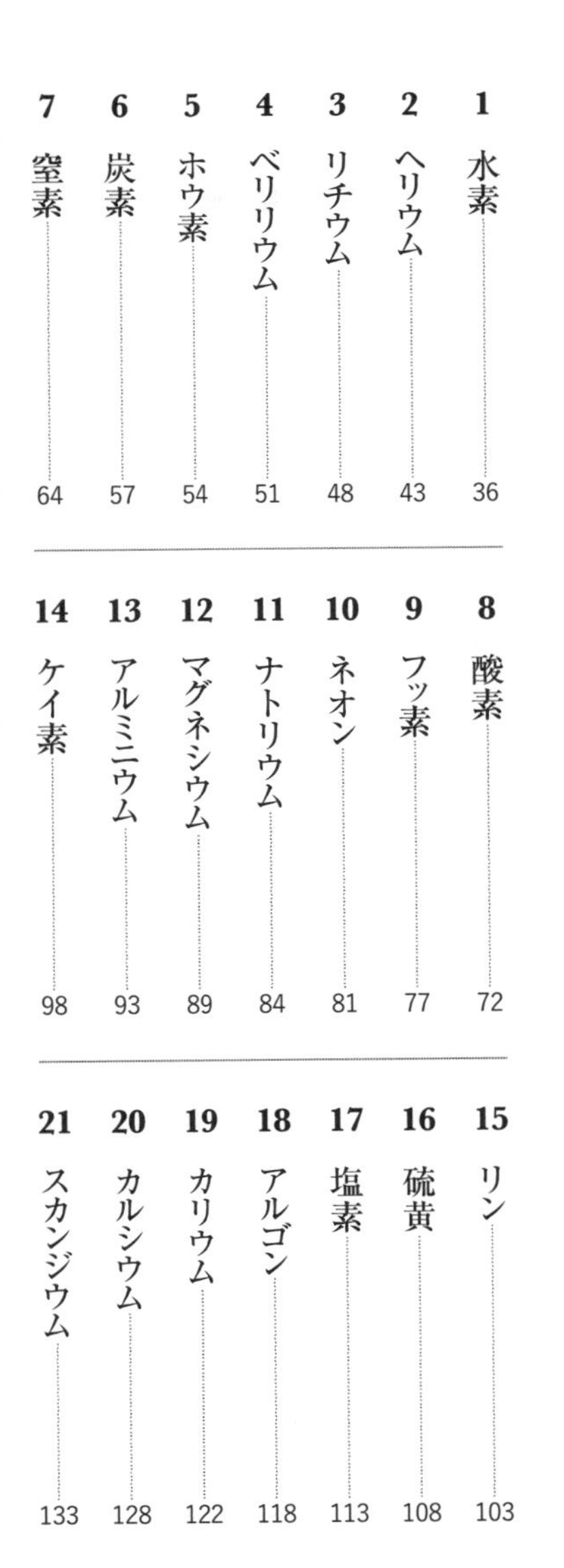

Column

巻末付録

元素とは何か

現代文明が高度に進歩し、それにともなってさまざまな考え方が花開く時代になればなるほど、われわれは自らを考える機会を失ってきているように思われる。現代という時代に囚われたわれわれを見て、シャイアン族（アメリカ先住民）の古老が、「あなたたちはなぜ〝たましい〟のことを話さないのか。それがとてもふしぎだ。あなたたちは〝たましい〟というものをもっていないのか……」といったそうである。

地球上の人間はすべて同じ肉体、同じ物質、そして同じ元素からできているのに、つまり、人間を化学的に分割していけば、すべて同じ元素からつくられているのに、なぜわれわれには〝たましい〟が宿っているように見えないのだろうか。人間から元素への理解はできても、元素から人間、そして精神への理解はきわめて難しいように見える。物質・肉体と精神の関係については古来、多くの識者・賢人が語り続けてきたが、いまだ謎は残されたままだ。

宇宙、地球、環境、動物、植物、そして人間が、すべて特定の元素またはそれらの組み合わせからつくられていることは、現代ではすべての人が疑うことなく受け入れることのできる物質観（物質に対するきわめて大切な考え方）である。しかし、この考え方が確立され、そして一般に受け入れられるようになるまでに、人類は約５０００年もの歳月を費やしてきた。

人類が〝火〟を手に入れ、木を燃やした炭（木炭＝還元剤）が偶然に焚き火のまわりの岩石から「金」をもたらした発見の感動が、この物質観を生み出す最初のステップとなった。人類が「金」に続いて「青銅」を、そして「鉄」を手に入れる歴史の流れの中で、紀元前のギリシャ人たちは「物質とは何か？」を本格的に考えるようになった（表A）。

物質観はその後、エジプトを経て、9～10世紀になるとアラビア半島で、価値の低い金属（卑金属）を価値の高い金属（貴金属）に変えようとする錬金術が興り、現代の実験的化学の原形を準備することとなる。錬金術は所期の目標（成果）を達成することはできなかったが、化学的なものの考え方や技術は、中世のヨーロッパに引き継がれた。１６６９年、ドイツの錬金術師であり化学者でもあったブラントは、人の尿から新元素・リンを発見した。

古代から中世の時代までに知られていた元素は、金、銀、銅、鉄、鉛、スズ、水銀、亜鉛、ビスマス、炭素、硫黄、アンチモン、そしてヒ素の13元素であったが、これらはすべて、自然元素、あるいは鉱物として人々が手に取り、目で見ることのできる存在であった。ブラントは、日常的には見ることのできない元素を見える形で取り出すことに成功した、人類史上最初の錬金術師・化学者であった。ブラントによるリンの発見は、自然界や生体中に元素が〝見えない形〟で存在していることを示すとともに、それらから新しい元素を発見できる可能性の扉を開けることとなった。

人名	時代	思想
ターレス	紀元前624 〜紀元前546	万物の源は水である。この「万物の源」の追求から実体の探求が始まった。
アナクシメネス	紀元前585 〜紀元前528	空気が物質の根源である。その濃淡で火・風を生じ、さらに雲・水・土・石ができる。
ヘラクレイトス	紀元前535 〜紀元前475	火が万物の源である。万物は流転する。
パルメニデス	〜紀元前450頃	世界は不変・不動の一つである。
エンペドクレス	紀元前493 〜紀元前433	先人の考えを調和させた。根源である土・水・空気（風）・火の四元素の結合で諸変化を生ずる。
レウキッポス	紀元前5世紀頃	デモクリトスの師で、初めて原子説を唱えたとされるが、実在を疑う人もいた。
デモクリトス	紀元前460 〜紀元前370	世界は空虚と無数の原子からなり、いろいろの事物は空虚の中で動いている原子の結合・分離にもとづく。
アリストテレス	紀元前384 〜紀元前322	「われわれは知られた事実から始めねばならぬ」としてデモクリトスに反対した。万物の具体的根源である「質料」は水・土・空気・火である。

表A　ギリシャの物質観
（『元素の話』斎藤一夫、培風館より、一部改変）

18世紀になると、キャヴェンディッシュ、プリーストリー、ラザフォード、シェーレらが、空気中から気体元素を発見し、実験化学の重要性を示した。スウェーデンのアルフェドソンは、鉱物界から初めてとなるアルカリ金属元素・リチウムを発見し、19世紀の新元素発見ラッシュへの道を拓くこととなった。このような背景のもとで、物質を体系化しようとする試みに乗り出したのは、イギリスのボイルであった。ボイルに始まり、プリーストリー、ラボアジェ、ドルトン、アボガドロなどの天才・巨星が次々に現れ、近代的な物質観の確立に大いに貢献した歴史の流れには、人類の大きな〝こころざし〟を見る思いである。

ドルトンが最初に用いた元素記号は20種類であったが（表B）、その後もどんどん発見され、とりわけ19世紀に入ってからの元素の発見には、目覚ましいものがあった（表C）。現在では、約90種類の元素が自然界から発見され、人工的に29種類がつくられている。

ところで、これまで無造作に使ってきた「元素」や「原子」について、いったいどのようにとらえておけばよいのだろうか？　少し考えてみよう。まず、手もとにある辞書（『広辞苑』〔第七版〕岩波書店）で「元素」を引いてみる。

元素 element　①万物の根源をなす究極的要素。古代ギリシアにおける土・空気・火・水。②化学的手段（化学的反応）によっては、それ以上に分解し得ない物質。単体に対してもいった。③原子の種類。金・銀・銅・鉄・水素・酸素・炭素・窒素など。原子番号の等しい原子は

記号	ドルトンの元素名と原子量		今日の元素名と原子量	
	hydrogen	1	水素	1.008
	azote	5	窒素	14.01
	carbon	5.4	炭素	12.01
	oxygen	7	酸素	16.00
	phosphorus	9	リン	30.97
	sulphur	13	硫黄	32.07
	magnesia	20	マグネシウム	24.31
	lime	24	カルシウム	40.08
	soda	28	ナトリウム	22.99
	potash	41	カリウム	39.10
	strontian	46	ストロンチウム	87.62
	barytes	68	バリウム	137.3
I	iron	50	鉄	55.85
Z	zinc	56	亜鉛	65.38
C	copper	56	銅	63.55
L	lead	90	鉛	207.2
S	silver	190	銀	107.9
G	gold	190	金	197.0
P	platina	190	白金	195.1
	mercury	167	水銀	200.6

表B　ドルトンの元素記号と原子量

年代	元素数	元素名
古代	10	金　銀　銅　水銀　炭素　スズ　鉛　硫黄　鉄 アンチモン
中世	5	ヒ素　亜鉛　ビスマス　リン　白金
18世紀 (前半)	2	コバルト　ニッケル
18世紀 (後半)	13	窒素　マンガン　酸素　塩素　水素　モリブデン テルル　タングステン　ウラン　ジルコニウム イットリウム　チタン　クロム
19世紀 (前半)	27	タンタル　パラジウム　オスミウム　セリウム　ロジウム イリジウム　ナトリウム　カリウム　ホウ素 アルミニウム　カルシウム　ストロンチウム　バリウム マグネシウム　ヨウ素　リチウム　カドミウム　セレン ケイ素　臭素　トリウム　ベリリウム　ルテニウム バナジウム　ランタン　エルビウム　テルビウム
19世紀 (後半)	26	セシウム　ルビジウム　タリウム　インジウム ニオブ　ヘリウム　ガリウム　イッテルビウム ガドリニウム　スカンジウム　サマリウム ホルミウム　ツリウム　ゲルマニウム プラセオジム　ネオジム　フッ素　ジスプロシウム アルゴン　ユウロピウム　クリプトン　ネオン キセノン　ポロニウム　ラジウム　アクチニウム
20世紀 (前半)	14	ラドン　ルテチウム　プロトアクチニウム　ハフニウム レニウム　テクネチウム　フランシウム　ネプツニウム プルトニウム　アスタチン　キュリウム アメリシウム　プロメチウム　バークリウム
20世紀 (後半)	16	カリホルニウム　アインスタイニウム　フェルミウム メンデレビウム　ノーベリウム　ローレンシウム ラザホージウム　ドブニウム　シーボーギウム ボーリウム　マイトネリウム　ハッシウム ダームスタチウム　レントゲニウム　コペルニシウム フレロビウム
21世紀	5	ニホニウム　モスコビウム　リバモリウム　テネシン オガネソン

表C　元素の発見された年代

同じ元素である。現在、自然界に90種余り、人工的な元素を含めて110種余りが知られる。

元素に関しては、だいたいわかった。それでは、元素と原子はどう違うのか？　次に、原子を調べてみよう。

原子 atom　①〔哲〕アトム。②物質を構成する単位の一つ。各元素のそれぞれの特性を失わない範囲で到達し得る最小の微粒子。大きさはほぼ一億分の一センチメートル。原子核と電子から成る。

これでなんとなく元素と原子の違いがわかったような気がするが、もう一つしっくりこない。これについて、無機化学研究者の斎藤一夫がたいへんわかりやすく解説している（斎藤一夫『元素の話』培風館）。これをアレンジして、元素と原子の違いを見てみることにしよう。

一言でわかりやすくいえば、「原子」は「物質を構成する具体的な要素」である。すなわち「原子」は物質を構成する実体のある粒子のことである。たとえば、水素ガス（水素分子）や窒素ガス（窒素分子）という物質を構成する粒子は、それぞれ水素原子や窒素原子ということになる。

これに対して、「元素」は「性質を表す抽象的な概念」である。私たちが住む世界では、水素原子は水素ガス、水、アルコール、糖、アミノ酸、タンパク質などさまざまな状態で存在している。このようなすべての状態を含めた水素原子のことを、概念として「元素」とよんでいる。
したがって、原子の種類と元素の種類は一致している。宇宙にあるものは「すべて何かの原子からできている」ということを、「すべて元素からできている」といってもよいし、「元素はすべてのものをつくるもとである」といってもさしつかえない。

これでようやく、元素と原子の違いがわかりやすくなった。元へ戻って、原子は原子核と電子からできているとあった。そこで、原子核と電子を引いてみよう。

原子核 atomic nucleus　原子の中核をなす粒子。原子に比べるとはるかに小さいが、原子の質量の大部分が集中しており、陽電気を帯びる。陽子と中性子より成り、陽子の数が原子番号、両者の総数が質量数に等しい。核。

電子 electron　素粒子の一つ。原子・分子の構成要素の一つ。一九世紀末、真空放電中に初めてその実在が確認された。静止質量は9・1094×10^{-31}キログラム。電荷は－1・602×10^{-19}クーロンで、その絶対値を電気素量という。スピンは$\frac{1}{2}$。記号eまたはe^-。エレクトロン。

ここでさらにわかったことは、原子核は陽子と中性子からできていることである。では、陽子と中性子も引いてみよう。

陽子 proton　水素の原子核。電子の一八三六倍の質量と、電気素量に相当する陽電荷を持つ。スピンは$\frac{1}{2}$。素粒子の一つで、中性子と共に原子核の構成要素。10^{32}年以上の寿命を持つとされ、陽子の安定性は物質の安定性の基礎である。プロトン。

中性子 neutron　素粒子の一つ。陽子よりわずかに大きい質量を有し、電荷をもたず、物質中の透過性が強い。陽子とともに原子核を構成する。一九三二年、Jチャドウィックがアルファ粒子をベリリウムにぶつけたとき発見。ニュートロン。

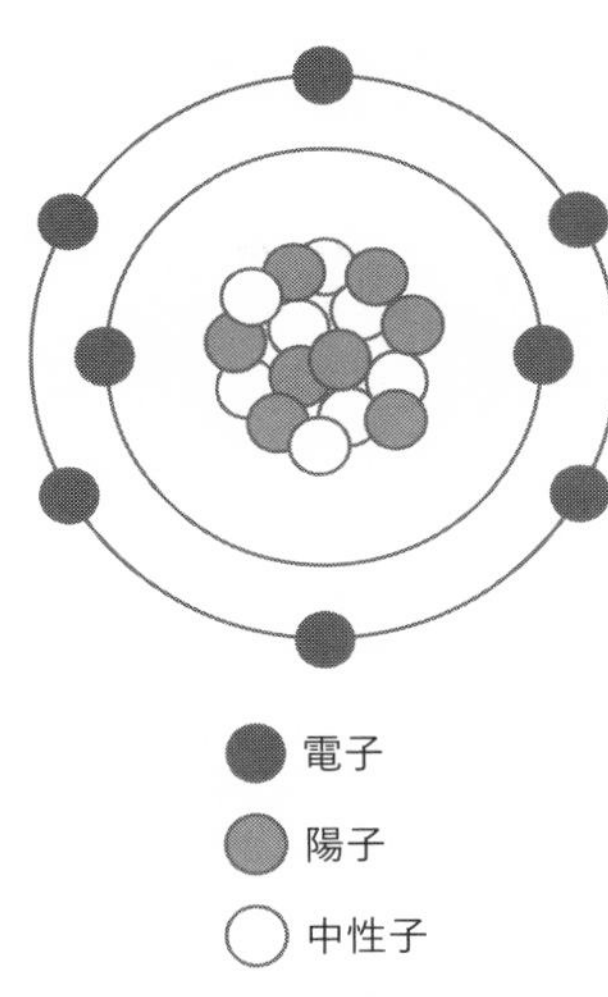

図A　原子の概念図

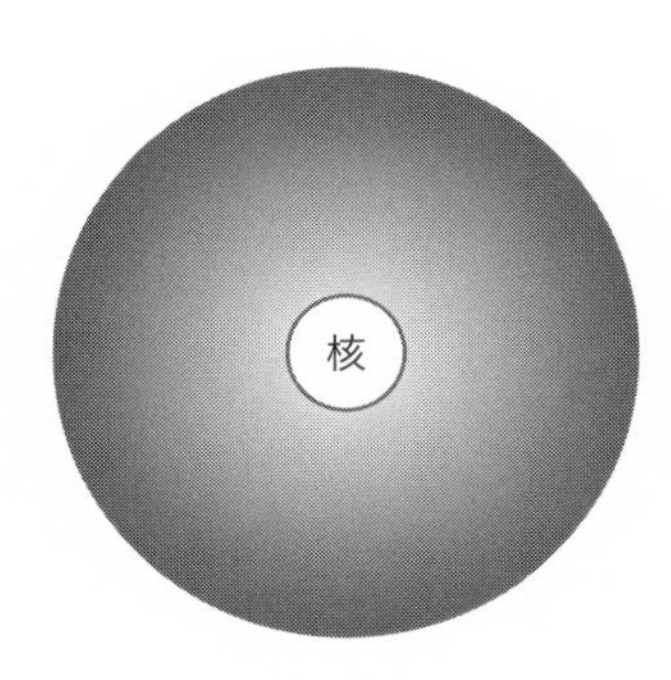

図B　量子力学的に見た原子

	質量比	電荷
電子	1	−
陽子	1836	＋
中性子	1839	0

表D　電子、陽子、中性子の性質

こうしてようやく、元素や原子が一般的にどのようなものであるかは理解できた。以上をまとめると、原子は、図Aのように描かれる。しかし、実際の原子は、原子核が真ん中に集中して、そのまわりを電子が飛び回り、やわらかな電子雲をつくっている（図B）。このモデルは量子力学的に考察されたものだが、ここでは量子力学までは踏み込まない。おおよそこのようなものだとイメージを描いていただければ、本書を理解するうえでは十分である。

原子の大きさはおよそ1Å（オングストローム。1Å＝1億分の1㎝）であり、原子核は原子の約10万分の1である。陽子、中性子そして電子の性質を簡単にまとめ、表Dに示した。

なお、本書では「核種」や「同位体」という言葉も随所に登場する。これも見ておこう。

核種 nuclide　核の種類。同位体の原子核を一つ一つ区別していう呼称。

同位体 isotope　原子番号が同じで、質量数が異なる元素。すなわち陽子の数が同じで、中性子の数の異なる原子核をもつ原子。水素と重水素の類。周期表上で同じ場所を占めるので、ギリシア語のisos（同じ）とtopos（場所）を合成して原語が与えられた。アイソトープ。同位元素。

つまり、「原子」は原子番号Z（陽子数）のみで表してもかまわないが、「核種」は原子番号Zと質量数A（原子核を構成する陽子と中性子の数の和）の二つで規定される原子のことを指し、「原子」より厳密に元素を表す言葉として用いられる。

現在、自然にある元素と人工的につくりだされた元素をすべてあわせると118個を超える。本書は、元素名がつけられている原子番号118までの元素について、原子番号順に一つずつ解説してある。「はじめに」でも触れたように、元素はそれぞれに個性をもち、実にさまざまな働きや機能をもっている。まずそのことに驚かされる。

また、陽子の数がたった1個違っただけでまったく異なる元素になり、まったく違った性質を示すことのふしぎさも感じるだろう。中性子の数が違うために、同じ元素でも炭素14のように放射性になったり、炭素12や炭素13のように非放射性になる場合がある。陽子の数も中性子の数も同じなのに、ダイヤモンドになったり炭になったりする炭素のような元素もある。

本編に入る前に、おおよその元素の分類と、本編のデータを見る際の注意を簡単に記しておく。

何はともあれ、元素の世界を大いに楽しんでいただきたい。

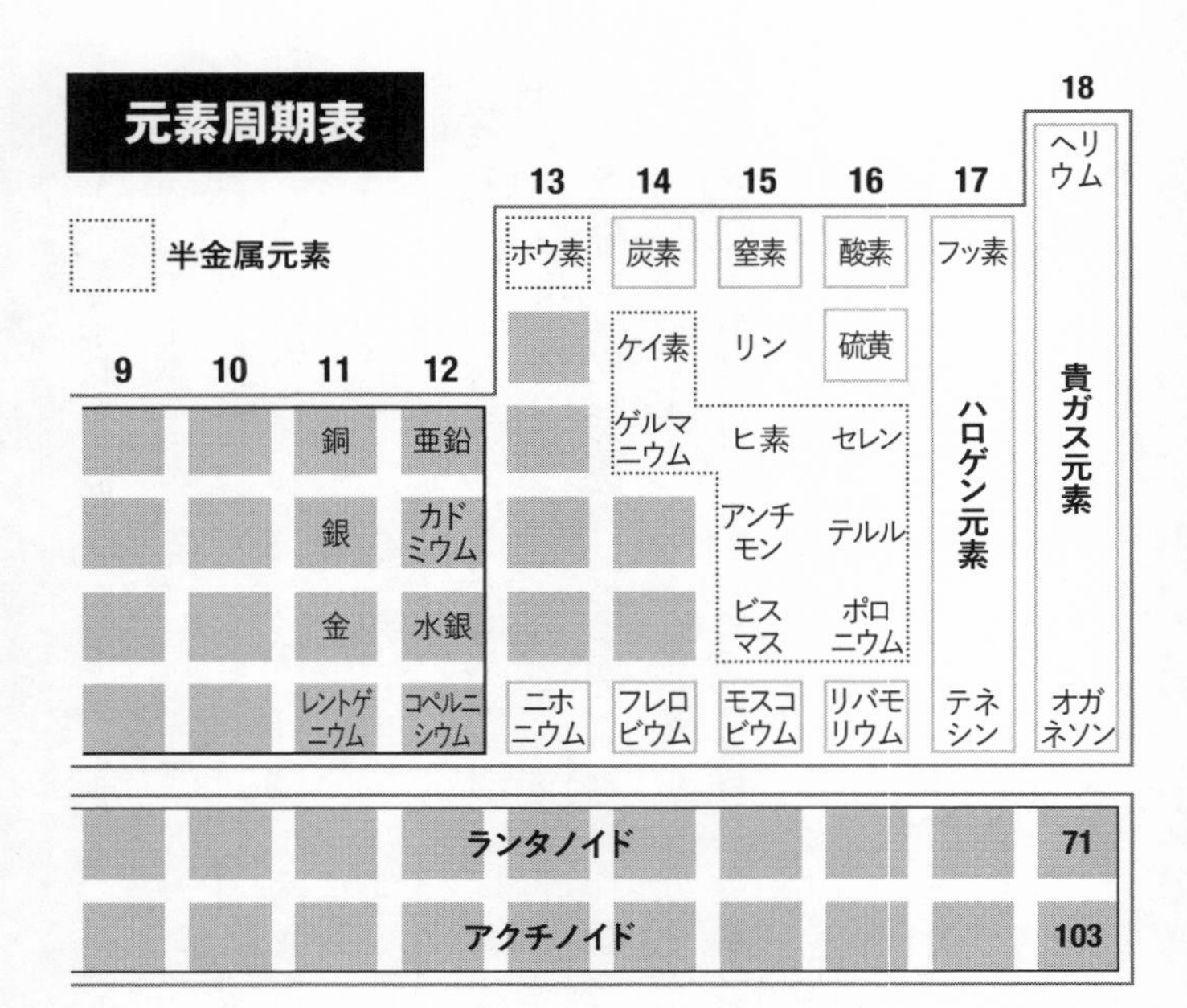

元素の分類

典型元素

周期表の1、2、13〜18族の50元素のことをいう。これら以外は遷移元素という。ただし、104番ラザホージウムから118番オガネソンまでの元素の化学的性質はまだ不明である。

遷移元素（dブロック元素、fブロック元素）

周期表の3〜12族の68元素のことをいう（12族を遷移元素に含めない場合もある）。原子番号が増すにしたがって、dまたはf

元素の分類

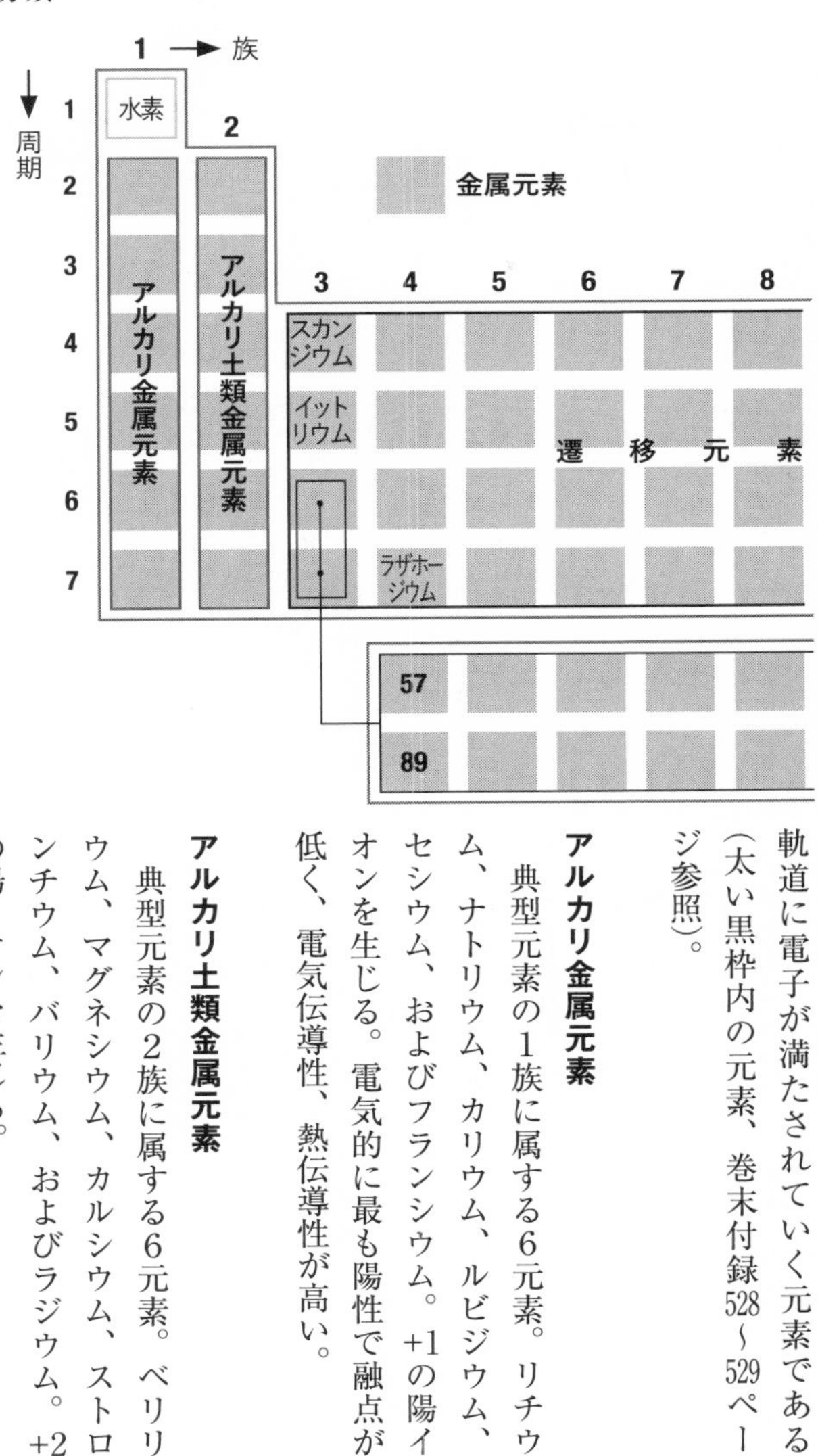

軌道に電子が満たされていく元素である(太い黒枠内の元素、巻末付録528〜529ページ参照)。

アルカリ金属元素

典型元素の1族に属する6元素。リチウム、ナトリウム、カリウム、ルビジウム、セシウム、およびフランシウム。+1の陽イオンを生じる。電気的に最も陽性で融点が低く、電気伝導性、熱伝導性が高い。

アルカリ土類金属元素

典型元素の2族に属する6元素。ベリリウム、マグネシウム、カルシウム、ストロンチウム、バリウム、およびラジウム。+2の陽イオンを生じる。

ハロゲン元素

典型元素の中の17族に属する6元素。フッ素、塩素、臭素、ヨウ素、アスタチンおよびテネシン。1個の電子を受けとると、化学的に安定な貴ガス元素と同じ構造になるため、−1の陰イオンおよび2原子分子X_2になりやすい。

貴ガス元素

典型元素の中の18族に属する7元素。ヘリウム、ネオン、アルゴン、クリプトン、キセノン、ラドンおよびオガネソン。化学的に安定かつ不活性であるため、不活性ガスともいう。

希土類元素（レアアース）

3族に属するスカンジウムとイットリウムの2元素に、ランタノイド15元素を加えた合計17元素をいう。

半金属元素

ホウ素、ケイ素、ゲルマニウム、ヒ素、セレン、アンチモン、テルル、ビスマス、ポロニウム。単体では金属と同じ電気伝導性を示すが、金属と比べると電気抵抗率がかなり高い元素をいう。

104番ラザホージウムから118番オガネソンまでの元素の化学的性質は、まだよくわかっていない。

データを見る際の注意

- 「同位体と存在比」で質量数に続けてmが書いてあるものは準安定核である。核異性体転移で壊変することが多い。[a, b] は、同位体存在比（%）がa～bの範囲にあることを表している。
- 「同位体と存在比」の中の略字の意味。
  α ➡アルファ壊変　　β^+ ➡ベータプラス（陽電子）壊変
  β^- ➡ベータマイナス（電子）壊変　　γ ➡ガンマ壊変
  EC ➡電子捕獲　　IT ➡核異性体転移　　SF ➡自発核分裂
- 壊変様式に続く数字は半減期（放射性元素の壊変により原子数が半分に減るまでの時間）を示す。y＝年、d＝日、h＝時間、m＝分、s＝秒、ms＝ミリ秒、μs＝マイクロ秒を表している。
- 元素によってはいくつかの同位体が存在する。原子量に変動範囲がある場合には、[a, b] で示し、原子量がa～bの範囲にあることを表している。
- 天然に安定同位体がない元素については、その元素の放射性同位体の質量数の一例を［　］で示した。
- 「地殻濃度」の単位「ppm」は、「マイクログラム／グラム」または「ミリグラム／キログラム」のことである。
- 「酸化数」は、元素がとりうる酸化状態を表す数値で、そのあとにその酸化数をとる代表的な化合物を示してある。
- 周期表の中に該当する元素の位置をスミアミをかけて示してある。

解説文のマーク

本書は3つのマークによって解説文を区分けしている。厳密な区分けではないが、読み進める際の目安にはなろう。

発見にまつわるエピソード、発見者、名称の由来、元素の歴史、元素の一般的性質など

暮らしの中での利用、特殊な用途、化合物の性質など

生体における元素の役割、医薬品としての利用、毒物としての側面など

1

H

水素は最も基本的な元素で、その原子核には陽子が1個だけあり、中性子は存在しない。

海洋と地殻を含む地球表面に、水素は酸素（O）とケイ素（Si）に次いで、原子数で3番目に多く存在する。その大部分は、海洋水（H_2O）として存在している（質量の10・8％）。大気中の気体水素（H_2）は空気1 m^3あたり1 mL以下と、ごくわずかで

水素／Hydrogen

同位体と存在比(%)	
^{1}H	[99.972, 99.999]
^{2}H	[0.001, 0.028]
^{3}H	0, β^-, 12.312y

電子配置	$1s^1$
原子量	[1.00784, 1.00811]
融点(K)	14.01(−259.14℃)
沸点(K)	20.28(−252.87℃)
密度($kg \cdot m^{-3}$)	76.0(固体, 11K)
	70.8(液体, 14K)
	0.08988(気体, 273K)
地殻濃度(ppm)	1520

酸化数		
酸化数	−1	NaH, CaH_2
	0	H_2
	+1	H_2O, NH_3, CH_4, HF

1	2	3	4	5	6	7	8	9	10	11	12	13	14	15	16	17	18
1 H																	2 He
3 Li	4 Be											5 B	6 C	7 N	8 O	9 F	10 Ne
11 Na	12 Mg											13 Al	14 Si	15 P	16 S	17 Cl	18 Ar
19 K	20 Ca	21 Sc	22 Ti	23 V	24 Cr	25 Mn	26 Fe	27 Co	28 Ni	29 Cu	30 Zn	31 Ga	32 Ge	33 As	34 Se	35 Br	36 Kr
37 Rb	38 Sr	39 Y	40 Zr	41 Nb	42 Mo	43 Tc	44 Ru	45 Rh	46 Pd	47 Ag	48 Cd	49 In	50 Sn	51 Sb	52 Te	53 I	54 Xe
55 Cs	56 Ba		72 Hf	73 Ta	74 W	75 Re	76 Os	77 Ir	78 Pt	79 Au	80 Hg	81 Tl	82 Pb	83 Bi	84 Po	85 At	86 Rn
87 Fr	88 Ra		104 Rf	105 Db	106 Sg	107 Bh	108 Hs	109 Mt	110 Ds	111 Rg	112 Cn	113 Nh	114 Fl	115 Mc	116 Lv	117 Ts	118 Og

ランタノイド(57〜71)	57 La	58 Ce	59 Pr	60 Nd	61 Pm	62 Sm	63 Eu	64 Gd	65 Tb	66 Dy	67 Ho	68 Er	69 Tm	70 Yb	71 Lu
アクチノイド(89〜103)	89 Ac	90 Th	91 Pa	92 U	93 Np	94 Pu	95 Am	96 Cm	97 Bk	98 Cf	99 Es	100 Fm	101 Md	102 No	103 Lr

1 H 水素

図1-1 キャヴェンディッシュ（1731 － 1810）

ある。一方、人体の約60％が水分であり、健康のために毎日2・5Lの水分をとる必要がある。水素は水の質量の11・1％を占め、タンパク質や核酸などの成分としても生体に必須である。

イギリスの物理学者キャヴェンディッシュは1766年、初めて水素ガスを分離して発見した。しかし、すでに1671年には、同じくイギリスの化学者ボイルが、鉄を希硫酸に溶かすと、燃える気体（H_2）が発生することを記載している。水素の英語名hydrogenは、hydro（水）＋gen（つくるもの）で、「水をつくるもの」という意味である。1789年にフランスの化学者ラボアジェがhydrogèneと命名したのが最初であるとされている。

水素は、宇宙空間で最も豊富に存在する元素である（質量の約71％）。他の元素はすべて、宇宙創成のビッグバンや超新星爆発のときに、核融合反応（42ページのコラム1）によって水素原子から生まれたと考えられる。太陽は巨大な水素のかたまりで、水素原子4個からヘリウム（He）原子1個ができる核融合反応が現在も起こっており、発生するエネルギーが熱や光の源となっている。

水素原子で、中性子を1個もつ質量数2の同位体を重水素、またはデューテリウム（^{2}HまたはD）、中性子を2個もつ質量数3の同位体を三重水素、またはトリチウム（^{3}HまたはT）とよぶ。他の元素とは異なり、水素の同位体は、普通の水素原子の2倍、3倍というように質量差が大きいために性質の差も大きく、このように特別な名称がつけられている。アメリカの化学者ユーリーは、１９３２年に重水を発見した功績で１９３４年のノーベル化学賞を受賞した。

水素原子から電子がとれた水素イオン（H^+）は、陽子（プロトン）そのものであり、酸性の源である。１９２３年にブレンステッドとローリーは、水素イオンを放出する物質を「酸」、受け取る物質を「塩基」と定義した。酸性度を定量的に表すのに、水素イオン濃度$[H^+]$は、水中で1mol・L^{-1}から10^{-14} mol・L^{-1}の広範囲で変化するので、そのままではなく、対数値に負号をつけたpH（ピーエイチ、水素イオン指数）で表記する（$pH = -\log[H^+]$）。

中性の水でも、ごく一部分（10^{-7}、１０００万分の１程度）が水素イオンと水酸化物イオン（OH^-）に分かれており、25℃で水素イオン濃度は10^{-7} mol・L^{-1}なので、pH＝７である。pHが７よりも大きい水溶液はアルカリ性、７より小さい水溶液は酸性であり、pHの数値が小さい溶液ほど酸性度は強い。なお、ヒトの体液はpH＝７・４と弱アルカリ性に保たれている。

水素の単体H_2は、無色・無味・無臭のガスで、重さは空気の14分の１と気体の中では最も軽い。１Lを風船に詰めると１・２gの浮揚力が得られる。20世紀初頭には巨大飛行船の浮揚ガスに使われたが、引火しやすい性質によって爆発事故が起きたため、ヘリウムに取って代わられた。史上初めて水素気球で空中飛行した人物はフランスのシャルルで（ボイル－シャルルの法則で有名）、１７８３年のことであった。工業的には、水素ガスは石油類と水蒸気の高温反応や、溶融鉄と水蒸気の高温反応などでつくられる。

水素ガスの最大の工業的用途は、窒素（N_2）と反応させてつくるアンモニア（NH_3）合成である。また、トウモロコシ油や綿実油（めんじつゆ）などの液体油に水素を添加すると、分子内部の炭素－炭素二重結合が減少して、バターと同じ程度の硬さをもつ固体に変わる。これがマーガリンである。

水素は、ロケット燃料や金属精錬の還元剤としても利用される。水素ガスと酸素ガスを体積比2対1で混ぜて点火すると、爆発的に反応して水になる(燃料電池)。水素は、燃焼しても二酸化炭素などの温室効果ガスを排出しない。日常生活や産業活動の主なエネルギー源として水素を利用する社会を、水素社会とよぶ。水素自動車(水素ステーション利用)や水素列車(ドイツで2022年から実施)がすでに運用されている。水素社会の実現に向けて、日本の経済産業省は2018年から2022年までに5回の水素閣僚会議を開催した。世界の国・地域・国際機関・企業からメッセージが寄せられ、活発な議論が展開された。

水素は最も軽く、分子量が最小で、同じ温度なら、水素分子の飛翔速度はすべての気体でいちばん大きい。このため、熱伝導率が高く、空気の約7倍もある。冷却効果に優れ、発電所のタービン発電機などの冷却材として使われている。

多くの金属は、水素を吸収する。パラジウムと白金には、常温1気圧でそれぞれ自らの体積の350～800倍もの水素を吸収する性質がある。この場合は水素分子(H_2)ではなく、原子状になって金属格子の間に入り込んでいる。このとき金属は、著しく膨張してもろくなる。

原子には、電子を引きつけようとする傾向があり、この性質を電気陰性度とよぶ。酸素や窒素は、電気陰性度の大きい元素である。これらの原子に結合したX—H型(XはNやO)のH原子は、X—H…Yという水素原子Hを間に挟んで他原子Y(YはNやO)とゆるく結びつく。このH…Y部分を水素結合という。

水分子(H_2O)も、水中で単独に存在するのではなく、水素結合O—H…Oにより、他の水分子と網目状につながった大きな集合体をつくっている。こ

H 2.1							
Li 1.0	Be 1.5	B 2.0		C 2.5	N 3.0	O 3.5	F 4.0
Na 0.9	Mg 1.2	Al 1.5		Si 1.8	P 2.1	S 2.5	Cl 3.0
K 0.8	Ca 1.0	Sc 1.3	Ti–Ga 1.7±0.2	Ge 1.8	As 2.0	Se 2.4	Br 2.8
Rb 0.8	Sr 1.0	Y 1.2	Zr–In 1.9±0.3	Sn 1.8	Sb 1.9	Te 2.1	I 2.5
Cs 0.7	Ba 0.9	La–Lu 1.1	Hf–Tl 1.9±0.4	Pb 1.8	Bi 1.9	Po 2.0	At 2.2
Fr 0.7	Ra 0.9	Ac 1.1	Th 1.3				

表 1-1　電気陰性度（ポーリングによる）

のため、分子量が似ている水（融点0℃、沸点100℃）とメタンCH_4（融点マイナス182・5℃、沸点マイナス161・5℃で水素結合をつくらない）を比べると、水の融点と沸点はそれぞれ182・5℃と、261・5℃も高くなる。

水素結合はタンパク質でも見られる。タンパク質はアミノ酸が一列に並んだひも状の分子だが、単に長く伸びるのではなく、アミノ酸どうしが水素結合でまとまって、コンパクトな形になる傾向がある。

遺伝物質であるデオキシリボ核酸（DNA）は、

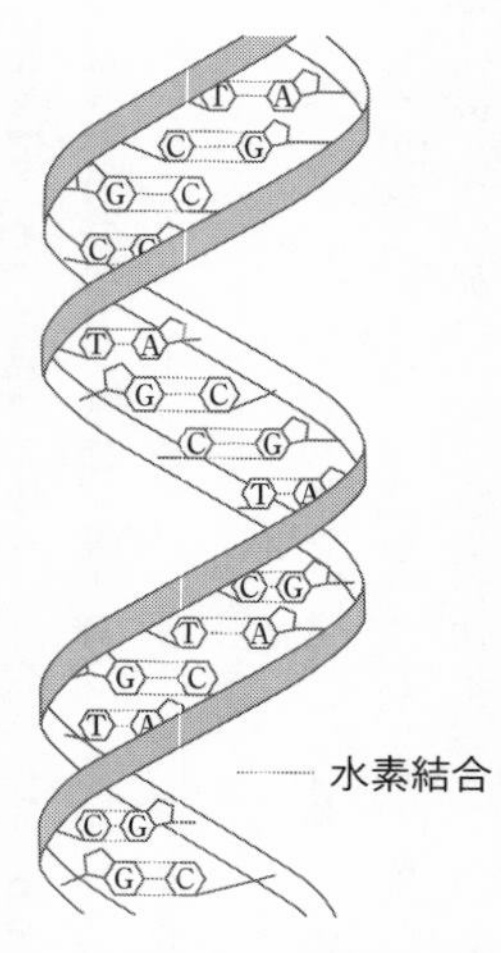

図 1-2　DNA の二重らせんと水素結合

核酸塩基が一列に並んだ鎖状分子であるが、2本のDNA鎖が、たがいに細長くらせんを描いて絡みあう「二重らせん構造」をとっている。この構造を解明したワトソンとクリックは1962年、ノーベル生理学・医学賞を受賞した。

二重らせん構造の安定化にも核酸塩基間の水素結合が重要である。おだやかな水素結合は切れやすい結合である。そのため、DNAの二重らせんはほどけやすく、遺伝子の複製には好都合である。

有機化合物を磁場の中に置いて、化合物中にある水素原子の位置情報を調べる核磁気共鳴法（NMR）という分析法がある。NMRを使うと、化学合成した物質の構造確認ができるだけでなく、分子中にある水素原子の電子状態もわかるため、化学分析には欠かせない手段である。

NMRは医療にも応用され、特に核磁気共鳴画像法（MRI）とよばれている。大きな超伝導磁石の円筒形空洞に体を横たえて入れると、体内にある水の分布度の違いから臓器や骨を映像化できる。MRIは放射線による被曝がない方法で、体を傷つけずに全身の縦横自在の断層映像、脳や臓器の立体画像が撮れるため、病気の診断などに使われる。

水素ガス（H_2）は従来、医療の分野で用いられることはなかったが、新しい成果が報告されている。動物実験の成果から、水素ガス吸入治療法が厚生労働省の先進医療の一つとして2016年11月30日に承認されている。これは世界初の治療法である。心肺停止となった患者に酸素ガス98％と水素ガス2％の混合ガスを18時間吸入させると、脳や心臓の傷害を最小限に食い止めることができる治療法である。水素分子は活性酸素の中でもヒドロキシルラジカル（・OH）とペルオキシナイトライト（$ONOO^-$）（124ページの表19－1参照）を消去できるため、水素分子の抗酸化作用によると考えられている。

Column 1

核融合――Nuclear fusion

原子核どうしが反応した結果、反応の前よりも重い原子核が生成される反応を核融合といい、核分裂と反対の反応である。太陽や恒星などが放出している巨大なエネルギーは、この核融合反応による。おもに水素、重水素（デューテリウム）、三重水素（トリチウム）などがヘリウムになる反応が中心であり、軽い原子核が核融合によって、より安定となるためである。たとえば①～③の反応が知られている。

水素原子は、宇宙に存在するすべての原子の約92％を占め、太陽では①の反応が生じている。

核融合によって放出されるエネルギーは、同じ原子数で比べると、化石燃料の約100万倍にもなる。原料となる重水素が海水中にほぼ無限に存在するため、未来のエネルギーとして期待されている。

$$4 \times {}^{1}H \longrightarrow {}^{4}He + 26.2MeV \quad ①$$

$${}^{2}H + {}^{3}H \longrightarrow {}^{4}He + {}^{1}n + 17.8MeV \quad ②$$

$${}^{2}H + {}^{2}H \longrightarrow {}^{3}He + {}^{1}n + 3.27MeV \quad ③$$

1Vの電位差がある空間で電子1個が得るエネルギーを1eV（エレクトロンボルト）としている。

$1eV = 1.6021765 \times 10^{-19}J$（ジュール）

$1MeV = 1.6021765 \times 10^{-13}J$

2 He

ヘリウム／Helium

同位体と存在比(%)	
^{3}He	0.0002
^{4}He	99.9998

電子配置	$1s^2$
原子量	4.002602
融点(K)	0.95(−272.2℃, 加圧下)
沸点(K)	4.216(−268.934℃)
密度($kg\cdot m^{-3}$)	124.8(液体, 4.2K)
	0.1785(気体, 273K)
地殻濃度(ppm)	0.008

酸化数	0	He

1	2	3	4	5	6	7	8	9	10	11	12	13	14	15	16	17	18
1 H																	2 He
3 Li	4 Be											5 B	6 C	7 N	8 O	9 F	10 Ne
11 Na	12 Mg											13 Al	14 Si	15 P	16 S	17 Cl	18 Ar
19 K	20 Ca	21 Sc	22 Ti	23 V	24 Cr	25 Mn	26 Fe	27 Co	28 Ni	29 Cu	30 Zn	31 Ga	32 Ge	33 As	34 Se	35 Br	36 Kr
37 Rb	38 Sr	39 Y	40 Zr	41 Nb	42 Mo	43 Tc	44 Ru	45 Rh	46 Pd	47 Ag	48 Cd	49 In	50 Sn	51 Sb	52 Te	53 I	54 Xe
55 Cs	56 Ba		72 Hf	73 Ta	74 W	75 Re	76 Os	77 Ir	78 Pt	79 Au	80 Hg	81 Tl	82 Pb	83 Bi	84 Po	85 At	86 Rn
87 Fr	88 Ra		104 Rf	105 Db	106 Sg	107 Bh	108 Hs	109 Mt	110 Ds	111 Rg	112 Cn	113 Nh	114 Fl	115 Mc	116 Lv	117 Ts	118 Og

ランタノイド(57〜71)	57 La	58 Ce	59 Pr	60 Nd	61 Pm	62 Sm	63 Eu	64 Gd	65 Tb	66 Dy	67 Ho	68 Er	69 Tm	70 Yb	71 Lu
アクチノイド(89〜103)	89 Ac	90 Th	91 Pa	92 U	93 Np	94 Pu	95 Am	96 Cm	97 Bk	98 Cf	99 Es	100 Fm	101 Md	102 No	103 Lr

1868年の皆既日食のとき、フランスのジャンセンは太陽コロナに新しい発光スペクトルを観測した。その2ヵ月後、イギリスのロッキャーもケンブリッジで未知の発光スペクトルを発見した。ロッキャーは仲間のフランクランドの協力を得て、ギリシャ語の太陽heliosに由来する名称として、これをヘリウムと名づけた。

1890年には、ヒルデブランドがウラン鉱石から微量の不活性ガス（貴ガス元素）を分離し、1895年にラムゼーがそれを未知の物質であると確認した。さらに、物理化学者クルックスは、この気体が太陽コロナのヘリウムと同じ発光スペクトル線をもつことを示した。

　宇宙には、ビッグバンやその後に水素が核融合反応することによって生成したヘリウムが豊富にあり（質量の27％）、水素に次いで2番目に多い。太陽などの恒星が熱く輝くのは、水素が核融合してヘリウムができるためである。しかし、軽いヘリウムは地球の重力では保持できないため、地球大気中には1m^3あたり5mLしか存在しない。工業的なヘリウム源は、北アメリカやアルジェリア産の天然ガスで、その中には岩石中の放射性元素の崩壊でできたヘリウムが1～7％含まれている。

　ヘリウム（He）は無色・無味・無臭の単原子分子で、すべての物質の中で最も低い沸点（4.216K＝マイナス268.934℃）をもち、1気圧では絶対零度（0K＝マイナス273.15℃）でも液体のままである。

　ヘリウムガスを1K以下まで冷却して液化に成功したのは、オランダのオネスであった（1908年）。1926年には、オネスの指導を受けたケーソンがヘリウムの固体化に成功した。その後、ロシアの物理学者カピッツァは1938年に、ヘリウム4（陽子2個、中性子2個）が絶対温度2.2Kでコップの内壁を自然によじ登り、外に流れ出す超流動現象を発見した。また、アメリカの3人の物理学者リー、リチャードソン、オシェロフは、ヘリウム3（陽子2個、中性子1個の同位体）も0.002K以下で超流動状態になることを1970年代に発見した。超流動現象は、物理学の基礎理論である量子力学の効果が巨視的なスケールで発現した結果と考えられている。

　また、ヘリウムが1気圧・絶対零度で固化しないのも、量子力学でいう不確定性原理の証拠である。

ヘリウムは水素に次いで軽く、しかも単原子分子である。そのため、ミクロな粒子では位置と運動量を同時に確定できないという不確定性原理が強く働き、ヘリウム原子は定まった位置に静止できないと考えられる。

ヘリウム4とヘリウム3での超流動現象の発見に対して、1978年と1996年にそれぞれノーベル物理学賞が授与された。ヘリウム4は25気圧以上で初めて固化する。

ヘリウムは単原子分子であるうえに分子直径が非常に小さいので、ガラスびんやゴム風船などを通り抜けてしまう。縁日で買ったヘリウムガス入りの風船がやがてしぼんでしまうのを経験した人もいるだろう。ヘリウムは密度が小さく1Lあたり0・18gしかない。ヘリウムを吸い込むと、通常よりもかん高い声が出るので、ヘリウム80%と酸素20%の混合ガスは、パーティー用雑貨として市販されている。声帯から出る音の速さは質量が小さい原子ほど速く、声帯での音の共鳴度は音速が大きいほど増えるので、かん高い声になる。

原子は、原子核とそれを取り囲む電子からできている。電子数は原子に固有で、原子番号（＝陽子数）に等しい。電子が入る電子軌道は何種類もあり、各軌道に収容される電子数は決まっている。いちばん外側の原子軌道が「完全充填（じゅうてん）」状態になると、原子の反応性はきわめて乏しくなる。ヘリウムの原子軌道は2個の電子で満たされた「完全充填」状態にあるため、活性が低く、他の原子とほとんど反応しない。

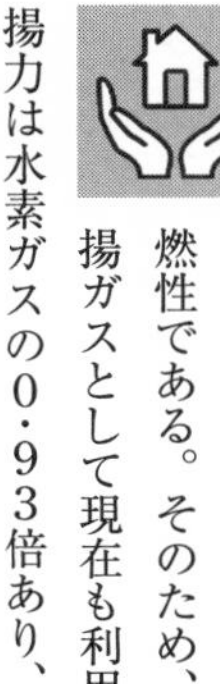

ヘリウムは水素ガスに次いで軽く、不燃性である。そのため、小型飛行船の浮揚ガスとして現在も利用されている。浮揚力は水素ガスの0・93倍あり、水素にひけをとらない。

沸点が4・2Kの液体ヘリウムは気化しても燃えないので、極低温をつくる安全な冷却材として使用できる。極低温では、金属の電位抵抗が急になくなる超伝導現象（47ページのコラム2）が現れやすい。超伝導現象を利用すると、少ない消費電力で強力な電磁石ができる。そこで、液体ヘリウムはリニアモーターカーや病院のＭＲＩに用いる超伝導磁石の冷却に使われる。

ヘリウムは、アメリカ、カタール、アルジェリア、オーストラリア、ロシア、ポーランドで生産されている一方、世界的な不足が科学や産業、交通、医療などで大きな問題となっている。日本はヘリウムをすべて輸入に頼り、医療用ＭＲＩや低温工学等に広く使われているため、不足の影響は深刻である。大学や病院の関係者は使用済みヘリウムガスのリサイクルに向けて取り組んでいる。

潜水作業後に高圧の深海から急浮上すると、圧力が低下して血液に溶け込んでいた窒素ガスが気泡として現れる。そのため、毛細血管が詰まり、脳や末梢組織への酸素運搬が妨げられ、潜水病が起きる。ヘリウムは水１Ｌあたり８・８mLと窒素の半分しか溶けないので、ヘリウムと酸素の混合ガスが潜水用に使われている。

Column 2

超伝導──Superconductivity

オランダのオネスは1908年、ヘリウムを液化して極低温をつくることに成功し、続いて1911年に水銀を4・2K（マイナス268・95℃）以下に冷やすと電気抵抗が突然ゼロになる現象を発見した。その後も、さまざまな金属や合金が、その物質固有の温度（臨界温度）以下になると電気抵抗がゼロになることが見出され、超伝導とよばれるようになった。超伝導状態では、超伝導体から磁束が排除される（マイスナー効果）。また、外部から磁場をかけると超伝導状態が破れ、常伝導となる。

超伝導が現れる機構は、1957年にバーディーン、クーパー、そしてシュリーファーの3人の研究者によって明らかにされたため、その頭文字をとってBCS理論とよばれている。この理論によると、金属中の電子は、結晶格子の振動（フォノン）に媒介されて互いに引き合い、クーパー対とよばれる電子対を形成して超伝導を示すと考えられている。

超伝導状態になると、抵抗によって電力を消費することなく電流を流すことができるため、電磁石、送電、モーター、発電機、そしてリニアモーターカーなどに利用されている。また、クーパー対のトンネル効果であるジョセフソン効果を利用して、超高感度の磁気センサーや超高速コンピュータが開発されている。20世紀後半から、銅酸化物、鉄酸化物、二ホウ化マグネシウム、ランタン水素化物などによる高温超伝導体の開発が活発に進んでいる。

3 Li

リチウム／Lithium

同位体と存在比(%)	
^{6}Li	[1.9, 7.8]
^{7}Li	[92.2, 98.1]

電子配置	[He]$2s^1$
原子量	[6.938, 6.997]
融点(K)	453.69(180.54℃)
沸点(K)	1620(1347℃)
密度($kg \cdot m^{-3}$)	534(固体, 273K)
	515(液体, 1620K)
地殻濃度(ppm)	20

酸化数	−1	液体アンモニア中の金属Li
	+1	Li_2O, LiOH, Li_2CO_3, LiH, $LiAlH_4$, LiF, LiCl, LiN_3

1	2	3	4	5	6	7	8	9	10	11	12	13	14	15	16	17	18
1 H																	2 He
3 Li	4 Be											5 B	6 C	7 N	8 O	9 F	10 Ne
11 Na	12 Mg											13 Al	14 Si	15 P	16 S	17 Cl	18 Ar
19 K	20 Ca	21 Sc	22 Ti	23 V	24 Cr	25 Mn	26 Fe	27 Co	28 Ni	29 Cu	30 Zn	31 Ga	32 Ge	33 As	34 Se	35 Br	36 Kr
37 Rb	38 Sr	39 Y	40 Zr	41 Nb	42 Mo	43 Tc	44 Ru	45 Rh	46 Pd	47 Ag	48 Cd	49 In	50 Sn	51 Sb	52 Te	53 I	54 Xe
55 Cs	56 Ba		72 Hf	73 Ta	74 W	75 Re	76 Os	77 Ir	78 Pt	79 Au	80 Hg	81 Tl	82 Pb	83 Bi	84 Po	85 At	86 Rn
87 Fr	88 Ra		104 Rf	105 Db	106 Sg	107 Bh	108 Hs	109 Mt	110 Ds	111 Rg	112 Cn	113 Nh	114 Fl	115 Mc	116 Lv	117 Ts	118 Og

ランタノイド(57〜71)	57 La	58 Ce	59 Pr	60 Nd	61 Pm	62 Sm	63 Eu	64 Gd	65 Tb	66 Dy	67 Ho	68 Er	69 Tm	70 Yb	71 Lu
アクチノイド(89〜103)	89 Ac	90 Th	91 Pa	92 U	93 Np	94 Pu	95 Am	96 Cm	97 Bk	98 Cf	99 Es	100 Fm	101 Md	102 No	103 Lr

スウェーデンの化学者アルフェドソンは1817年、ペタル石から新元素としてリチウムを発見した。当時、ナトリウム(Na)やカリウム(K)が動植物界に広く分布することが知られていた。鉱物界から初めて発見されたアルカリ金属元素として、彼はギリシャ語の石lithosにちなんでリチウムと名づけた。リチウムは火成岩や鉱泉の成分として広範囲に分布し、主要鉱石とし

てペタル石の他に紅雲母（べにうんも）やリチア輝石がある。

地球上の存在量はナトリウムの1800分の1程度しかないが、元素ができる過程を考えれば、軽いリチウム元素はもっと多量に存在するはずである。これは、宇宙で陽子（プロトン）から重い元素ができる際に、リチウムやベリリウムがつくられる核融合反応が進みにくいためである。2020年におけるリチウムの生産国は、リチウム塩が豊富なアタカマ塩湖があるチリに代わり、オーストラリアがトップになった（155ページのコラム8参照）。

図3-1 アルフェドソン（1792－1841）

リチウムは、塩化リチウム（LiCl）と塩化カリウム（KCl）の溶融混合物を450℃で電気分解してできる銀白色のやわらかい金属で、アルカリ金属に分類される。しかし、ナトリウムやカリウムとは違い、リチウムは空気中の窒素と反応して窒化リチウム（Li_3N）になる。

リチウムはすべての金属中でいちばん軽く（固体密度0・534g／cm^3）、アルミニウムの5分の1で、水よりも軽い。金属ナトリウムとは違い、リチウムは石油類よりも軽くて浮いてしまうためガソリン中では保存できず、表面にワセリンを塗って保存する。空気中ではすぐに酸化されるので、単体ではなく合金として利用される。融点と沸点は1200℃近くも離れている。塩類を炎に入れると美しい深紅色の炎色反応を示す。

水素ガスと反応してできる水素化リチウム（LiH）は、水と混ぜると水酸化リチウム（LiOH）になって多量の水素ガスを発生するので（1kgあたり2800L）、軍事

用の気球を浮かせる携帯用水素源として、第二次世界大戦で盛んに使われた。また、水酸化リチウムは二酸化炭素（CO_2）を吸収しやすく、宇宙船や潜水艦などの密閉空間における二酸化炭素除去剤に用いられている。

リチウムは、再使用できないリチウム一次電池と充電・再使用できるリチウムイオン電池（ＬＩＢ）に使われている。ＬＩＢは起電力４・２Ｖの小型軽量化を実現し、パソコンやスマートフォン、電気自動車や宇宙ステーションなどに用いられ、現代生活を一変させた。発明者であるグッドイナフ、ウィッティンガムと吉野彰は２０１９年にノーベル化学賞に輝いた。リチウムは、金属グリースとしても用いる。

炭素とリチウムが結合した有機リチウム類は、合成ゴムの原料であるイソプレンの製造触媒として欠かせない。また、水素化アルミニウムリチウム（$LiAlH_4$）は、強力な還元剤として有機合成化学で使われる。炭酸リチウム（Li_2CO_3）は強化ガラスやほうろう（金属表面にガラス質を融着させたもの）の原料として重要である。

オーストラリアの精神科医ケイドは１９４８年、炭酸リチウム（Li_2CO_3）に気分の異常な高揚を抑える効果があることを偶然に発見した。その結果は追試され、現在では酢酸塩、クエン酸塩、硫酸塩も双極性障害の治療薬として認められている。リチウムは、神経細胞内でイノシトール三リン酸とよばれる物質の生成を妨げ、カルシウムイオンの遊離を抑えることで神経細胞の興奮を鎮め、躁病に効くと考えられている。

しかし、リチウム化合物は過剰摂取すると、腎臓障害や昏睡を経て、死にいたる毒物でもある。これは、リチウムがナトリウムやカリウムなどの陽イオンと置換して、機能障害をもたらすためと考えられている。治療濃度と中毒濃度の差が小さいため、リチウムを投与するときは、定期的に血中濃度を確認しながら慎重に投与する方法がとられている。

4

Be

ベリリウム／Beryllium

同位体と存在比(%)	
^{7}Be	0, EC, γ, 53.22d
^{9}Be	100
^{10}Be	0, β^-, 1.387×10^6y

電子配置	[He]$2s^2$
原子量	9.0121831
融点(K)	1560(1287℃)
沸点(K)	2745(2472℃, 加圧下)
密度(kg・m^{-3})	1847.7(固体, 293K)
地殻濃度(ppm)	2.6

酸化数	+2	BeO, $Be(OH)_2$, BeH_2, $BeCl_2$, BeF_2, $BeCO_3$, Be_3N_2

1	2	3	4	5	6	7	8	9	10	11	12	13	14	15	16	17	18
1 H																	2 He
3 Li	4 Be											5 B	6 C	7 N	8 O	9 F	10 Ne
11 Na	12 Mg											13 Al	14 Si	15 P	16 S	17 Cl	18 Ar
19 K	20 Ca	21 Sc	22 Ti	23 V	24 Cr	25 Mn	26 Fe	27 Co	28 Ni	29 Cu	30 Zn	31 Ga	32 Ge	33 As	34 Se	35 Br	36 Kr
37 Rb	38 Sr	39 Y	40 Zr	41 Nb	42 Mo	43 Tc	44 Ru	45 Rh	46 Pd	47 Ag	48 Cd	49 In	50 Sn	51 Sb	52 Te	53 I	54 Xe
55 Cs	56 Ba		72 Hf	73 Ta	74 W	75 Re	76 Os	77 Ir	78 Pt	79 Au	80 Hg	81 Tl	82 Pb	83 Bi	84 Po	85 At	86 Rn
87 Fr	88 Ra		104 Rf	105 Db	106 Sg	107 Bh	108 Hs	109 Mt	110 Ds	111 Rg	112 Cn	113 Nh	114 Fl	115 Mc	116 Lv	117 Ts	118 Og

ランタノイド (57〜71)	57 La	58 Ce	59 Pr	60 Nd	61 Pm	62 Sm	63 Eu	64 Gd	65 Tb	66 Dy	67 Ho	68 Er	69 Tm	70 Yb	71 Lu
アクチノイド (89〜103)	89 Ac	90 Th	91 Pa	92 U	93 Np	94 Pu	95 Am	96 Cm	97 Bk	98 Cf	99 Es	100 Fm	101 Md	102 No	103 Lr

ベリリウムは、緑柱石ベリル（$3BeO \cdot Al_2O_3 \cdot 6SiO_3$）の成分として天然に存在することから、これにちなんでドイツのクラプロートが命名したものである。緑柱石の美しい結晶は、エメラルド（深緑色）やアクアマリン（淡青色）の宝石である。

フランスのヴォークランは1798年、当時は未知であった金属酸化物を発見したが、元素を単離できなかった。この化合物が甘みをもつため、彼はギリシャ語のglykys（甘い）からglucina（グルシナ）とよんだ。1828年にドイツのヴェーラーとフランスのビュシーは、緑柱石から単体金属を分離した。ベリリウムの命名は1943年のことである。

ベリリウムは、塩化ベリリウム（$BeCl_2$）と塩化ナトリウム（NaCl）の加熱融解物を電気分解してできる、もろくて硬い金属である。空気中では表面に酸化被膜ができて安定だが、金属微粉末を加熱すると光を放って燃え、酸化ベリリウム（BeO）や窒化ベリリウム（Be_3N_2）になる。

ベリリウムの原子半径は1.12Åと小さく、原子核の正電荷の影響が電子に及びやすい。このため、ベリリウムは電子を放出しにくく、完全にBe^{2+}となっている結晶性化合物は存在しない。電子を引きつける性質が強い酸素原子の塩である酸化ベリリウム（BeO）中でさえ、ベリリウム原子のイオン性は乏しく、共有結合性をおびている。

原子核まわりの電子が4個しかないベリリウムは、電子を原子核に強く引き寄せた安定な原子構造をもつ。そのためベリリウムは、X線が電子と相互作用することが少なく、X線をよく通す。この性質から、X線管からX線を取り出す窓部分に使われている。

一般に、原子核反応で生じた中性子は高いエネルギーをもつので、連鎖した核分裂をウラン（^{235}U）に起こさせるには、中性子の速度を落とす必要がある。ベリリウムは軽水（H_2O）や重水（D_2O）、高純度の炭素（^{12}C）とともに、中性子線の減速材として原子炉に使われる。減速材となる原理は、次のとおりである。静止した十円玉に別の十円玉を当てれば、当てた十円玉は止まり、当てられた十円玉は飛んでいく。すなわち、中性子が、同じくらいの質量の原子核に当たれば、中性子はほぼ静止し、原子核が飛ばされる。一方、重い原子核に当たれば、（はね返されていろいろな向きに変わるが）運動エネルギーは変わらない。したがって、できるだけ中性子の質量に近い原子核質量数をもった元素が減速材となりうる。中性子に最も質量の近いものは水素である。また、減速材としては、軽い原子であることに加え、中性子吸収が少ない（「40ジルコニウム」の項参照）ことも条件となる。

２０２１年12月に打ち上げられ、驚異的な宇宙画像を地球へ届けているジェイムズ・ウェッブ宇宙望遠鏡では、55Ｋ（マイナス２１８℃）の低温でも形状を保つことができるベリリウムが主体反射鏡に使われている。

ベリリウムにα線（ヘリウムの原子核）を当てると、

$${}^{9}_{4}\mathrm{Be} + {}^{4}_{2}\mathrm{He}\ (\alpha\text{線}) \rightarrow {}^{12}_{6}\mathrm{C} + {}^{1}_{0}\mathrm{n}\ (\text{中性子})$$

の核反応によって中性子が発生するので、実験室内の中性子線源に使われる。

酸化ベリリウム（BeO）や水酸化ベリリウム（$Be(OH)_2$）は酸、アルカリ水溶液の両方に溶ける両性化合物である。水酸化物を強熱すると酸化物（BeO）になる。酸化物は化学的に安定で耐火性にすぐれ、原子炉材料やロケットエンジンの燃焼室に使われる。炭酸ベリリウム（$BeCO_3$）は不安定で、二酸化炭素中でのみ安定である。

ベリリウムとその化合物には甘みがあるが、わずかな量で死にいたる強い毒性もある。しかし、なぜ毒性をもつのかはまだよくわかっていない。

ベリリウムの利用が始まった１９５０年代後半に、ベリリウムを分離、加工、利用する工場の従業員に、ベリリウム症とよばれる慢性および急性の食欲不振、呼吸困難、肉腫などが見られた。生体分子中にあるリン酸塩の部位に結合して、その機能を変えたためと考えられている。安全対策の結果、現在ではベリリウム症は見られなくなったが、加工作業での取り扱いには慎重さが要求される。

5 B

ホウ素／Boron

同位体と存在比(%)	
^{10}B	[18.9, 20.4]
^{11}B	[79.6, 81.1]

電子配置	[He]$2s^2 2p^1$
原子量	[10.806, 10.821]
融点(K)	2350(2077℃)
沸点(K)	4143(3870℃)
密度(kg・m^{-3})	2340(β型固体, 293K)
地殻濃度(ppm)	10

酸化数	+3	B_2O_3, H_3BO_3(=$B(OH)_3$), BCl_3, BF_3, $NaBH_4$, BH_3, $Na_2[B_4O_5(OH)_4]$・$8H_2O$ B_2H_6, B_4H_{10}, $B_{20}H_{16}$, BN, TiB_2, ZrB_3, CrB_3

1	2	3	4	5	6	7	8	9	10	11	12	13	14	15	16	17	18
1 H																	2 He
3 Li	4 Be											5 B	6 C	7 N	8 O	9 F	10 Ne
11 Na	12 Mg											13 Al	14 Si	15 P	16 S	17 Cl	18 Ar
19 K	20 Ca	21 Sc	22 Ti	23 V	24 Cr	25 Mn	26 Fe	27 Co	28 Ni	29 Cu	30 Zn	31 Ga	32 Ge	33 As	34 Se	35 Br	36 Kr
37 Rb	38 Sr	39 Y	40 Zr	41 Nb	42 Mo	43 Tc	44 Ru	45 Rh	46 Pd	47 Ag	48 Cd	49 In	50 Sn	51 Sb	52 Te	53 I	54 Xe
55 Cs	56 Ba		72 Hf	73 Ta	74 W	75 Re	76 Os	77 Ir	78 Pt	79 Au	80 Hg	81 Tl	82 Pb	83 Bi	84 Po	85 At	86 Rn
87 Fr	88 Ra		104 Rf	105 Db	106 Sg	107 Bh	108 Hs	109 Mt	110 Ds	111 Rg	112 Cn	113 Nh	114 Fl	115 Mc	116 Lv	117 Ts	118 Og

ランタノイド(57〜71)	57 La	58 Ce	59 Pr	60 Nd	61 Pm	62 Sm	63 Eu	64 Gd	65 Tb	66 Dy	67 Ho	68 Er	69 Tm	70 Yb	71 Lu
アクチノイド(89〜103)	89 Ac	90 Th	91 Pa	92 U	93 Np	94 Pu	95 Am	96 Cm	97 Bk	98 Cf	99 Es	100 Fm	101 Md	102 No	103 Lr

ホウ素化合物であるホウ砂（borax, $Na_2[B_4O_5(OH)_4]$・$8H_2O$）は古くから知られ、特殊ガラスやエナメル塗料の原料であった。1909年にアメリカのワイントローブが水素中で三塩化ホウ素（BCl_3）にアーク放電して、純粋なホウ素を初めて単離した。

イギリス人のデービーはアラビア語のホウ砂(borax）にちなみ、ホウ素をボロン（boron）と名づけた。彼は初め boracium とよんだが、ホウ素の性質が炭素（carbon）とやや似ているため、のちに carbon の語尾にならって boron と改称した。

ホウ素は単体では天然に存在せず、ホウ砂やホウ酸石などのホウ酸塩鉱物や、電気石などのホウケイ酸塩（ケイ素と結合した化合物）鉱物として産出する。アメリカやインドの砂漠地帯には、多種類の塩類を含んでいた太古の湖が干あがってできたホウ砂鉱床がある。

純粋な結晶性ホウ素は、三塩化ホウ素（BCl_3）の蒸気と水素ガスを電熱フィラメントで1100〜1300℃に加熱する気相還元法でつくる。単体のホウ素は黒灰色を帯びた耐火性の非金属固体で、ダイヤモンドに次いで硬い。電気的には金属と非金属のあいだの半導体的性質をもつ。

また、硫酸や濃硝酸とわずかに反応してホウ酸（H_3BO_3）になる。700℃に加熱すると酸素中で燃え、1500℃では窒素ガスと反応して窒化ホウ素（BN、実際には$(BN)_n$）になる。

ホウ素を含む化合物は、多様な形態で存在する。金属化合物はM_4B, M_5B_2, MB_{12}（Mは金属原子）などの複雑な組成をもつものが200種類あまり知られ、構造も金属原子の網目構造の中にホウ素原子の網目構造が絡みあったものや、金属とホウ素の層が交互にならんだものまでさまざまである。

石英ガラスの軟化点を下げ、温度による伸び縮みを減らすために酸化ホウ素が添加されたケイホウ素ガラス（耐火ガラス、耐熱ガラス）がつくられている。このガラスは細工しやすく、急な加熱や冷却にも耐えるので、広い用途がある。

二ホウ化チタン（TiB_2）、二ホウ化ジルコニウム（ZrB_3）、二ホウ化クロム（CrB_2）などは融点が高く耐火性があるので、高温反応容器やロケットのノズル、タービンの翼などに塗って使われる。また、ホウ素を混ぜたガラスは、耐熱硬質ガラスとして、フラスコやビーカーの材料として広く用いられている。

水素との化合物である水素化ホウ素も数多く存在する。最も簡単な化合物であるボリン（BH_3）は不安定で単離できない。ジボラン（B_2H_6）は比較的取り扱いやすく、B_4H_{10}や$B_{20}H_{16}$など一連の水素化ホウ素の合成原料である。ジボランは2個の四面体BH_4が2個の水素原子を共有する構造をもつ。

水素化ホウ素類は、一般に高い反応性を示す。水素化ホウ素ナトリウム（$NaBH_4$）は、ボリンに強い還元力のある水素化物イオンH^-が結合したものである。水素化ホウ素ナトリウムに水を加えるだけで水素ガス（1gあたり約2・2L）が発生するので、気球用の簡易水素源として開発され、第二次世界大戦でアメリカ陸軍通信隊が盛んに用いた。現在では、合成化学で還元剤として使われている。有機ホウ素化合物は医薬品合成に重要で、合成反応を開発した鈴木章は2010年にノーベル化学賞を受賞した。

ホウ素の同位体である^{10}Bの化合物に中性子線を当てると、次の反応によってα線（ヘリウムの原子核）が出る。

$$^{10}_{5}B + ^{1}_{0}n \text{（中性子）} \rightarrow ^{7}_{3}Li + ^{4}_{2}He \text{（}\alpha\text{線）}$$

この性質を利用して、腫瘍細胞に選択的に取り込ませた^{10}B化合物に中性子線を照射し、出てくるα線によってがん細胞を破壊する「ホウ素中性子捕捉療法」は広く臨床応用されている。

身近なところでは、昔からホウ酸（H_3BO_3）の水溶液が、弱酸性の消毒薬として目薬に用いられている。また、ゴキブリ退治には、ホウ酸入りのホウ酸だんごが今もよく使われる。ホウ素はヒトにとって必須元素である。植物にも必須であり、細胞壁の形成に利用される。

ホウ素は女性ホルモンの一つであるエストロゲンの分泌を促進するといわれている。

6

C

炭素／Carbon

同位体と存在比(%)	
^{12}C	[98.84, 99.04]
^{13}C	[0.96, 1.16]
^{14}C	0, β^-, 5730y

電子配置	$[He]2s^22p^2$
原子量	[12.0096, 12.0116]
融点(K)	約3820 (3550℃, ダイヤモンド)
沸点(K)	5100(4827℃, 昇華)
密度($kg \cdot m^{-3}$)	3513(ダイヤモンド, 293K)
	2260(黒鉛, 293K)
	1650(C_{60}, 293K)
地殻濃度(ppm)	480

酸化数	−4	CH_4
	0	ダイヤモンド, 黒鉛, フラーレン(C_{60})
	+2	CO
	+4	CO_2, H_2CO_3, CF_4, $CaCO_3$, C_3O_2(O=C=C=C=O), $Ca(HCO_3)_2$

1	2	3	4	5	6	7	8	9	10	11	12	13	14	15	16	17	18
1 H																	2 He
3 Li	4 Be											5 B	6 C	7 N	8 O	9 F	10 Ne
11 Na	12 Mg											13 Al	14 Si	15 P	16 S	17 Cl	18 Ar
19 K	20 Ca	21 Sc	22 Ti	23 V	24 Cr	25 Mn	26 Fe	27 Co	28 Ni	29 Cu	30 Zn	31 Ga	32 Ge	33 As	34 Se	35 Br	36 Kr
37 Rb	38 Sr	39 Y	40 Zr	41 Nb	42 Mo	43 Tc	44 Ru	45 Rh	46 Pd	47 Ag	48 Cd	49 In	50 Sn	51 Sb	52 Te	53 I	54 Xe
55 Cs	56 Ba		72 Hf	73 Ta	74 W	75 Re	76 Os	77 Ir	78 Pt	79 Au	80 Hg	81 Tl	82 Pb	83 Bi	84 Po	85 At	86 Rn
87 Fr	88 Ra		104 Rf	105 Db	106 Sg	107 Bh	108 Hs	109 Mt	110 Ds	111 Rg	112 Cn	113 Nh	114 Fl	115 Mc	116 Lv	117 Ts	118 Og

ランタノイド(57〜71)	57 La	58 Ce	59 Pr	60 Nd	61 Pm	62 Sm	63 Eu	64 Gd	65 Tb	66 Dy	67 Ho	68 Er	69 Tm	70 Yb	71 Lu
アクチノイド(89〜103)	89 Ac	90 Th	91 Pa	92 U	93 Np	94 Pu	95 Am	96 Cm	97 Bk	98 Cf	99 Es	100 Fm	101 Md	102 No	103 Lr

炭素は、生命にとってきわめて重要な元素である。私たちは穀物、肉類、糖類などの食品として炭素化合物を毎日摂取している。生命物質であるタンパク質、糖、核酸、アミノ酸、脂肪などは、すべて炭素化合物である。体重70kgの成人の体は、じつに12・6kgもの炭素からできている。

炭素は、石炭や木炭、ダイヤモンドの成分として古代から知られた元素であり、特定の発見者はいない。炭素の英語名carbon（カーボン）は、フランスの化学者トモルボーがラテン語の木炭carboにちなんだcarbone（カルボーヌ）を1787年に提唱したことに由来する。ドイツ語ではKohlenstoff（炭の物質）とよび、日本語の炭素と同じである。

炭素には黒鉛やダイヤモンドなどの単体があり、これらは同素体とよばれている（図6-1）。黒鉛（石墨、グラファイトとも）は、やわらかで鉛筆の芯の材料にもなり、ギリシャ語の「書く」を意味するgraphein を語源にもつ。

大気中には同位体^{14}Cを含む二酸化炭素（CO_2）がごくわずかに存在するが、これは大気上層部で窒素原子が宇宙線にさらされて、次のように元素変換してできたものである。

$$^{14}_{7}N + ^{1}_{0}n\ （中性子）\rightarrow\ ^{14}_{6}C + p（プロトン = ^{1}_{1}H）$$

^{14}Cはβ線を放出して崩壊する放射性同位体である。^{14}Cを含む二酸化炭素は、光合成や代謝の過程で生物に取り込まれて生体成分となる。生物が死ぬと^{14}Cは体内に入らない。体に蓄積した^{14}Cは原子崩壊して5730年で半分に、1万1500年で4分の1にと徐々に減少する。この性質を利用すると、4万年前まで生きていた生物の化石や遺跡の年代を判定できる。

^{13}Cは炭素成分の1.07%を占める。^{13}CはNMR（核磁気共鳴法）で測定できるので、有機化合物の分子構造を決めるのに^{13}C-NMR測定が使われる。

炭素の同素体であるダイヤモンドは、炭素原子が正四面体状に次々と積み重なった巨大分子（図6-1a）で、すべての物質の中で最も硬く、熱伝導率もいちばん大きく銅の5倍にも達する。しかし、銅の熱伝導はおもに自由電子によるが、ダイヤモンドの場合は結晶格子の振動による。最近、ダイヤモンド半導体の開発研究が進み、実用化も検討されている。

6 C 炭素

(a) ダイヤモンド

(b) 黒鉛

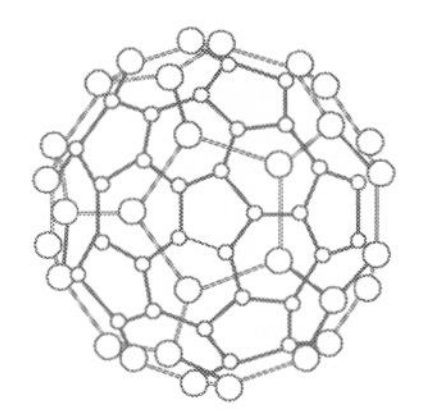

(c) C_{60} フラーレン

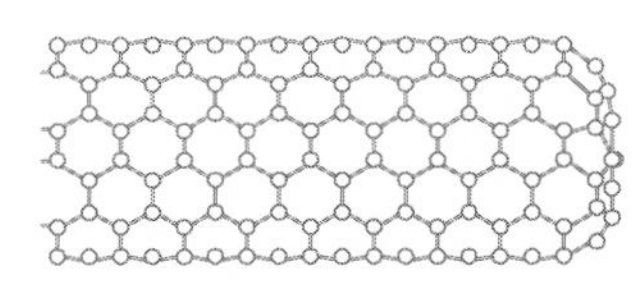

(d) カーボンナノチューブ

図 6-1 ダイヤモンド、黒鉛（グラファイト）、C_{60} フラーレンおよびカーボンナノチューブの構造

黒鉛は、六角形の網目状にならんだ炭素原子の平面膜どうしが弱く重なりあった巨大分子（図６－１b）で、黒い金属光沢があり電気伝導性をもつ。黒鉛はやわらかく薄くはがれやすいので、鉛筆の芯に使われる。

黒鉛のダイヤモンドへの変換は１８８０年から試みられ、１９５３年以降３０００℃、13万気圧の条件で成功している。工業用ダイヤモンドは２０１９年現在、中国だけでも１５４億カラット（１カラット＝０・２g）以上が生産され、研磨剤や電極など工業的用途で使われている。現在では宝飾用ダイヤモンドも合成可能である。

天然ダイヤモンドはオーストラリアやロシアに産出する。黒鉛は地上に広く分布し、石炭を原料に酸化鉄を触媒にして電気炉中でつくることができる。

英国のクロトー、米国のスモーリーとカールは黒鉛にレーザー光を当て、炭素原子60個からなるフラーレン分子を1985年に発見した。フラーレンは第三の炭素同素体でススのような外観をもち、サッカーボールのような五角形と六角形の多面体頂点に炭素原子を置いた球状分子(図6-1c)である。

炭素原子数がさらに多い球状分子やカーボンナノチューブという炭素原子だけからできた筒状分子(図6-1d)も見つかっている。黒鉛を形成する層状シートに粘着テープをあてて1層だけはがした物質を特にグラフェンという。

フラーレンの発見者たちは1996年のノーベル化学賞を、グラフェンの発見者たちは2010年のノーベル物理学賞を得た。

ダイヤモンド、黒鉛、フラーレンとは対照的に、結晶構造のないススや木炭などは「無定形炭素」とよばれる。工業的に重要な無定形炭素は炭素繊維、活性炭、スス、コークスである。

炭素繊維はアクリロニトリル（$H_2C=CHCN$）からつくる合成繊維を無酸素状態で加熱して炭素成分のみを残した物質で、炭素が不規則に絡みあった構造をとる。弾力に富み、丈夫で熱に強くて軽い炭素繊維は、スポーツ用品や宇宙船、航空機、船舶の構造材料として欠かせない。

活性炭は炭素微粒子の集まりで、表面積は1gあたり200〜3000m^2にもおよび、表面にはさまざまな分子が吸着される性質がある。活性炭は空気や水の脱臭・脱色に使われる。家庭用冷蔵庫の脱臭剤は、ヤシの実の殻を蒸し焼きにした活性炭である。現在、日本では自動車から年間1億本の廃タイヤが出るが、90%は燃料や再生ゴムなどの炭素資源としてリサイクル利用されている。

炭素酸化物には一酸化炭素（CO）、二酸化炭素（CO_2）、および二酸化三炭素（C_3O_2）がある。

一酸化炭素はさまざまな有機化合物の出発原料で

あり、血液中のヘモグロビンと結合する無臭の有毒ガスでもある。一酸化炭素分子内部の構造により、一酸化炭素からヘモグロビン分子中の鉄への配位結合（一方的に電子を供給する結合）と、鉄から一酸化炭素への配位結合が同時にできるので、酸素（O_2）に比べて250倍も強くヘモグロビンに結合する。一酸化炭素が結びついたヘモグロビンは体中に酸素を運搬できなくなる。

酸素欠乏下で炭素が不完全燃焼すると一酸化炭素が発生するが、工業的には石炭と水蒸気を高温で反応させてつくる。

二酸化炭素は、酸素が豊富にあれば炭素が燃えて発生するが、呼吸（成人一人一日あたり1kg）や発酵によって生物も放出する。実験室では石灰石に塩酸を混ぜてつくる。毒性はほとんどなく、コーラやビール等の炭酸飲料や消火器に使われる。二酸化炭素は空気より重いので、燃焼部分に覆いかぶさるように空気から遮断し、消火する。冷却剤に利用されるドライアイスは固体の二酸化炭素であり、固体のまま気化（昇華）する性質がある。

水酸化カルシウム（$Ca(OH)_2$）の水溶液である石灰水に二酸化炭素を吹き込むと、炭酸カルシウム（$CaCO_3$）が沈殿する。さらに二酸化炭素を吹き込むと、炭酸水素カルシウム（$Ca(HCO_3)_2$）となって溶ける。この化学反応は、雨水中の二酸化炭素による石灰岩の浸食や鍾乳洞生成など、自然界で大規模に起きている。

二酸化炭素は赤外線を吸収しやすく、熱を保持する性質がある。大気中の二酸化炭素による太陽熱の保持効果を温室効果という。産業革命以降、石油や石炭が燃えてできた二酸化炭素が蓄積して気候を温暖化させ、農業や経済に深刻な影響がでている。2015年12月には地球大気全体の二酸化炭素平均濃度がついに0・04％を超えたと報告された。植物は光合成で二酸化炭素を吸収する（年間およそ1000億t）。熱帯雨林には地球温暖化を防ぐ機能があるという新たな認識が広まっている。海洋プラスチックごみ削減のため、小売店でのプラスチック製レジ袋の有料化などの対策が進んでいる。

石油や石炭などのエネルギー源も、太古の動植物を構成した炭素が化石になったものである。炭素が「生命の元素」である理由は、炭素原子が4個の最外殻電子と外殻に4個の空席をもつために多様な化学結合をつくり、さまざまな形の分子ができるためである。2021年現在、地球上では2・5億種類以上の物質が知られており、その67%が炭素を含む有機化合物である。

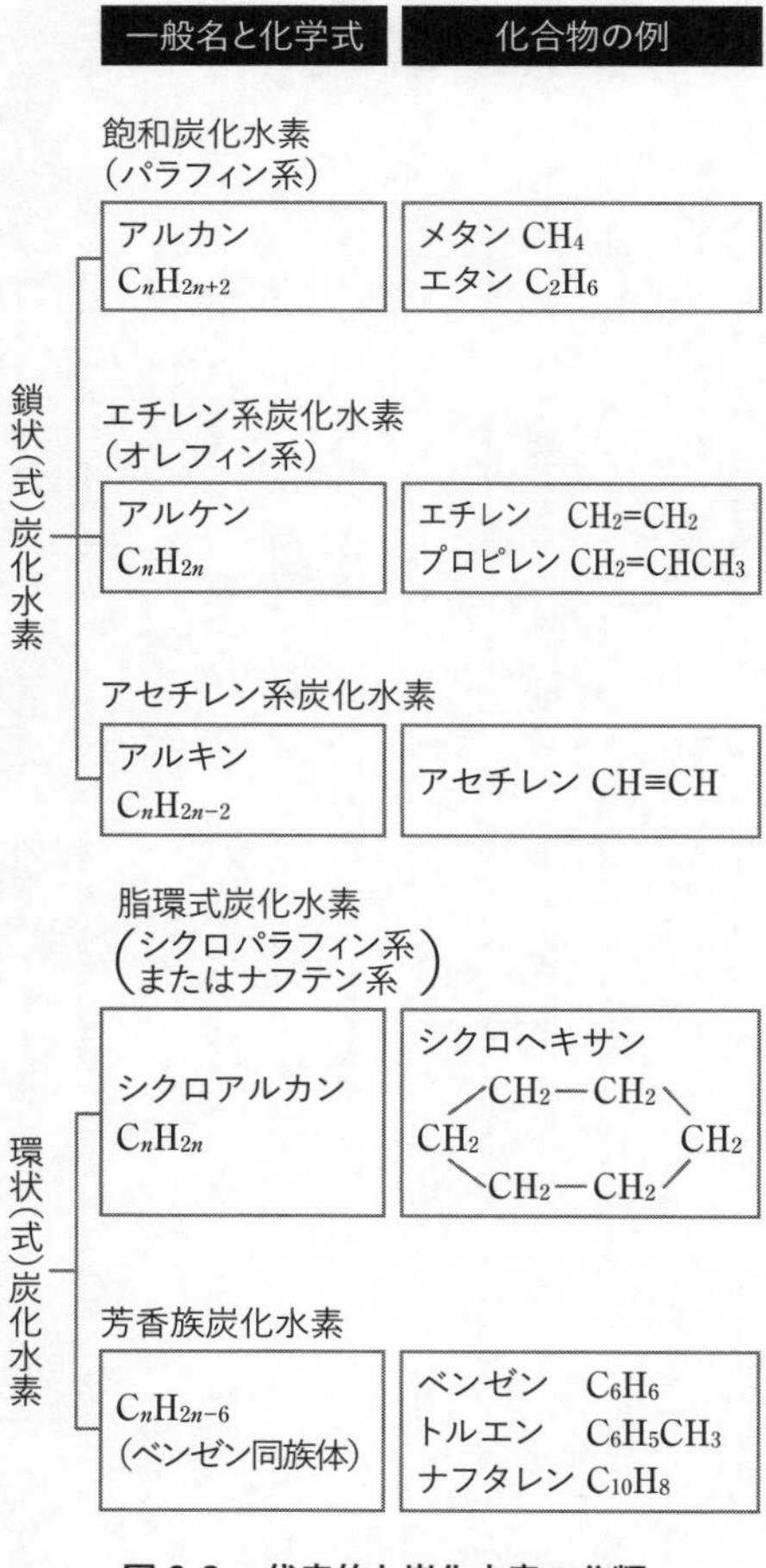

分類	一般名と化学式	化合物の例
鎖状(式)炭化水素	飽和炭化水素(パラフィン系)	
	アルカン C_nH_{2n+2}	メタン CH_4 エタン C_2H_6
	エチレン系炭化水素(オレフィン系)	
	アルケン C_nH_{2n}	エチレン $CH_2=CH_2$ プロピレン $CH_2=CHCH_3$
	アセチレン系炭化水素	
	アルキン C_nH_{2n-2}	アセチレン $CH\equiv CH$
環状(式)炭化水素	脂環式炭化水素(シクロパラフィン系またはナフテン系)	
	シクロアルカン C_nH_{2n}	シクロヘキサン CH_2(環状: CH_2-CH_2, CH_2, CH_2-CH_2, CH_2)
	芳香族炭化水素	
	C_nH_{2n-6}(ベンゼン同族体)	ベンゼン C_6H_6 トルエン $C_6H_5CH_3$ ナフタレン $C_{10}H_8$

図6-2　代表的な炭化水素の分類

6 C 炭素

置換基	基名	構造式
$-CH_3$	メチル	H │ —C—H │ H
$-C_2H_5$	エチル	H　H │　│ —C—C—H │　│ H　H
$>C=C<$	（炭素二重結合）	＼　　／ C=C ／　　＼
$-CHO$	ホルミル	H ／ —C ＼＼ O
$-OH$	ヒドロキシ	—OH
$>CO$	カルボニル	＼ C=O ／
$-COOH$	カルボキシ	O ／／ —C ＼ OH
$-NH_2$	アミノ	H ／ —N ＼ H
$-C_6H_5$	フェニル	│ H＼　C　／H C　　C ‖　　│ C　　C H／　C　＼H │ H

図 6-3　有機化学で習う代表的な原子団（ヒドロキシ基、アミノ基以外は炭素を含む）

7 N

窒素／Nitrogen

同位体と存在比(%)	
^{14}N	[99.578, 99.663]
^{15}N	[0.337, 0.422]

電子配置	$[He]2s^2 2p^3$
原子量	[14.00643, 14.00728]
融点(K)	63.29(−209.86℃)
沸点(K)	77.4(−195.8℃)
密度($kg \cdot m^{-3}$)	1026(固体, 21K)
	880(液体, 77.4K)
	1.2506(気体, 273K)
地殻濃度(ppm)	25

酸化数		
	−3	NH_3, NH_4^+, BN
	−2	N_2H_4, $N_2H_5^+$
	−1	NH_2OH
	0	N_2
	+2	NO
	+3	HNO_2, NO_2^-, NF_3, N_4O_6
	+4	N_2O_4, NO_2
	+5	HNO_3, NO_3^-

1	2	3	4	5	6	7	8	9	10	11	12	13	14	15	16	17	18
1 H																	2 He
3 Li	4 Be											5 B	6 C	7 N	8 O	9 F	10 Ne
11 Na	12 Mg											13 Al	14 Si	15 P	16 S	17 Cl	18 Ar
19 K	20 Ca	21 Sc	22 Ti	23 V	24 Cr	25 Mn	26 Fe	27 Co	28 Ni	29 Cu	30 Zn	31 Ga	32 Ge	33 As	34 Se	35 Br	36 Kr
37 Rb	38 Sr	39 Y	40 Zr	41 Nb	42 Mo	43 Tc	44 Ru	45 Rh	46 Pd	47 Ag	48 Cd	49 In	50 Sn	51 Sb	52 Te	53 I	54 Xe
55 Cs	56 Ba		72 Hf	73 Ta	74 W	75 Re	76 Os	77 Ir	78 Pt	79 Au	80 Hg	81 Tl	82 Pb	83 Bi	84 Po	85 At	86 Rn
87 Fr	88 Ra		104 Rf	105 Db	106 Sg	107 Bh	108 Hs	109 Mt	110 Ds	111 Rg	112 Cn	113 Nh	114 Fl	115 Mc	116 Lv	117 Ts	118 Og

ランタノイド (57～71)	57 La	58 Ce	59 Pr	60 Nd	61 Pm	62 Sm	63 Eu	64 Gd	65 Tb	66 Dy	67 Ho	68 Er	69 Tm	70 Yb	71 Lu
アクチノイド (89～103)	89 Ac	90 Th	91 Pa	92 U	93 Np	94 Pu	95 Am	96 Cm	97 Bk	98 Cf	99 Es	100 Fm	101 Md	102 No	103 Lr

単体の窒素は2原子分子（N_2）で、無色・無味・無臭の不活性ガスである。空気の最多成分で、体積の78・1％、重量の75・5％を占める。体重70kgの成人には2・1kgの窒素原子が生体成分として含まれている。

元素としての窒素は、1772年にスコットランドの医者で化学者のラザフォードが発見した。彼は空気中で炭化水素を燃焼させ、生成する二酸化炭素を除いた残りの成分を「ダメな空気」とした。この気体中ではネズミなどがすぐに窒息するため、1789年にフランスの化学者ラボアジェは、これをアゾット（azote。ギリシャ語でazotikos「生命がない」の意味）とよんだ。

窒素の英語名nitrogenは、窒素が「硝石」(nitrum）から「生じる」（ギリシャ語でgennao）ことに由来する。また、ドイツ語ではsticken（窒息させる）とStoff（物質）を組み合わせたStickstoffが用いられている。日本語の窒素はStickstoffの直訳である。

図7-1　ラボアジェ（1743 – 1794）

主要鉱石は硝石（KNO_3）やチリ硝石（$NaNO_3$）である。窒素ガスは空気を冷却して工業的につくる。液体窒素はマイナス195・8℃で沸騰し、マイナス209・9℃で固化するたいへん冷たい液体で、1877年に初めてつくられた。バラの花を浸すと凍結して、金づちでたたくと割れてしまう。液体窒素はマイナス195・8℃を保つ冷却剤として、卵子、精液、血液など生物試料の凍結保存に利用される。

空気中の窒素は、窒素を固定する能力のある根粒バクテリアによってアンモニア（NH_3）に還元され、植物に取り込まれる（70ページのコラム3）。また雷による放電で、空気中の窒素は酸化物となり、雨となって地上に降りそそぎ生物に吸収される。夏に雷が多いと秋には米が豊作とよくいわれるが、これは根拠のないことではない。

アンモニアと水素イオン（H^+）の複合体はアンモニウムとよばれるイオン（NH_4^+）で、硫酸アンモニウム（$(NH_4)_2SO_4$）、塩化アンモニウム（NH_4Cl）、硝酸アンモニウム（NH_4NO_3）などは重要な窒素肥料である。

植物に吸収されたアンモニアは、アミノ酸や核酸などの有機化合物に変換され、さらに食物として動物に取り込まれる。動植物は死後に微生物などによって分解され、窒素は有機化合物からアンモニアや窒素ガスに戻る。窒素は形を変えつつ、生物と大気のあいだでつねに循環している。

工業的な窒素固定法は１９１３年にドイツの化学者ハーバーとボッシュが考案した。これは窒素ガス（N_2）と水素ガス（H_2）を２００〜１０００気圧、５００℃で鉄触媒を用いて反応させるアンモニア合成法である。このハーバー法で空気から窒素肥料ができるようになり、農業生産高が飛躍的に伸びて食糧増産が可能になった。

最近、鉄触媒の代わりに２６０℃以下でも働く希土類化合物$LaH_{3-2x}O_x$にルテニウムナノ粒子を埋め込んだ触媒が開発されている。

アンモニアは、不快な刺激臭のある無色ガス（沸点マイナス33・4℃）で水に溶けやすく、水中ではアンモニウムイオン（NH_4^+）と水酸化物イオン（OH^-）になる。水酸化物イオンのために、アンモニア水はアルカリ性である。１８２８年にドイツの化学者ヴェーラーは、シアン酸アンモニウム（NH_4OCN）の水溶液を蒸発させ尿素（$CO(NH_2)_2$）を得た。この尿素合成がきっかけとなり、天然有機化合物が人工合成できることが初めて認識された。

窒素酸化物にはN_2O, NO, N_2O_3, NO_2, N_2O_4, N_2O_5, NO_3, N_4O_6があり、一酸化二窒素（N_2O）、一酸化窒素（NO）、二酸化窒素（NO_2）、四酸化二窒素（N_2O_4）がよく知られている。

一酸化二窒素は、笑気とよばれる香気と甘みのある無色ガスで、吸うと顔面がひきつり、笑ったように見える。一酸化窒素は無色ガスであるが、空気中では酸素とすばやく反応して、褐色の二酸化窒素などになる。ごく微量ながら、ヒト体内でもアルギニンというアミノ酸から酵素により合成されている。神経や細胞間の情報伝達物質として、免疫系、循環器系、消化器系、神経系で重要な役割を担っている。ダイナマイトの原料であるニトログリセリン（$C_3H_5(ONO_2)_3$）を服用すると狭心症の発作が収まるのは、分解してできる一酸化窒素（NO）が冠動脈を拡張するためである。NOの広範な生物学的役割が認められ、米国の科学雑誌『サイエンス』で「１９９２年の分子」に選ばれ、生理機能の解明者たちは１９９８年にノーベル生理学・医学賞を得た（71ページのコラム４）。

エンジンやボイラーでは、高温のために空気中の窒素と酸素が直接反応してNO_x（ノックス）と総称されるさまざまな窒素酸化物類が発生する。NO_xは大気汚染物質の一つで、大気中で雨水に吸収され硝酸（HNO_3）に変化するため、硫黄酸化物（こちらは硫酸に変化）とともに酸性雨の原因物質である。植物が最もよく生育する条件は中性付近にあるので、酸性雨が降ると、植物の生育が阻まれ枯れてしまう。

アジ化ナトリウム（NaN_3）は加熱すると爆発して窒素ガスになるので、かつては自動車用エアバッグに利用されたが、有毒であるため今は使用されていない。

工業的な硝酸製造法はオストワルト法とよばれる。アンモニアを空気と混ぜて８００～２８００℃で白金を触媒に反応させて一酸化窒素（NO）に還元し（NOの工業的製法）、これを空気で酸化して二酸化窒素（NO_2）に変え、さらに水に溶かして硝酸にする。

硝酸は酸化力が強く、金や白金などを除く大部分の金属と反応して硝酸塩になる。ただし、アルミニウム、鉄、クロムが硝酸と反応すると金属表面に酸化物被膜ができて、反応はそれ以上進まない。これを不動態とよぶ。濃塩酸と濃硝酸の体積比３対１の混合物を王水（おうすい）といい、金や白金も溶解する。

硝酸には、多くの有機化合物にニトロ基（$—NO_2$）を付加する能力があり、綿やパルプから火薬原料であるトリニトロセルロースを、グリセリンからニトログリセリンを製造する。

動植物にとって窒素を多量に含む食品や肥料は不可欠であり、窒素は生命必須元素の一つである。血や筋肉の成分であるタンパク質や、体内の化学反応を促進する酵素は窒素原子を含むアミノ酸から構成されている。アミノ酸のアミノ基（$—NH_2$）はアンモニア（NH_3）と同様に、水素イオン（H^+）を受けとる塩基としての性質がある。

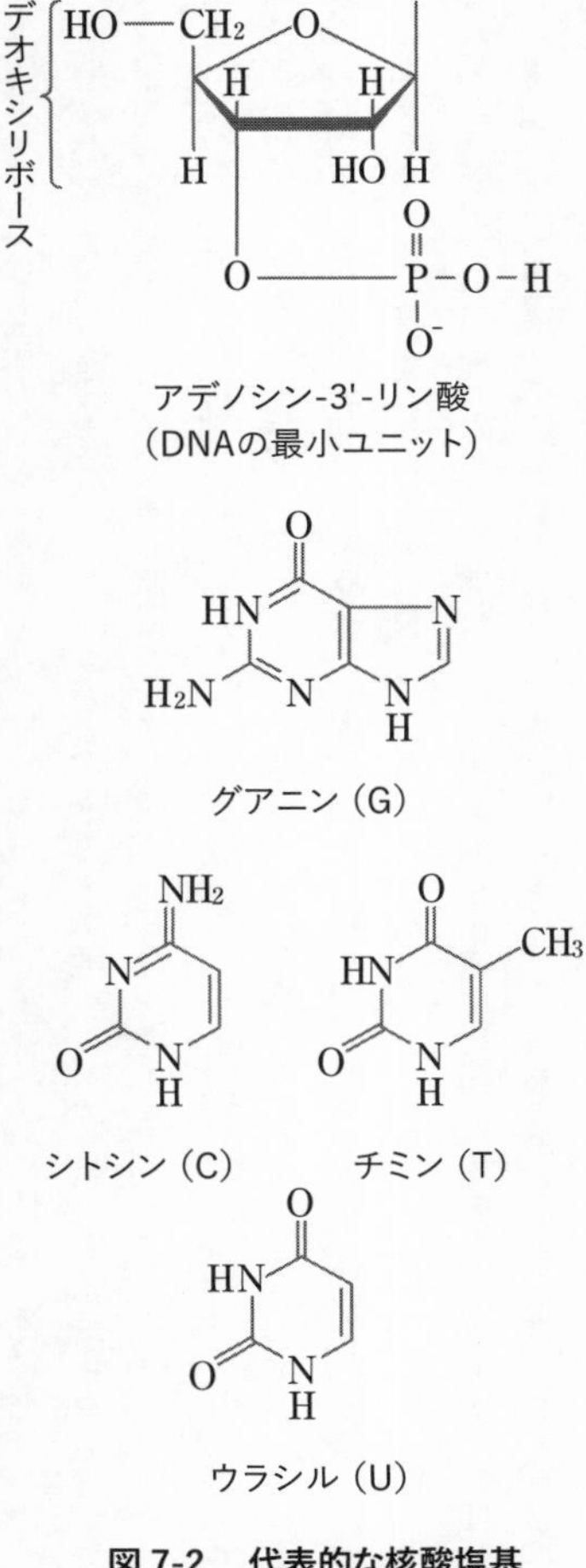

図 7-2　代表的な核酸塩基

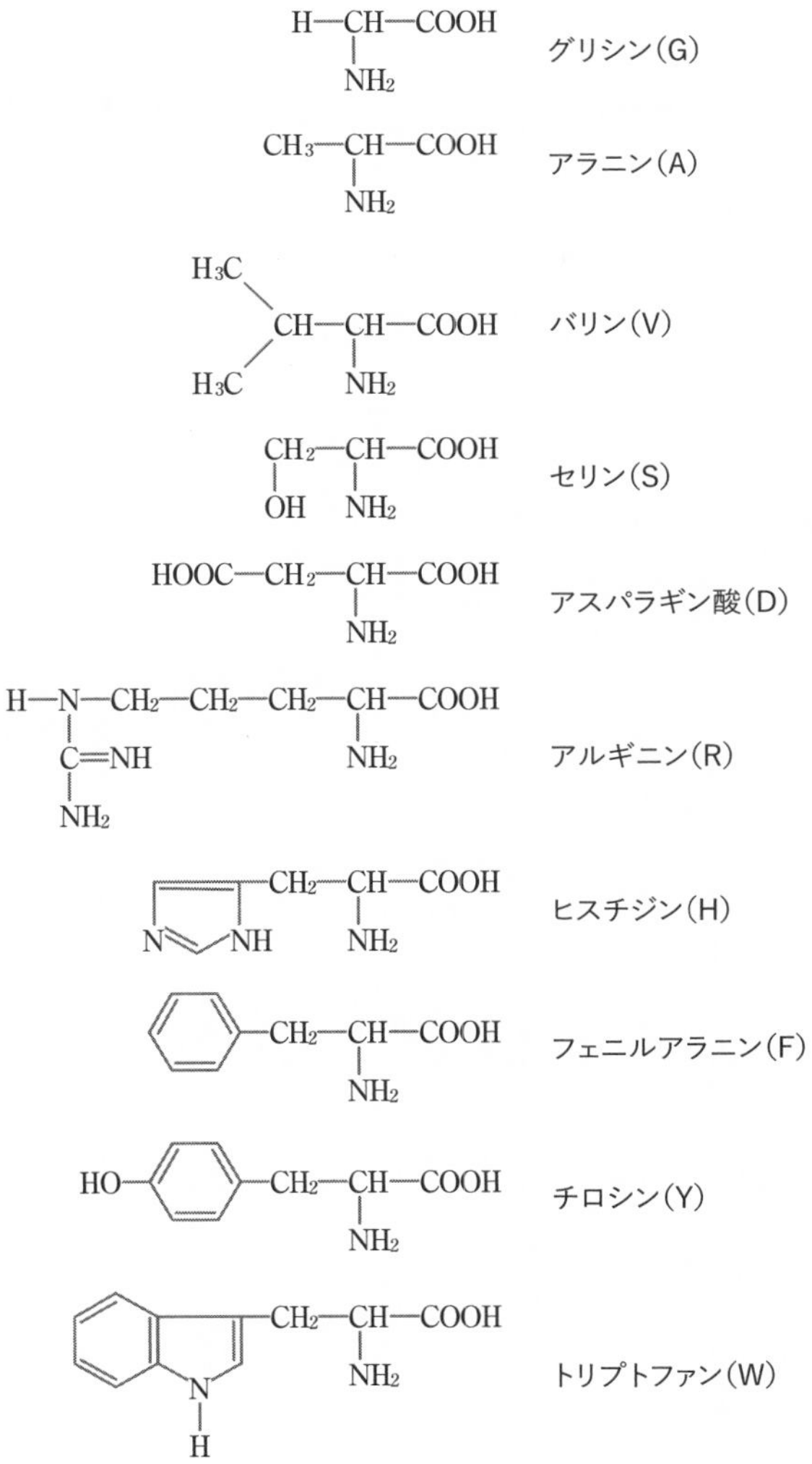

$H-CH(NH_2)-COOH$ グリシン(G)

$CH_3-CH(NH_2)-COOH$ アラニン(A)

$(H_3C)_2CH-CH(NH_2)-COOH$ バリン(V)

$CH_2(OH)-CH(NH_2)-COOH$ セリン(S)

$HOOC-CH_2-CH(NH_2)-COOH$ アスパラギン酸(D)

$H-N(C(=NH)NH_2)-CH_2-CH_2-CH_2-CH(NH_2)-COOH$ アルギニン(R)

(N, NH 環)$-CH_2-CH(NH_2)-COOH$ ヒスチジン(H)

(ベンゼン環)$-CH_2-CH(NH_2)-COOH$ フェニルアラニン(F)

HO-(ベンゼン環)$-CH_2-CH(NH_2)-COOH$ チロシン(Y)

(N-H 環)$-CH_2-CH(NH_2)-COOH$ トリプトファン(W)

図 7-3　代表的なアミノ酸と記号

Column 3

空気中の窒素をつかまえる微生物

21世紀に入り、地球環境の変化や人口急増による食糧問題が懸念される中、タンパク源として、大気の4分の3を占める窒素（N_2）をアンモニアに、さらにアミノ酸に変換して利用することは、重要な課題である。

人間は、高温・高圧下で膨大なエネルギーを使って窒素をアンモニアに変換している。しかし、ある種の微生物は、何億年も前からごく自然な環境の中で、空気から窒素を固定してアンモニアをつくっている。根粒バクテリアといわれるマメ科植物の根粒に共生するバクテリアである。このバクテリアは、植物にアンモニアを供給し、その代わりに自分がつくれない炭化水素を植物からもらって生きている。この炭化水素を代謝する過程で多量のＡＴＰ（アデノシン三リン酸）をつくり出し、そのエネルギーを窒素を固定するために用いている。

バクテリアの体内でこのような反応を触媒している酵素はニトロゲナーゼといわれ、分子量は約30万もあり、モリブデンと鉄を活性中心に含む巨大な金属タンパク質である。反応機構はきわめて複雑で、いまだ完全に解明されていない。人類がニトロゲナーゼもしくは効率のよい化学モデルをつくり出せれば、食糧問題の解決につながると期待される。

Column 4

不思議なラジカル分子NO（一酸化窒素）

1987年、血管の細胞から筋肉を弛緩させる物質が放出されることが見出され、驚くべきことにそれがNOであることが突きとめられた。この発見を契機に、NOが体の中でさまざまな好ましい反応をすることが明らかにされ、これまで毒物（大気汚染物質の一つ）と考えられてきた物質が一転して、〝善玉〟としてまつりあげられるようになった。

NOは免疫系、神経系、循環器系など、あらゆる組織で多様な生理作用を発現することが明らかにされ、病気や健康と密接に関係していることが知られるようになった。NOの薬理作用を解明したアメリカのイグナロ、ムラド、ファーチゴットの3博士は1998年のノーベル生理学・医学賞に輝いた。

面白い例がある。人の血を吸う昆虫は、血を吸うときにNOを放出して人の血管を広げ、血を吸いやすくしていることが突きとめられている。昆虫も、NOを利用して巧みに生きているのであろう。

ところでNOは、・N＝Oと書かれるように中性分子ではなく、反応性の高いラジカル分子（「8 酸素」の項参照）であることをお忘れなく！

8

O

酸素／Oxygen

同位体と存在比(%)	
^{16}O	[99.738, 99.776]
^{17}O	[0.0367, 0.0400]
^{18}O	[0.187, 0.222]

電子配置	$[He]2s^2 2p^4$
原子量	[15.99903, 15.99977]
融点(K)	54.8(−218.4℃)
沸点(K)	90.19(−182.96℃)
密度(kg・m^{-3})	2000(固体, 54.8K)
	1140(液体, 90.2K)
	1.429(気体, 273K)
地殻濃度(ppm)	474000

酸化数	−2	H_2O, H_3O^+, OH^-, MnO_2, $KClO_3$, $KMnO_4$
	−1	H_2O_2
	0	O_2, O_3
	+1	O_2F_2
	+2	OF_2

1	2	3	4	5	6	7	8	9	10	11	12	13	14	15	16	17	18
1 H																	2 He
3 Li	4 Be											5 B	6 C	7 N	8 O	9 F	10 Ne
11 Na	12 Mg											13 Al	14 Si	15 P	16 S	17 Cl	18 Ar
19 K	20 Ca	21 Sc	22 Ti	23 V	24 Cr	25 Mn	26 Fe	27 Co	28 Ni	29 Cu	30 Zn	31 Ga	32 Ge	33 As	34 Se	35 Br	36 Kr
37 Rb	38 Sr	39 Y	40 Zr	41 Nb	42 Mo	43 Tc	44 Ru	45 Rh	46 Pd	47 Ag	48 Cd	49 In	50 Sn	51 Sb	52 Te	53 I	54 Xe
55 Cs	56 Ba		72 Hf	73 Ta	74 W	75 Re	76 Os	77 Ir	78 Pt	79 Au	80 Hg	81 Tl	82 Pb	83 Bi	84 Po	85 At	86 Rn
87 Fr	88 Ra		104 Rf	105 Db	106 Sg	107 Bh	108 Hs	109 Mt	110 Ds	111 Rg	112 Cn	113 Nh	114 Fl	115 Mc	116 Lv	117 Ts	118 Og

ランタノイド(57～71)	57 La	58 Ce	59 Pr	60 Nd	61 Pm	62 Sm	63 Eu	64 Gd	65 Tb	66 Dy	67 Ho	68 Er	69 Tm	70 Yb	71 Lu
アクチノイド(89～103)	89 Ac	90 Th	91 Pa	92 U	93 Np	94 Pu	95 Am	96 Cm	97 Bk	98 Cf	99 Es	100 Fm	101 Md	102 No	103 Lr

酸素は、水や空気を構成するたいへん身近な元素である。人体の60％が水分で、体重70kgの成人には総計45・5kgの酸素が含まれている。空気の質量の23％（体積で21％）は酸素である。また、地球の地殻質量の47％が酸素である。太陽系でも水素、ヘリウムに次いで多い元素である（相対的な元素存在比、H:He:O＝1000:100:1。254ページ参照）。

8 O 酸素

単体の酸素は2原子分子（O_2）で、無色・無味・無臭のガスで、燃焼や呼吸に欠かせない。１７７１年にスウェーデンの化学者シェーレが、１７７４年にイギリスの化学者プリーストリーが独自に酸素ガスを分離した。残念ながら彼らは、酸素が燃焼を助ける気体であると認識していなかった。化学史における酸素発見者は、プリーストリーとされている。

図8-1　プリーストリー（1733－1804）

元素としての酸素を認識し、呼吸と燃焼における役割を解明したのは１７７９年、フランスの化学者ラボアジェである。彼は物質が酸素と化合する現象が燃焼であると提唱し、フランス語でoxygèneと命名した。これはギリシャ語oxys（酸）とgennao（…を生じるもの）にちなみ、酸素原子が「酸の素」であり、すべての「酸」が酸素を含むという誤解にもとづいている（塩化水素〈HCl〉に酸素はない。水素イオンこそ、「酸の素」である）。

現在の大気中の酸素は、植物が二酸化炭素と水からつくった光合成の産物で、約13億年前の大気にはほとんど酸素がなかった。光合成によって植物が供給する酸素は、年間１０００億ｔと見積もられる。

工業的な酸素の製法は、液体空気の分留による。液体酸素は淡青色をしている。２０１１年の国内生産量は約15億m^3である。実験室では二酸化マンガン（MnO_2）を触媒に、過酸化水素（H_2O_2）水溶液を分解したり、塩素酸カリウム（$KClO_3$）や過マンガン酸カリウム（$KMnO_4$）を加熱して酸素ガスを発生させる。

燃料は大気中の酸素があってこそ燃えるものであり、日常生活や、金属精錬、窯業などの工業生産での高温発生に酸素は不可欠である。液体酸素はロケット燃料である液体水素を燃やすのに使われる。

酸素ガスは、化学的には分子内に2個の独立した不対電子をもつラジカルという活性の高い物質で、ハロゲン元素や、金、銀、白金以外の金属と直接反応して酸化物をつくる。

酸素ガスの活性を生かしたリチウムイオン電池の開発が進行中である。金属リチウムを負極、空気中の酸素を正極とする充放電型電池で、エネルギー密度が高く、大容量化が可能とされている。

鉄は乾燥空気中で酸素と反応しないが、湿気があればさびて発熱する。密封された使い捨てカイロの包装を破り、湿気と酸素を含む空気に触れさせると発熱するのは、混ぜてある鉄の微粉末が急激にさびるからである。

酸素ガスの活発な反応性のため、酸化反応には酸素が必ず関わるものと思われがちだが、この認識は正しくない。「酸化」とは「酸素との化合」に限らず、物質から電子が逃げる現象をいい、酸素以外にも電子捕捉能力のあるすべての物質が引き起こす一般的な化学反応である。

水（H_2O）は代表的な酸素化合物で、その質量の88％は酸素である。「水の惑星」地球には約14億km^3の水があり、その97・5％が海水である。残りは淡水で、そのうち、氷山・氷塊が約60％、地下水などが約30％を占め、河川や湖沼などわれわれに直接関係する地表水はわずか0・3％（地球総水量の0・01％以下）にすぎない。海は大気の50倍の二酸化炭素（CO_2）と1100倍の熱を貯蔵できる。

酸素の同素体にはオゾン（O_3）がある。オゾン（沸点マイナス112℃）は青色を帯びた気体で、液体では深青色に見える。酸素気流中で静かに放電すると濃度10％のオゾンが得られる。オゾンには酸素よりもはるかに強い酸化力があるので、消毒や漂白に利用される。オゾンは有毒で、微量でも長時間吸い続けると呼吸器の細胞がおかされて呼吸困難になる。オゾンの強い酸化作用によって細胞膜の脂質が酸化され過酸化脂質になると、細胞膜はボロボロになって、膜としての役割を失うからである。

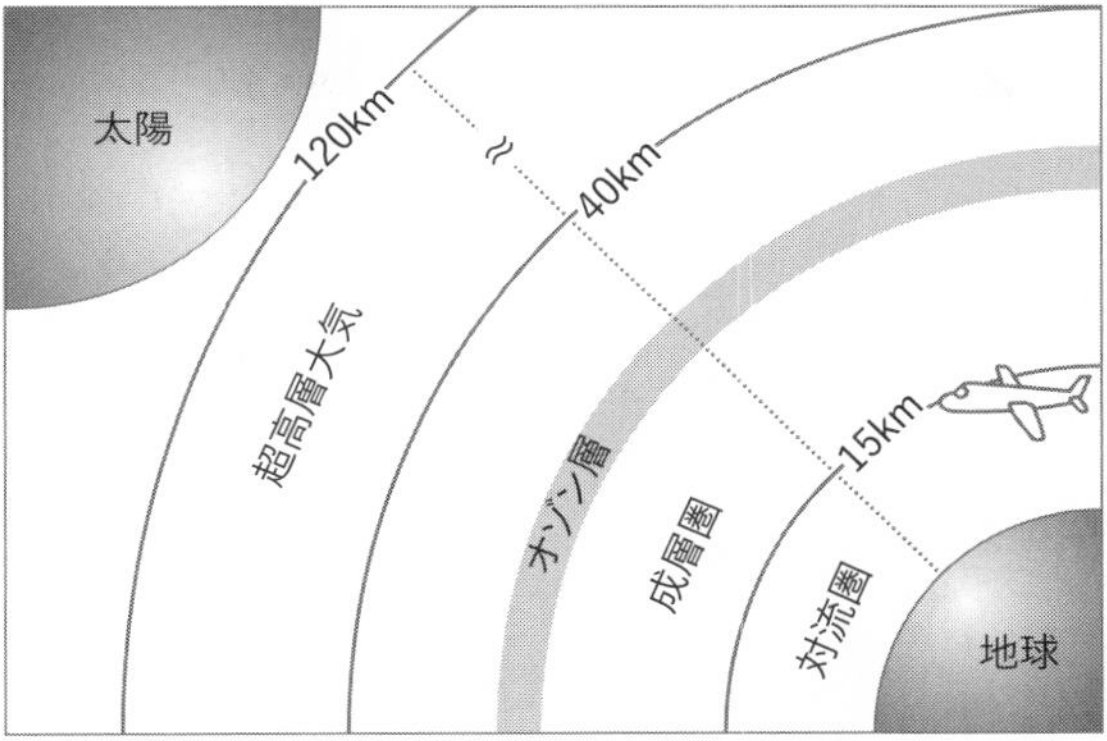

図 8-2　オゾン層

地上20 km以上の希薄な大気にはオゾン層がある。オゾン層を形成するオゾンの全量は、０℃、１気圧に換算するとわずか３㎜の厚さしかない。０℃、１気圧に換算したときの１㎜の厚さを１００ミリアトムセンチ、３㎜の厚さを３００ミリアトムセンチとして、オゾン層の厚さだけを示す単位として用いられている。オゾン層は地球全体を覆い、太陽からの紫外線をよく吸収して紫外線障害から地上の生物を保護している。１９９５年には、オゾン層の形成機構を解明した米国のローランド博士がノーベル化学賞を受賞した。

近年、人間がつくったフッ素化合物であるフロン類、あるいは超音速ジェット機の飛行や大気圏内での核爆発によって生じる窒素酸化物がオゾン層を破壊しつつある。オゾン層が薄くなっている領域「オゾンホール」が南極上空で広がりつつあり、２０２２年10月には南極大陸の約１・９倍の面積に達したと報じられている。フロンの使用を禁止した現在でも、21世紀半ばすぎまでオゾンホールの拡大は続くと推定されている。

1987年の国際オゾン層保護会議で「モントリオール議定書」が採択された日を記念して、国連は9月16日を「国際オゾン層保護デー」と決めた。

生命維持には酸素ガスが必須であり、酸素分子は血液中のヘモグロビンの鉄原子に結合して肺から細胞まで運ばれる。細胞内で、酸素はシトクロムオキシダーゼなどの酵素によって水分子にまで還元される。これを酸素呼吸といい、この過程で高エネルギー物質といわれるATP（アデノシン三リン酸）が産生され、生体エネルギーとして使われる。

酸素原子は、水の他にタンパク質、核酸、糖、細胞膜などの生体成分として生命に欠かせない。酸素分子は呼吸に不可欠の物質であるが、一部は活性酸素とよばれる不安定で反応性の高い化学種に変化する。活性酸素種にはスーパーオキシドアニオンラジカル（$\cdot O_2^-$）、ヒドロキシルラジカル（$\cdot OH$）、一重項酸素（$^1O_2$）、過酸化水素（H_2O_2）などがあり、生体内で老化、遺伝子損傷、炎症などの弊害をもたらす原因と考えられている。

一方、生体には活性酸素に対する防御機構も備わっている。スーパーオキシドアニオンラジカル（$\cdot O_2^-$）は、酵素スーパーオキシドジスムターゼ（SOD）によって過酸化水素と酸素（O_2）に分解され、過酸化水素はさらに鉄やマンガンを含む酵素カタラーゼや、セレンを含む酵素グルタチオンペルオキシダーゼなどによって水と酸素に無毒化される。

過酸化水素の3%水溶液は殺菌や消毒に使われ、オキシドールまたはオキシフルという医薬品として知られている。純粋な過酸化水素は淡青色のシロップ状液体（融点マイナス0・89℃、沸点152・1℃）で水に似た物理的性質がある。

9 F

フッ素／Fluorine

同位体と存在比(%)	
^{17}F	0, β^+, 64.49s
^{18}F	0, β^+, 109.728m
^{19}F	100

電子配置	[He]$2s^22p^5$
原子量	18.998403162
融点(K)	53.53(−219.62℃)
沸点(K)	85.01(−188.14℃)
密度(kg・m^{-3})	1516(液体, 85K)
	1.696(気体, 273K)
地殻濃度(ppm)	950

酸化数	0	F_2
	−1	CaF_2, $3NaF・AlF_3$, HF, NaF, CF_2Cl_2, UF_6, KHF_2

1	2	3	4	5	6	7	8	9	10	11	12	13	14	15	16	17	18
1 H																	2 He
3 Li	4 Be											5 B	6 C	7 N	8 O	9 F	10 Ne
11 Na	12 Mg											13 Al	14 Si	15 P	16 S	17 Cl	18 Ar
19 K	20 Ca	21 Sc	22 Ti	23 V	24 Cr	25 Mn	26 Fe	27 Co	28 Ni	29 Cu	30 Zn	31 Ga	32 Ge	33 As	34 Se	35 Br	36 Kr
37 Rb	38 Sr	39 Y	40 Zr	41 Nb	42 Mo	43 Tc	44 Ru	45 Rh	46 Pd	47 Ag	48 Cd	49 In	50 Sn	51 Sb	52 Te	53 I	54 Xe
55 Cs	56 Ba		72 Hf	73 Ta	74 W	75 Re	76 Os	77 Ir	78 Pt	79 Au	80 Hg	81 Tl	82 Pb	83 Bi	84 Po	85 At	86 Rn
87 Fr	88 Ra		104 Rf	105 Db	106 Sg	107 Bh	108 Hs	109 Mt	110 Ds	111 Rg	112 Cn	113 Nh	114 Fl	115 Mc	116 Lv	117 Ts	118 Og

ランタノイド(57〜71)	57 La	58 Ce	59 Pr	60 Nd	61 Pm	62 Sm	63 Eu	64 Gd	65 Tb	66 Dy	67 Ho	68 Er	69 Tm	70 Yb	71 Lu
アクチノイド(89〜103)	89 Ac	90 Th	91 Pa	92 U	93 Np	94 Pu	95 Am	96 Cm	97 Bk	98 Cf	99 Es	100 Fm	101 Md	102 No	103 Lr

自然界にフッ素の単体はほとんど存在せず、ホタル石（CaF_2）、氷晶石（Na_3AlF_6）、フッ素リン灰石（$3Ca_3(PO_4)_2CaF_2$）などの鉱物として産出する。

単体は2原子分子（F_2）の淡黄緑色ガスで、きわめて激しい化学反応性をもつ。19世紀初頭から多くの人々がフッ素ガスの単離を試みたが、劇薬であるフッ素ガスの取り扱いに失敗して中毒や死に見舞われ、長らく単離することができなかった。

フッ素ガスを初めて単離したのは、フランスの化学者モアッサンである。彼は1886年、低温でフッ化カリウム（KF）水溶液に液体フッ化水素（HF）を作用させて電気分解の末、ようやくフッ素ガスを遊離させ、ホタル石の容器に貯蔵した。この業績で彼は1906年のノーベル化学賞を受賞した。

現在でも、基本的にはモアッサンの方法でフッ素ガスはつくられている。興味深いことに、アントゾナイトというホタル石の中に微量のフッ素ガスが天然に存在することが2012年に報告された。

フッ素ガスの化学作用はきわめて強く、窒素（N_2）を除くすべての元素と直接反応する。フッ素の英語名はホタル石（fluorite）に由来するが、そもそもはホタル石が製鉄用融剤として鉄を溶かす働きがあり、「流れる」を意味するラテン語 flusse にちなんでいる。

図9-1　モアッサン（1852 − 1907）

工業的なフッ素生産は第二次世界大戦中、原子爆弾用ウラン製造に関連して始まった。原爆製造に必要な^{235}Uを分離するために、六フッ化ウラン（UF_6）が大量につくられた。六フッ化ウランは容易に揮発させることができるウラン化合物であり、質量差による気体分子運動の違いを利用して、^{235}Uを含むものだけを選り分けることができる。

これが「ガス拡散法」によるウラン濃縮である。このため、第二次世界大戦を機にフッ素の化学は急速に発展した。

フッ素原子は、すべての元素の中で最も電気陰性度が高い（つまり、電子を引き寄せやすい）。そのため、フッ化水素（HF）の中では、電子がフッ素原子に強く引き寄せられ、水素原子とフッ素原子はそれぞれ正と負の電荷を帯びて、水素イオン（H^+）が放出されやすい状態にある。高温のガス状態では独立したフッ化水素分子として存在するが、低温になると水素結合で分子どうしが会合する。

フッ化水素酸は50％のフッ化水素の水溶液で、水素陽イオンを出しやすい反応性の高い酸である。ガラスを腐食する性質があり、実験室でガラス器具に目盛りを刻んだりするのに使われる。皮膚につくと激しい痛みを引き起こす劇薬である。

フッ素原子は有機化合物に結合すると特異な性質をもたらす。たとえば、フッ素原子をもつトリフルオロ酢酸（CF_3COOH）は、電子を引き寄せやすいフッ素原子の影響で、水素イオンを放出しやすい。このため、類似構造をもつ酢酸（CH_3COOH）に比べて、1万倍も酸性が強い。

フッ素ガス（F_2）やフッ化水素とは対照的に、有機化合物中の水素原子をフッ素に置き換えた有機フッ素化合物ＰＦＡＳ（パーフルオロ／ポリフルオロアルキル化合物）は、極端に安定で反応性が低く、撥水性・耐熱性・耐薬品性にすぐれている。このため調理器具に利用され、フライパンや電気釜をフッ素樹脂（商品名、テフロン）で覆うと焦げつきにくくなるなどの利点があるが、ヒトへの有害性や蓄積性が明らかとなり、環境省は２０２０年から飲料水や地下水中のＰＦＯＳ（ペルフルオロオクタンスルホン酸）とＰＦＯＡ（ペルフルオロオクタン酸）を要監視項目としている。

また、液体の有機フッ素化合物（フルオロカーボン）は、類似の有機化合物よりも酸素をたくさん溶かすので、人工酸素運搬体としての利用が見込まれている。安定な六フッ化硫黄（SF_6）は、眼の網膜硝子体の治療手術で必要な眼内長期滞留ガスとして使われることがある。

有機フッ素化合物は高分子洗浄剤、冷蔵庫の冷媒（商品名、フレオン）、各種スプレーの噴霧剤、医薬、農薬として広い用途がある。しかし、これらは大気圏のオゾン層を破壊する。特に、塩素原子を含むフロン11（CCl_3F）やフロン12（CCl_2F_2）などの特定フロン（flon）類ではその性質が顕著である。大気中に放出されたフロン類は紫外線で分解されて、塩素酸化物に変わる。これがオゾンから酸素原子をもぎとり、オゾン層が破壊される。また、塩素原子をもたないフロンは、オゾン層破壊効果こそないものの、二酸化炭素の数百倍以上の温室効果ガスである。

現在では、地球環境保護の観点からフロン類の生産と消費が制限されている。

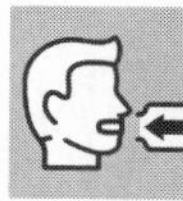

フッ化ナトリウム（NaF）水溶液で口をすすぐと、象牙質に作用して歯が丈夫になるといわれている。虫歯予防で水道水にNaFを0・6〜0・8ppm添加すると虫歯が50〜60％減少するというデータもある。しかし、日本人が好む緑茶にはフッ素が含まれているので、日本ではフッ素添加は不要とする意見もある。過剰なフッ素摂取は代謝障害を起こす。
ＰＦＡＳは１９４０年代から普及した化学物質で、４７００種類以上が知られている。ＰＦＡＳ中のＣ－Ｆ化学結合はきわめて強いので、自然界や生体内でも分解されにくく、英語では「Forever Chemicals（永遠の化学物質）」とよばれている。20年ほど前からＰＦＡＳに発がん性が指摘され、対策が強化されはじめている。

10 Ne

ネオン／Neon

同位体と存在比(%)	
^{20}Ne	90.48
^{21}Ne	0.27
^{22}Ne	9.25

電子配置	[He]$2s^2 2p^6$
原子量	20.1797
融点(K)	24.48(−248.67℃)
沸点(K)	27.10(−246.05℃)
密度(kg・m^{-3})	1444(固体, 24.48K)
	1207.3(液体, 27.10K)
	0.89994(気体, 273K)
地殻濃度(ppm)	0.00007

酸化数	0	Ne

1	2	3	4	5	6	7	8	9	10	11	12	13	14	15	16	17	18
1 H																	2 He
3 Li	4 Be											5 B	6 C	7 N	8 O	9 F	10 Ne
11 Na	12 Mg											13 Al	14 Si	15 P	16 S	17 Cl	18 Ar
19 K	20 Ca	21 Sc	22 Ti	23 V	24 Cr	25 Mn	26 Fe	27 Co	28 Ni	29 Cu	30 Zn	31 Ga	32 Ge	33 As	34 Se	35 Br	36 Kr
37 Rb	38 Sr	39 Y	40 Zr	41 Nb	42 Mo	43 Tc	44 Ru	45 Rh	46 Pd	47 Ag	48 Cd	49 In	50 Sn	51 Sb	52 Te	53 I	54 Xe
55 Cs	56 Ba		72 Hf	73 Ta	74 W	75 Re	76 Os	77 Ir	78 Pt	79 Au	80 Hg	81 Tl	82 Pb	83 Bi	84 Po	85 At	86 Rn
87 Fr	88 Ra		104 Rf	105 Db	106 Sg	107 Bh	108 Hs	109 Mt	110 Ds	111 Rg	112 Cn	113 Nh	114 Fl	115 Mc	116 Lv	117 Ts	118 Og

ランタノイド(57〜71)	57 La	58 Ce	59 Pr	60 Nd	61 Pm	62 Sm	63 Eu	64 Gd	65 Tb	66 Dy	67 Ho	68 Er	69 Tm	70 Yb	71 Lu
アクチノイド(89〜103)	89 Ac	90 Th	91 Pa	92 U	93 Np	94 Pu	95 Am	96 Cm	97 Bk	98 Cf	99 Es	100 Fm	101 Md	102 No	103 Lr

ネオンは、ヘリウム（He）やアルゴン（Ar）などとともに単原子の分子の不活性ガス（貴ガス元素）で、無色・無味・無臭である。地球大気には1m³あたり18・2mL含まれる。

1898年にイギリスの化学者ラムゼーとトラバースは、液体空気の分留を繰り返してネオンを分離した。現在でもネオンの唯一の経済的な供給源は空気で、工業的には冷却空気から液体の酸素や窒素を除去し、残りのガスから水素、ヘリウムを分別除外して製造する。

ネオン（neon）の名前はギリシャ語のneos（「新しい」の意）にちなむ。ネオンが「新しい」と形容されるのにはわけがある。ラムゼーは、ロシアの化学者メンデレーエフが1869年に提唱した周期表にもとづき、既知の不活性ガスであったヘリウムとアルゴンのあいだに未知の不活性ガス（貴ガス元素）を予測し、「新元素」ネオンを発見した。

図10-1　ラムゼー（1852－1916）
（アフロ）

ネオン原子の最外殻電子軌道は8個の電子が詰まった「完全充塡」状態にあるため化学的にはまったく不活性で、ヘリウムやアルゴンと同様に、他の原子と化合物をつくらない。

ネオンサインの言葉でよく知られているように、低圧力のネオンを封入した放電管に65〜90Vの電圧をかけると、放電によって赤橙色に輝く。同様な発色現象は他の不活性ガスでも見られ、ヘリウム（黄）、アルゴン（赤〜青）、クリプトン（黄緑）、キセノン（青〜緑）な

ガスの種類	発光色
ネオン（Ne）	赤橙色
ヘリウム（He）	黄色
アルゴン（Ar）	赤色〜青色
クリプトン（Kr）	黄緑色
キセノン（Xe）	青色〜緑色
水銀（Hg）	青緑色
水素（H_2）	バラ色
窒素（N_2）	オレンジ色
二酸化炭素（CO_2）	白色

表10-1　ネオンサインと封入ガス

どは特徴的な色を出す。ネオン放電管（一般にこうよばれるが、ネオンだけが封入されるわけではない）は消費電力が小さく発色も豊富なので、広告塔、小型機器の照明つきスイッチ、電気装置のパネル表示光源などに利用されている。

なお、繁華街にある商業広告用のネオン灯は生産が減少し、光る半導体である発光ダイオード（ＬＥＤ：light-emitting diode）が代わりに使われつつある。

ネオン放電管は避雷塔にも使われる。雷が落ちると、ネオンが高い電圧によってイオン化して雷の電流がすみやかにアースに流れるので、発電機などの過負荷保護に役立つ。

また、ネオンとヘリウムの混合ガスは波長のそろったレーザー光を発生させるために用いられる。

ネオンはまた、高エネルギー物理学研究でも使われる。高エネルギー粒子の飛跡を検出する放電箱にはネオンが満たされている。高エネルギー粒子が箱を通ると、ネオンがイオン化して発光し、その飛跡から粒子が検出できる。

ヘリウムを吸引するとかん高い声になるが、ネオンは声の伝達をゆがませない。

沸点が低い液体ネオンは、極低温用の冷媒としても利用できる。液体ネオンは気化するときに大量の熱（４２０ $cal \cdot mol^{-1}$ ＝ １・８ $kJ \cdot mol^{-1}$）を奪うので、高効率の冷媒として有用である。

ネオンの特殊な性質の一つに、大きな気体／液体比率がある。多くの液体は気化すると５００～８００倍の気体になるが、ネオンでは１４００倍にもふくらむ。この性質はネオンの貯蔵や輸送に有利で、宇宙や深海などのひんぱんに行けない環境で、酸素と混ぜて多量の人工空気をつくるのに役立つ。

ネオンは無害だが反応性が低く、生物学的役割はもっていない。

11 Na

ナトリウム／Sodium

同位体と存在比(%)	
^{22}Na	0, β^+, γ, 2.6018y
^{23}Na	100
^{24}Na	0, β^-, γ, 14.997h

電子配置	[Ne]$3s^1$
原子量	22.98976928
融点(K)	370.96(97.81℃)
沸点(K)	1156(883℃)
密度($kg \cdot m^{-3}$)	971(固体, 293K)
	928(液体, 1156.1K)
地殻濃度(ppm)	23000

酸化数	−1	液体アンモニア中の金属Na
	+1	NaOH, NaCl, Na_2CO_3, Na_2O, $C_4H_4O_6KNa$（ロッシェル塩）, [Na(15-クラウン-5)]$^+$
	+2	NaO

1	2	3	4	5	6	7	8	9	10	11	12	13	14	15	16	17	18
1 H																	2 He
3 Li	4 Be											5 B	6 C	7 N	8 O	9 F	10 Ne
11 Na	12 Mg											13 Al	14 Si	15 P	16 S	17 Cl	18 Ar
19 K	20 Ca	21 Sc	22 Ti	23 V	24 Cr	25 Mn	26 Fe	27 Co	28 Ni	29 Cu	30 Zn	31 Ga	32 Ge	33 As	34 Se	35 Br	36 Kr
37 Rb	38 Sr	39 Y	40 Zr	41 Nb	42 Mo	43 Tc	44 Ru	45 Rh	46 Pd	47 Ag	48 Cd	49 In	50 Sn	51 Sb	52 Te	53 I	54 Xe
55 Cs	56 Ba		72 Hf	73 Ta	74 W	75 Re	76 Os	77 Ir	78 Pt	79 Au	80 Hg	81 Tl	82 Pb	83 Bi	84 Po	85 At	86 Rn
87 Fr	88 Ra		104 Rf	105 Db	106 Sg	107 Bh	108 Hs	109 Mt	110 Ds	111 Rg	112 Cn	113 Nh	114 Fl	115 Mc	116 Lv	117 Ts	118 Og

ランタノイド（57～71）	57 La	58 Ce	59 Pr	60 Nd	61 Pm	62 Sm	63 Eu	64 Gd	65 Tb	66 Dy	67 Ho	68 Er	69 Tm	70 Yb	71 Lu
アクチノイド（89～103）	89 Ac	90 Th	91 Pa	92 U	93 Np	94 Pu	95 Am	96 Cm	97 Bk	98 Cf	99 Es	100 Fm	101 Md	102 No	103 Lr

ナトリウムは、イギリスの化学者デービーが水酸化ナトリウム（NaOH）を電気分解して、1807年に初めて単離した。ナトリウムはラテン名であり、炭酸ナトリウム（Na_2CO_3）のラテン語 natron にちなんでいる。英語名 sodium は、アラビア語 suda（頭痛を治す物質、現在の炭酸ナトリウム）による。

単体のナトリウムはナイフで切れるほどやわらか

11 Na ナトリウム

い銀色金属で、水に浮く（固体密度0・971g／cm^3）。金属ナトリウムは反応性に富み、水と激しく反応して熱を発生し、水素ガスと水酸化ナトリウムに変わる。この反応には発火や爆発をともなうので、取り扱いには皮膚や目を保護する手袋、眼鏡、マスクが必要である。湿気を防ぐため、金属ナトリウムは石油に浸して保存する。

空気中で融点以上に加熱すると、燃えて淡黄色の過酸化ナトリウム（Na_2O_2）になる。高温、高圧では過酸化ナトリウムがさらに反応して、白色の超酸化ナトリウム（NaO_2）となる。

図11-1　デービー
（1778－1829）

※文献によっては「デーヴィ」や「デーヴィー」と書かれることもある。

金属ナトリウムは、液体アンモニアや有機アミン化合物（一般式はRNH_2。Rは炭化水素部分を示す）に容易に溶け、青い溶液となる。この溶液は有機化学で強力な還元剤として使われる。

地殻での存在量は酸素（O）、ケイ素（Si）、アルミニウム（Al）、鉄（Fe）、カルシウム（Ca）に次いで多い。ナトリウムは単体ではなく、すべてが化合物として存在する。重要な鉱石としては岩塩（NaCl、いわゆる塩）、チリ硝石（$NaNO_3$）、天然

イオン	モル濃度
Cl^-	0.5658
Na^+	0.4857
Mg^{2+}	0.0552
SO_4^{2-}	0.0293
Ca^{2+}	0.0106
K^+	0.0106
HCO_3^-	0.0021

表11-1　海水中のおもなイオンと濃度

ソーダ（Na_2CO_3）、ホウ砂（$Na_2[B_4O_5(OH)_4]\cdot 8H_2O$）などがある。岩塩鉱床は、古代の海や塩湖が干あがってできたものである。

海水は1kgあたり約34gの雑多なイオンを含み、ナトリウムイオン（Na^+）が塩化物イオン（Cl^-）に次いで多く溶存している。

金属ナトリウムは、塩化ナトリウム（NaCl）と塩化カルシウム（$CaCl_2$）の混合融解塩を電気分解してつくる。金属ナトリウムの電気伝導率は銀、銅、金に次いで大きい。液体金属ナトリウムは熱伝導率が大きいので、原子炉の熱を取り出す冷却材として原子力発電で使われる。1995年12月には、高速増殖炉「もんじゅ」で金属ナトリウムがパイプから漏れ出し、健康被害や爆発の可能性があった。

高速増殖炉は発熱量が多く、通常の原子炉のように冷却材として水を使ったのでは間に合わない。また、高速増殖炉の場合、飛び出してくる中性子を減速してはならないが、ナトリウムは質量が水分子を構成する水素や酸素よりも大きく、中性子をほとんど減速しない。さらに金属としては融点が低く、液体になりやすい。このような理由で、冷却材としてナトリウムが使われる。

他の用途としては、動植物油の還元がある。金属ナトリウムの強い還元性を利用して、植物油の炭素－炭素二重結合部分に水素を添加して、マーガリンをつくる応用例がある。

ナトリウムは、炎の中で加熱すると黄色い光を放つ。たとえば、台所でみそ汁が吹きこぼれると、ガスコンロの炎が黄色に見える。この現象は炎色反応とよばれ、リチウム（深紅）、カリウム（紫）、ルビジウム（赤紫）、セシウム（青）などのアルカリ金属一般に見られる性質である。ナトリウムの炎色反応は特に鋭敏で、D線とよばれる波長588・997nmと589・593nmの黄色光を放つ。

この性質を利用したのがナトリウム灯である。黄色い光は散乱せずに霧をよく透過し、目にやさしいため、高速道路やトンネル内部の照明に使われていたが、最近はＬＥＤ（発光ダイオード）ランプが用いられている。

ナトリウムは外側の軌道に電子１個をもつ。この電子は失われやすく、陽イオンとなってさまざまな塩類をつくる。水酸化ナトリウム（NaOH 苛性ソーダ）は工業的に重要な塩基であり、化学薬品、セルロースフィルム、石鹸（せっけん）、紙・パルプの製造に使われる。水酸化ナトリウムは湿った空気中で水分を吸収しやすく、潮解性がある。また、皮膚をおかすので取り扱いには注意がいる。

炭酸水素ナトリウム（$NaHCO_3$）は重曹（じゅうそう）ともよばれ、中和剤、胃の制酸薬、ケーキ類のふくらし粉として用いられる。菓子の生地にまぜて加熱すると分解して二酸化炭素（CO_2）を発生し、生地がふくらむ。重曹にいろいろな補助剤を加え、でき上がりの生地に苦みや黄ばみ（正体は炭酸ナトリウム）が出ないようにしたのが「ベーキングパウダー」である。アミノ酸であるグルタミン酸のモノナトリウム塩は、池田菊苗（きくなえ）が１９０７年に発見した昆布だしのうまみ成分である。

塩化ナトリウム（食塩）は世界で年間約２億８０００万ｔ製造され、調味料として食品工業で使わ

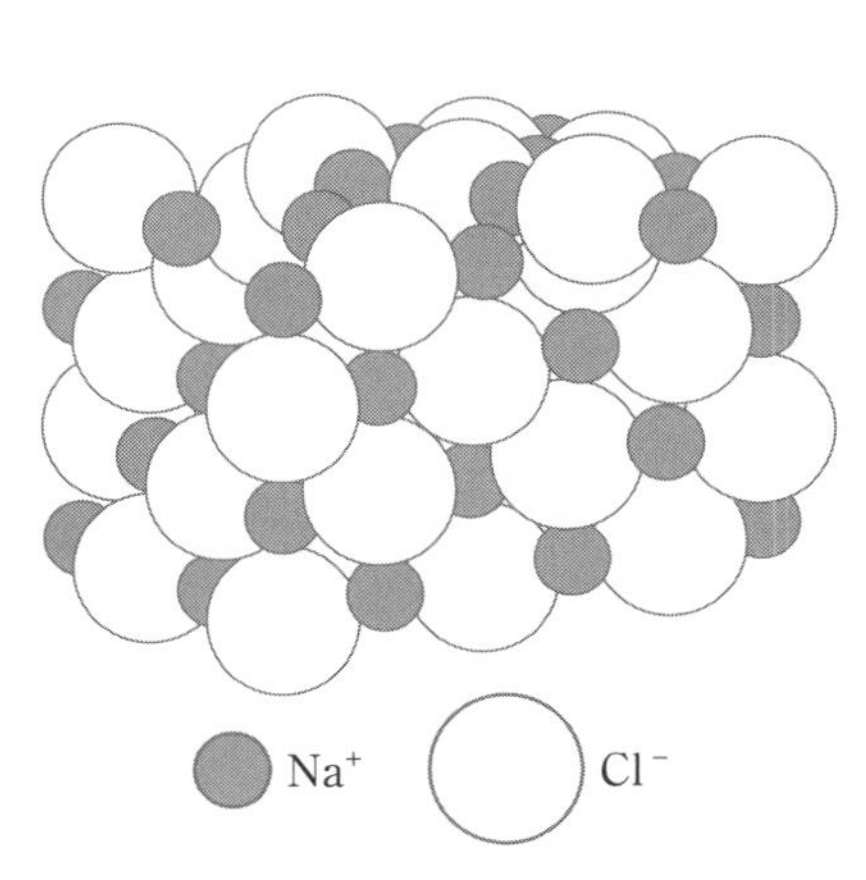

図 11-2　塩化ナトリウム（NaCl）の結晶構造

れている。高い塩分下では浸透圧が高くなり、細菌の菌体から水が失われ生存できないので、高濃度の食塩は食品保存料にもなる。食塩の味は、硫酸ナトリウムや塩化カリウムなどのものとはかなり違う。いわゆる塩味は、ナトリウムイオン（Na^+）と塩化物イオン（Cl^-）の両方によってもたらされている。

しかし、食塩としての利用はごく一部の用途にすぎず、塩化ナトリウムの大部分が金属ナトリウム、水酸化ナトリウム、炭酸ナトリウムの原料となる。

最近、高価なリチウムイオン電池に代わり、廉価なナトリウムイオン電池やカリウムイオン電池が注目されている。ナトリウムやカリウムは入手しやすいため利点は大きく、日本や中国で開発研究が進んでいる。

ナトリウム自体は、ヒトにとって必須元素である。体重70kgの成人の体には１００ｇのナトリウム（塩化ナトリウム換算で２５０ｇ）がある。血液１００mLには０・９ｇの塩化ナトリウムが含まれ、赤血球の形態維持や細胞のイオンバランス維持に役立っている。

ナトリウムはカリウムと対になって働く場合が多い。ナトリウムが細胞外液の調節を受け持つのに対し、カリウムは細胞内液の各種の調節に関係している。その境界にある細胞膜は、ナトリウム（膜外）とカリウム（膜内）濃度を適切に保つ機能がある。

生物体内では、植物にはナトリウムよりカリウムが多く含まれるが、動物では逆にナトリウムのほうが多い。

２０２０年の統計によれば、日本の成人一人一日あたりの食塩摂取量は男性で11・0ｇ、女性で９・３ｇと依然として多い。慢性的なナトリウムの過剰摂取は高血圧の原因とされるが、そのメカニズムは未解明である。食塩として男性は一日７・５ｇ未満、女性は６・５ｇ未満（理想的には６ｇ未満）に抑えるのがよい。

12 Mg

マグネシウム／Magnesium

同位体と存在比(%)	
^{24}Mg	[78.88, 79.05]
^{25}Mg	[9.988, 10.034]
^{26}Mg	[10.96, 11.09]
^{27}Mg	0, β^-, γ, 9.458m
^{28}Mg	0, β^-, γ, 20.915h

電子配置	[Ne]$3s^2$
原子量	[24.304, 24.307]
融点(K)	923(650℃)
沸点(K)	1368(1095℃)
密度(kg・m^{-3})	1738(固体, 293K)
	1585(液体, 922K)
地殻濃度(ppm)	23000

酸化数	+2	MgO, $MgCO_3$, $MgSO_4$, $Mg(OH)_2$, MgH_2, $MgCl_2$, CH_3MgI

1	2	3	4	5	6	7	8	9	10	11	12	13	14	15	16	17	18
1 H																	2 He
3 Li	4 Be											5 B	6 C	7 N	8 O	9 F	10 Ne
11 Na	12 Mg											13 Al	14 Si	15 P	16 S	17 Cl	18 Ar
19 K	20 Ca	21 Sc	22 Ti	23 V	24 Cr	25 Mn	26 Fe	27 Co	28 Ni	29 Cu	30 Zn	31 Ga	32 Ge	33 As	34 Se	35 Br	36 Kr
37 Rb	38 Sr	39 Y	40 Zr	41 Nb	42 Mo	43 Tc	44 Ru	45 Rh	46 Pd	47 Ag	48 Cd	49 In	50 Sn	51 Sb	52 Te	53 I	54 Xe
55 Cs	56 Ba		72 Hf	73 Ta	74 W	75 Re	76 Os	77 Ir	78 Pt	79 Au	80 Hg	81 Tl	82 Pb	83 Bi	84 Po	85 At	86 Rn
87 Fr	88 Ra		104 Rf	105 Db	106 Sg	107 Bh	108 Hs	109 Mt	110 Ds	111 Rg	112 Cn	113 Nh	114 Fl	115 Mc	116 Lv	117 Ts	118 Og

ランタノイド（57〜71）	57 La	58 Ce	59 Pr	60 Nd	61 Pm	62 Sm	63 Eu	64 Gd	65 Tb	66 Dy	67 Ho	68 Er	69 Tm	70 Yb	71 Lu
アクチノイド（89〜103）	89 Ac	90 Th	91 Pa	92 U	93 Np	94 Pu	95 Am	96 Cm	97 Bk	98 Cf	99 Es	100 Fm	101 Md	102 No	103 Lr

イギリスの化学者デービーは１８０８年、水銀を陰極にした電気分解により、硫酸マグネシウム（$MgSO_4$）からマグネシウムをアマルガム（水銀合金）の形で得た。

１８２８年にフランスの化学者ビュシーが無水塩化マグネシウム（$MgCl_2$）を金属カリウム（K）とともに溶融して、純粋な金属マグネシウムを初めて分離した。ギリシャのマグネシア（Magnesia）地方からマグネシウム鉱石である滑石が産出することにちなみ、デービーが命名した。

マグネシウムは単体として天然には産出しないが、塩類や岩石として自然界に多量に分布し、地殻の金属元素としては7番目に多い。海水、動植物にも含まれる。主要鉱物はそれぞれ水酸化マグネシウム（$Mg(OH)_2$）、炭酸カルシウムマグネシウム（$CaMg(CO_3)_2$）、炭酸マグネシウム（$MgCO_3$）を主成分とする水滑石、苦灰石、菱苦土石である。

金属マグネシウムは熱還元法と電解法で製造される。熱還元法はフェロシリコン法ともよばれ、ドイツで始まり、第二次世界大戦中にカナダで発展した。ケイ素と鉄の合金であるフェロシリコンを苦灰石と混ぜ、真空下で1200℃に加熱蒸留して金属マグネシウムを分離・製造する方法である。電解法では、塩化マグネシウム（$MgCl_2$）が電解により塩素と金属マグネシウムに変わる反応を利用する。

塩化マグネシウムは海水中に濃度0・13％で含まれる。金属マグネシウムを毎年1億t、100万年にわたり海水から生産しても、海水中のマグネシウム濃度は0・01％しか減らない。海水からの効率的で経済的な塩化マグネシウム抽出法が進歩したので、電解法は有望である。

単体マグネシウムは銀白色の軽量金属で、密度はアルミニウム(Al)の3分の2と軽い。このためマグネシウムは航空機、船、自動車など重量節約が問題となる輸送機関の機体やエンジン材料として使われる。次世代の東海道新幹線の車両床に難燃性マグネシウム合金が使われる計画があり、従来より2割の軽量化達成が見込まれている。また、大陸間を航続可能な長距離ミサイルの構造材にもマグネシウム合金が利用されている。

マグネシウムは反応性に富む金属で、空気中ではゆっくりと酸化被膜をつくり、微粉末は加熱すると白色閃光を放って燃える。塩素ガス（Cl_2）、臭素ガス（Br_2）とは室温で激しく反応する。800～850℃で4～5時間加熱すると、窒素ガス（N_2）とも反応して窒化マグネシウム（Mg_3N_2）ができる。

金属マグネシウムは室温では水に侵されないが、微粉末を水中で加熱すると、水と反応して水酸化マグネシウム（$Mg(OH)_2$）と水素ガスが生成する。金属マグネシウムをジエチルエーテル（$(C_2H_5)_2O$）中でハロゲン化アルキル（RX：Rは炭化水素、Xはハロゲン原子）と混ぜると化学構造式$RMgX \cdot 2(C_2H_5)_2O$の白色固体が得られる。この固体はグリニャール試薬とよばれ、アルコールやケトンの合成に用いられる。

マグネシウムが白熱して燃える性質を利用して、昔は写真のフラッシュとしてむきだしのまま摩擦熱でパッと燃やしていた。現在も、身近なところでは、鮮やかな閃光を出す目的で花火の火薬に混ぜたりする。

海水を濃縮して塩化ナトリウム（NaCl）を取り出した後、さらに煮詰めると、塩化マグネシウムなどを主成分とする苦い塩類混合物の液体または固体が残る。これはニガリとよばれ、水溶性の大豆タンパク質である豆乳を豆腐に変える凝固剤となる。

マグネシウムは生体必須元素である。体重70kgの成人の体には105g含まれ、タンパク質、核酸、脂質の生合成に関わる酵素類の活性化、軟骨と骨の成長、脳と甲状腺機能維持に重要である。リン酸塩、炭酸塩として骨や筋肉に分布し、欠乏すると筋肉がふるえ、脈が乱れる。しかし、体内でのマグネシウム代謝についてはまだよくわかっていない。

植物では、光合成色素であるクロロフィル（葉緑素）の分子中心にマグネシウムイオンが存在する。クロロフィル中でマグネシウムは光エネルギーを化学エネルギーに変換する重要な働きをする。

酸化マグネシウムは酸を中和する作用があるので、胃酸過多時の制酸薬として投与される。また、

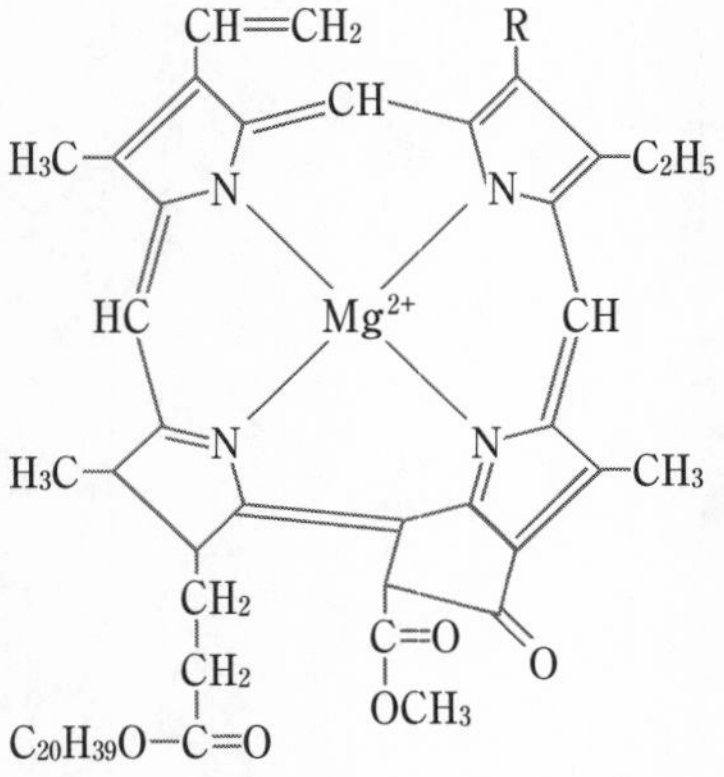

クロロフィルa　　$R=CH_3$
クロロフィルb　　$R=CHO$

図 12-1　クロロフィルの構造

マグネシウムイオンは腸管を通じて吸収されにくく、腸の内容液が体液と同じ浸透圧になるまで水分を吸収する性質がある。その結果、腸管内の水分量が増加し、腸内容物が水様化されて体積が増大し、大腸運動が促進される。このため、マグネシウム塩類は便秘予防の下剤として使われる。

マグネシウムイオンは、タンパク質にリン酸基を導入する酵素を活性化する因子として働く。リン酸基の導入は、生体内での一般的なシグナル伝達手段である。マグネシウムイオンはまた、生体エネルギー源であるＡＴＰ（アデノシン三リン酸）と錯体をつくり、ＡＴＰを安定化させる。生体がＡＴＰからエネルギーを取り出すときに、酵素作用でマグネシウムイオンがはずれてＡＤＰ（アデノシン二リン酸）になると考えられている。

成人のマグネシウム必要量は一日あたり２７０〜３７０㎎で、乳製品、ナッツ、豆類、緑色野菜などから摂取できる。

13

Al

アルミニウム／Aluminium (Aluminum)

同位体と存在比(%)	
^{26}Al	0, β^+, γ, 7.17×10^5y
^{27}Al	100
^{28}Al	0, β^-, γ, 2.245m

電子配置	[Ne]$3s^23p^1$
原子量	26.9815384
融点(K)	933.52(660.37℃)
沸点(K)	2793(2520℃)
密度(kg・m^{-3})	2698(固体, 293K)
	2390(液体, 融点)
地殻濃度(ppm)	82000

酸化数	+1	AlCl(気体)
	+3	Al_2O_3, $Al(OH)_3$, $LiAlH_4$, AlF_3, Na_3AlF_6, $AlCl_3$

1	2	3	4	5	6	7	8	9	10	11	12	13	14	15	16	17	18
1 H																	2 He
3 Li	4 Be											5 B	6 C	7 N	8 O	9 F	10 Ne
11 Na	12 Mg											13 Al	14 Si	15 P	16 S	17 Cl	18 Ar
19 K	20 Ca	21 Sc	22 Ti	23 V	24 Cr	25 Mn	26 Fe	27 Co	28 Ni	29 Cu	30 Zn	31 Ga	32 Ge	33 As	34 Se	35 Br	36 Kr
37 Rb	38 Sr	39 Y	40 Zr	41 Nb	42 Mo	43 Tc	44 Ru	45 Rh	46 Pd	47 Ag	48 Cd	49 In	50 Sn	51 Sb	52 Te	53 I	54 Xe
55 Cs	56 Ba		72 Hf	73 Ta	74 W	75 Re	76 Os	77 Ir	78 Pt	79 Au	80 Hg	81 Tl	82 Pb	83 Bi	84 Po	85 At	86 Rn
87 Fr	88 Ra		104 Rf	105 Db	106 Sg	107 Bh	108 Hs	109 Mt	110 Ds	111 Rg	112 Cn	113 Nh	114 Fl	115 Mc	116 Lv	117 Ts	118 Og

ランタノイド(57〜71)	57 La	58 Ce	59 Pr	60 Nd	61 Pm	62 Sm	63 Eu	64 Gd	65 Tb	66 Dy	67 Ho	68 Er	69 Tm	70 Yb	71 Lu
アクチノイド(89〜103)	89 Ac	90 Th	91 Pa	92 U	93 Np	94 Pu	95 Am	96 Cm	97 Bk	98 Cf	99 Es	100 Fm	101 Md	102 No	103 Lr

アルミニウムのつづりはドイツ語ではAluminiumであり、フランス語と英語ではaluminiumであるのに対し、米語ではaluminum（アルミナム）と表記される。この違いは1925年の米国化学会の決定のためである。

フランスの化学者ラボアジェは1787年、ミョウバンのことをアルミン（alumine）と記載した。イギリスの化学者デービーはミョウバンからアルミ

図13-1　エルステッド（1777 − 1851）

ニウム酸化物を１８０７年に分離し、これをアルミウム（alumium）とよんだ。のちに、その金属光沢から「光るもの」（a lumine）という言葉と語呂があうアルミナム（aluminum）に替えられ、米国化学会はこの言葉を採用したようだ。

アルミニウムは、古代ギリシャやローマでアルミニウムの塩であるミョウバンをalumen（英語ではalum）とよんだことにちなみ、フランスの無機化学者ドービルが命名した。

アルミニウムは地殻中に酸素、ケイ素に次いで豊富に存在し、金属元素としては最も多く、鉄の２倍もある。鉱物には長石、雲母、氷晶石がある。主要鉱石にはボーキサイト（bauxite）とカオリン（白色粘土）がある。なお、ボーキサイトの名称は、鉱石が最初に発見された南フランスの村ボー Baux による。カオリンは豊富に存在するが、アルミナ（酸化アルミニウムの工業的呼称）含有量が少ない。

金属アルミニウムの生産には、マグネシウムと同様、近代的な電気化学の発展を待たねばならなかった。１８２５年、デンマークの電気物理学者エルステッドが、塩化アルミニウム（$AlCl_3$）とカリウムアマルガムの反応で金属アルミニウムを初めてつくり、ドイツの化学者ヴェーラー（尿素合成でも有名）は１８２７年にその製造法を改良した。当初はたいへんな貴重品で、１８５５年のパリ万国博では「粘土から得た銀」として宝石類と並べて展示された。ナポレオン三世が開催したその晩餐会で、銀食器よりも高価だったアルミニウム食器は特別な貴賓にだけ使われたという。

工業的には、溶融した氷晶石〈Na_3AlF_6〉中でボーキサイト（不純な水酸化アルミニウム〈$Al(OH)_3$〉や酸化アルミニウム〈Al_2O_3〉を含む鉱石）から抽出したアルミナを、正負とも炭素電極を使って電気分解し、陰極に金属を析出させる。氷晶石は高融点（2054℃）のアルミナを低温で溶かすために加える。近代的な融解塩電解法をホール－エルー法といい、アメリカ人ホールとフランス人エルーが1886年にそれぞれ独自に開発したものである。

製造に多量の電力を必要とするアルミニウムは、しばしば「電気の缶詰」と形容される。350mLのアルミ缶1個分のアルミニウムを得るためには、20Wの白熱電球を15時間も点灯するだけの電気がいる。現在、アルミ缶の回収が進み、2021年には回収率97%が達成されている。1995年以降、日本国内でのアルミニウム生産は電力コストの高騰により中止となり、金属地金はすべてを海外から輸入している。その価格は2023年2月時点で1kgあたり約390円である。

一円硬貨や調理器具でなじみ深い金属アルミニウムは、銀白色の軽金属で、鉄の3分の1の重さしか

図13-2 ホール（1863－1914）

図13-3 エルー（1863－1914）

ない。やわらかで軽く、箔、缶、チューブ、パイプ、板などへの加工が容易である。空気中では薄い酸化保護膜に覆われて光沢を失うが、内部まで侵されない。酸化被膜をつけたアルミニウムは日本で開発されて「アルマイト」とよばれ、アメリカでは「アルミライト」の商品名がある。

被膜つきアルミニウムは耐腐食性、絶縁性に優れるので丈夫であり、回路に電気エネルギーを蓄えるコンデンサーとして使われる。また、酸化被膜には染色も可能で、着色アルミニウムとして装飾や建築に利用される。また、アルミニウムは銅、亜鉛、マグネシウム、ケイ素、マンガン、ニッケルなどに溶かし込むことができる。複数の金属を溶かして混ぜたものを合金といい、ジュラルミン（アルミニウム95%、銅4%、マグネシウム0.5%、マンガン0.5%の合金）などのアルミニウム合金は軽くて強く、車両、航空機などに広く利用されている。

アルミニウムは酸と塩基の両方と反応して塩類をつくるので、亜鉛（Zn）と同様、両性金属である。すなわち、酸と反応して、塩化アルミニウム（$AlCl_3$）、硝酸アルミニウム（$Al(NO_3)_3$）、硫酸アルミニウム（$Al_2(SO_4)_3$）などの3価の塩を形成し、強塩基と反応してアルミン酸塩（$[Al(OH)_4(H_2O)_2]^-$や$[Al(OH)_4]^-$などの化合物）になる。

アルカリ金属やアンモニウムの硫酸塩と硫酸アルミニウムを混ぜると、$MAl(SO_4)_2 \cdot 12H_2O$型のミョウバンとよばれる塩類となる。金属Mのところに何がくるかでミョウバンには何種類もあるが、単にミョウバンといえばMがカリウム（K）になるカリウムアルミニウムミョウバンを指すことが多い。ミョウバンは化学肥料用の硫酸カリウムの製造原料、染色用の媒染剤（生地と色素の結びつきを助ける）である。ナスの色素と安定な複合体を形成するので、漬物のナスを色鮮やかに保つユニークな利用法もある。

水酸化アルミニウムは、中性付近でコロイドとい

13 Al アルミニウム

う分子集合体になる。コロイドの表面は広く、そこにイオン類や汚れ成分が吸着されて沈殿する。この性質のため、水酸化アルミニウムは水の清澄剤として、浄水場で汚染物質の除去に使われる。

酸化アルミニウムであるコランダム（アルミナの天然単結晶）は金剛砂として天然に産出し、極端に硬いので金属やガラスの研磨材として使われる。大きいコランダムを鋼玉という。不純物として鉄やチタンの酸化物を含む鋼玉は、これらの金属イオンのために青く見え、宝石サファイアとなる。また、クロム酸化物を含むと赤い宝石ルビーになる。

酸化アルミニウムから人工サファイアや人工ルビーが廉価で合成できる。小さい人工宝石は時計の部品や精密天秤の軸受けなどに使われる。

アルミニウムは医薬品にも使われる。水酸化アルミニウムは胃酸を中和する働きがある制酸薬である。日本で開発された胃潰瘍治療薬のスクラルファートは、アルミニウムイオンと有機化合物との複合化合物（錯体）である。胃や十二指腸の粘膜にあるタンパク質と結合して潰瘍部分を覆い、胃酸から患部を保護する。

アルミニウムイオン（Al^{3+}）は、鉄イオン（Fe^{3+}）とよく似た性質をもつため、鉄の輸送タンパク質であるトランスフェリンと結合しやすい。したがってアルミニウムが過剰に体内に入ると、鉄の代謝経路に乗って骨や筋肉に取り込まれて沈着し、骨の脆弱化、筋肉の萎縮硬化をもたらす。

アルミニウム塩類は、酸にもアルカリにも溶けるものが多い。酸性雨による森林荒廃や湖沼での魚類の死滅は、酸性雨により土壌から溶けたアルミニウムによるとの報告もある。なお、海水には平均で約0・005ppmのアルミニウムイオンがあり、大西洋海水には、太平洋海水の50倍ものアルミニウムが溶けている。

14

Si

ケイ素／Silicon

同位体と存在比(%)	
^{28}Si	[92.191, 92.318]
^{29}Si	[4.645, 4.699]
^{30}Si	[3.037, 3.110]
^{31}Si	0, β^-, γ, 157.36m
^{32}Si	0, β^-, 153y

電子配置	[Ne]$3s^2 3p^2$
原子量	[28.084, 28.086]
融点(K)	1685(1412℃)
沸点(K)	3539(3266℃)
密度(kg・m^{-3})	2329(固体, 293K)
	2525(液体, 1683K)
地殻濃度(ppm)	282000

酸化数		
	+2	SiF_2(気体)
	+4	SiO_2, SiH_4, SiF_4, $SiCl_4$, Ca_2Si, SiC

1	2	3	4	5	6	7	8	9	10	11	12	13	14	15	16	17	18
1 H																	2 He
3 Li	4 Be											5 B	6 C	7 N	8 O	9 F	10 Ne
11 Na	12 Mg											13 Al	14 Si	15 P	16 S	17 Cl	18 Ar
19 K	20 Ca	21 Sc	22 Ti	23 V	24 Cr	25 Mn	26 Fe	27 Co	28 Ni	29 Cu	30 Zn	31 Ga	32 Ge	33 As	34 Se	35 Br	36 Kr
37 Rb	38 Sr	39 Y	40 Zr	41 Nb	42 Mo	43 Tc	44 Ru	45 Rh	46 Pd	47 Ag	48 Cd	49 In	50 Sn	51 Sb	52 Te	53 I	54 Xe
55 Cs	56 Ba		72 Hf	73 Ta	74 W	75 Re	76 Os	77 Ir	78 Pt	79 Au	80 Hg	81 Tl	82 Pb	83 Bi	84 Po	85 At	86 Rn
87 Fr	88 Ra		104 Rf	105 Db	106 Sg	107 Bh	108 Hs	109 Mt	110 Ds	111 Rg	112 Cn	113 Nh	114 Fl	115 Mc	116 Lv	117 Ts	118 Og

ランタノイド(57～71)	57 La	58 Ce	59 Pr	60 Nd	61 Pm	62 Sm	63 Eu	64 Gd	65 Tb	66 Dy	67 Ho	68 Er	69 Tm	70 Yb	71 Lu
アクチノイド(89～103)	89 Ac	90 Th	91 Pa	92 U	93 Np	94 Pu	95 Am	96 Cm	97 Bk	98 Cf	99 Es	100 Fm	101 Md	102 No	103 Lr

ケイ素は、地殻では酸素に次いで豊富に存在する。さまざまな酸化物やケイ酸塩が石英、長石、水晶、ザクロ石、オパール、雲母、石綿（アスベスト）などの鉱物として産出する。英語の元素名siliconはラテン語のケイ砂（silex。硬い石、火打ち石）に由来する。単体のケイ素は、フッ化ケイ素（SiF_4）を金属カリウムで還元して、スウェーデンの化学者ベルセーリウ

スが1823年に初めて単離した。純粋なケイ素の結晶は、フランスの無機化学者ドービルが1854年につくったといわれている。工業的には二酸化ケイ素（SiO_2。ケイ砂、シリカ）を炭素で高温還元して製造する。単体ケイ素には青灰色の金属光沢があるので、当初は金属と誤解されたが、硬くてもろい非金属の結晶であり、多少の電気伝導性をもつ半導体（101ページのコラム5）である。

単体はシリコーン樹脂（後述）などの原料や、太陽電池、コンピュータ基板などの半導体材料に使われる。アルミニウム、マグネシウム、銅などに添加する合金強化用成分でもある。第二次世界大戦中、レーダー電波の検知器としてケイ素整流器の研究が盛んに行われ、ケイ素結晶が典型的な半導体であることが判明した。エレクトロニクス時代の礎は、このとき築かれた。

　二酸化ケイ素に炭酸ナトリウムや炭酸カリウムを加え、加熱溶解してから冷やしたものがガラスで、アモルファス（無定形）物質である。水晶、メノウ、オニックスなどの宝石類も、主成分は二酸化ケイ素である。二酸化ケイ素は別名シリカ(silica)といい、アルミナ（alumina）やマグネシア（magnesia）にならった名前でよぶ。

　石英の結晶である水晶（quartz）を薄膜にして電気刺激を与えると、きわめて正確に振動するため、電波周波数の制御機器やクオーツ時計に使われる。水晶はまた、圧力を加えると電圧が発生するため、ライターやガスの点火装置の部分にも使われる。電圧が発生するのは、結晶のゆがみによってイオンの相対的な位置が変化するためと考えられている。

　二酸化ケイ素は酸性酸化物であり、水酸化ナトリウムなどの塩基と反応して、ケイ酸イオン（SiO_3^{2-}）が立体的に並んだ骨格構造をもつ高分子物質、ケイ酸ナトリウム（Na_2SiO_3）となる。ケイ酸ナトリウムを水中で加熱するとナトリウムが水酸化物イオン（OH^-）に置換した水ガラスとなる。水ガラスは地盤の改良剤などに使われる。

水ガラスを乾燥させるとケイ酸（$SiO_2 \cdot nH_2O$）になり、これをほぼ完全に脱水したものが乾燥剤シリカゲルである。シリカゲルは活性炭のように単位重量あたりの表面積が大きく、表面には水分子だけでなく気体や色素なども強く吸着される。

二酸化ケイ素のうち、石綿（アスベスト）は、断熱性がよいので建築材として使われていたが、細かいトゲが肺に突き刺さると発がんなどの危険性があり、２００６年に全面製造禁止となった。

一般式$xM_2O \cdot ySiO_2$（MはAl、Na、K、Mgなど）で表されるケイ酸塩は、ケイ素原子に4個の酸素原子がついた正四面体SiO_4が直線や環状、網目状に並んでいる。ケイ酸カルシウムはセメントの主成分である。粘土は、ケイ酸塩の一部のケイ素がアルミニウムに置き換わったもので、良質のものは特に陶土とよばれる。

ケイ素は炭素と結合し、有機ケイ素化合物をつくる。有機ケイ素化合物が共有結合でつながった重合体はシリコーン（silicone）とよばれ（ケイ素の元素名であるsiliconの最後にeがついている）、その状態によってオイル、グリース、ゴム、樹脂になる。いずれもシロキサン結合（—Si—O—Si—O—）を分子骨格にもつ。

炭素と酸素の結合エネルギーが356kJ・mol^{-1}であるのに対し、ケイ素と酸素の結合エネルギーは452kJ・mol^{-1}とかなり大きいため、炭素化合物よりも安定な酸化物ができる。

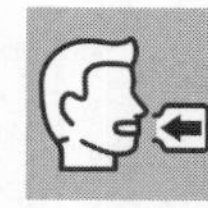

ケイ素は、珪藻やイネ科植物では二酸化ケイ素として取り込まれて、構造維持に役立っている。１９７２年に、ニワトリやラットの骨にケイ素が必須元素であることが報告された。ヒトでも必須元素と考えられ、体重70 kgの成人の体内には約2gのケイ素がある。また、シリコーンゲルを重い火傷部に塗ると、皮膚の再生が促されたとの報告もある。

Column 5

半導体——Semiconductor

銅やアルミニウムのように電気をよく通す物質は「導体」とよばれ、ゴムやガラス、プラスチックなどは電気をほとんど通さないため「絶縁体」とよばれている。この中間の性質をもつ物質、たとえばゲルマニウム、ケイ素（シリコン）などを半導体という。半導体の結晶中では、共有結合の一部が切れて自由電子が結晶中に飛び出すと同時に、電子が飛び出した跡はホール（正孔）といってあたかも正の電荷をもつかのようにふるまう。

このような半導体にごく微量の物質（不純物）を加えてやると、自由電子やホールの数を制御して電気伝導性を大きく変えることができる。たとえば、ケイ素結晶中にホウ素（B）原子をいくつか混ぜれば、ホウ素は共有結合のための電子が1個足りないので、ホールが増えることになる。また、ケイ素結晶中にリン（P）原子を混ぜれば、リンは逆に共有結合のための

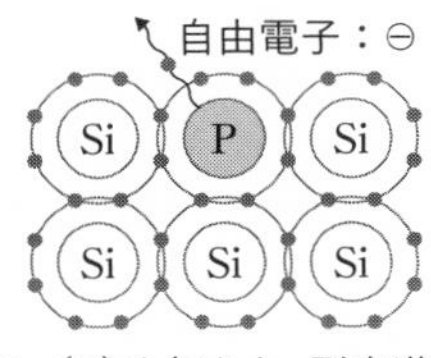

リン（P）を加えたn型半導体

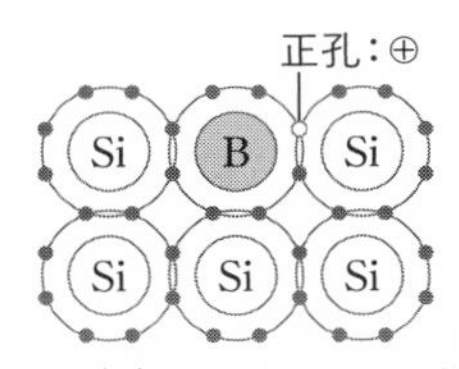

ホウ素（B）を加えたp型半導体

電子を1個多くもつので電子が余り、自由電子が増えることになる。前者を正（ポジティブ）の電荷をもつホール（正孔）が電流を運ぶp型半導体、後者を負（ネガティブ）の電荷をもつ電子が電流を運ぶn型半導体という。

p型半導体とn型半導体を接合させると、最も基本的な半導体素子、ダイオードができる。これは交流を一方向の流れ、つまり直流に変える素子である。図のように、順方向に電圧をかけた場合は自由電子、ホールとも移動して電流が流れるが、逆方向に電圧をかけた場合は自由電子、ホールとも接合部とは反対方向に動き、接合部付近には〝絶縁地帯〟が生まれる。もちろん電流は流れない。こうして交流を直流に変えることができる。半導体はこのほか、トランジスタ、発光ダイオード、半導体レーザー、センサーなどの電子素子として広く使われている。

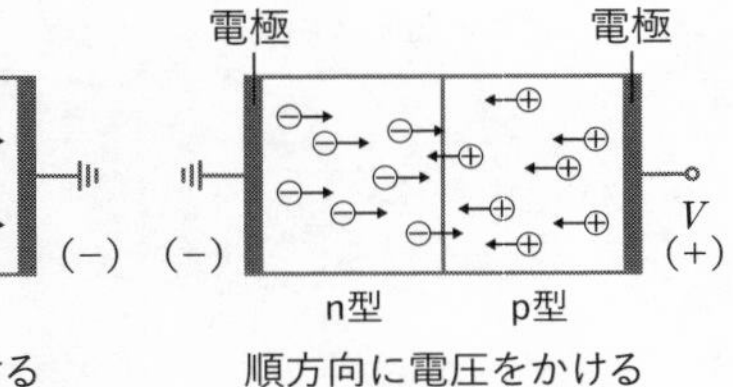

逆方向に電圧をかける　　順方向に電圧をかける

15

P

リン／Phosphorus

同位体と存在比(%)			
^{30}P	0, β^+, 2.498m	^{32}P	0, β^-, 14.268d
^{31}P	100	^{33}P	0, β^-, 25.35d

電子配置	$[Ne]3s^23p^3$
原子量	30.973761998
融点(K)	317.4(44.2℃, 白リン)
	683.1(409.9℃, 赤リン, 加圧下)
沸点(K)	553.1(279.9℃, 白リン)
密度($kg \cdot m^{-3}$)	1820(P_4, 293K)
	2200(赤リン, 293K)
	2690(黒リン, 293K)
地殻濃度(ppm)	1000

酸化数	−3	PH_3, Ca_3P_2
	−2	P_2H_4
	0	P_4
	+1	H_3PO_2, $H_2PO_2^-$
	+2	P_2I_4
	+3	PF_3, PCl_3, P_4O_6, H_3PO_3
	+5	P_2O_5(P_4O_{10}), H_3PO_4, PCl_5, $POCl_3$

1	2	3	4	5	6	7	8	9	10	11	12	13	14	15	16	17	18
1 H																	2 He
3 Li	4 Be											5 B	6 C	7 N	8 O	9 F	10 Ne
11 Na	12 Mg											13 Al	14 Si	15 P	16 S	17 Cl	18 Ar
19 K	20 Ca	21 Sc	22 Ti	23 V	24 Cr	25 Mn	26 Fe	27 Co	28 Ni	29 Cu	30 Zn	31 Ga	32 Ge	33 As	34 Se	35 Br	36 Kr
37 Rb	38 Sr	39 Y	40 Zr	41 Nb	42 Mo	43 Tc	44 Ru	45 Rh	46 Pd	47 Ag	48 Cd	49 In	50 Sn	51 Sb	52 Te	53 I	54 Xe
55 Cs	56 Ba		72 Hf	73 Ta	74 W	75 Re	76 Os	77 Ir	78 Pt	79 Au	80 Hg	81 Tl	82 Pb	83 Bi	84 Po	85 At	86 Rn
87 Fr	88 Ra		104 Rf	105 Db	106 Sg	107 Bh	108 Hs	109 Mt	110 Ds	111 Rg	112 Cn	113 Nh	114 Fl	115 Mc	116 Lv	117 Ts	118 Og

ランタノイド(57〜71)	57 La	58 Ce	59 Pr	60 Nd	61 Pm	62 Sm	63 Eu	64 Gd	65 Tb	66 Dy	67 Ho	68 Er	69 Tm	70 Yb	71 Lu
アクチノイド(89〜103)	89 Ac	90 Th	91 Pa	92 U	93 Np	94 Pu	95 Am	96 Cm	97 Bk	98 Cf	99 Es	100 Fm	101 Md	102 No	103 Lr

リンの発見は古く、1669年にドイツの錬金術師で化学者でもあったブラントが、金を製造する目的で人尿を蒸発させた残留物を空気遮断下で加熱することで、初めて分離した。生物試料からの元素発見は、歴史上初めての出来事であった。

英語名の phosphorus は、白リンが、吸収した光をリン光に変えて放ち、暗闇で光るので、ギリシャ語の「光をもたらすもの」(phosphoros) にちなむ。phosは光、phorosはもたらす、の意味がある。

地殻中でのリンの存在量は0・1%で、すべてリン灰石(apatite = $3Ca_3(PO_4)_2 \cdot CaX_2$、Xは F や Cl、OH) などのリン酸塩として産出する。リンを含む良質の鉱物は先史時代の海底に蓄積された生物の死骸や、古代の海鳥の群生地に落ちた膨大量の糞の堆積物に由来する。日本は工業原料となるリン鉱石をすべて輸入に頼り、世界的な枯渇で入手しにくい資源である。

動物の歯や骨の主成分はリン酸三カルシウム ($Ca_3(PO_4)_2$) であるため、リンは古くは骨や歯から製造されたが、現在ではリン酸三カルシウムをケイ砂とコークスと混ぜて電気炉で加熱し、発生するリン蒸気を水中で凝縮させてつくる。こうして得られる単体は「白リン」であり、空気のない条件で300℃に加熱すると「赤リン」に変わる。白リン分子はP_4型の正四面体で、透明なロウ状固体であるが、しばしば表面に赤リンの薄い被膜が付着して淡黄色に見えるので「黄リン」ともよばれる。黄リンという純物質はない。「白リン」の同素体には「紫リン」(金属リンともよばれるが、金属ではない) と「黒リン」がある。リンの同素体は互いに異なる原子配列と化学的性質をもち、白リンが最も反応性が高く、黒リンは低い。

白リンは毒性が強く皮膚につくと傷害を起こし、空気中では50℃以上で発火するので、空気遮断のため水中に保存する。黒リンは空気中で発火させるのがきわめて難しいくらい安定である。

赤リンは暗赤色粉末で、260℃まで発火せず、毒性が弱くて取り扱いやすい。赤リンはガラス粉やニカワと混ぜてマッチの摩擦面に使われ、こすると発熱してマッチ軸先の火薬が着火する。なお、赤リンは純粋な物質ではなく紫リンと白リンの混合物である。「紅リン」は微細な赤リンといわれている。

白リンが、赤リンや黒リンよりも猛毒 (致死量

15 P リン

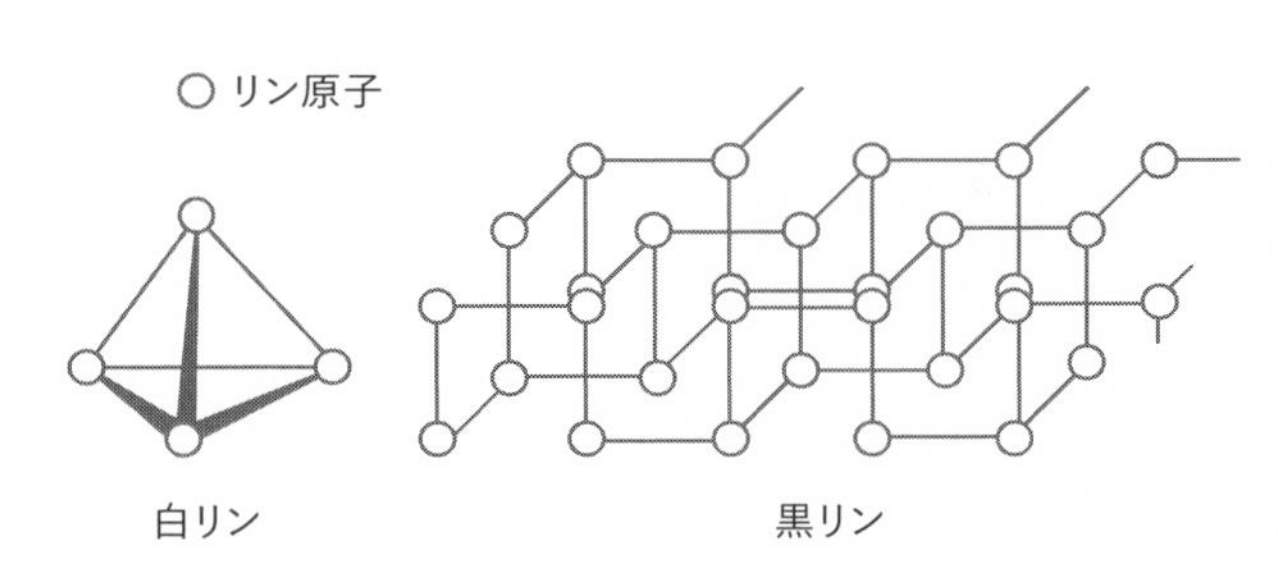

図 15-1　白リンと黒リンの構造

0・15g）であることは古くから知られている。詳しい機構は不明だが、白リンは分子量が小さいため、反応性が高い。皮膚に接触して体内に入ると吸収されやすい形になり、神経伝達系などに作用して毒性を示すと推定されている。

白リンが燃えると組成式P_2O_5（P_4O_{10}とも）の白色粉末、五酸化二リンになる。きわめて強い乾燥・脱水剤で、硫酸やエチルアルコールと混ぜると三酸化硫黄（SO_3）やエチレン（C_2H_4）が発生する。

五酸化二リンを水中で加熱すると酸性物質、オルトリン酸（H_3PO_4、別名リン酸または正リン酸）ができる。オルトリン酸は吸湿性の白色固体で、水に溶けて強い酸性を示す。オルトリン酸イオン（PO_4^{3-}）では、酸素原子がリン原子を中心に正四面体頂点に並ぶ。オルトリン酸には金属と反応して表面を不溶性の薄膜で覆う性質がある。この被膜は金属を腐食から守り、塗装用の密着性の高い下地となるため、自動車車体などを塗装前にリン酸処理するのが普通である。

リン酸二水素カルシウム（$Ca(H_2PO_4)_2$）は水に溶けやすく、ガラスの製造原料として使われる。リン酸一水素カルシウム（$CaHPO_4$）は、水に溶けず歯質を傷つけない適度な硬さをもつので、練り歯磨きの研磨成分となる。ヒドロキシアパタイト（$Ca_3(PO_4)_2 \cdot Ca(OH)_2$）は歯の象牙質と同じ成分なので、歯を白くするため、やはり歯磨き粉に添加される。リン灰石からつくるセラミックスは人体になじむ人工骨材料である。リン酸は、窒素・カリウムとともに肥料の3要素で、肥料への用途が最も多い。粉末肥料としては、リン酸一アンモニウム（$NH_4H_2PO_4$）やリン酸二アンモニウム（$(NH_4)_2HPO_4$）がある。また、ポリリン酸アンモニウムは液体肥料の成分である。リン酸塩は食品添加物にも使われる。リン酸水素ナトリウム（Na_2HPO_4）は食品のpHを一定にして品質を保つ目的で、ハム、チーズ、コーンフレークなどに添加される。

2分子以上のリン酸がP—O—P結合で結合した化合物をポリリン酸という。ポリリン酸は硬水中のカルシウムやマグネシウムなどの陽イオンと結合するので、カルシウムやマグネシウムの除去に使われている（軟化処理）。また、硬水に添加して、ボイラーの給湯管内でパイプあか（カルシウム塩などの不溶物）の析出を防ぐ。

家庭用洗剤には、洗浄力を強める水質軟化剤としてトリポリリン酸ナトリウム（$Na_5P_3O_{10}$）が添加されていたことがある。微生物にとって栄養源となるリンを含む洗剤が河川や湖に蓄積すると微生物が異常繁殖して水質が低下するため、ケイ素を含むゼオライトなどの代替物に置き換えられた。

リンを含む有機化合物には神経毒性があり、殺虫剤や生物化学兵器となる。有機リン化合物は、神経伝達物質であるアセチルコリンを分解する酵素を阻害する。そのため、アセチルコリンが異常に増えて神経がつねに伝達状態となり、毒性が出る。

15 P リン

１９９５年のテロ事件で話題となったサリンも、有機リン化合物である。

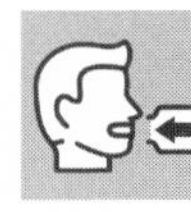

体重70 kgの人体には必須元素として７００ｇのリンが含まれている。骨はその90％を占め、リン酸カルシウムが動物骨の主成分である。リンを含む最も重要な生体分子は核酸である。核酸にはデオキシリボ核酸（ＤＮＡ）とリボ核酸（ＲＮＡ）があるが、遺伝物質はＤＮＡである。

ＤＮＡはリン酸、糖（デオキシリボース）、有機塩基類でできた物質ヌクレオチドがつながり、鎖状に伸びたポリヌクレオチド高分子物質であり、２本の鎖状分子が絡みあう二重らせん構造をとる（ワトソンとクリックのモデル）。ＲＮＡはＤＮＡと違い、糖部分がリボースであり、有機塩基も一部異なる。

アデノシン三リン酸（ＡＴＰ）は重要なリン化合物で、分解して生まれる多量のエネルギーが筋肉収縮や細胞内への物質輸送などに使われる。細胞膜や神経組織にはリン酸を含むリン脂質がある。

人工放射性同位元素^{32}Pは不安定な同位体で、β線を出して崩壊する性質がある。^{32}Pで標識したリン化合物を実験動物に投与し、そこから出るβ線を調べると物質の移動や変換過程が追跡できるので、医学研究で使われる。

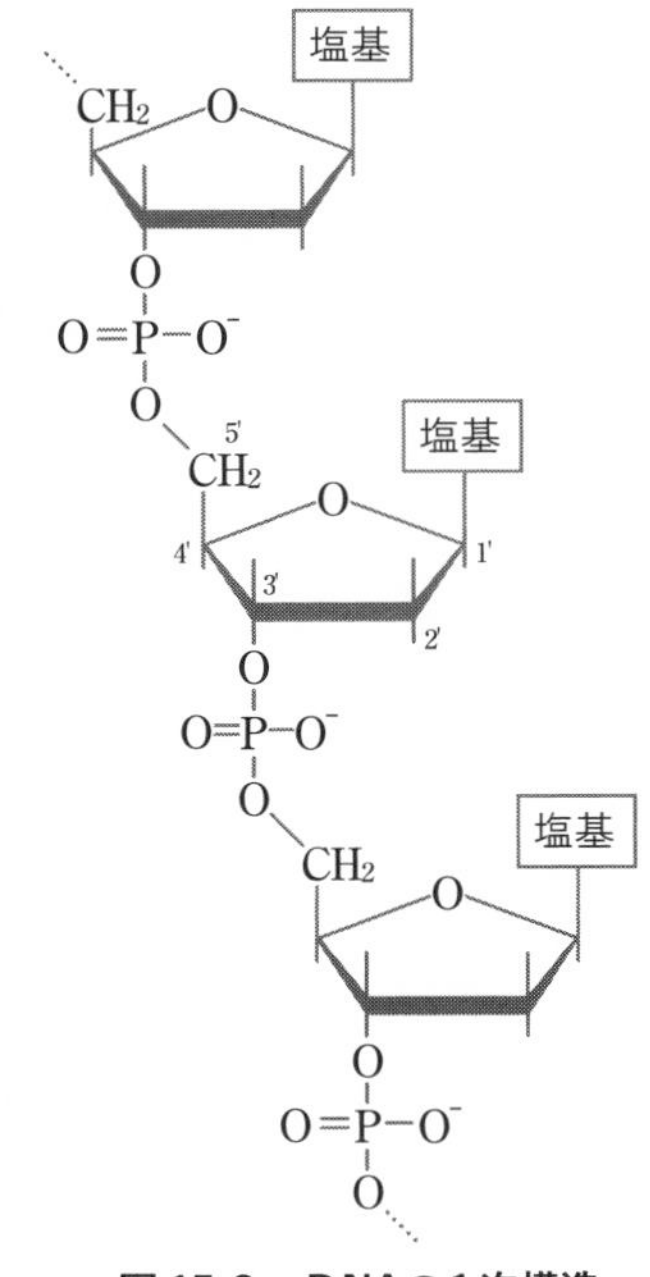

図 15-2　ＤＮＡの１次構造

16

S

硫黄／Sulfur

同位体と存在比(%)			
^{32}S	[94.41, 95.29]	^{36}S	[0.0129, 0.0187]
^{33}S	[0.729, 0.797]	^{37}S	0, β^-, γ, 5.05m
^{34}S	[3.96, 4.77]	^{38}S	0, β^-, γ, 2.83h
^{35}S	0, β^-, 87.37d		

電子配置	[Ne]$3s^2 3p^4$
原子量	[32.059, 32.076]
融点(K)	386.0(112.8℃, 斜方晶系)
	392.2(119.0℃, 単斜晶系)
沸点(K)	717.824(444.674℃)
密度($kg \cdot m^{-3}$)	2070(斜方晶系, 293K)
	1957(単斜晶系, 293K)
	1819(液体, 393K)
地殻濃度(ppm)	260

酸化数			
−2	H_2S, FeS, HgS	+3	$Na_2S_2O_4$
−1	H_2S_2	+4	SO_2, SF_4, $SOCl_2$
0	S_6, S_8	+5	$Na_2S_2O_6$
+1	S_2F_2	+6	SO_3, H_2SO_4
+2	SF_2, $Na_2S_2O_3$		

1	2	3	4	5	6	7	8	9	10	11	12	13	14	15	16	17	18
1 H																	2 He
3 Li	4 Be											5 B	6 C	7 N	8 O	9 F	10 Ne
11 Na	12 Mg											13 Al	14 Si	15 P	16 S	17 Cl	18 Ar
19 K	20 Ca	21 Sc	22 Ti	23 V	24 Cr	25 Mn	26 Fe	27 Co	28 Ni	29 Cu	30 Zn	31 Ga	32 Ge	33 As	34 Se	35 Br	36 Kr
37 Rb	38 Sr	39 Y	40 Zr	41 Nb	42 Mo	43 Tc	44 Ru	45 Rh	46 Pd	47 Ag	48 Cd	49 In	50 Sn	51 Sb	52 Te	53 I	54 Xe
55 Cs	56 Ba		72 Hf	73 Ta	74 W	75 Re	76 Os	77 Ir	78 Pt	79 Au	80 Hg	81 Tl	82 Pb	83 Bi	84 Po	85 At	86 Rn
87 Fr	88 Ra		104 Rf	105 Db	106 Sg	107 Bh	108 Hs	109 Mt	110 Ds	111 Rg	112 Cn	113 Nh	114 Fl	115 Mc	116 Lv	117 Ts	118 Og

ランタノイド (57〜71)	57 La	58 Ce	59 Pr	60 Nd	61 Pm	62 Sm	63 Eu	64 Gd	65 Tb	66 Dy	67 Ho	68 Er	69 Tm	70 Yb	71 Lu
アクチノイド (89〜103)	89 Ac	90 Th	91 Pa	92 U	93 Np	94 Pu	95 Am	96 Cm	97 Bk	98 Cf	99 Es	100 Fm	101 Md	102 No	103 Lr

硫黄（いおう）は単体が天然に産出する。有史以前から知られ、聖書の中ではbrimstone（燃える石）とよばれている。火山活動や化合物特有のにおいから神秘的イメージが生まれ、錬金術では重要な根源物質とされた。炭素や鉄、スズ、鉛、銅などと同様に、特定の発見者がいない元素である。フランスの化学者ラボアジェは1777年に初めて硫黄を元素として分類した。

16 S 硫黄

英語名sulfurはラテン語のsulpur（硫黄）に由来する。硫黄を指す接頭語であるチオ（thio-）は、ギリシャ語のtheion（硫黄）に起源がある。世界の火山地帯にある鉱泉には、湯の華とよばれる硫黄の沈殿物が存在する。インドネシアのジャワ島にあるイジェン火山では６００℃の硫黄ガスが噴出し、これが燃えて、夜間には神秘的な青い炎が見られる。

大規模鉱床は米国のテキサス、ルイジアナ州およびメキシコ、南アフリカなどにある。世界の硫黄の90%は、１８９１年にアメリカ人フラッシュが開発したフラッシュ法により採取されている。これは１６５℃の加熱水蒸気を鉱床に吹き込み、硫黄を溶かして加熱圧縮空気で地上に押し上げる方法である。日本ではかつて、鉱石を鉄窯（てつがま）で乾留する焼取法が使われていた。現在、日本国内で流通している硫黄はすべて石油精製の副産物である。

硫黄には多くの同素体がある。ポピュラーな黄色結晶は斜方硫黄（融点１１２・８℃）で、室温で安定である。95・６℃以上に加熱してから結晶化させると単斜硫黄（融点１１９・０℃）に変化するが、やがて斜方硫黄にもどる。これらの硫黄はともに王冠形S_8環状分子である。溶けた硫黄を水中に注ぐと無定分子形のゴム状硫黄分子になる。文字どおりゴ

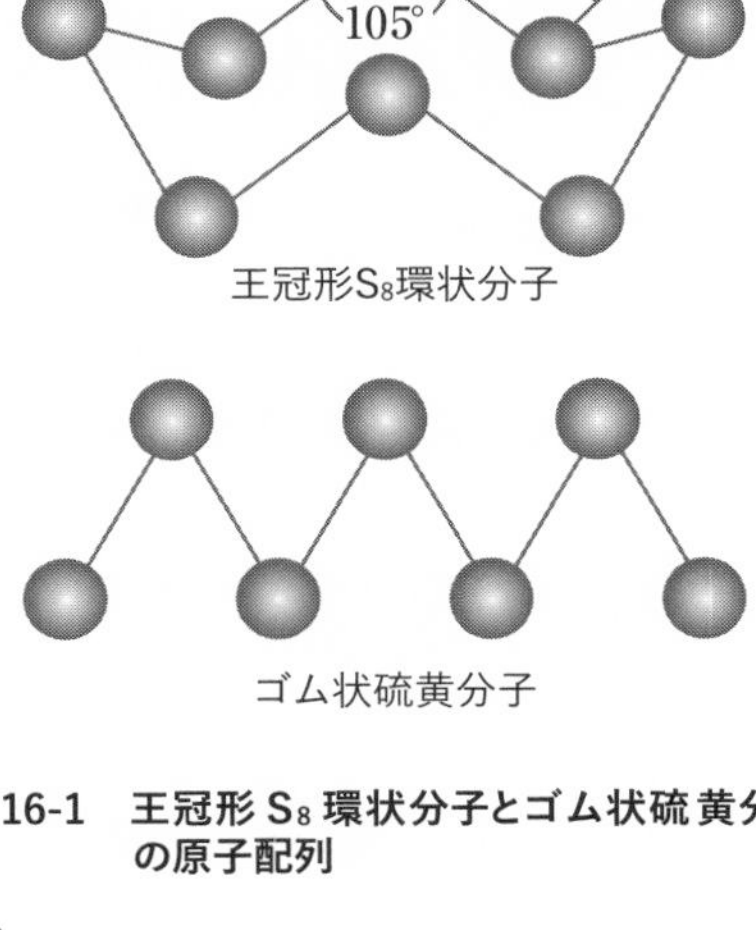

2.07Å
105°
王冠形S_8環状分子

ゴム状硫黄分子

図 16-1　王冠形 S_8 環状分子とゴム状硫黄分子の原子配列

ムのように伸び、伸ばすと直線状に整列して繊維状になり結晶化する。ゴム状硫黄も長く放置すると斜方硫黄になる。地球内部10～100㎞の高温高圧下では、三硫黄イオン（S_3^-）が安定な形で存在する。

溶けた赤黒色の液体硫黄には、通常とは逆に、温度上昇とともに粘度が増える特異な性質がある。粘度増加は200℃まで続き、粘度は融解直後の1万倍にもなる。その理由は、この温度付近でS_8環状分子の一部が組み合わさり、多環硫黄やその重合体ができるためと考えられる。さらに温度を上げると粘度は減る。

444・7℃で硫黄は沸騰し、沸点付近では濃赤色になり、オレンジ色のガスになる。ガス状硫黄は、沸点近くではS_8の割合が減り、750℃ではS_2分子となり、2000℃以上で単原子に解離する。

生ゴムに硫黄を加えると、ゴム分子間が硫黄原子で結ばれて弾性が増す。6%、30%を混合すると、それぞれ軟ゴム、エボナイトになる。加硫ゴムは自動車タイヤなどに欠かせないが、これを発見してゴム工業を刷新したアメリカのグッドイヤーは、発明者利益を得ることなく1860年に亡くなった。

硫化鉄（FeS）のような金属硫化物に希塩酸や希硫酸を加えると、硫化水素（H_2S）が発生する。硫化水素は温泉でもにおう腐卵臭ガス（沸点マイナス60・4℃）で、高濃度では有毒であり、燃やすと酸素中では水と二酸化硫黄に、酸素不足のときは水と硫黄になる。

硫化水素は水に溶けて弱酸性であり、金属イオンを加えると難溶性の金属硫化物が沈殿する。この反応は金属イオンの分析法としてよく使われる。重金属の硫化物は一般に黒褐色であるが、硫化亜鉛（ZnS、白）や硫化カドミウム（CdS、赤黄）、硫化スズ（SnS_2、黄、またはSnS、灰色）のようなものもある。なお、二硫化鉄（FeS_2、黄鉄鉱）は金色であり、昔から「おろか者の金」といわれている。

硫黄の酸化物は多数あるが、特に二酸化硫黄（SO_2）と三酸化硫黄（SO_3）が重要である。二酸化硫黄は亜硫酸ガスともいい、硫黄や黄鉄鉱を燃やすとできる無色の刺激性ガスで、水溶液は酸性である。その用途は硫酸と三酸化硫黄の製造であるが、殺菌剤や漂白剤としても使われる。

硫酸（H_2SO_4）は重要な強酸で生産量が世界最大の化学薬品であり、２０２１年の世界の生産量は約２億ｔ、国内生産量は６２１万ｔ（世界の約３％）である。用途はリン酸肥料、化学薬品、火薬、繊維、プラスチック、蓄電池の製造や石油精製などきわめて広く、硫酸生産量が国の産業水準の一指標となる。三酸化硫黄は水と反応して硫酸になるので、純度98～99％の硫酸に三酸化硫黄を溶かして純粋な硫酸を製造する。

純粋な硫酸は無色の粘性液体で、ほとんどの金属と反応する。強い脱水剤で、材木や動物組織などの有機化合物から水を引き抜き、有機物を炭化する。水と反応すると多量の熱を出して激しく飛び散るので、濃硫酸に水を加えるのはたいへん危険である。希硫酸は冷水に濃硫酸を少しずつ加えてつくる。

なお、石炭や石油の燃焼により成分の硫黄が燃えて二酸化硫黄になると、大気中でやがては硫酸になる。大気中の硫酸は動物の呼吸器をおかし、酸性雨となって森林を枯らし、最終的には湖沼に蓄積し、海に流れる。工場では排ガス中の二酸化硫黄を硫酸や石膏（$CaSO_4 \cdot 2H_2O$）として回収している。

メチオニン、システイン、タウリンなどの含硫アミノ酸として、体重70kgの成人の体には約１７５ｇの硫黄がある。これらのアミノ酸はほとんどのタンパク質の成分である。生物の組織、器官、皮膚、爪、毛髪などにはケラチンというシステインに富むタンパク質が多い。

ネギ、タマネギ、キャベツの香りのもとは硫化アリル（$(C_3H_5)_2S$）であり、ニンニクの匂いは二硫化アリル（$(C_3H_5)_2S_2$）による。ワサビやダイコンの

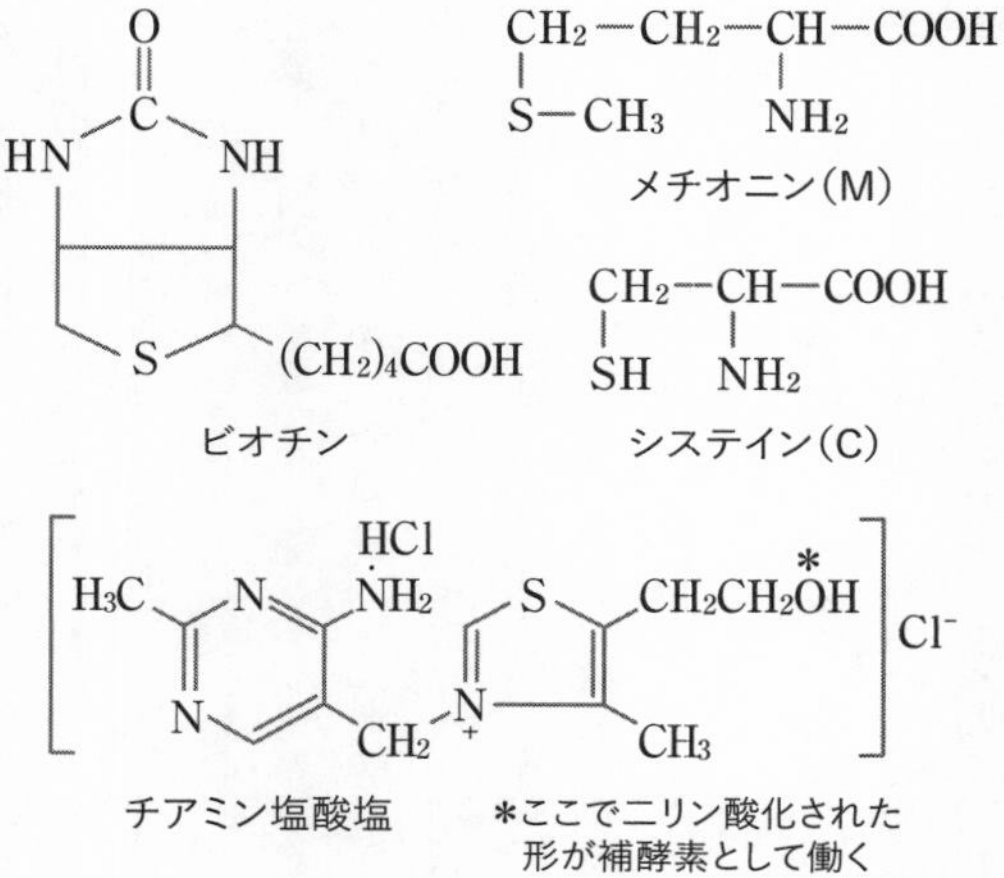

$$CH_2-CH_2-CH(NH_2)-COOH, \; S-CH_3$$

メチオニン（M）

$$CH_2(SH)-CH(NH_2)-COOH$$

システイン（C）

ビオチン

チアミン塩酸塩

＊ここで二リン酸化された形が補酵素として働く

図 16-2　メチオニン、システイン、ビオチンおよびチアミンの構造

刺激成分は、イソチオシアン酸アリル（C_3H_5NCS）とその関連物質である。

抗生物質スルファニルアミド（$H_2NC_6H_4SO_2NH_2$）は、雑菌による感染症の治療薬である。細菌は増殖のために葉酸という栄養素を必要とするが、この硫黄化合物を葉酸と間違えて取り込んでしまうため、それ以上増殖できなくなる。

ビタミンB_7ともよばれるビオチンは、カルボキシラーゼやトランスカルボキシラーゼ、デカルボキシラーゼなどの補酵素（酵素の作用を補う物質）として作用し、脂肪酸、アミノ酸などの代謝に広く関連している。欠乏すると皮膚炎などを引き起こす。

牛乳、穀物胚芽、酵母には、動物の成長に欠かせないチアミン（ビタミンB_1）とよばれる有機硫黄化合物が含まれる。チアミンは、日本では1910年に鈴木梅太郎が米ぬかから初めて抽出してオリザニンと名づけ、脚気（かっけ）予防に使われている。

微生物はチアミンを合成できるが、動物は合成できない。補酵素としての作用以外に、精神錯乱や神経炎の予防因子としての効能がある。

17 Cl

塩素／Chlorine

同位体と存在比(%)			
^{35}Cl	[75.5, 76.1]	^{37}Cl	[23.9, 24.5]
^{36}Cl	0, β^-, β^+, 3.013×10^5y	^{38}Cl	0, β^-, γ, 37.230m

電子配置	[Ne]$3s^23p^5$
原子量	[35.446, 35.457]
融点(K)	172.17(−100.98℃)
沸点(K)	239.10(−34.05℃)
密度(kg・m^{-3})	2030(113K)
	1507(239K)
	3.214(273K)
地殻濃度(ppm)	130

酸化数		
酸化数	−1	HCl, NaCl, CCl_4, PCl_3, $SiCl_4$
	0	Cl_2
	+1	Cl_2O, HClO, ClO^-
	+3	$NaClO_2$
	+4	ClO_2
	+5	$HClO_3$, ClO_3^-
	+6	Cl_2O_6
	+7	Cl_2O_7, $HClO_4$, ClO_4^-, $ClFO_3$

1	2	3	4	5	6	7	8	9	10	11	12	13	14	15	16	17	18
1 H																	2 He
3 Li	4 Be											5 B	6 C	7 N	8 O	9 F	10 Ne
11 Na	12 Mg											13 Al	14 Si	15 P	16 S	17 Cl	18 Ar
19 K	20 Ca	21 Sc	22 Ti	23 V	24 Cr	25 Mn	26 Fe	27 Co	28 Ni	29 Cu	30 Zn	31 Ga	32 Ge	33 As	34 Se	35 Br	36 Kr
37 Rb	38 Sr	39 Y	40 Zr	41 Nb	42 Mo	43 Tc	44 Ru	45 Rh	46 Pd	47 Ag	48 Cd	49 In	50 Sn	51 Sb	52 Te	53 I	54 Xe
55 Cs	56 Ba		72 Hf	73 Ta	74 W	75 Re	76 Os	77 Ir	78 Pt	79 Au	80 Hg	81 Tl	82 Pb	83 Bi	84 Po	85 At	86 Rn
87 Fr	88 Ra		104 Rf	105 Db	106 Sg	107 Bh	108 Hs	109 Mt	110 Ds	111 Rg	112 Cn	113 Nh	114 Fl	115 Mc	116 Lv	117 Ts	118 Og

ランタノイド(57〜71)	57 La	58 Ce	59 Pr	60 Nd	61 Pm	62 Sm	63 Eu	64 Gd	65 Tb	66 Dy	67 Ho	68 Er	69 Tm	70 Yb	71 Lu
アクチノイド(89〜103)	89 Ac	90 Th	91 Pa	92 U	93 Np	94 Pu	95 Am	96 Cm	97 Bk	98 Cf	99 Es	100 Fm	101 Md	102 No	103 Lr

塩素は食塩（塩化ナトリウム、NaCl）の成分であり、有史以前から身近な元素であった。スウェーデンの化学者シェーレは、二酸化マンガンに塩酸を加えて1774年に単体である塩素ガス（Cl_2）を初めて発生させた。塩素を元素として正しく認識したのはイギリスの化学者デービーであり、1810年のことである。

塩素ガスが淡い黄緑色なので黄緑色を指すギリ

図17-1　シェーレ（1742 − 1786）

シャ語のchloros、またはラテン語のkloros（クロレラやクロロフィルの語源にもなった言葉）にちなみ、デービーはchlorineと命名した。末尾の-ineは物質名につく語尾だが、塩素の発見以降、ハロゲン元素にはこの語尾が使われるようになった。

ドイツ語（Chlor）やフランス語（chlore）の元素名にも「塩の素」の意味はない。日本語の「塩素」は、塩類の代表である食塩の成分であることにもとづいている。「塩素」の名称は、江戸時代の後期に蘭学者・医師であった宇田川榕菴（うだがわようあん）が初めて用いた。

塩素は単体ガスでは存在せず、すべて金属、非金属、有機化合物と結合している。多くの無機塩化物は水溶性で、水中では陰イオンと陽イオンに解離している。塩化ナトリウムは、重量でヒトの血液に0・9％、海水には3％含まれる。

塩（salt）はかつて、給料にもなった貴重品とされ、給料（salary）の語源がラテン語で塩を買うための金を意味するsalariumであることはよく知られている。作曲家モーツァルトが生まれたオーストリアのザルツブルクSalzburgの地名には、塩取引で栄えた貴族が住む街という意味がある。

塩素単体である塩素ガス（Cl_2）は、塩化ナトリウムの電気分解で工業的に製造する。陽極には塩素ガスが発生し、陰極では水酸化ナトリウムができる。この方法は水酸化ナトリウムの製造法でもある。２０２１年の塩素ガスの国内生産量は約21・5億m^3である。実験室ではさらし粉（塩化カルシウムに塩素ガスを吸収させた

白色粉末）や二酸化マンガン（MnO_2）に塩酸を加えて発生させる。

　塩素ガスは刺激性のある強い有毒物質で、０・００５％の低濃度でも、空気中にあるとのどや鼻、肺などの粘膜に作用して充血や呼吸困難を引き起こし、命に影響がおよぶ。粘膜のような湿った組織と反応すると、反応性の高い酸素酸類（塩素酸〈$HClO_3$〉や亜塩素酸〈$HClO_2$〉など）ができて、細胞をおかすためと考えられている。第一次世界大戦では、塩素ガスやホスゲン（$COCl_2$）が毒ガス兵器に用いられた。

　塩素ガスが水に溶けると黄緑色の塩素水になり、一部分は水と反応して塩酸と次亜塩素酸（HClO）などになる。次亜塩素酸やそのカルシウム塩（さらし粉の主成分）、ナトリウム塩は活性酸素を発生するので漂白・殺菌作用がある。水道水や遊泳プールの水には１Ｌあたり０・１〜１・０㎎添加される。低濃度の塩素化合物を公衆衛生面で安全に利用して初めて、人間の都市生活が可能になった。

　塩素ガスは多くの物質と激しく反応する。鉄などの金属も、わずかに加熱すれば塩素中で燃え出す。水素も塩素中で燃えて塩化水素（HCl）になるので、この反応は塩化水素の工業的製造に利用される。塩化水素の水溶液を特に塩酸とよぶ。

　塩化ナトリウム（NaCl）は食塩の主成分である。食塩の過剰摂取で慢性高血圧になるのは塩化物イオンのためではなく、ナトリウムイオンのためである。

　塩素は塩酸や無機塩として利用されるだけでなく、さまざまな有機塩素化合物としても利用される。メタン（CH_4）の水素原子を塩素原子１〜４個で置換すると、それぞれ塩化メチル（CH_3Cl）、塩化メチレン（CH_2Cl_2）、クロロホルム（$CHCl_3$）、四塩化炭素（CCl_4）になる。いずれも甘い香りがするが、多量に吸入すれば、神経や細胞に障害をもたらし記憶力低下などをきたす。体の中に入るとカルベン（CCl_2）やそれに類する化合物ができ、薬物代謝酵素シトクロムＰ４５０に結合して酵素を不活性化する。それにより体中の代謝が落ちると考えられている。また、気体の塩化メチル（沸点マイナス24℃）以外の、塩素置換されたメタン類は、有機化合物をよく溶かすので有機溶媒、ペンキ溶剤、エアゾール剤などに利用される。

塩化ビニル（$CH_2=CHCl$）は、塩化水銀を触媒にしてアセチレン（$CH \equiv CH$）と塩化水素が反応してできるガスであるが、ポリ塩化ビニルというプラスチックに加工される。

ベンゼンに塩素分子が付加するとベンゼンヘキサクロリド（ＢＨＣ、$C_6H_6Cl_6$）ができる。塩素原子の立体配置の違いによる異性体が、光学異性体を含めて9種類ある。昆虫細胞にある受容体に適合する分子構造をもつγ異性体は顕著な殺虫効果をもち、農薬として使われる。ジクロロジフェニルトリクロロエタン（ＤＤＴ）も殺虫効果がある。ＤＤＴになぜ殺虫効果があるのかはよくわかっていないが、神経の電流発生の原因となるナトリウムチャネルをふさいでしまうという説がある。なお、ＢＨＣ、ＤＤＴとも、人体に対する毒性のために、わが国では現在、全面的に使用が禁止されている。

ポリクロロジベンゾダイオキシンは単にダイオキシンともいい、枯れ葉剤中の不純物としてベトナム戦争で密林に散布されたが、人体にも有毒で、がんや胎児の奇形、死亡を誘発した。ゴミ焼却施設から廃ポリ塩化ビニルが燃えてできると思われるダイオキシン類が検出されて問題となった時期もある。ダイオキシンは細胞内の受容体に作用し、働きの違うさまざまな遺伝子を意味もなく活性化するといわれている。

ポリ塩化ビフェニル類（ＰＣＢ）は、電気絶縁材、熱媒体、潤滑剤として使われたが、脂溶性のために、微生物から植物、魚介類、小動物などの食物連鎖を経て動物の脂肪組織に蓄積し、最終的には人間の健康を損ねる。

近代化学の発展によって有用な有機塩素化合物がつくりだされたが、これらは人体内に侵入しやすい脂溶性をもち、毒性を秘めている。使用や管理、廃棄には注意が必要である。

塩素は体重70 kgの成人の体に約105gある。塩化ナトリウム（NaCl）は血液中に0・9％含まれ、体液の浸透圧維持に役立っている。塩酸（HCl）を含む胃酸はpH＝1〜2の強い酸性で、体内で毎日1〜3L分泌されている。塩酸を分泌するのは胃粘膜の胃腺にある壁細胞である。この細胞は巧妙なしくみで、自らをおかしかねない塩酸をつくりだしている。壁細胞は、細胞内の水素イオン（H^+）と細胞外のカリウムイオン（K^+）を交換するプロトンポンプというタンパク質によって、細胞外のカリウムイオンを取り込み、細胞内の水素イオンを外に出す。放出された水素イオンは、壁細胞が別経路で出した塩化物イオン（Cl^-）と結びつき塩酸ができる。このように、塩酸は完全に壁細胞の外で合成される。

なお、胃全体はムチンという粘液で胃酸から保護されている。

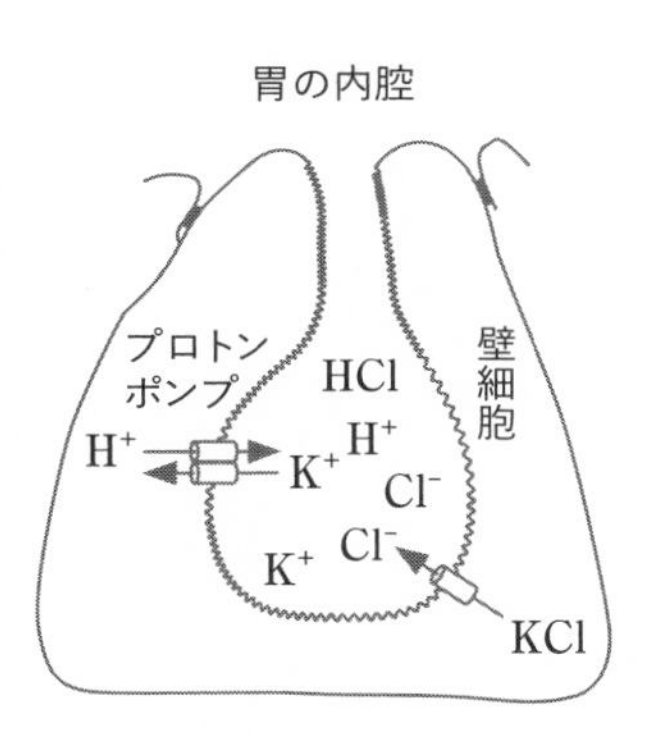

図 17-2　プロトンポンプ

18

Ar

アルゴン／Argon

同位体と存在比(%)	
^{36}Ar	0.3336
^{37}Ar	0, EC, 35.011d
^{38}Ar	0.0629
^{39}Ar	0, β^-, 269y
^{40}Ar	99.6035
^{41}Ar	0, β^-, γ, 109.611m
^{42}Ar	0, β^+, 32.9y
^{44}Ar	0, β^-, 11.87m

電子配置	[Ne]$3s^2 3p^6$
原子量	[39.792, 39.963]
融点(K)	84.0(−189.2℃)
沸点(K)	87.29(−185.86℃)
密度(kg・m^{-3})	1656(固体, 40K)
	1380(液体, 87.29K)
	1.784(気体, 273K)
地殻濃度(ppm)	1.2

酸化数	0	Ar

1	2	3	4	5	6	7	8	9	10	11	12	13	14	15	16	17	18
1 H																	2 He
3 Li	4 Be											5 B	6 C	7 N	8 O	9 F	10 Ne
11 Na	12 Mg											13 Al	14 Si	15 P	16 S	17 Cl	18 Ar
19 K	20 Ca	21 Sc	22 Ti	23 V	24 Cr	25 Mn	26 Fe	27 Co	28 Ni	29 Cu	30 Zn	31 Ga	32 Ge	33 As	34 Se	35 Br	36 Kr
37 Rb	38 Sr	39 Y	40 Zr	41 Nb	42 Mo	43 Tc	44 Ru	45 Rh	46 Pd	47 Ag	48 Cd	49 In	50 Sn	51 Sb	52 Te	53 I	54 Xe
55 Cs	56 Ba		72 Hf	73 Ta	74 W	75 Re	76 Os	77 Ir	78 Pt	79 Au	80 Hg	81 Tl	82 Pb	83 Bi	84 Po	85 At	86 Rn
87 Fr	88 Ra		104 Rf	105 Db	106 Sg	107 Bh	108 Hs	109 Mt	110 Ds	111 Rg	112 Cn	113 Nh	114 Fl	115 Mc	116 Lv	117 Ts	118 Og

ランタノイド (57〜71)	57 La	58 Ce	59 Pr	60 Nd	61 Pm	62 Sm	63 Eu	64 Gd	65 Tb	66 Dy	67 Ho	68 Er	69 Tm	70 Yb	71 Lu
アクチノイド (89〜103)	89 Ac	90 Th	91 Pa	92 U	93 Np	94 Pu	95 Am	96 Cm	97 Bk	98 Cf	99 Es	100 Fm	101 Md	102 No	103 Lr

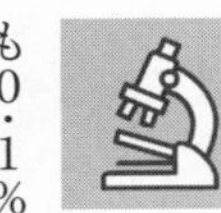

イギリスの物理学者レイリーは1892年、アンモニアから生成した窒素ガスが空気からつくった窒素ガスよりも0.1%だけ密度が小さいと報告し、空気に未知の気体が混入していると考えた。彼と化学者ラムゼーは1894年に、空気から得た窒素ガスを金属マグネシウムとの反応で除き、あとに残るガスの正体をアルゴンとつきとめた。アルゴン発見の業績に

18 Ar アルゴン

より二人はそろって1904年のノーベル賞（それぞれ物理学賞と化学賞）を得た。初めてアルゴンを単離したのはキャヴェンディッシュ（37ページの図1－1）だが、彼はそれが新元素であることに気づかなかった。アルゴン（argon）は、ギリシャ語の「働く（ergon）」に否定語 anをつけた造語で、「なまけもの」という意味がある。全同位体の99・6％を占める最も安定な^{40}Arは、地球誕生の過程で質量数40のカリウムが電子捕獲により原子壊変してできたものである（121ページのコラム6）。

アルゴンは無色・無味・無臭の単原子ガスで、空気よりも1・4倍重い。空気体積のほぼ1％を占める。水蒸気を除くと、窒素と酸素に次いで3番目に多い空気成分で、ヘリウムやネオンなどの他の貴ガス類よりもずっと多い。アルゴンの唯一の工業的資源は空気である。窒素と酸素の中間の沸点をもつアルゴンは、液体空気の分留で容易に単離できるので、貴ガスといいながら、さほど珍しい元素ではない。鋼のボンベに詰めた圧縮ガスとして工業用に販売されている。2022年のわが国の生産量は

図18-1　レイリー（1842 – 1919）
（Science & Society Picture Library／アフロ）

	体積（%）	重量（%）
ヘリウム（He）	0.0005	0.00007
ネオン（Ne）	0.0018	0.0012
アルゴン（Ar）	0.9325	1.285
クリプトン（Kr）	0.0001	0.0003
キセノン（Xe）	0.000009	0.00004
ラドン（Rn）	6×10^{-18}	——

表18-1　貴ガス元素の空気中の割合

2億250万m^3であった。

蛍光灯に水銀蒸気が用いられたころは、放電を促すためにアルゴンが封入された。電球や放射能検出用のガイガーカウンターなどの電子管にもアルゴンが詰められ、電極の酸化反応を抑えて寿命を延ばす効果がある。ネオンガスに少量のアルゴンを混ぜると、発光放電管はネオンの赤色に代わり、青色や緑色に輝く（82ページの表10－1参照）。空気中の酸素や湿気で妨害される化学反応がアルゴンガス中ではうまく進むことが多いので、実験でもしばしば使われる。

アルゴンの最大用途はアーク溶接中の保護ガスである。アルゴンを溶接作業部分に吹きつけると、空気成分と溶融金属の反応を抑えられる。この効果はステンレス鋼、アルミニウム、マグネシウム、チタン、銅、ニッケルなどの溶接に利用される。

アルゴン原子の最外殻電子軌道は8個の電子が充満した「完全充填」構造をとるので、「なまけもの」の名前どおり、アルゴンは化学的にほとんど不活性で化合物はつくらない。しかし、2000年に、アルゴンフッ素水素化物（HArF）という化合物が発見された。この化合物はきわめて不安定で、マイナス246℃以上で原料のアルゴンとフッ化水素に分解する。

マグマから岩石ができるとき、アルゴンはほとんど含まれない。岩石中に存在する^{40}Arは、岩石が結晶化してから現在までに^{40}Kが壊変し（89％がβ^-壊変、11％が電子捕獲）、そのうち電子捕獲によりできたものである。したがって、岩石中の^{40}Kと^{40}Arを定量すれば、マグマが固まってからの経過年数が求められる。この方法は地質年代測定の基礎になっている。

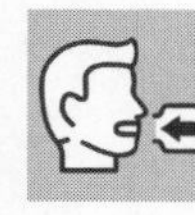

青色のアルゴンレーザー光は水に吸収されにくくヘモグロビンに吸収されやすいので、レーザーメスとして網膜剥離（はくり）の手術、動脈の接合、がん組織の破壊など外科医療で用いられている。

Column  6

電子捕獲――Electron capture

原子核に最も近い電子軌道の電子が、原子核内に取り込まれることがあり、これを電子捕獲とよんでいる。電子捕獲は原子核の放射性壊変の一種で、捕獲された電子は、原子核中の陽子と反応して中性子となり、そのときニュートリノを放出する。質量数は変わらないが、原子番号は一つ減る。

軌道に生じた孔には、その外側を動き回っている電子が移動してきて、軌道のエネルギーの差に相当する余分のエネルギーがX線領域の光(特性X線)として放出される。もしこの特性X線が、より外側の軌道電子に衝突するようなことがあると、その電子は原子外に放出される。この放出された電子はオージェ電子とよばれている。

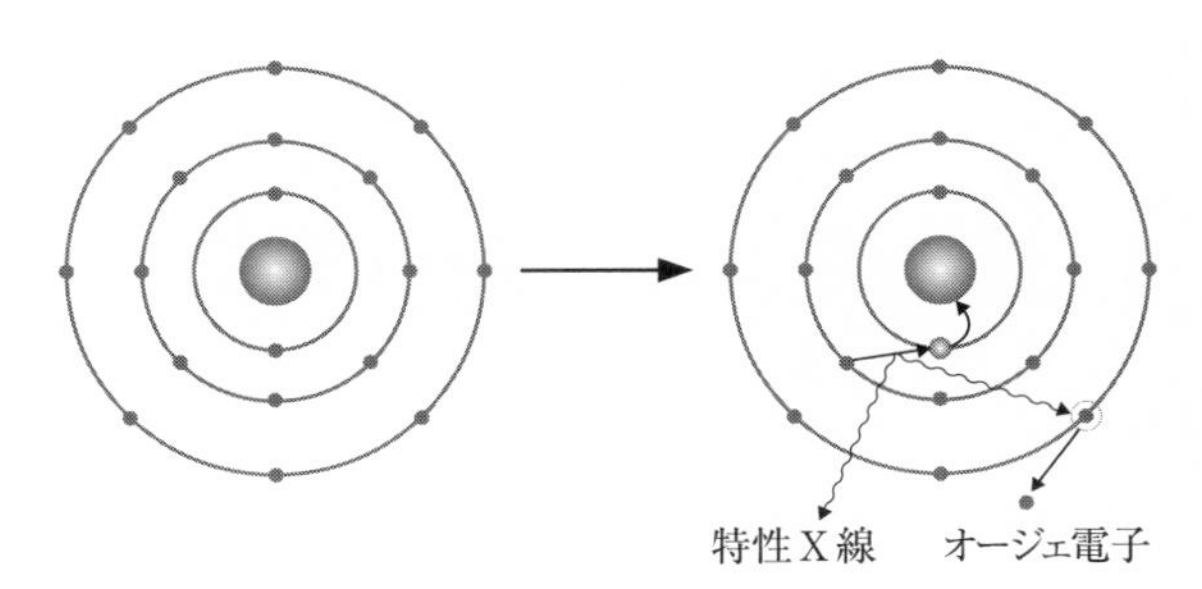

19

K

カリウム／Potassium

同位体と存在比(%)	
^{39}K	93.2581
^{40}K	0.0117, β^-, EC, γ, 1.248×10^9y
^{41}K	6.7302
^{42}K	0, β^-, γ, 12.365h
^{43}K	0, β^-, γ, 22.3h

電子配置	[Ar]$4s^1$
原子量	39.0983
融点(K)	336.80(63.65℃)
沸点(K)	1038(765℃)
密度($kg\cdot m^{-3}$)	862(固体, 193K)
地殻濃度(ppm)	21000

酸化数	−1	液体アンモニア中の金属K
	+1	K_2O, K_2O_2, KO_2(スーパーオキシド型), KOH, KH, KF, KCl, KBr, KI, KNO_3, K_2CO_3, [K(18-クラウン-6)]$^+$

1	2	3	4	5	6	7	8	9	10	11	12	13	14	15	16	17	18
1 H																	2 He
3 Li	4 Be											5 B	6 C	7 N	8 O	9 F	10 Ne
11 Na	12 Mg											13 Al	14 Si	15 P	16 S	17 Cl	18 Ar
19 K	20 Ca	21 Sc	22 Ti	23 V	24 Cr	25 Mn	26 Fe	27 Co	28 Ni	29 Cu	30 Zn	31 Ga	32 Ge	33 As	34 Se	35 Br	36 Kr
37 Rb	38 Sr	39 Y	40 Zr	41 Nb	42 Mo	43 Tc	44 Ru	45 Rh	46 Pd	47 Ag	48 Cd	49 In	50 Sn	51 Sb	52 Te	53 I	54 Xe
55 Cs	56 Ba		72 Hf	73 Ta	74 W	75 Re	76 Os	77 Ir	78 Pt	79 Au	80 Hg	81 Tl	82 Pb	83 Bi	84 Po	85 At	86 Rn
87 Fr	88 Ra		104 Rf	105 Db	106 Sg	107 Bh	108 Hs	109 Mt	110 Ds	111 Rg	112 Cn	113 Nh	114 Fl	115 Mc	116 Lv	117 Ts	118 Og

ランタノイド(57〜71)	57 La	58 Ce	59 Pr	60 Nd	61 Pm	62 Sm	63 Eu	64 Gd	65 Tb	66 Dy	67 Ho	68 Er	69 Tm	70 Yb	71 Lu
アクチノイド(89〜103)	89 Ac	90 Th	91 Pa	92 U	93 Np	94 Pu	95 Am	96 Cm	97 Bk	98 Cf	99 Es	100 Fm	101 Md	102 No	103 Lr

カリウム化合物はナトリウム化合物とともに、古くから用いられてきたが、19世紀の初めまでは単体として得られていなかった。

イギリスのデービーは1807年、水酸化カリウム（KOH）を電気分解することにより、初めて金属カリウムの単離に成功した。電気分解法によって初めて得られた金属元素である。ラベンダー色の炎色反応を示す。

カリウムの英語名は、デービーにより、potash（草木灰）＋iumとしてつけられた。potashは、pot（壺）とash（灰）の合成語であるが、草木を焼いた灰を壺の中にたくわえた中身を指すようになった。カリウムの発見以後、新たに見出された金属元素の名称は、語尾を-iumとする慣習が定着した。

カリウムはケイ酸塩として地殻内に広く分布し、地殻表層部の濃度は2万1０００ppmで第8位を占めている。カリウム化合物は、歴史的にはドイツのシュタスフルト鉱床から産出された。この鉱床はカリ岩塩（KCl）とカーナル石（$MgCl_2$・KCl・$6H_2O$）を含んでいる。アメリカのカリフォルニア州シールズ湖やニューメキシコ州カールズバッドには、カリ岩塩と石膏（$CaSO_4$・$2H_2O$）を含む広大な鉱床がある。

海水には、３８０ppm含まれるが、ナトリウムの30分の1にすぎない。これは、岩石の風化によって遊離したナトリウムイオン（Na^+）とカリウムイオン（K^+）のうち、ナトリウムイオンの方はそのまま海に流出するのに対し、カリウムイオンは土壌中のコロイド物質に吸着しやすく、それが植物に吸収されるためである。

カリウムはイオン化傾向が大きいことでよく知られる。

金属カリウムは、水酸化カリウム（KOH）または塩化カリウム（KCl）の溶融電解によってつくられる。銀白色のやわらかい金属ではあるが、空気中で速やかに酸化し、水とは爆発的に反応して、発火する。このため金属カリウムは石油中で貯蔵する。

天然放射性同位体のうち^{40}Kはおよそ12・5億年の半減期で崩壊する。そのうち11・2％は電子捕獲（β^+崩壊）によって^{40}Arへと崩壊し、88・8％は陰電子崩壊（β^-崩壊）によって非放射性の安定同位体の^{40}Ca

（121ページのコラム6参照）

に変化する。陽電子放出とは、原子核内の陽子が陽電子（e^+）と電子ニュートリノを放出して中性子となる現象を指し、陰電子崩壊とは、原子核内の中性子が電子（e^-）と反電子ニュートリノを放出して陽子となる現象をいう。大気中に存在するアルゴンの多くは、^{40}Kの崩壊によって生成したものと考えられている。

大気中の^{40}Arの一部は宇宙線（放射線）と反応して^{40}Kとなるため、^{40}Kはつねに生成されている。地球上の岩石の^{40}Kと^{40}Arの比率を調べると、その年代を知ることができる。

一方、人工放射性同位体では、^{42}Kと^{43}Kが知られている。^{42}Kは半減期が約12・36時間で、β線とγ線を放出して壊変し、生体膜や赤血球膜を通過するカリウムの挙動を研究するために用いられる。^{43}Kは、22・3時間の半減期をもち、β線と比較的エネルギーの低いγ線を放出するため人体に投与することができ、心筋の機能を検査する元素として体外から

記号	名称
$\cdot O_2^-$	スーパーオキシドアニオンラジカル
H_2O_2	過酸化水素
$\cdot OH$	ヒドロキシルラジカル
$^1O_2$	一重項酸素
L・	脂質ラジカル
LOOH	過酸化脂質
LOO・	過酸化脂質ラジカル
LO・	酸化脂質ラジカル
NO・	一酸化窒素（ニトロキシル）ラジカル
$NO_2\cdot$	二酸化窒素ラジカル
$ONOO^-$	ペルオキシナイトライト

表 19-1　いろいろな活性酸素種

スキャニングする目的で用いられている。

　カリウムがナトリウムと異なる点は二つある。第一は、ポーリングによって名づけられた超酸化カリウム（KO_2）を生成することである。一般に酸素分子よりも反応性の高い「活性酸素種」といわれるものの一つである。これは、炭化水素やその他の有機化合物と激しく反応して、これらの分子内に1個または2個の酸素原子が取り込まれる。KO_2はまた、二酸化炭素と反応して酸素分子を放出するため潜水用のマスクに応用される。

　第二は、カリウムはナトリウムよりも反応性に富むことである。不純物を含むカリウムを一酸化炭素と反応させると、カルボニル化合物を生成する。この物質は、高純度のカリウムをつくるためや、合成反応の触媒として用いられる。

　カリウム塩の生産量の95%は肥料用である。

　工業的用途として、水酸化カリウムは石鹼液、炭酸カリウムはソフト石鹼の製造やガラス工業の原料として用いられている。ちなみに、植物体内にはカリウムイオンが多量に存在し、それを焼いた灰を水で抽出した液（アルカリ性）が洗濯物の汚れをよく落とすことは『旧約聖書』の時代から知られていたようである。

　硝酸カリウムはマッチ、花火、その他酸化剤を必要とする物質に含ませている。また、塩化カリウムは配合肥料に加えられている。

　NaK合金型のカリウムは、エステルの交換反応の触媒として、またラード（豚脂）の変性に工業的に用いられている。

　高速増殖炉の冷却材にナトリウムとともにカリウムが用いられたこともある。高速増殖炉の冷却材は熱伝導率の高い金属であることが求められ、また、熱の交換のためにパイプの中を循環させるので、使用する温度範囲で液体である必要がある。

カリウムは植物にとって必須元素である。動物の体の中にカリウムが存在することを初めて発見したのは、デンマークのアビリアードであり、1798年のことであった。彼は、ウマの血液に硝酸を加え、硝石（KNO_3）として精製した。現在では、体重70kgの成人には約140gのカリウムが存在することが明らかにされ、生物にとっては必須元素の一つである。ヒトの筋肉には1万6000ppm、血液には2100ppm含まれ、一般の人は、一日に食物から1・4〜7・4gのカリウムをとっている。

カリウムは自然界に大量に存在し、生体に含まれる量も多い。したがって、カリウムの天然放射性元素である^{40}Kは健康な動物や人間の体内に多く存在し、内部被曝源となる。

成人の体にはナトリウムよりもカリウムの方が多く含まれている。興味深いことに、細胞の内外ではこの両元素の分布濃度が異なっている。たとえば、培養したヒーラ細胞（Henrietta Lacksという女性の子宮頸がんからとられた細胞であり、1951年から組織培養で保持されている）では、ナトリウムは細胞外で150mM（$mM = m\,mol \cdot L^{-1}$）、細胞内で20mMであるのに対し、カリウムは細胞外で5mM、細胞内には160mMが存在する。この両元素の不均衡が、種々の重要な生理機能に結びついている。

カリウムの生理作用は、あまりにも多種多様であるためひと言でいい表せないが、多くのタンパク質の合成、細胞内外の水の輸送、生命維持のためさまざまな信号の伝達などに関与していることが挙げられる。

たとえば培養細胞系で、細胞外液中のカリウムを50%だけルビジウムイオン（Rb^+）に置き換えても細胞のタンパク質合成機能には何ら影響はないが、100%ルビジウムにすると、細胞内のカリウムは正常時の20%になり、タンパク質の合成は著しく低下する。

食物中のカリウムは腸からすばやく吸収され、過剰のカリウムは腎臓から排泄される。硝酸カリウムがかつて利尿剤として使われたことがあるが、その理由はカリウムが腎臓から排泄されるのにともなって、浸透圧の関係でかなりの量の水分を排泄するからである。

体の中でカリウムが欠乏することはあまりないが、低カリウム血症は激しい下痢や嘔吐、筋肉麻痺、呼吸障害さらには不整脈が現れたり、心電図が異常となることが知られている。一方、高カリウム血症になると、副腎皮質機能不全、尿毒症や尿路閉塞となったり、心臓の機能が低下することもある。腎臓が正常に機能していれば高カリウム血症になることはない。

塩化カリウムは、カリウムが欠乏したときにそれを補給する目的で用いられるほか、リンゲル液（1L中に塩化ナトリウム8・6g、塩化カリウム0・3g、塩化カルシウム0・33gを含む溶液）の構成成分や利尿剤としても用いられる。

2011年に起きた福島第一原子力発電所の事故では、大量のセシウム（^{137}Cs）が環境中に放出され、大地に降り注いだ。それを吸収した米や野菜が放射能汚染され、社会的な問題となった。セシウムはカリウムとともに、アルカリ金属元素であり、化学的によく似た反応を示す。そこで、カリウムイオンを肥料に加えれば、セシウムイオンの吸収を抑えることができるのではと考え、実施したところ、良い効果が得られたと報告された。両イオンが共通の細胞膜輸送体を利用して植物に吸収されると推定すると、カリウムイオンを多量に肥料に加えることで、セシウムイオンは輸送体への結合が相対的に低下して、吸収が阻害されると考えられる。

20

Ca

カルシウム／Calcium

同位体と存在比(%)			
^{40}Ca	96.941	^{45}Ca	0, β^-, γ, 162.61d
^{41}Ca	0, EC, 9.94×10^4y	^{46}Ca	0.004
^{42}Ca	0.647	^{47}Ca	0, β^-, γ, 4.536d
^{43}Ca	0.135	^{48}Ca	0.187, β^-, 1.9×10^{19}y
^{44}Ca	2.086		

電子配置	[Ar]$4s^2$
原子量	40.078
融点(K)	1115(842℃)
沸点(K)	1776(1503℃)
密度($kg\cdot m^{-3}$)	1550(293K)
地殻濃度(ppm)	41000

酸化数		化合物
酸化数	+2	CaO, CaO_2, $Ca(OH)_2$, CaH_2, CaF_2, $CaCl_2$, $CaCO_3$, $CaSO_4$, CaC_2, $Ca_3(PO_4)_2$, $CaMg_3(SiO_3)_4$（アスベスト）

1	2	3	4	5	6	7	8	9	10	11	12	13	14	15	16	17	18
1 H																	2 He
3 Li	4 Be											5 B	6 C	7 N	8 O	9 F	10 Ne
11 Na	12 Mg											13 Al	14 Si	15 P	16 S	17 Cl	18 Ar
19 K	20 Ca	21 Sc	22 Ti	23 V	24 Cr	25 Mn	26 Fe	27 Co	28 Ni	29 Cu	30 Zn	31 Ga	32 Ge	33 As	34 Se	35 Br	36 Kr
37 Rb	38 Sr	39 Y	40 Zr	41 Nb	42 Mo	43 Tc	44 Ru	45 Rh	46 Pd	47 Ag	48 Cd	49 In	50 Sn	51 Sb	52 Te	53 I	54 Xe
55 Cs	56 Ba		72 Hf	73 Ta	74 W	75 Re	76 Os	77 Ir	78 Pt	79 Au	80 Hg	81 Tl	82 Pb	83 Bi	84 Po	85 At	86 Rn
87 Fr	88 Ra		104 Rf	105 Db	106 Sg	107 Bh	108 Hs	109 Mt	110 Ds	111 Rg	112 Cn	113 Nh	114 Fl	115 Mc	116 Lv	117 Ts	118 Og

ランタノイド (57〜71)	57 La	58 Ce	59 Pr	60 Nd	61 Pm	62 Sm	63 Eu	64 Gd	65 Tb	66 Dy	67 Ho	68 Er	69 Tm	70 Yb	71 Lu
アクチノイド (89〜103)	89 Ac	90 Th	91 Pa	92 U	93 Np	94 Pu	95 Am	96 Cm	97 Bk	98 Cf	99 Es	100 Fm	101 Md	102 No	103 Lr

カルシウムを含む最も代表的な化合物は大理石、方解石あるいは石灰石の主成分である炭酸カルシウム（$CaCO_3$）であり、これは古代ローマ時代からカルックス（calx）の名前で知られていた。この炭酸カルシウムを焼くと石灰（CaO）となるため、近代にいたるまで、これが単体と考えられていた。

石灰が金属酸化物であることを明らかにしたの

は、イギリスのデービーであった。デービーは、電気分解によるカリウムやナトリウムの単離の成功に続いて、同様の溶融電解法によって金属カルシウムを1808年に単離した。

カルシウムは、デービーにより命名された。ラテン語の石ころや砂利を表す言葉としてのcalxから転じて石灰石や石灰を指すよう変化した言葉calcisに、金属元素共通の-iumを結合させてcalciumとした。わが国では、江戸時代の末期にオランダから導入された石灰（Kalk）が最初はカルキとよばれていた。それがいつの間にか、漂白やプールなどの滅菌剤として用いられるさらし粉（塩化カルシウムに塩素ガスを吸収させた白色粉末。Ca(OCl)Cl クロールカルキ）をカルキとよぶようになってしまった。

カルシウムは天然には大理石、石灰石などの炭酸塩をはじめ、硫酸塩（$CaSO_4$ 石膏）、フッ化物（CaF_2 ホタル石）、リン酸塩（$Ca_5(PO_4)_3F$ リン灰石、$Ca_5(PO_4)_3(OH)$ 水酸リン灰石）として存在し、地殻濃度は4.1%で第5位である。

貝やサンゴ虫などは海水中に含まれる炭酸水素カルシウム（$Ca(HCO_3)_2$）を分解し、炭酸カルシウムの骨格をつくる。その死骸が長年にわたって海底に堆積したのが白亜（チョーク）である。

古代ギリシャ人やエジプト人は、石灰（CaO）をモルタル（セメントと砂と水でねる建築材料）の製造に用いていた。

現在カルシウムは、工業的には無水塩化カルシウム（$CaCl_2$）に少量のフッ化カルシウム（CaF_2）を加えて鉄器中で約700℃に加熱溶融し、炭素を陽極、鉄を陰極にして電解法によりつくられている。

カルシウムは、銀白色の結晶であり、ナトリウムより硬いが、アルミニウムよりはやわらかい。酸素やハロゲンとは常温でも反応する。また、硫黄、リン、水素、窒素、ケイ素、炭素などと加熱すると直接化合する。水と作用すると水素を発生する。カルシウムは常に+2の金属化合物をつくり、たいていは白色である。炎色反応は橙色を示す。

マグネシウム合金にカルシウムを０．２５％加えると、結晶構造が変わり、耐熱性が増大する。

生物とカルシウムの関係は、１８８２年リンゲルによって初めて見出された。彼は、取り出したカメの心臓が、1 mMのカルシウムイオンを加えると数時間動きつづけることを発見した。そして１９４０年には、筋肉の収縮はカルシウムによって制御されていることが見出された。現在では、すべての植物や動物にとって不可欠であることが知られている。

体重70 kgの成人の体の中には約１．０５ kgのカルシウムが含まれている。筋肉には１４０〜７００ ppm、血液には61 $mg \cdot mL^{-1}$が存在する。脊椎動物の骨にはフッ化カルシウム、炭酸カルシウム、またはリン酸カルシウムとして含まれ、下等な動物ではカルシウムの部分がマグネシウムである場合もある。これは、生物は太古の昔には海水中に多いマグネシウムを用いていたが、陸上に上がると、より強い骨格をつくれるカルシウムを利用し始めたためではないかと推定される。

カルシウムの毒性は特に知られていない。

成人は一人一日あたり、食物から６００〜１４００ mgのカルシウムをとっていると考えられる。

哺乳動物では、カルシウムは一般に次の四つの機能をもっている。

①機械的な強さと硬さ、すなわち骨の無機物質を構成する。

②生体膜を構成し、膜の構造安定化と透過性を保つ。

③筋肉の刺激と収縮に関係する。

④外分泌腺や内分泌腺の刺激と分泌に関係する。そして、多数の酵素や酵素系の調節、活性化あるいは阻害物質として作用する。たとえば血液凝固反

応など。

カルシウム代謝はリン酸代謝と直接に関係している。すなわち、骨の正常な形成には、カルシウムとリン酸が十分に供給されることと、血漿中のカルシウム濃度を１００mLあたりおよそ10mgに保つことが必要である。この要素が満たされると、副甲状腺ホルモン、カルシトニンおよび活性型ビタミンＤが相互に関与し、正常な骨が形成される。

カルシウム代謝に関連して、米国でオステオポローシスと名づけられ、わが国では１９６４年に骨軟化症と区別して骨粗鬆症（こつそしょうしょう）と命名された病気が知られている。右に述べたホルモンやビタミンＤが欠如したりアンバランスになるとこの病気にかかり、骨がスカスカとなり、骨のカルシウムは欠乏状態となる。しかし一方で、動脈や脳にカルシウムが増加するという奇妙なことが起こる。この現象は、「カルシウムパラドックス」とよばれているが、原因の解明と治療法の確立はまだ達成されていない。副甲状腺ホルモンとの関係について、研究が進められている。

血中のカルシウム濃度が低下すると低カルシウム血症となり、けいれんを起こす。これは、神経が興奮し連続的に筋肉が収縮することによる。一方、高カルシウム血症になると尿毒症をともなって腎臓の石灰化が引き起こされる。

カルシウムを結合しているタンパク質が初めて見出されたのは１９６５年のことである。トロポニンと名づけられた。その後１９７０年にはカルモジュリンが見出され、その後続々とユニークなタンパク質が見出されている。カルモジュリンは多くの細胞内酵素をカルシウム濃度に依存して活性化する機能をもっている。

なお、カルシウムを十分にとると性格が温厚になるという報告がある。ストレスにさらされる現代人には必須の元素であろう。カルシウムを多く含む食品を表20－１に示した。

	食品名	カルシウム量（食べられる部分100g中のカルシウム）
乳製品卵	牛乳	110mg
	ヨーグルト	120
	アイスクリーム	140
	チェダーチーズ	740
	カテージチーズ	55
	ブルーチーズ	590
	プロセスチーズ	630
	卵（生）	46
魚介類	マイワシ（生）	74
	うなぎ（生）	130
	うなぎ（かば焼き）	150
	アユ（天然生）	270
	カキ（養殖生）	84
	ハマグリ（生）	130
	サバ（水煮缶詰）	260
海藻類	ワカメ（乾）	780
	ヒジキ（乾）	1,000
	マコンブ（乾）	710
	焼きのり	280
大豆製品	豆乳	15
	油揚げ（生）	310
	糸引納豆	90
種子	ごま（いり）	1,200
	えごま（乾）	390
	アーモンド（乾）	250
野菜	ブロッコリー（花序、生）	50
	ホウレンソウ（葉、生）	49
	からしな（葉、生）	140
	キャベツ（結球葉、生）	43

表 20-1　カルシウムを多く含む食品（『日本食品標準成分表 2020年版（八訂）』）

21 Sc

スカンジウム／Scandium

同位体と存在比(%)	
^{44}Sc	0, β^-, EC, γ, 3.97h
^{45}Sc	100
^{46}Sc	0, β^-, γ, 83.79d
^{47}Sc	0, β^-, γ, 3.3492d

電子配置	[Ar]$3d^1 4s^2$
原子量	44.955907
融点(K)	1812(1539℃)
沸点(K)	3104(2831℃)
密度($kg \cdot m^{-3}$)	2989(273K)
地殻濃度(ppm)	16

酸化数		
酸化数	+2	$CsScCl_3$
	+3	Sc_2O_3, $Sc(OH)_3$, ScF_3, $ScCl_3$

1	2	3	4	5	6	7	8	9	10	11	12	13	14	15	16	17	18
1 H																	2 He
3 Li	4 Be											5 B	6 C	7 N	8 O	9 F	10 Ne
11 Na	12 Mg											13 Al	14 Si	15 P	16 S	17 Cl	18 Ar
19 K	20 Ca	21 Sc	22 Ti	23 V	24 Cr	25 Mn	26 Fe	27 Co	28 Ni	29 Cu	30 Zn	31 Ga	32 Ge	33 As	34 Se	35 Br	36 Kr
37 Rb	38 Sr	39 Y	40 Zr	41 Nb	42 Mo	43 Tc	44 Ru	45 Rh	46 Pd	47 Ag	48 Cd	49 In	50 Sn	51 Sb	52 Te	53 I	54 Xe
55 Cs	56 Ba		72 Hf	73 Ta	74 W	75 Re	76 Os	77 Ir	78 Pt	79 Au	80 Hg	81 Tl	82 Pb	83 Bi	84 Po	85 At	86 Rn
87 Fr	88 Ra		104 Rf	105 Db	106 Sg	107 Bh	108 Hs	109 Mt	110 Ds	111 Rg	112 Cn	113 Nh	114 Fl	115 Mc	116 Lv	117 Ts	118 Og

ランタノイド(57〜71)	57 La	58 Ce	59 Pr	60 Nd	61 Pm	62 Sm	63 Eu	64 Gd	65 Tb	66 Dy	67 Ho	68 Er	69 Tm	70 Yb	71 Lu
アクチノイド(89〜103)	89 Ac	90 Th	91 Pa	92 U	93 Np	94 Pu	95 Am	96 Cm	97 Bk	98 Cf	99 Es	100 Fm	101 Md	102 No	103 Lr

元素の周期表を提案したメンデレーエフが存在を予言した元素のうち、スカンジウムは、元素周期表提案（1869年）の10年後にスウェーデンの分析学者ニルソンによって発見された。

ガドリン石の成分を研究していたニルソンは、メンデレーエフが「エカホウ素」（周期表でホウ素の直下の元素、296ページのコラム17参照）と名づけ、その存在と性質について予言していた元素とほとんど一致する性質をもつ元素を発見し、彼の祖国スウェーデンのラテン語名スカンジナビアにちなみ、「スカンジウム」と名づけた。

　スカンジウムは原子番号の最も小さい希土類元素（レアアース。34ページ参照）である。１ｇあたり約７万２０００円（Sc_2O_3、純度99・9％）である。世界中に広く分布し、各種の鉱物、鉱石中に１％以下の濃度で存在する。花崗岩質ペグマタイト中のトルトヴェイト石からおもに産出されている。

　スカンジウムは^{40}Scから^{53}Scまで、すべての質量数の同位体が知られているが、天然には^{45}Scのみが存在し、他の同位体はすべて原子核反応により得られる。代表的な核反応は次のとおりである。

　$^{40}_{20}Ca+^{1}_{1}p$（プロトン）→$^{40}_{21}Sc+^{1}_{0}n$（中性子）

　β線を放出する^{47}Scはトレーサー（追跡子）として取り扱いやすい適当な半減期（３・３４９２日）をもち、かつ非放射性のスカンジウムを含まない形で得られる。

　スカンジウムとその化合物は、工業的、化学的あるいは農学的にユニークな利用法が考案されている。ニッケルアルカリ蓄電池の陽極に２・５〜25原子％のスカンジウムを加えると、電圧の安定性がよくなり寿命も長くなることが経験的に知られている。

　酸化スカンジウム（Sc_2O_3、スカンジア）は、焼結物や鋳型などの耐火物を薄く被覆するためにアルミナの代わりに用いられることもある。また磁器などは高温にするとひびが入ることがあり、これを防止するため一般には酸化カルシウム（CaO）が加えられてきたが、やわらかい性質をもつ酸化スカンジウムのほうがより効果的であることが見出されている。

　酸化スカンジウムはまた、プロピルアルコールの製造、酢酸のアセトンへの酸化あるいはジカルボン酸のケトンや環状化合物への変換などの触媒として用いられている。

最近、新素材としてのスカンジウムの用途が広がっている。アルミニウムにスカンジウムを０・３％添加した合金は強度が高いため、自転車のフレームや金属バットなどに用いる。また、ヨウ化スカンジウムを水銀灯の光源に加えると、明るさが強くなる。「メタルハライドランプ」とよばれ、長寿命・省電力の照明として屋外競技場などで用いられている。二酸化炭素を排出しないクリーンな発電システムである固体酸化物燃料電池の電解質には酸化スカンジウムが加えられている。

近年、レーザー媒体にスカンジウムを含み、虫歯の治療などに使われるウォーターレーザー法が開発されている。装置の先端から出る水にレーザー光を当てて患部を削るため、熱や痛みがほとんどなく、麻酔を使わずに快適な治療ができる。

１９９６年にアメリカで開発された「Er:Cr:YSGG($Y_{2.9}Sc_{1.4}Ga_{3.6}O_{12}$)」とよばれるレーザー結晶は、水の赤外吸収帯域の２７８０nmで発振し、１９９７年に歯科領域に導入された。この結晶が発する光の波長は可視光（３８０～７８０nm）よりもエネルギーが低く、水と歯の主成分であるカルシウムやリン酸などからできているヒドロキシアパタイトへの吸収性が高いため、組織への熱の影響は少ない。そのメカニズムは、レーザーのエネルギー吸収による水分の微小爆発で虫歯などが切削されるという理論にもとづいている。

スカンジウムは人体中には微量に存在するが、ヒトにとって必須元素であるかどうかはまだ知られていない。発がん性が疑われたこともある。スカンジウムは、オキシン（８－ヒドロキシキノリン）と複合体（錯体）をつくりやすく、この錯体形成がスカンジウムの分析に用いられている。中性子放射化分析法ではppb（＝ナノ〈10^{-9}〉g／g）レベルまでのスカンジウムが定量できるといわれている。

Column 7

おもな金属元素の値段比べ

金属名	1kgあたり
金（地金）	7,950,000円
パラジウム	6,555,000円
白金（地金）	4,190,000円
銀（地金）	98,000円
スズ（地金）	3,700円
ニッケル（地金）	3,670円
銅（地金）	1,245円
亜鉛（地金）	473円
アルミニウム（地金）	389円
鉛（地金）	338円
鉄（冷延薄板）	140円
鉄（H形鋼）	125円
鉄（棒鉄）	121円

（2023年2月下旬のデータ、日本経済新聞商品市況等より）

22 Ti

チタン／Titanium

同位体と存在比(%)			
^{44}Ti	0, EC, 58.9y	^{49}Ti	5.41
^{45}Ti	0, β^+, γ, 3.08h	^{50}Ti	5.18
^{46}Ti	8.25	^{51}Ti	0, β^-, γ, 5.76m
^{47}Ti	7.44	^{52}Ti	0, β^-, γ, 1.7m
^{48}Ti	73.72		

電子配置	[Ar]$3d^2 4s^2$
原子量	47.867
融点(K)	1939(1666℃)
沸点(K)	3562(3289℃)
密度(kg・m^{-3})	4540(固体, 293K)
地殻濃度(ppm)	5600

酸化数		
	+2	TiO, $TiCl_2$
	+3	Ti_2O_3, TiF_3, $TiCl_3$
	+4	TiO_2, TiF_4, $TiCl_4$

1	2	3	4	5	6	7	8	9	10	11	12	13	14	15	16	17	18
1 H																	2 He
3 Li	4 Be											5 B	6 C	7 N	8 O	9 F	10 Ne
11 Na	12 Mg											13 Al	14 Si	15 P	16 S	17 Cl	18 Ar
19 K	20 Ca	21 Sc	22 Ti	23 V	24 Cr	25 Mn	26 Fe	27 Co	28 Ni	29 Cu	30 Zn	31 Ga	32 Ge	33 As	34 Se	35 Br	36 Kr
37 Rb	38 Sr	39 Y	40 Zr	41 Nb	42 Mo	43 Tc	44 Ru	45 Rh	46 Pd	47 Ag	48 Cd	49 In	50 Sn	51 Sb	52 Te	53 I	54 Xe
55 Cs	56 Ba		72 Hf	73 Ta	74 W	75 Re	76 Os	77 Ir	78 Pt	79 Au	80 Hg	81 Tl	82 Pb	83 Bi	84 Po	85 At	86 Rn
87 Fr	88 Ra		104 Rf	105 Db	106 Sg	107 Bh	108 Hs	109 Mt	110 Ds	111 Rg	112 Cn	113 Nh	114 Fl	115 Mc	116 Lv	117 Ts	118 Og

ランタノイド(57～71)	57 La	58 Ce	59 Pr	60 Nd	61 Pm	62 Sm	63 Eu	64 Gd	65 Tb	66 Dy	67 Ho	68 Er	69 Tm	70 Yb	71 Lu
アクチノイド(89～103)	89 Ac	90 Th	91 Pa	92 U	93 Np	94 Pu	95 Am	96 Cm	97 Bk	98 Cf	99 Es	100 Fm	101 Md	102 No	103 Lr

　ギリシャ神話によると、天空の神ウラノスと大地の神ガイアを父母とする巨人タイタンは、オリンポスの神々との戦いに敗れ、地底の冥界に閉じ込められた。神々によって鉱石中に閉じ込められたとされた元素は、ドイツのクラプロートにより発見され、巨人タイタンにちなんでチタンと名づけられた。

　チタンの真の発見者は誰か？　は、いささか複雑である。イギリスの牧師であり鉱物学者でもあったグレガーは1790年、自分の教区内のメナカン谷で見つけた黒い磁性鉱物、すなわち、こんにちのチタン鉄鉱から未知の酸化物（現在の酸化チタン）を見つけ、メナカイトと名づけた。その5年後の1795年にドイツのクラプロートがルチル鉱（金鉱石）から未知の酸化物を発見し、その成分元素をチタンと命名した。

金属チタンを純粋に得たのは、1825年のスウェーデンのベルセーリウスといわれているが、まだ不純物を含んでいた。1910年に純度99.9%のチタンを得たのはアメリカのハンターだった。デュポン社は1946年、ハンター法を改良したクロール法を用いて工業生産を始めた。

実際にチタンが工業的に金属材料として実用化され始めたのは、第二次世界大戦後の1947年あたりからである。発見された当時は、実におおげさな名前と見られたに違いないが、現代においてはその名前が示すとおり、アルミニウム（Al）と並んで金属界のスーパースター的存在となった。

飛行速度が音速に近づく航空機や宇宙観測のためのロケットをつくるには、アルミニウムのように軽く、しかもアルミニウムよりもはるかに耐熱性が高く、かつ硬い材料が必要である。チタンがなければ現代の産業や生活はなりたたないほどになった。

チタンはアルミニウムより1.5倍重いだけで、硬さはアルミニウムの6倍である。そのうえチタンは鍛えやすく、加工しやすい。さらによいことにはきわめて腐食しにくい性質をもっている。水の中でも腐食されず、80℃以上でようやく腐食される。空気中では600℃までは安定である。

チタンは、合金として素晴らしい性質を発揮し、先端技術には不可欠の金属となった。たとえばモリブデン（Mo）、クロム（Cr）、タングステン（W）、バナジウム（V）、ジルコニウム（Zr）、ニオブ（Nb）、タンタル（Ta）などとの合金がつくられている。5％の銅と3％のアルミニウムを含むチタン合金は、ステンレス鋼よりも2倍硬く、重さは60％しかない。また、鉄（Fe）との合金フェロチタンは、溶鋼に加えることにより鋳造品にまんべんなく小さな気孔ができ、大きな気孔ができるのを防ぐ。

産業的に最も重要な化合物は二酸化チタン（TiO_2）である。純度の高い二酸化チタンは純白である。白く見えるのは、すべての波長の光を反射するからである。また、化学的に安定であり、安全性にも問題がないため、白色顔料として化粧品に使われている。

このほかに二酸化チタンは、紙の充填剤、ゴムや皮革の着色剤、インクの顔料、セラミックスの成分、磁気エナメルの透明化剤あるいは屋外ペイントとして広く用いられている。

二酸化チタンを含むルチル石は、光り輝くダイヤモンドに似た結晶をつくるため、人工宝石として利用されている。二酸化チタンは光が当たるとラジカル種を生成するため光触媒として防カビ剤、抗菌剤として使用されている。光触媒は1967年、本多健一と藤島昭によって発見された。チタン酸化物、$BaTiO_3$や$PbTiO_3$などは、強誘電体としての性質を示す。さらに、これらの化合物は、圧電気の作用を利用して音のエネルギーと電気のエネルギーを相互に変換する装置、すなわち超音波振動の発振器や音の検査器として用いられている。

液体の四塩化チタン（$TiCl_4$）は発煙性をもっているため、飛行機により空中文字を描くための着色性発煙剤として用いられている。

チタンを含む触媒としては、1952年にドイツのチーグラーが発見し、1955年にイタリアのナッタが改良した、エチレンやα－オレフィンの常温常圧で有効な立体特異的重合用触媒（特定の位置に化合物を結合させ、そこからさらに多くの分子をつないでいく作用をする触媒）としての「チーグラー・ナッタ触媒」が特に有名である。チーグラーは四塩化チタンを用いたのに対し、ナッタは三塩化チタン（$TiCl_3$）を用い、ともにアルキルアルミニウムを助触媒（触媒効果をさらに高める物質）としている。この功績により、チーグラーとナッタはともに1963年のノーベル化学賞に輝いた。

現在では、アルミニウムその他の金属アルキル化合物と遷移元素のハロゲン化合物との複合体（錯体）である重合用触媒は、総称してチーグラー・ナッタ触媒とよばれている。

チタンは地殻中には多い元素（9番目）であるにもかかわらず、生物体にはきわめて少ない特異な元素である。1896年にウエイトは瀝青炭、無煙炭、樫の木、リンゴあるいはナシの木の炭からチタンを検出した。しかし、現在のところ必須元素である確証は得られていない。

人体でのチタンの平均濃度は0・015～0・11ppmと見積もられているほか、チタンは他の元素と共存することが知られている。たとえば、腸、皮膚、肺ではアルミニウム（Al）、食道では鉛（Pb）、肺、網膜、皮膚ではバリウム（Ba）、腸、気管では鉄（Fe）、皮膚ではバナジウム（V）が存在すればチタンが存在する可能性が高い。つまりチタンは、これらの金属と生体内において何らかの相互作用をして存在している可能性がある。チタンは毒性も低く、欠乏症や過剰症も知られていない。

二酸化チタンの粒子を適当な形や大きさにすると、紫外線を散乱させることができるので、紫外線予防化粧品に使われ、肌を紫外線から守っている。

金属チタンは腐食性が小さく、骨と強く結合し、生体と拒絶反応を起こしにくいため、歯材治療（インプラント）などの歯科外科領域や人工関節の人工骨、あるいはペースメーカーとして用いられている。

バナジウムは、メキシコの鉱物学者デル・リオにより1801年に発見されたと思われていたが、後にそれはクロム(Cr)と間違っていることがわかった。

1830年に再発見したスウェーデンの化学者セヴストレームにより、スカンジナビアの神話中の美の女神バナジスにちなんでバナジウムと名づけられた。

23 V

バナジウム／Vanadium

同位体と存在比(%)			
^{48}V	0, EC, β^+, γ, 15.9735d	^{51}V	99.750
^{49}V	0, EC, 330d	^{52}V	0, β^-, 3.743m
^{50}V	0.250, EC, β^-, 1.4×10^{17}y以上		

電子配置	$[Ar]3d^3 4s^2$
原子量	50.9415
融点(K)	2190(1917℃)
沸点(K)	3693(3420℃)
密度($kg\cdot m^{-3}$)	6110(固体, 292K)
地殻濃度(ppm)	160

酸化数	−3	$V(CO)_5^{3-}$
	−1	$V(CO)_6^-$
	0	$V(CO)_6$
	+1	$V(bpy)_3^+$
	+2	VO, VF_2, VCl_2
	+3	V_2O_3, VF_3, VCl_3
	+4	VO^{2+}, VO_2, $VOSO_4$, VF_4, VCl_4
	+5	V_2O_5, VO_2^+, VO_4^{3-}, VF_5, VF_6, NH_4VO_3

※bpy＝2, 2′-ビピリジン

1	2	3	4	5	6	7	8	9	10	11	12	13	14	15	16	17	18
1 H																	2 He
3 Li	4 Be											5 B	6 C	7 N	8 O	9 F	10 Ne
11 Na	12 Mg											13 Al	14 Si	15 P	16 S	17 Cl	18 Ar
19 K	20 Ca	21 Sc	22 Ti	23 V	24 Cr	25 Mn	26 Fe	27 Co	28 Ni	29 Cu	30 Zn	31 Ga	32 Ge	33 As	34 Se	35 Br	36 Kr
37 Rb	38 Sr	39 Y	40 Zr	41 Nb	42 Mo	43 Tc	44 Ru	45 Rh	46 Pd	47 Ag	48 Cd	49 In	50 Sn	51 Sb	52 Te	53 I	54 Xe
55 Cs	56 Ba		72 Hf	73 Ta	74 W	75 Re	76 Os	77 Ir	78 Pt	79 Au	80 Hg	81 Tl	82 Pb	83 Bi	84 Po	85 At	86 Rn
87 Fr	88 Ra		104 Rf	105 Db	106 Sg	107 Bh	108 Hs	109 Mt	110 Ds	111 Rg	112 Cn	113 Nh	114 Fl	115 Mc	116 Lv	117 Ts	118 Og

ランタノイド(57〜71)	57 La	58 Ce	59 Pr	60 Nd	61 Pm	62 Sm	63 Eu	64 Gd	65 Tb	66 Dy	67 Ho	68 Er	69 Tm	70 Yb	71 Lu
アクチノイド(89〜103)	89 Ac	90 Th	91 Pa	92 U	93 Np	94 Pu	95 Am	96 Cm	97 Bk	98 Cf	99 Es	100 Fm	101 Md	102 No	103 Lr

金属バナジウムの単離はむずかしく、1865年に、イギリスの化学者ロスコーが初めて塩化物を水素で還元してつくった。バナジウムは地殻中に160ppm程度あり、遷移元素としては5番目に多い金属である。バナジウムを含む鉱石は世界中に広く分布する。そのうち、カルノー鉱（バナジウムとウランを含む）、ロスコー雲母（バナジウムとアルミニウムを含む）、褐鉛鉱が最も重要である。

バナジウム金属は、やわらかく延性があり、熱したとき、あるいは冷やしたときに加工が容易である。バナジウムの強度は共存する不純物の影響を受けることが知られている。

電気および熱の伝導性はチタンより大きい。バナジウムを鉄鋼に加えると、酸化バナジウムが生成し、このため特殊鋼（バナジウム鋼）は非常に硬く、かつ耐水性が強化される。バナジウムを含む砂鉄を原料としてつくられた日本刀は硬く、そしてよく切れる。アメリカの自動車王フォードが成功したのは、車の心臓部にバナジウム鋼を用いたからだといわれている。

バナジウムとチタンとの合金は軽く、強く、しかも腐食しにくいため、航空機材料として欠くことのできないものである。またバナジウムとガリウムの合金V_3Gaは、現在最も硬い超伝導体（16・8K以下で超伝導性を示す）であり、これを用いた磁気テープはわが国で開発されたものである。

バナジウムの最も重要な化合物は、酸化バナジウム（V_2O_5）とメタバナジン酸アンモニウム（NH_4VO_3）

図23-1　セヴストレーム
（1787 − 1845）

である。この両化合物は、ナイロンのようなポリアミドの製造、硫酸の製造、無水フタル酸や無水マレイン酸の製造、アルコールからアセトアルデヒド、また糖からシュウ酸の製造などの酸化触媒として多方面で多く使われている。同じ+5バナジウム化合物のうち、メタバナジン酸ナトリウムは、鋼配管の腐食防止に使われている。

　バナジウムは酸化状態に応じて異なった色彩を示すことで有名であり、多くの化学者を惹（ひ）きつけてきた。V^{2+}、V^{3+}、VO^{2+}およびVO_2^{+}の色はそれぞれ紫、緑、青および無色である。ただしV_2O_5は黄色をしている。これらのイオンは錯体を生成すると、さらに異なった色に変化する。

　泥炭の灰の中にバナジウムを初めて見出したのはバスカイビルであり、１８９９年のことであった。今では、原油中にバナジウムが含まれていることはよく知られている。古代には、バナジウムを豊富に含む生物や植物がいたらしい。

　生きている動物の体の中にバナジウムを初めて見出したのは、ドイツのヘンツェであり、１９１１年のことであった。彼は、海洋生物のある種のホヤの血液中にバナジウムを発見した。

　現在では、バナジウムと生物は深い関係をもっていると考えられている。ラットやヤギは、バナジウムが不足すると成長が遅れたり、生殖機能が衰えたりするため、必須元素の一つに挙げられている。しかしヒトでは、体の中に存在する量があまりにも少ないため（体重70 kgの成人中に約１・５ mg存在する）、必須かどうかははっきりしていない。

　バナジウムを含むタンパク質としては、海水中の臭化物イオン（Br^{-}）を有機物質に取り込ませる働きをする海藻のブロモペルオキシダーゼと、空気中の窒素分子を取り込みアンモニアとするバクテリアの窒素固定化酵素ニトロゲナーゼの2種類が知られている。しかし、哺乳動物にはバナジウムタンパク質はまだ見出されていない。

自然界には、毒キノコの一種であるベニテングタケ中に、紫色をしたバナジウム化合物アマバジンや、ホヤのごく限られた種類には血液やエラ中に+3のバナジウムが見出されている。これらのキノコやホヤの体の中で、バナジウムがどのような働きをしているかは不明である。ただ、バナジウムが呼吸器色素の一成分でないことは、はっきりしている。

バナジウムには、他の元素に見られない独特の作用がある。1977年、アメリカの生化学者カントレーらは、まったく偶然に+5バナジウムが種々の細胞で、ナトリウム－カリウムATPアーゼ（水、ナトリウムおよびカリウムのバランスを調節している酵素）を強く阻害していることを見出した。阻害の原因をよく調べた結果、実験に用いていたシグマ社から購入したATP（アデノシン三リン酸）中に+5バナジウムが不純物として含まれていることが明らかになった。この大発見が刺激となり、バナジウムに関する研究が活発となった。

その後、実験糖尿病ラットに+5バナジウムと食塩とを混ぜた飲料水を与えると、血糖値が正常となり糖尿病が治ることが発表された。1995年には、+4型の硫酸バナジル（$VOSO_4$）を糖尿病患者に一日150mg与えると、糖尿病が改善されると発表され、バナジウムはヒトにも有効であることが示された。さらに、毒性の低い+4バナジルやその錯体を糖尿病ラットに経口投与すると、やはり糖尿病が治ることが発表された。

このように、原子量約51のバナジウムが、インスリンとよばれる巨大なタンパクホルモン分子（分子量6000）とよく似た役割を果たすことが明らかにされた。将来的には、臨床的に有効な経口糖尿病治療薬の開発が期待される。

24

Cr

クロム／Chromium

同位体と存在比(%)			
^{50}Cr	4.345	^{53}Cr	9.501
^{51}Cr	0, EC, γ, 27.704d	^{54}Cr	2.365
^{52}Cr	83.789	^{55}Cr	0, β^-, γ, 3.50m

電子配置	$[Ar]3d^54s^1$
原子量	51.9961
融点(K)	2130(1857℃)
沸点(K)	2955(2682℃)
密度($kg \cdot m^{-3}$)	7190(固体, 293K)
	6460(液体, 融点)
地殻濃度(ppm)	100

酸化数	−2	$Na_2[Cr(CO)_5]$
	−1	$Na_2[Cr_2(CO)_{10}]$
	0	$Cr(CO)_6$
	+1	$Cr(bipy)_3^+$
	+2	$CrO, CrF_2, CrCl_2$
	+3	$Cr_2O_3, CrCl_3$
	+4	CrO_2, CrF_4
	+5	CrF_5
	+6	$CrO_3, Na_2Cr_2O_7, K_2CrO_4$

1	2	3	4	5	6	7	8	9	10	11	12	13	14	15	16	17	18
1 H																	2 He
3 Li	4 Be											5 B	6 C	7 N	8 O	9 F	10 Ne
11 Na	12 Mg											13 Al	14 Si	15 P	16 S	17 Cl	18 Ar
19 K	20 Ca	21 Sc	22 Ti	23 V	24 Cr	25 Mn	26 Fe	27 Co	28 Ni	29 Cu	30 Zn	31 Ga	32 Ge	33 As	34 Se	35 Br	36 Kr
37 Rb	38 Sr	39 Y	40 Zr	41 Nb	42 Mo	43 Tc	44 Ru	45 Rh	46 Pd	47 Ag	48 Cd	49 In	50 Sn	51 Sb	52 Te	53 I	54 Xe
55 Cs	56 Ba		72 Hf	73 Ta	74 W	75 Re	76 Os	77 Ir	78 Pt	79 Au	80 Hg	81 Tl	82 Pb	83 Bi	84 Po	85 At	86 Rn
87 Fr	88 Ra		104 Rf	105 Db	106 Sg	107 Bh	108 Hs	109 Mt	110 Ds	111 Rg	112 Cn	113 Nh	114 Fl	115 Mc	116 Lv	117 Ts	118 Og

ランタノイド (57〜71)	57 La	58 Ce	59 Pr	60 Nd	61 Pm	62 Sm	63 Eu	64 Gd	65 Tb	66 Dy	67 Ho	68 Er	69 Tm	70 Yb	71 Lu
アクチノイド (89〜103)	89 Ac	90 Th	91 Pa	92 U	93 Np	94 Pu	95 Am	96 Cm	97 Bk	98 Cf	99 Es	100 Fm	101 Md	102 No	103 Lr

輝くばかりに赤い宝石ルビーや緑のエメラルドを見た人なら、誰でもその神秘に興奮を覚えるものである。シベリア産の紅鉛鉱には18世紀末、すでにヒ素（As）、硫黄（S）、鉛（Pb）、鉄（Fe）、アルミニウム（Al）、モリブデン（Mo）、ニッケル（Ni）、コバルト（Co）、銅（Cu）などが含まれているのではないかと考えられていた。フランスのヴォークランは、これを確か

めるために再分析した結果、1797年に黄色の三酸化クロムを発見し、さらにそれを+2の塩化スズ($SnCl_2$)で還元した緑色のCr^{3+}イオンを発見した。

新しい元素は、酸化状態によって紫、赤、黄、緑などに色が変化するため、ヴォークランの師であった化学者フールクロアと鉱物学者アユイは、ギリシャ語で色を示す言葉「クロマ」にちなんで、クロミウム(chromium)と名づけた。

金属クロムを初めて得たのは、ドイツのゴルトシュミットであった。彼は1899年にアルミニウム粉末を利用した還元法(テルミット法)を開発し、+3の酸化クロム(Cr_2O_3)から大量のクロムを製造した。この工業的製造法はゴルトシュミット法とよばれている。

クロムの最も重要な天然鉱石は、クロム鉄鉱($FeO \cdot Cr_2O_3$)である。金属クロムは、先のゴルトシュミット法以外には、クロム鉱石から得られるアンモニウムクロムミョウバン溶液の電気分解によっても得られる。

よく知られているクロムメッキは、少量のクロム酸(CrO_4^{2-})溶液中で電気分解によって行われている。純粋なクロムメッキは光沢の美しさに加えて、摩擦やさびに対する耐性が強いため、自動車などの製品の装飾部分や家庭器具などに利用されている。

クロムと鉄の合金は、ステンレス鋼といわれ、高い強度、耐腐食性と電気抵抗性をもっている。また、クロムとニッケル・鉄あるいはマンガン・鉄との合金は、ニッケルステンレス鋼(オーステナイト型)あるいはマンガンステンレス鋼といわれ、合金中のクロムは水や酸あるいは高温などによる腐食を防ぐ役割をしている。特に、クロム18%、ニッケル8%のステンレス鋼は18-8ステンレス鋼とよばれている。クロムとニッケルの合金は強度が高く、高温にも強いため、電子レンジなどの家電製品に利用されている。

24 Cr クロム

クロム化合物のうち、+6の二クロム酸塩はほとんどすべての金属と結合し、かつ安定であることがよく知られている。これらは金属クロム、顔料、皮なめし剤、繊維の染料、染料の固定剤、およびクロムメッキ製品などの製造に用いられている。

また、クロム化合物は表24－1のように化合物の形に応じてさまざまな色を示す。

天然に産出するクロムには四つの同位体（^{50}Cr、^{52}Cr、^{53}Cr、^{54}Cr）があるが、放射性の^{51}Crは核反応により人工的に得られる。^{51}Crはエネルギーの低いγ線を放出し、半減期は約27・70日である。この核種は脾臓の大きさ、機能、血流あるいは腫瘍の有無を調べるときに赤血球を標識するために用いられる。また、腸での出血を調べるには、^{51}Crで標識したアルブミンが用いられる。^{51}Crはこのような病気の診断のみならず、治療にも用いられる。^{51}Crを腫瘍の部分に取り込ませ、そのγ線のエネルギーで腫瘍細胞を殺してしまう方法もあり、ある程度の成果が得られている。

クロムは体重70 kgの成人には約２mg程度存在し、実験動物では微量のクロムが糖やコレステロールの代謝に不可欠であることから、１９５９年に必須微量元素の仲間入りをしている。

クロム化合物	酸化数	色
K_2CrO_4　クロム酸カリウム	+6	黄
$K_2Cr_2O_7$　二クロム酸カリウム	+6	橙赤
$PbCrO_4$　クロム酸鉛	+6	クロムイエロー
$PbCrO_4$+紺青（「鉄」の項参照）	+6	クロムグリーン
$CrCl_3 \cdot 6H_2O$　塩化クロム	+3	緑
$Cr_2(SO_4)_3 \cdot 18H_2O$　硫酸クロム	+3	紫
$KCr(SO_4)_2 \cdot 12H_2O$　硫酸カリウムクロム12水和物（クロムミョウバン）	+3	紫

表 24-1　クロム化合物の色

近年、医療の進歩とともに人工栄養が考案されるなかで、経口的に栄養が十分とれない人には、人工栄養として「経腸栄養」や「静脈栄養（高カロリー輸液）」などが用いられている。これらの人工栄養の中には、タンパク質、脂質、糖質あるいはビタミンに加え、鉄、銅、亜鉛、ヨウ素（I）、セレン（Se）、モリブデン、コバルト、クロムなど、さまざまな必須微量元素が加えられている。長期間、人工栄養に頼らざるを得ない場合、クロムがなければ糖尿病になるからであろう。

成人は一日に0・01〜1・2mgのクロムを食物から取り込んでいると考えられている。

+6クロムは、+3クロムよりも体に吸収されやすく、食物から、皮膚から、あるいは呼吸を通して吸収される。体に吸収されたクロムは、血液を介して肝臓、腎臓、膵臓などに分布する。組織細胞中では、特に細胞核にクロムは多く取り込まれ、クロムとDNAとが結合する可能性が示されている。

+6クロムの毒性は古くからよく知られている。二クロム酸カリウム（$K_2Cr_2O_7$）のヒトでの致死量は0・5〜1gといわれている。この化合物を製造する工場で働く人に皮膚や鼻中隔に孔があくクロム潰瘍や鼻中隔穿孔が多く、ついには肺がんで亡くなる人もあった。

+6クロムが皮膚や粘膜につくと、細胞内のチオール基（—SH）を含むタンパク質と+6クロムが反応して、酸化還元反応が生じる。この結果、チオール基が酸化されてジスルフィド形（—S—S—）となったり、その後生成される+3クロム（Cr^{3}）がチオール基と結合してタンパク質の変性が起こり、やがてかさぶたになる。かさぶたをはがすとそこに孔ができる。鼻中隔穿孔はクロムの粉塵を鼻から吸い込んだために生じたと考えられる。

1973年、日本化学工業跡地の都営地下鉄用地が+6クロムで汚染されていることがわかった。事件が明らかになるまでの間に、約52万tのクロム鉱滓（こうさい）

(メッキや皮なめしの工程で生じる+6クロムを含むゴミ)が広範囲に投棄されていた。当時の従業員は鼻の粘膜に炎症を起こし、鼻中隔腫瘍や鼻中隔穿孔も患っていた。皮膚から骨膜に達した+6クロムは末梢神経障害をもたらし、肺がんも発生した。訴訟の賠償額として、従業員に対して総額約12億5000万円が支払われた。

この事件の約10年後には、アメリカ西海岸を拠点とする大企業PG&E社に起因する+6クロムによる環境汚染が明らかになった。工場敷地内で高濃度の+6クロム溶液が10年以上にわたって大量に流され、地域の地下水の水質汚染によって健康障害やがんなどの被害が出ていた。1993年、裁判では同社は有罪とされなかったが、約350億円の賠償金を支払うことで和解した。社会的関心を集めたこの訴訟は、2000年にジュリア・ロバーツ主演の『エリン・ブロコビッチ』として映画化され、わが国では2000年5月に公開された。

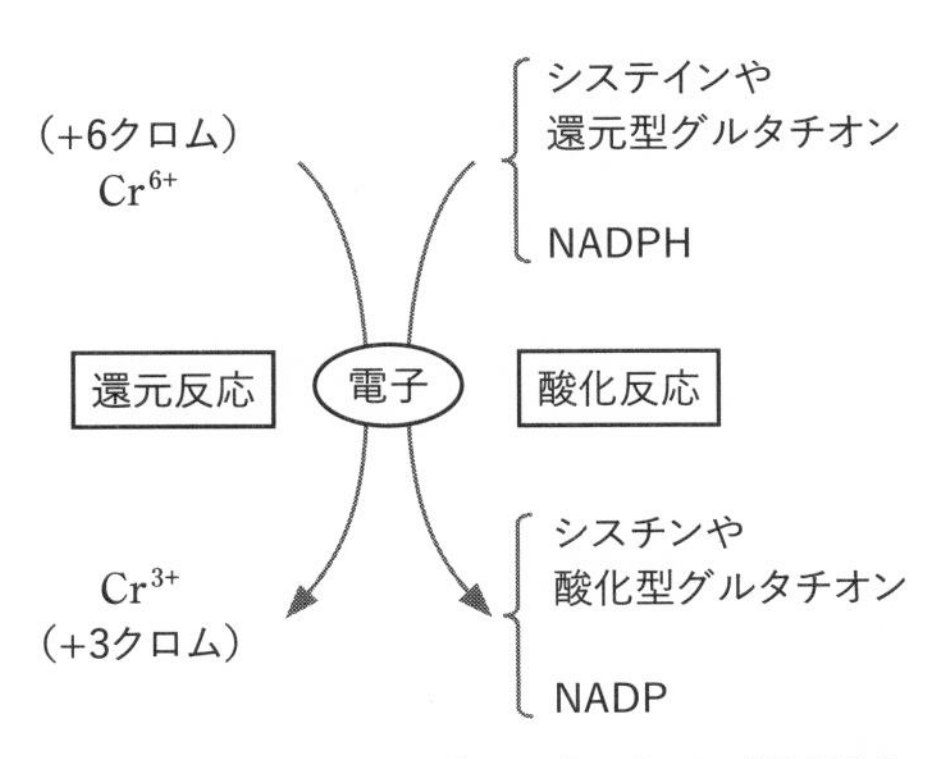

図 24-1　+6 クロムから +3 クロムへの還元反応

25 Mn

マンガン／Manganese

同位体と存在比(%)			
^{53}Mn	0, EC, 3.7×10^{6}y	^{55}Mn	100
^{54}Mn	0, EC, β^-, γ, 312.2d	^{56}Mn	0, β^-, γ, 2.5789h

電子配置	[Ar]3d^{5}4s^2
原子量	54.938043
融点(K)	1519(1246℃)
沸点(K)	2335(2062℃)
密度(kg・m^{-3})	7440(固体, 293K)
	6430(液体, 融点)
地殻濃度(ppm)	950

酸化数	0	$Mn_2(CO)_{10}$
	+1	$Mn(CN)_6^-$
	+2	MnO, Mn_3O_4, $MnCl_2$
	+3	Mn_2O_3, MnF_3
	+4	MnO_2, MnF_4
	+5	MnO_4^{3-}
	+6	MnO_4^{2-}
	+7	Mn_2O_7, MnO_4^-

1	2	3	4	5	6	7	8	9	10	11	12	13	14	15	16	17	18
1 H																	2 He
3 Li	4 Be											5 B	6 C	7 N	8 O	9 F	10 Ne
11 Na	12 Mg											13 Al	14 Si	15 P	16 S	17 Cl	18 Ar
19 K	20 Ca	21 Sc	22 Ti	23 V	24 Cr	25 Mn	26 Fe	27 Co	28 Ni	29 Cu	30 Zn	31 Ga	32 Ge	33 As	34 Se	35 Br	36 Kr
37 Rb	38 Sr	39 Y	40 Zr	41 Nb	42 Mo	43 Tc	44 Ru	45 Rh	46 Pd	47 Ag	48 Cd	49 In	50 Sn	51 Sb	52 Te	53 I	54 Xe
55 Cs	56 Ba		72 Hf	73 Ta	74 W	75 Re	76 Os	77 Ir	78 Pt	79 Au	80 Hg	81 Tl	82 Pb	83 Bi	84 Po	85 At	86 Rn
87 Fr	88 Ra		104 Rf	105 Db	106 Sg	107 Bh	108 Hs	109 Mt	110 Ds	111 Rg	112 Cn	113 Nh	114 Fl	115 Mc	116 Lv	117 Ts	118 Og

ランタノイド (57～71)	57 La	58 Ce	59 Pr	60 Nd	61 Pm	62 Sm	63 Eu	64 Gd	65 Tb	66 Dy	67 Ho	68 Er	69 Tm	70 Yb	71 Lu
アクチノイド (89～103)	89 Ac	90 Th	91 Pa	92 U	93 Np	94 Pu	95 Am	96 Cm	97 Bk	98 Cf	99 Es	100 Fm	101 Md	102 No	103 Lr

古代からガラスを透明にするために使われていた褐色の鉱石マンガナス、すなわち現在の軟マンガン鉱（MnO_2）の元素成分に関しては、18世紀から19世紀にかけて何人かの研究者が分析を試みたにもかかわらず、いずれも失敗に終わっていた。

スウェーデンのシェーレは、3年間の研究の成果として、この軟マンガン鉱中にマンガンとバリウム

（Ba）の新元素を１７７４年に発見したが、単離するにはいたらなかった。ところが同じ年に、シェーレの友人ガーンは、シェーレから受けとった軟マンガン鉱を木炭と強熱することにより、マンガンを単離することに成功した。

当初、鉱石マンガナスに由来してマンガネシウムと名づけられたが、１８０８年にデービーにより新元素マグネシウム（Mg）が発見されたため、両者はまぎらわしいとして、クラプロートがマンガン（英語でmanganese、独語でMangan）とよぶように提案して、現在にいたっている。

イギリスの海洋調査船チャレンジャー号は１８７２～76年の航海中、深海底に直径数cmの球状の物体が豊富に存在する地域を発見した。分析の結果、マンガンと鉄を中心としてコバルト、ニッケル、銅などを含む複数の組成をもつことがわかり、マンガン団塊（ノジュール）とよばれるようになった。貝殻、サメの歯、岩石などを核として5万年以上の歳月をかけて成長したと考えられる。

マンガンは毎年、世界中で約１８５０万tが生産され、鉄、アルミニウム、クロム、銅の生産量に次いでいる。世界のマンガン埋蔵量の70％以上は、南アフリカのカラハリ砂漠が占めると考えられている。南アフリカ、オーストラリア、中国は世界のマンガンの三大生産国である。マンガンは、おもに建設材料用の鉄鋼の生産、電気自動車用のバッテリーや電池の生産に用いられ、世界的需要は増加傾向にある。

純度97～98％の金属マンガンは、工業的には高品位マンガン鉱をアルミニウムで還元することにより得られている。金属マンガンには四つの同素体があり、次のような結晶転移温度をもっている。

$\alpha \Leftrightarrow \beta$（７００℃）
$\beta \Leftrightarrow \gamma$（１０７９℃）
$\gamma \Leftrightarrow \delta$（１１４３℃）

α、β型は硬くてもろく、γ型は展延性があり、

δ型は高温においてのみ安定である。マンガンは空気中で容易に酸化され、褐色の被膜をつくる。マンガンは大規模な粗鋼生産には必須の成分であり、有効な代替物はないといわれている。すなわち、製鋼の過程で酸素を除き、マンガンが硫黄（S）と結合して鋼の硬度が変わるので、機械的な衝撃や摩耗に強い鉄鋼をつくることができる。この目的のために、80％のマンガンと20％の鉄を含む合金であるフェロマンガンが使用されている。

マンガンの合金は鉄合金と非鉄合金に分類される。鉄にマンガンを加えると、きわめて大きな引張り強度をもつようになる。このため、浚渫（しゅんせつ）用バケット、キャタピラーのリングやレースの交差部分の部品として用いられる。39％の亜鉛、1％のマンガン、0・25％の鉄とアルミニウムを含む銅合金はマンガン青銅とよばれ、引張り強度と耐食性があるため、船舶用スクリューや蒸気タービンの羽根に用いられている。

マンガン化合物		酸化数	色
$KMnO_4$	過マンガン酸カリウム	+7	赤紫
K_2MnO_4	マンガン酸カリウム	+6	深緑
MnO_2	酸化マンガン	+4	黒
$MnCl_2 \cdot 2H_2O$ $Mn(NO_3)_2 \cdot 6H_2O$ MnS	塩化マンガン 硝酸マンガン 硫化マンガン	+2	淡紅

表 25-1　マンガン化合物の色

マンガンは、+1から+7までの酸化状態で存在する。最も普通の状態は+2、+4と+7であり、+2以外のマンガン化合物はすべて濃く着色している（表25-1）。過マンガン酸カリウム水溶液は、化学者の間ではカメレオン液とよばれることがある。過マンガ

25 Mn マンガン

ン酸カリウム水溶液に有機物や還元性無機物を加えると変色するため、動物のカメレオンが環境の変化に対応して体色を変えることに喩え、親しみを込めて使われている。江戸時代の藩医で蘭学者であった宇田川榕庵が著した『舎密開宗』には、「鑛性加默良」（鉱性カメレオン）としてマンガンの酸化数変化による色の変化の実験が紹介されている（平松茂樹、化学と教育、２０２１年）。

+4の二酸化マンガンは、水溶液中では強い酸化剤として作用する。染料工業では乾燥剤または触媒として、ガラス工業では鉄の脱色剤やピンクへの着色剤として、その他、乾電池の減極剤、あるいはアニリンからヒドロキノンの製造のための酸化剤としても使用される。

二酸化マンガンを正極兼減極剤にして亜鉛を負極にし、塩化亜鉛を電極液とする乾電池は、マンガン電池としてよく知られている。電池は、イタリアのボルタにより１８００年に発明されたが、１８８５年に乾電池を発明したのは、わが国の時計職人であった屋井先蔵であった。屋井乾電池が、わが国で発明されたことはあまり知られていない。その背景として、資金不足や病身であったために、特許の第一号をとったのが屋井自身ではなく、高橋市三郎であったことも挙げられる。

+7マンガン化合物としては赤紫色の結晶過マンガン酸カリウム（$KMnO_4$）がよく知られている。これは強力な酸化剤であり、有機化学、無機化学、分析化学の分野でよく用いられる。この性質を利用して、漂白や油脂の脱色に使われる。

体重70kgの成人には、約20mgのマンガンが存在する。成人は一日に約０・４～10mgのマンガンを体に取り込んでいると考えられている。

マンガンが哺乳動物に必須であると示されたのは、１９３１年のことであった。マンガンが欠乏すると、メスのラットに神経障害が生じ子どもを育てられなくなったり、オスのラットの睾丸が萎縮することが報告された。その後、マウスやニワトリの成長にも欠くことができないことがわかった。このような事実にもとづいて、現在、実験動物用の飼料には、十分量（50～80 ppm）のマンガンが加えられている。

ヒトの場合、マンガンの欠乏症はめったに見られないが、過剰症としては、マンガン鉱山、精錬工場や乾電池製造工場などで働く人に、頭痛、倦怠感、運動機能障害や言語障害などが見られた。治療薬にはキレートの形成を応用してマンガンを体外に除去する（カニのハサミのようにマンガンをはさみこんで体外に出す）化合物としてCa-EDTAやL-DOPA（エルドーパ）などが用いられた。またマンガン過剰では、甲状腺肥大や甲状腺腫（ゴイター）を引き起こすことも古くから知られている。

食物や飲み物から体に取り込まれたマンガンは、胃酸によって+2マンガンとして溶け、腸管で酸化されて+3マンガンとなり、吸収されて血中に入る。鉄（Fe）によく似た性質をもつマンガンは、血中の鉄輸送タンパク質であるトランスフェリン（鉄イオン以外にもマンガン、コバルト、バナジウムなどのイオンを結合する）に結合して血流中に循環し、各組織に移る。マンガンは多くの酵素活性を促進する作用をもち、またマンガンタンパク質もいくつか見出されている。たとえば、活性酸素種の一つであるスーパーオキシドアニオンラジカル（$\cdot O_2^-$）をH_2O_2とO_2に変換する酵素スーパーオキシドジスムターゼ（SOD）の中には活性中心にマンガンをもつものがある。

興味深い例として、若年性の糖尿病患者がアルファルファの葉を食べて血糖調節ができたことをヒントに、マンガンの血糖値降下作用を調べたところ、実験動物ではこの効果が確認されている。

Column 8

おもな元素を含む鉱物の産出国トップ5

ダイヤモンド　1億5100カラット（2017年）

ロシア	カナダ	ボツワナ	コンゴ民主共和国	オーストラリア	その他
28.2%	15.4%	15.2%	12.5%	11.4%	

白金　190t（2018年）

南アフリカ	ロシア	ジンバブエ	カナダ	アメリカ	その他
72.1%	11.6%	7.9%	3.9%	2.2%	

金鉱　3230t（2017年）

中国	オーストラリア	ロシア	アメリカ	カナダ	その他
13.2%	9.3%	8.4%	7.3%	5.1%	

銀鉱　2万6600t（2016年）

メキシコ	ペルー	中国	ロシア	チリ	その他
20.2%	16.4%	13.1%	5.9%	5.6%	

精銅　1689万t（2020年）

チリ	ペルー	中国	コンゴ民主共和国	アメリカ	その他
33.7%	13%	10%	7.7%	7.1%	

マンガン鉱　1570万t（2016年）

南アフリカ	中国	オーストラリア	ガボン	ブラジル	その他
33.8%	14.8%	14.2%	10.3%	6.8%	

タングステン鉱　8万2100t（2017年）

中国	ベトナム	ロシア	カナダ	イギリス	その他
81.6%	8%	2.6%	1.9%	1.3%	

ウラン鉱　4万7731t（2020年）

カザフスタン	オーストラリア	ナミビア	カナダ	ウズベキスタン	その他
40.8%	13%	11.3%	8.1%	7.3%	

レアアース　24万t（2020年）

中国	アメリカ	ミャンマー	オーストラリア	マダガスカル	その他
58%	16%	13%	7%	3%	

リチウム　8万2500t（2020年）

オーストラリア	チリ	中国	アルゼンチン	ブラジル	その他
48%	26%	16%	7%	2%	

パラジウム　217t（2020年）

ロシア	南アフリカ	カナダ	アメリカ	ジンバブエ	その他
43%	34%	9%	7%	6%	

チタン（イルメナイト鉱石）　700万t（2020年）

中国	南アフリカ	カナダ	オーストラリア	モザンビーク	その他
30%	12%	10%	9%	8%	

（『地理統計要覧 2022年版』および「USGS2021」より）

26

Fe

鉄／Iron

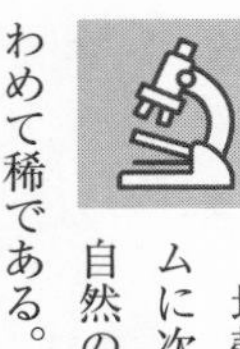

地殻中では酸素、ケイ素、アルミニウムに次いで多量に存在する鉄であるが、自然の状態で金属鉄が見つかることはきわめて稀である。人類が初めて出合った金属鉄は隕石に起源をもつといわれている。銅よりも少し遅れて、紀元前5000年ごろ、エジプトやアッシリアで、おそらく原始的な炉を用いて鉄鉱（酸化鉄）から鉄をつくっていたと考えられるが、かなりの不純

同位体と存在比(%)			
^{52}Fe	0, β^+, γ, 8.275h	^{57}Fe	2.119
^{54}Fe	5.845	^{58}Fe	0.282
^{55}Fe	0, EC, 2.73y	^{59}Fe	0, β^-, γ, 44.494d
^{56}Fe	91.754	^{60}Fe	0, β^-, 2.62×10^6y

電子配置	[Ar]$3d^64s^2$
原子量	55.845
融点(K)	1811（1538℃）
沸点(K)	3134（2863℃）
密度(kg・m^{-3})	7870（固体, 293K）
	7035（液体, 融点）
地殻濃度(ppm)	41000

酸化数		
	0	$Fe(CO)_5$
	+2	FeO, FeS, $Fe(OH)_2$, FeF_2, $Fe(C_5H_5)_6$
	+3	Fe_2O_3, Fe_3O_4(=$FeO\cdot Fe_2O_3$), FeF_3, $FeCl_3$, FeO(OH)

1	2	3	4	5	6	7	8	9	10	11	12	13	14	15	16	17	18
1 H																	2 He
3 Li	4 Be											5 B	6 C	7 N	8 O	9 F	10 Ne
11 Na	12 Mg											13 Al	14 Si	15 P	16 S	17 Cl	18 Ar
19 K	20 Ca	21 Sc	22 Ti	23 V	24 Cr	25 Mn	26 Fe	27 Co	28 Ni	29 Cu	30 Zn	31 Ga	32 Ge	33 As	34 Se	35 Br	36 Kr
37 Rb	38 Sr	39 Y	40 Zr	41 Nb	42 Mo	43 Tc	44 Ru	45 Rh	46 Pd	47 Ag	48 Cd	49 In	50 Sn	51 Sb	52 Te	53 I	54 Xe
55 Cs	56 Ba		72 Hf	73 Ta	74 W	75 Re	76 Os	77 Ir	78 Pt	79 Au	80 Hg	81 Tl	82 Pb	83 Bi	84 Po	85 At	86 Rn
87 Fr	88 Ra		104 Rf	105 Db	106 Sg	107 Bh	108 Hs	109 Mt	110 Ds	111 Rg	112 Cn	113 Nh	114 Fl	115 Mc	116 Lv	117 Ts	118 Og

ランタノイド（57～71）	57 La	58 Ce	59 Pr	60 Nd	61 Pm	62 Sm	63 Eu	64 Gd	65 Tb	66 Dy	67 Ho	68 Er	69 Tm	70 Yb	71 Lu
アクチノイド（89～103）	89 Ac	90 Th	91 Pa	92 U	93 Np	94 Pu	95 Am	96 Cm	97 Bk	98 Cf	99 Es	100 Fm	101 Md	102 No	103 Lr

物を含んでいたようである。

紀元前2000年ごろ、アナトリア(現在のトルコ)に入ったヒッタイト民族は高度な製鉄技術をもって強大な帝国を築いた。ヒッタイト滅亡のあと、製鉄技術が周辺の地域に広がり鉄器時代が花開いた。紀元後の初期に、インドの冶金家が鉄を精錬加工することに成功し、当時最も硬い金属であった鉄は、さまざまな道具や武器をつくるために使われた。

鋳鉄をつくる高炉（溶鉱炉）が発明されたのは、15世紀末のことであった。鉄と鋼を精錬する方法は急速に発達し、1855年、鋼をつくる転炉法が開発され、現在もなお用いられている。電解法による鉄の製造は20世紀に入ってからのことである。

鉄の語源は、複雑である。英語の iron はアングロサクソン語に由来し、ドイツ語の Eisen は鉄の光沢が氷 Eis に似ていることに由来するといわれているが、確かなことはわからない。元素記号 Fe は、ラテン語の「硬い」や「強固」を意味する firmus に由来する言葉 ferrum といわれているが、これも詳細は不明である。なお、化学用語 ferro, ferrous（第一鉄 Fe^{2+}）や ferri, ferric（第二鉄 Fe^{3+}）は、ferrum から派生した言葉である。

鉄は銀白色の金属で、α、β、γ、δなどの同素体が知られている。鉄は反応性が強く、水を含む空気中ではどんどん侵されてしまう。このため古代につくられた鉄の品物や製品で、今なお残っているものはきわめて稀である。しかし、鉄を濃硝酸に浸すと、表面に薄い酸化被膜ができ、鉄を保護し、それ以上侵されなくなる。これを不動態という。

鉄は代表的な強磁性体である。強磁性体は、磁気モーメントがさまざまな方向に向かっている物質の集合体で、外から磁場を与えると、磁気モーメントが一定方向を向いて強い磁性を示す性質がある。鉄以外には、コバルト（Co）やニッケル（Ni）も強磁性体である。この3種の元素をまとめて鉄族元素とよぶことがある。

おもな鉄の鉱石には、赤鉄鉱（Fe_2O_3）、褐鉄鉱（$Fe_2O_3 \cdot 3H_2O$）があり、他に磁鉄鉱（Fe_3O_4）、菱鉄鉱（$FeCO_3$）、硫化鉄鉱（FeS_2）やクロム鉄鉱（$Fe(CrO_2)_2$）なども知られている。鉄を含む化石も知られており、わが国では愛知県豊橋市の高師原（たかしはら）で発見され、高師小僧とよばれている。褐鉄鉱の一種で、湿地帯のアシや水田のイネの根の周囲で鉄バクテリアが繁殖して、それが化石化したものである。根があった場所に穴が開いたおもしろい形をしている。かつては、これを鉄の原料として使用していたのではないかと推測されている。金属鉄は、鉄鉱石をコークスで還元してかたまり状で得られるが、不純物が混じっているので、さらに水素で還元する。電気分解によって純鉄を得ることもできる。

鉄は、建築、運送などあらゆる分野の機械器具をつくるために利用され、日常生活に最も密接に関係する元素である。99・99%まで精製した超高純度鉄になると、空気や酸に安定で、低温でもしなやかで加工しやすい。

鉄を主成分とする合金は、炭素の含有量によって分類されている。純鉄（炭素0・02%以下）、鋼（炭素0・02〜2%）、鋳鉄（炭素2〜4・5%、もろいが鋳造しやすい）、および銑鉄（炭素3%以上、鉄鉱石から直接製造された鉄）である。

鋼には、炭素鋼、合金鋼、普通鋼、特殊鋼などがある。炭素鋼材料を高温から急激に冷却すると、溶けきれなかった炭素が地金とは別の硬い組織をつくる。急激に冷却するこの操作を「焼き入れ」といい、日本刀をつくる場合などでもおなじみである。

合金鋼はニッケル、クロム、マンガン、モリブデンなどを加えた鋼である。炭素が1・2%以下で、クロムを10・5%以上加えたものはステンレス鋼で、高い強度をもっている。中でもクロム18%とニッケル8%を加えた鋼は18−8ステンレス鋼といわれ、代表的なステンレス鋼である。

鉄のおもな化合物には、表26−1のようなものが

26 Fe 鉄

鉄化合物		特徴
酸化鉄	酸化鉄（+2）FeO、 酸化鉄（+3）Fe_2O_3、 酸化二鉄（+3）鉄（+2） Fe_3O_4	Fe_2O_3は鉄さびの主成分であり、赤色をしているためベンガラや黄土など顔料の原料となる。
硫化鉄	硫化鉄（+2）FeS、 硫化鉄（+3）Fe_2S_3、 二硫化鉄FeS_2	天然にはFeSは磁硫鉄鉱として、FeS_2は黄鉄鉱として産出する。
硫酸鉄（II）	淡黄色の $FeSO_4 \cdot 7H_2O$の結晶	鉄（+2）塩の代表。
塩化鉄（III）	黄褐色の $FeCl_3 \cdot 6H_2O$の結晶	鉄（+3）塩の代表。 塩基を加えると、褐色の水酸化鉄$Fe(OH)_3$が沈殿する。
炭素との 結合をもつ 鉄化合物	ヘキサシアノ鉄（+2）酸カリウム（俗称フェロシアン化カリウムまたは黄色塩） $K_4[Fe(CN)_6] \cdot 3H_2O$ ヘキサシアノ鉄（+3）酸カリウム（俗称フェリシアン化カリウムまたは赤血塩） $K_3[Fe(CN)_6]$	フェロシアン化カリウムに鉄（+3）イオンあるいはフェリシアン化カリウムに鉄（+2）イオンを加えると、ともに濃青色の紺青とよばれる色素$KFe[Fe(CN)_6]$を生ずる。かつてはプルシアンブルーあるいはターンブルブルーとよばれていたこの呈色反応はきわめて鋭敏なため鉄イオンの検出に用いられる。
	鉄カルボニル $Fe(CO)_5$、$Fe_2(CO)_9$、 $Fe_3(CO)_{12}$	加圧下で鉄を一酸化炭素と直接反応させてつくられる。
有機鉄 化合物	フェロセン（ビスシクロペンタジエニル鉄（+2）） $Fe(C_5H_5)_2$	五員環からなるシクロペンタジエニルの2つの向かい合った面のあいだに鉄があり、サンドイッチのような構造であることからサンドイッチ化合物の異名で知られる。熱安定性がきわめて高いため有機合成の触媒として用いられる。

表 26-1　鉄化合物とその特徴

知られている。磁性元素である鉄は超伝導発現には適さないと考えられていたが、鉄とヒ素とを含む化合物で高温超伝導体が発見されている。ランタン(La)、鉄、ヒ素(As)、酸素を含むLaFeAsO高温超電導体とその類似構造を有する化合物は、鉄を主成分とすることから「鉄系超伝導体」とよばれ、銅酸化物超伝導体の次に高い超伝導転移温度が達成されている。

環境面から貴金属に代わる鉄触媒が精力的に研究されている。鉄触媒を用いて温和な条件下で、安定な炭素-水素結合を炭素-炭素結合に変換できることが示されている。また、ルテニウムに代わって鉄錯体をオレフィンメタセシス反応の触媒として使用できることも実証されている。

人と鉄との関係は、古代ギリシャ時代からすでにあったとされている。医学の父といわれる古代ギリシャのヒポクラテスは、貧血は鉄欠乏症によると考え、その治療に鉄を用いていたという。

人の血液から鉄を発見したのは、イタリアのメンギーニであった。１７４６年、彼は血液を燃やして残った微粒子の中に磁石に引きつけられる成分として鉄を見つけ、それが赤血球の素になっていると考えた。18世紀以後、鉄は血色素ヘモグロビンの構成成分であることが化学的に明らかとなった。

鉄を含むタンパク質は多数知られており、表26-2のように、ヘムタンパク質と非ヘムタンパク質に分類される。２０００年以降も新しいタンパク質(ニューログロビンやサイトグロビン)が発見されている。

体重70kgの成人には約6gの鉄が存在し、血流には４４７$mg \cdot dm^{-3}$存在する。一日に約6~40mgの鉄を摂取している。

人体中の鉄の約65%はヘモグロビンとして赤血球中にあり、数%はミオグロビン(ヘムタンパク質、分子量はヘモグロビンの4分の1)として筋肉中に

26 Fe 鉄

鉄タンパク質	含有金属	機能	分布
ヘムタンパク質			
ヘモグロビン	4Fe	酸素運搬	脊椎動物
ミオグロビン	1Fe	酸素貯蔵	動物
シトクロムP450	1Fe	酸素原子添加	動物
ペルオキシダーゼ	1Fe	過酸化水素を利用した酸化	動物
カタラーゼ	1Fe	過酸化水素の分解	動物
シトクロム*c*類	1Fe	電子伝達	動物
シトクロム*c*オキシダーゼ	2Fe･3Cu	酸素呼吸鎖の末端酸化酵素	動物
一酸化窒素合成酵素（NOS）	1Fe	NO合成	動物
ニューログロビン	1Fe	低酸素症や酸化ストレスからの神経細胞保護	動物
サイトグロビン	1Fe	肝細胞の恒常性維持	動物
亜硝酸還元酵素	2Fe	NO_2^-のNOへの還元	脱窒菌
非ヘムタンパク質			
トランスフェリン	2Fe	鉄輸送	動物
フェリチン	Fe	鉄貯蔵	動物
ヘモシデリン	Fe	鉄貯蔵	動物
ルブレドキシン	1Fe	電子伝達	細菌
スーパーオキシドジスムターゼ（Fe-SOD）	1Fe	O_2^-の不均化	細菌

表 26-2　代表的な鉄タンパク質

食品名	mg/100g
ヒジキ（鉄釜、乾）	58.0
きくらげ（乾）	35.0
あさり佃煮	19.0
かたくちいわし（煮干し）	18.0
干しエビ	15.0
ピュアココア	14.0

食品名	mg/100g
ごま（いり）	9.9
にわとり（肝臓、生）	9.0
きな粉（全粒大豆）	7.9
パセリ（葉、生）	7.5
大豆（国産、乾）	6.8
とうがらし（果実、乾）	6.8
松の実（いり）	6.2
切り干し大根（乾）	3.1
ホウレンソウ（葉、生）	2.0

表 26-3　鉄を多く含む食品（『日本食品標準成分表 2020年版（八訂）』）

ある。残りの大部分は貯蔵鉄として骨髄、肝臓、膵臓中に非ヘムタンパク質型のフェリチンやヘモシデリンとして存在する。血液中の鉄の運搬体はトランスフェリンという血清タンパク質がその役割を担っている（表26－2）。

鉄は体内でFe^{3+}からFe^{2+}へ、また逆へと変化する。このときの還元や酸化の作用が機能と深くかかわっている。たとえば、赤血球中のヘモグロビンが酸素を体のすみずみに運ぶが、酸素はヘモグロビンの鉄が還元された状態にのみ結合する。

鉄を含んだ野菜にはホウレンソウやパセリがある。クギを根元にばらまいてこれらを栽培すると、いつのまにかクギは吸収されてしまう。鉄を多く含む食品を表26－3に示しておいた。

Column 9

夏に液体になる元素

元素周期表には、液体元素として35番の臭素（Br）と80番の水銀（Hg）が挙げられている。臭素の融点がマイナス7・2℃、水銀の融点がマイナス38・87℃である。

日本では、真夏の気温が30℃を超える地域が多いが、30℃超で液体になる単体の元素には、ガリウム（Ga）とセシウム（Cs）がある。ガリウムの融点が29・77℃、セシウムの融点が28・44℃である。

なお、放射性元素のフランシウムの融点は27℃であり、夏は液体となる。

27

Co

コバルト／Cobalt

同位体と存在比(%)			
^{56}Co	0, β^+, EC, γ, 77.236d	^{59}Co	100
^{57}Co	0, EC, γ, 271.80d	^{60}Co	0, β^-, γ, 5.2712y
^{58}Co	0, β^+, EC, γ, 70.86d		

電子配置	$[Ar]3d^7 4s^2$
原子量	58.933194
融点(K)	1768(1495℃)
沸点(K)	3200(2927℃)
密度(kg・m^{-3})	8860(固体, 293K)
	7750(液体, 融点)
地殻濃度(ppm)	20

酸化数		
酸化数	+1	$Co_2(CO)_8$
	+2	CoO, Co_3O_4, $Co(OH)_2$, $CoCl_2$
	+3	$Co(OH)_3$, CoF_3, $Co(NH_3)_6^{3+}$
	+4	CoS_2
	+5	K_3CoO_4

1	2	3	4	5	6	7	8	9	10	11	12	13	14	15	16	17	18
1 H																	2 He
3 Li	4 Be											5 B	6 C	7 N	8 O	9 F	10 Ne
11 Na	12 Mg											13 Al	14 Si	15 P	16 S	17 Cl	18 Ar
19 K	20 Ca	21 Sc	22 Ti	23 V	24 Cr	25 Mn	26 Fe	27 Co	28 Ni	29 Cu	30 Zn	31 Ga	32 Ge	33 As	34 Se	35 Br	36 Kr
37 Rb	38 Sr	39 Y	40 Zr	41 Nb	42 Mo	43 Tc	44 Ru	45 Rh	46 Pd	47 Ag	48 Cd	49 In	50 Sn	51 Sb	52 Te	53 I	54 Xe
55 Cs	56 Ba		72 Hf	73 Ta	74 W	75 Re	76 Os	77 Ir	78 Pt	79 Au	80 Hg	81 Tl	82 Pb	83 Bi	84 Po	85 At	86 Rn
87 Fr	88 Ra		104 Rf	105 Db	106 Sg	107 Bh	108 Hs	109 Mt	110 Ds	111 Rg	112 Cn	113 Nh	114 Fl	115 Mc	116 Lv	117 Ts	118 Og

ランタノイド(57〜71)	57 La	58 Ce	59 Pr	60 Nd	61 Pm	62 Sm	63 Eu	64 Gd	65 Tb	66 Dy	67 Ho	68 Er	69 Tm	70 Yb	71 Lu
アクチノイド(89〜103)	89 Ac	90 Th	91 Pa	92 U	93 Np	94 Pu	95 Am	96 Cm	97 Bk	98 Cf	99 Es	100 Fm	101 Md	102 No	103 Lr

青く美しい鉱石にコバルトが含まれているとは知られずに、この元素はすでに紀元前２０００年以前からエジプトでは陶器、イランではガラス球の着色に用いられていた。イタリア・ルネサンスの巨匠レオナルド・ダ・ヴィンチは、この色素を用いた画家の一人である。中世の医化学者パラケルススはコバルトについて記述し、病気の治療に用いていたこともうかがわせて

いる。

この青い鉱石中の物質を研究していたスウェーデンの化学者ブラントは、1737年にコバルトを分離し、1780年にベルグマンが新元素であることを確認した。

元素名の由来は明白でないが、ドイツのザクセン地方の鉱夫たちが、銀鉱石によく似た鉱石から銀をつくろうとしたが成功しなかったため、民話に出てくる山の精・悪霊コボルト（Kobold）の仕業と考え、その鉱石をコボルトとよんでいた。コボルトと恐れられていた鉱石の中から、ガラスと溶け合わせると美しい青色を与える元素が見つけられ、それがやがてコバルトとよばれるようになったらしい。

コバルトは火成岩中に約0・001％（ニッケルは0・02％）含まれ、そのほか隕石、天体、海水と淡水、土、動植物中にも見出される。金属コバルトの原料となる鉱物には、リンネ鉱、輝コバルト鉱、グローコドート鉱、砒コバルト鉱が知られている。

また、北西太平洋域の海底にアスファルトで覆ったような形で分布する資源が発見され、コバルトリッチクラストとよばれている。化学組成はマンガン団塊に似て、鉄・マンガンを主成分とする酸化物であるが、含有するコバルトがマンガン団塊に比べ約3～5倍高い（約0・9％）ため、それが名称の由来となっている。白金を約1ppm（1g／t）含み、希土類元素（レアアース）も約2000ppm含むことが確認されている。2020年、石油天然ガス・金属鉱物資源機構は日本の排他的経済水域内の海底におけるコバルトリッチクラストの掘削試験に世界で初めて成功し、日本の海洋鉱物資源開発に向けた一歩として期待されている。

コバルトは強磁性であり、硬度、引張り強度、切削性、熱的・電気化学的性質は鉄（Fe）やニッケル（Ni）によく似ている。通常の状態では水や空気の影響を受けないが、硫酸、塩酸、硝酸などと激しく反応する。

27 Co コバルト

コバルト20～65%とニッケル、クロム、モリブデンなどを含む金属は高温の中でも強度が高いため、航空機、ガスタービンなどに広く利用されている。コバルトはまた磁石の生産に大量に用いられている。最も実用的な磁石鋼は35%のコバルトにタングステンとクロムが含まれている。

コバルトとクロム、タングステン、鉄などの組み合わせからなる合金は、硬くて、耐摩耗性と耐腐食性が強いため、切削道具や硬質仕上げ面などに広く用いられる。さらに近年、第4、5、6族の金属炭化物とコバルトとを焼結した複合材料が開発され、超硬合金（hard metals）とよばれている。機械的特性に優れているものにWC（タングステン・炭素）－Co系合金がある。低温でも高温でも硬さが保持され、物理的性質が安定している。金属とガラスとをくっつけるには、18%コバルト、28%ニッケル、54%鉄の合金が用いられる。36・5%鉄、9・5%銅、54%コバルトの合金は、膨張係数がゼロである。65%コバルト、30%クロム、5%モリブデン（またはタングステン）からなる合金バイタリウムは、体液によって侵されず、また組織に障害を与えないため歯科・外科用材料として用いられている。パソコンやオーディオプレーヤーのハードディスクの磁気ヘッドにはコバルトと鉄との合金が用いられている。

人工放射性コバルトには^{57}Co（半減期約２７２日）、^{58}Co（半減期約71日）および^{60}Co（半減期約5・3年）があるが、いずれもコバルトを中心原子にもつビタミンB_{12}（シアノコバラミン）の標識用に用いられている。^{57}Coと^{58}Coはサイクロトロンで、^{60}Coは原子炉で中性子照射することにより得られる。ビタミンB_{12}は悪性貧血の治療になくてはならない化合物である。２０１１年の福島第一原子力発電所事故後、土壌中の^{60}Coの検出が報告されている。

コバルト化合物は、一般には、+2または+3の状態

コバルト錯体	色	色素としての名前
$CoCl_3$・$6NH_3$	黄	ルテオコバルト
$CoCl_3$・$5NH_3$	紫	プロプレオコバルト
$CoCl_3$・$4NH_3$（トランス型）	緑	プラセオコバルト
$CoCl_3$・$4NH_3$（シス型）	すみれ	ビオレオコバルト
$CoCl_3$・$5NH_3$・H_2O	赤	ロゼオコバルト

表 27-1　コバルト錯体の色

で存在する。コバルトの塩化物、硝酸塩、硫酸塩はよく知られている。$CoCl_3$・$6NH_3$は１７９８年に発見され、歴史上記録に残る2番目に古い金属錯体である（最初に発見された錯体は、18世紀の初めベルリンの絵の具製造業者ディスバッハによるプルシアンブルー〈KCN・Fe(CN)$_2$・Fe(CN)$_3$〉であると伝えられている）。

　コバルト塩化物とアンモニアの錯体は、その組成によってさまざまな色に変化するため、色素として古くから用いられている（表27－1）。

　またコバルト塩化物は水が存在するかしないかで色が極端に変わるため、乾燥剤に用いるシリカゲルが機能しているかどうかを簡単に色で評価できるようシリカゲルに加えられていた。Co[$CoCl_4$]は青色であるが、これが水（H_2O）を吸収すると[Co(H_2O)$_6$]Cl_2に変化してピンク色になることを利用したものであるが、現在は用いられていない。

　コバルト酸化物には、三つの形が知られている。灰色酸化一コバルト（CoO）、黒色三酸化二コバルト（Co_2O_3）、四酸化三コバルト（Co_3O_4）である。これらの酸化物は陶器、ガラス、エナメルを青く着色するために用いられている。

27 Co コバルト

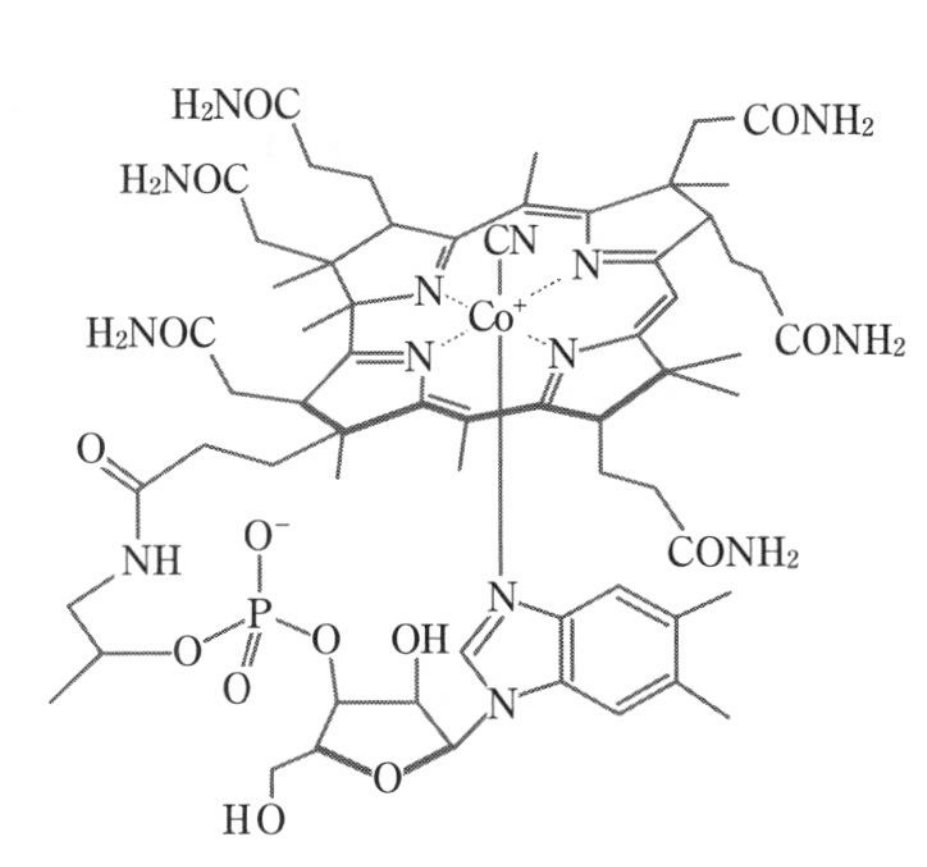

図 27-1　ビタミン B_{12}（シアノコバラミン）の構造

生物にとってコバルトが必須元素であることは、ウシやヒツジが貧血となり、ついには死んでしまうことから研究が始められ、1935年にアンダーウッドとフィルマーによって、これらの動物の成長因子であることが証明された。原因は食餌中にコバルトが不足していたことによることがわかった。このような場合、家畜飼料、動物が塩をなめにくる塩沼、あるいは化学肥料などに少量のコバルト化合物を加えておくと、ウシやヒツジの「やせ病」のような重い病気をも予防することができる。

貧血を防ぐには、食事に適量の鉄が含まれているときでさえ、少量のコバルトが必要であることが明らかにされ、ビタミン B_{12} の発見へとつながった。1926年に、悪性貧血に肝臓療法が有効であることが見出され、1948年にウシの肝臓から抗悪性貧血因子として赤色の結晶が単離された。12番目に発見されたことから、ビタミン B_{12}（シアノコバラミン、図27－1）と名づけられた。

1961年にはX線構造解析により、ビタミン B_{12} の三次元構造が明らかにされた。ビタミン B_{12} の構造はとても複雑で、人工合成は不可能と考えられていたが、1973年にハーバード大学のウッドワードとチューリッヒ工科大学のエッシェンモーザーらの共同研究グループにより全合成が完成した。この研究には100人以上の研究者が参加し、11年を要した。

コバルトはヒトをはじめ多くの生物にとって必須元素である。体重70kgの成人の体には、約1・5mgのコバルトが存在する。食物を通して一日に0・05〜1・8mgのコバルトが体に取り込まれている。

コバルトは腸管からよく吸収される。鉄が欠乏すると、コバルトと鉄の化学的性質がよく似ているため、さらによく吸収される。取り込まれたコバルトはおもに骨、膵臓や肝臓に蓄積する。

コバルトを過剰に摂取すると、多血病や甲状腺腫が見られることがある。1960年代アメリカやカナダなどで、ビールの泡を安定化させるために1・2〜1・5ppmのコバルト化合物が添加され、このビールの常飲者20名以上が心臓病や甲状腺異常で死亡する事件が起きた。

28 Ni

ニッケル／Nickel

同位体と存在比(%)			
^{58}Ni	68.0769	^{61}Ni	1.1399
^{59}Ni	0, EC, β^+, 7.5×10^4y	^{62}Ni	3.6345
		^{63}Ni	0, β^-, 100y
^{60}Ni	26.2231	^{64}Ni	0.9256

電子配置	[Ar]$3d^84s^2$
原子量	58.6934
融点(K)	1728(1455℃)
沸点(K)	3186(2913℃)
密度($kg\cdot m^{-3}$)	8902(固体, 298K)
	7780(液体, 融点)
地殻濃度(ppm)	84

酸化数		
	−1	$Ni_2(CO)_6{}^{2-}$
	0	$Ni(CO)_4$
	+1	$Ni(PPh_3)_3Br$
	+2	$NiO, Ni(OH)_2, NiF_2, NiCl_2$
	+3	$NiO(OH), NiF_6{}^{3-}, Ni_2O_3$
	+4	$NiO_2, NiF_6{}^{2-}$
	+6	K_2NiO_4

1	2	3	4	5	6	7	8	9	10	11	12	13	14	15	16	17	18
1 H																	2 He
3 Li	4 Be											5 B	6 C	7 N	8 O	9 F	10 Ne
11 Na	12 Mg											13 Al	14 Si	15 P	16 S	17 Cl	18 Ar
19 K	20 Ca	21 Sc	22 Ti	23 V	24 Cr	25 Mn	26 Fe	27 Co	28 Ni	29 Cu	30 Zn	31 Ga	32 Ge	33 As	34 Se	35 Br	36 Kr
37 Rb	38 Sr	39 Y	40 Zr	41 Nb	42 Mo	43 Tc	44 Ru	45 Rh	46 Pd	47 Ag	48 Cd	49 In	50 Sn	51 Sb	52 Te	53 I	54 Xe
55 Cs	56 Ba		72 Hf	73 Ta	74 W	75 Re	76 Os	77 Ir	78 Pt	79 Au	80 Hg	81 Tl	82 Pb	83 Bi	84 Po	85 At	86 Rn
87 Fr	88 Ra		104 Rf	105 Db	106 Sg	107 Bh	108 Hs	109 Mt	110 Ds	111 Rg	112 Cn	113 Nh	114 Fl	115 Mc	116 Lv	117 Ts	118 Og
ランタノイド(57〜71)			57 La	58 Ce	59 Pr	60 Nd	61 Pm	62 Sm	63 Eu	64 Gd	65 Tb	66 Dy	67 Ho	68 Er	69 Tm	70 Yb	71 Lu
アクチノイド(89〜103)			89 Ac	90 Th	91 Pa	92 U	93 Np	94 Pu	95 Am	96 Cm	97 Bk	98 Cf	99 Es	100 Fm	101 Md	102 No	103 Lr

ニッケルの名前は、ドイツ語のKupfer-nickel（銅の悪魔）に由来している。銅を含んでいない鉱石とは知らずに銅を精錬しようと何度も試みた冶金師たちが、それが得られないのは山の悪霊ニックのせいに違いないと考え、このような鉱石をクッフェルニッケルとよぶようになったといわれている。

人類は紀元前3世紀に中国、中央アジアなどでニッケルを含む合金を使用していた。ニッケルはコバルトや銅と性質が似ているので、なかなか単独の元素として確認されなかった。1751年にスウェーデンの鉱物学者で化学者のクロンステットが、クッフェルニッケルから実験を重ねて銅と性質のまったく異なる金属を単離した。この金属は硬くてもろく、熱すると黒粉に変化し、酸に溶解すると緑色を示す。彼はこの金属がクッフェルニッケルの中に含まれているので、ニッケルと短縮してよんだ。

主要鉱石には、ケイ酸塩を含む珪ニッケル鉱、クッフェルニッケルとよばれた紅砒ニッケル鉱(NiAs)、ニッケルと鉄の硫化物である硫鉄ニッケル鉱などがある。

単体は、展性、延性に富む銀白色金属である。有用な合金としては、ステンレス鋼(鉄にクロムとニッケルを含む18-8ステンレス鋼〈Cr:146ページ参照〉や、鉄にクロムのみを18%含む18ステンレス鋼などがある。前者は磁石につかないが、後者はつく)、白銅(ニッケル25%、銅75%。五十円、百円、旧五百円硬貨など)、洋銀(ニッケル10~20%、銅40~70%、亜鉛20~30%。銀白色で美術工芸品、食器、楽器など)、ニクロム(ニッケル60~80%、クロム10~20%、マンガン1~2%。発熱体)などがある。チタンとニッケルが1対1の合金は、形状記憶合金として利用されている。周期表の第4、5、6族元素の炭化物をFe、Co、Niなどの金属で焼結したものは超硬合金(hard metals)とよばれる。WC(タングステン・カーバイド)―Ni―Cr合金では、Ni中のW量が一定以上では磁性のない非強磁性となり、耐食性が向上するため実用化されている。また、繰り返し充電ができる電池、ニッケル-カドミウム電池(Ni―Cd)やニッケル-水素電池(Ni―MH)の正極電極材料に、塩基性酸化ニッケル(NiO(OH))が使われている。なお、前者の負極は金属カドミウムで、後者では水素吸蔵合金である。

28 Ni ニッケル

近年さまざまな分野に使われるリチウムイオン電池では、正極材料はリチウムイオン含有遷移金属酸化物で、負極材料はカーボンである（58ページ参照）。正極には三元系（NMC系：Ni、Mn、Coの化合物）やNCA系（Ni、Co、Alの化合物）があり、これらは他の正極材料よりも安全性が高いため、電気自動車のバッテリーなどに使われている。このような需要の増大や生産国の供給問題などにより、2022年のニッケル単価は5年前の約3倍に高騰している。

また、有機合成の分野では、パラジウム触媒とともにニッケル触媒を開発した根岸英一が、2010年のノーベル化学賞を受賞した。

この元素の必須性は、ヒトでは未確認である。体重70kgの成人では、10mgのニッケルが存在しており、食物（大豆、ピーナッツ、クルミなどに多く含まれる）を通して一日約0.5mg摂取すると見積もられる。多く存在するのは骨といわれている。また、血漿中のニッケル量は狭い範囲で一定に保たれているが、急性心筋梗塞や急性脳卒中の際には増加が認められている。

ニッケルは腸ではほとんど吸収されないこともあって経口毒性は低いが、発がん、皮膚炎、アレルギー、呼吸系障害を引き起こす。古くは、ニッケルを扱う工場作業員の鼻腔がんや肺がんが報告されている。体内に入ったニッケルは、+2のイオンのみならず、+1や+3のイオンとなることが知られている。これらのイオンが細胞の核に侵入して活性酸素をつくりだし、この活性酸素がDNAに障害を与え、がんを引き起こすと推測されている。

ニッケル合金製の装飾品のネックレスやピアスでは、皮膚と接触したときに汗や血液によってニッケルイオンが溶け出すことがある。これが生体物質と結合すると、強い抗原性を示す。このため免疫反応が生じ、接触性皮膚炎やアレルギー症を生ずる。

ニッケルイオンを含むタンパク質としては、植物や細菌に見られる酵素、ウレアーゼが挙げられる。
この酵素は、尿素（$CO(NH_2)_2$）をアンモニア（NH_3）とカルバメート（H_2NCOOH）に加水分解する。カルバメートは、さらに非酵素的にアンモニアと炭酸ガスに分解される。タチナタマメ（福神漬けなどの材料となる豆で、英名はJack bean）から単離されたウレアーゼは、1926年に酵素が初めて結晶化された例として有名である（結晶化に成功した米国のサムナーは1946年にノーベル化学賞を受賞）。1975年になって、ウレアーゼはニッケルを含む金属酵素であることがわかった。結晶化からほぼ70年後の1995年、細菌からの酵素のX線結晶構造解析に成功し、2個のNi^{2+}イオンが約3.5Å離れて活性部位を構成していることが明らかになった。2010年には、ついにタチナタマメのウレアーゼの構造が解明された。

消化性潰瘍はストレスなどの攻撃因子の亢進と、体に備わった防御因子の低下により生じると考えられていたが、1983年に胃潰瘍患者の胃粘膜から分離されたらせん状細菌ヘリコバクター・ピロリ（*Helicobacter pylori*）が胃潰瘍の病原菌であることが認められ、オーストラリアのマーシャルとウォーレンは、2005年のノーベル生理学・医学賞を受賞した。胃潰瘍発症の原因として、最近、ピロリ菌がヒトからのコレステロールを取り込んだ後、菌内でそれに糖を付加して炎症誘導化合物を生成することによって胃炎が引き起こされると報告された。また、ピロリ菌が多量のウレアーゼ（2001年に解明された分子構造は直径約160Åの球状で、その中に2個対になったニッケル部位を12組含む）を産生する理由は、強酸性の胃の中での生存のために、酵素で生成したアンモニアを用いて胃酸を中和し、環境のpHをコントロールするためである。日本人のピロリ菌の感染率は、20代で20%、60代で80%といわれており、抗生物質などで除菌すれば、胃潰瘍の再発はほぼ抑えられる。

29 Cu

銅／Copper

同位体と存在比(%)			
^{63}Cu	69.15	^{65}Cu	30.85
^{64}Cu	0, EC, β^-, β^+, γ, 12.7004h	^{66}Cu	0, β^-, 5.1m
		^{67}Cu	0, β^-, γ, 61.9h

電子配置	[Ar]$3d^{10}4s^1$
原子量	63.546
融点(K)	1357.7(1084.5℃)
沸点(K)	2835(2562℃)
密度(kg・m^{-3})	8960(固体, 293K)
	7940(液体, 融点)
地殻濃度(ppm)	60

酸化数		
	0	$Cu(CO)_3$
	+1	Cu_2O, CuCl, CuCN, CuSCN
	+2	CuO, $CuCl_2$, $CuCO_3 \cdot Cu(OH)_2$ (青緑色の銅さび)
	+3	$K_3(CuF_6)$
	+4	$Cs_2(CuF_6)$

1	2	3	4	5	6	7	8	9	10	11	12	13	14	15	16	17	18
1 H																	2 He
3 Li	4 Be											5 B	6 C	7 N	8 O	9 F	10 Ne
11 Na	12 Mg											13 Al	14 Si	15 P	16 S	17 Cl	18 Ar
19 K	20 Ca	21 Sc	22 Ti	23 V	24 Cr	25 Mn	26 Fe	27 Co	28 Ni	**29 Cu**	30 Zn	31 Ga	32 Ge	33 As	34 Se	35 Br	36 Kr
37 Rb	38 Sr	39 Y	40 Zr	41 Nb	42 Mo	43 Tc	44 Ru	45 Rh	46 Pd	47 Ag	48 Cd	49 In	50 Sn	51 Sb	52 Te	53 I	54 Xe
55 Cs	56 Ba		72 Hf	73 Ta	74 W	75 Re	76 Os	77 Ir	78 Pt	79 Au	80 Hg	81 Tl	82 Pb	83 Bi	84 Po	85 At	86 Rn
87 Fr	88 Ra		104 Rf	105 Db	106 Sg	107 Bh	108 Hs	109 Mt	110 Ds	111 Rg	112 Cn	113 Nh	114 Fl	115 Mc	116 Lv	117 Ts	118 Og

ランタノイド(57～71)	57 La	58 Ce	59 Pr	60 Nd	61 Pm	62 Sm	63 Eu	64 Gd	65 Tb	66 Dy	67 Ho	68 Er	69 Tm	70 Yb	71 Lu
アクチノイド(89～103)	89 Ac	90 Th	91 Pa	92 U	93 Np	94 Pu	95 Am	96 Cm	97 Bk	98 Cf	99 Es	100 Fm	101 Md	102 No	103 Lr

人類が銅を利用した歴史は非常に古い。最古のものは、紀元前8800年ごろの北イラクで発見された天然の銅でつくられたと考えられる小玉である。銅鉱石の精錬が始められたのは紀元前3000年ごろで、アラビア半島北部の山脈中である。以来、銅は純銅および青銅（銅とスズ）や真鍮（しんちゅう）（銅と亜鉛）などの合金の形で広く利用されている。特に、人類は青銅をつくる

ことを知って、今まで使っていた石器を青銅器に置き換えた。

また、古代には塩基性炭酸銅の緑青（ろくしょう）（$CuCO_3$・$Cu(OH)_2$）が医薬品や顔料として用いられ、紀元前300年ごろに銅をブドウのしぼりかすの上において緑青をつくる記述が残されている。緑青は銅屋根に見られるが、硫黄酸化物を含む酸性雨のために塩基性硫酸銅を生じ、青みを帯びるといわれている。現在では、緑青の毒性は否定されている。

古代の銅鉱山の中で特に有名なものが地中海の島、キプロス島（Cyprus）にあり、それが銅の語源と考えられている。

日本および中国では、古くは金、銀とともに三品とよばれ、五色の金（かね）の一つであった。五色の金とは、黄金（こがね）（金）、白金（しろがね）（銀）、赤金（あかがね）（銅）、黒金（くろがね）（鉄）、青金（あおがね）（鉛）の五つである。

銅は単体金属としてだけでなく、黄銅鉱（$CuFeS_2$）、輝銅鉱（Cu_2S）、孔雀石（$Cu_2CO_3(OH)_2$）、赤銅鉱（Cu_2O）のような形で産出する。単体を得るには、まず黄銅鉱を焼いて硫化第一銅（Cu_2S）と酸化鉄の混合物を得る。これをケイ砂（SiO_2）とともに反射炉で加熱し、鉄をスラッグとして分離した後、転炉に入れて空気を吹き込むと粗銅を遊離する。粗銅を電極として電解すると、99・94%以上の純度の金属銅が得られる。単体銅は赤い金属結晶で、延性・展性に富む。電気、熱に対しては銀に次ぐ良導体であり、この点では金より優れている。また、銅の酸化数（+1～+4）のうち、+2が最も安定で多くの化合物が知られている。

単体銅は電気抵抗が銀の次に小さく、電線などの電気の導体として用いられている。電気抵抗の低さは、3d軌道が10個の電子で満たされていることに関係する。すなわち、3d軌道が空いていないことによって、結晶格子の中で動き回る伝導電子（4s軌道の電子）が、格子で散乱されて3d軌道に入れなくなり、それだけ散乱

の確率が低くなることにより、電気抵抗が小さくなるのである。

周期表で銅の下にある銀や金も、d軌道が電子で満たされている同じ理由で、電気抵抗が小さい。ともに熱伝導が良いのも、伝導電子が熱をよく運ぶからである。銅の容器で冷えたビールを飲むと、冷たさをより感じられるはずである。

単体銅の他の用途は、水や蒸気、気体などのパイプ、建材などが主である。銅は先に述べたように延性・展性に富み、やわらかく加工しやすいためである。各種合金（青銅、真鍮、白銅、洋銀など）としても多方面に利用されている。

18世紀に作られたシェーレ・グリーン（亜ヒ酸銅、若草色）やパリ・グリーン（アセト亜ヒ酸銅、エメラルドグリーン）は、無機顔料として絵画や壁紙などに大いに使用されたが、きわめて有毒で「毒の緑」といわれた（193ページ参照）。

銅酸化物の高温超伝導体は、アルカリ土類金属元素、希土類元素、ビスマス、タリウム、水銀などから数種類の元素を含むいろいろな化合物がつくられている。これまで最高の超伝導臨界温度は水銀系銅酸化物の153K（マイナス120℃）である（2013年）。

銅イオンは生体において必須元素であり、生体内でタンパク質に結合して機能する金属の量としては、鉄や亜鉛に次いで多い。体重70kgの成人の体には80mgの銅が含まれており、臓器としては脳、肝臓、腎臓に、また血液や胆汁にも多く含まれている。

食物中の銅イオンは胃や腸から吸収され、血清中のセルロプラスミンやアルブミンなどのタンパク質に結合して体の各組織に運ばれる。銅を多く含む食品には、レバー、ココア、ホタルイカ、カシューナッツがある。一日の必要量は約1mgと推定されている。銅を含むタンパク質を表29－1に示した。

ヒトの銅欠乏は、貧血、毛髪異常、骨や動脈の異常、脳障害を起こし、過剰は肝硬変、下痢、吐き気、運動障害、知覚神経障害を引き起こす。

1962年に発見された先天性遺伝疾患であるメンケス病は、脱色しやすい縮れ毛で特徴づけられる病気であるが、頭髪だけでなく骨、眼、血管の異常や、けいれん、筋肉張力低下、知能や身体の発育低下をきたす。研究初期は患者の頭髪の銅含有量が低いため銅欠乏症と判断されたが、その後、銅は肝臓、脳、血清などでも欠乏している一方、腸管や腎臓では逆に過剰であることが明らかとなった。

さらに、銅の膜透過を調節している酵素である銅結合性ATPアーゼ（アデノシン三リン酸フォスファターゼ）が、この患者では欠損していることが見出された。この場合、食物からの銅は消化管の細胞に取り込まれたままで肝臓に輸送されず、肝臓のみならず主要な組織が銅欠乏状態に陥ることになる。さらに、肝臓で生合成される銅を含むタンパク質や酵素もできなくなる。すなわち、この病気は消化管の銅中毒かつ肝臓における銅欠乏症である。

一方、やはり先天性疾患であるウイルソン病は、銅を体内で運搬する血液タンパク質、セルロプラスミンをつくることができないため、銅を各組織に運搬することができず、肝臓をはじめさまざまな組織に沈着して排泄できなくなり、肝硬変や神経症状が現れるものである。この病気の治療には、蓄積している過剰な銅を体の外に排出する必要がある。そのために、銅と強く結合する化合物（ペニシラミン、エチレンジアミン四酢酸など）が用いられている。

銅に動脈硬化や心筋梗塞を予防する効果があることも確認されている。魚介類や海藻類に恵まれている島の住民の白血球中の銅含量は、都市の住民の2倍、動脈硬化症患者の6倍もあった。また、七面鳥の心筋梗塞による突然死が、銅を与えることで予防できることも明らかにされていて、銅には血管を正常な構造に保つ酵素の働きを助ける効果があるという仮説が立てられている。

29 Cu 銅

タンパク質（分布）	機能
プラストシアニン（植物）	光合成系電子伝達
アズリン（細菌）	電子伝達
ガラクトース酸化酵素（菌類）	糖（ガラクトース）の酸化
アミン酸化酵素（動物、植物、細菌）	生体アミン類のアルデヒド化合物への酸化 $RCH_2NH_2+O_2+H_2O \rightarrow RCHO+NH_3+H_2O_2$
スーパーオキシドジスムターゼ （動物、植物、細菌）	O_2^-の解毒　$2O_2^- \rightarrow O_2+O_2^{2-}$ （Zn^{2+}もCu^{2+}と同量含まれる）
チロシナーゼ（動物、植物、細菌）	チロシンからメラニン色素の形成
ヘモシアニン（軟体・節足動物の血液）	酸素運搬体
亜硝酸還元酵素（細菌）	亜硝酸イオンの一酸化窒素への還元 $NO_2^- + 2H^+ + e^- \rightarrow NO + H_2O$
セルロプラスミン（脊椎動物の血液）	銅の運搬、鉄の酸化、アミンの酸化
シトクロム*c*酸化酵素 （動物、細菌のミトコンドリア）	酸素の水への還元とH^+の能動輸送

表 29-1　銅を含む代表的なタンパク質

１９８５年に遺伝的に銅代謝障害を起こすラットが発見され、ＬＥＣ（ロング・エバンス・シナモン）ラットと名づけられている。このラットは生まれつき肝臓に銅が蓄積し、そのため黄疸、肝炎、そしてついには肝がんを起こして死んでしまう。この蓄積された銅について研究が行われた結果、銅は、メタロチオネインというタンパク質と結合していることが明らかにされている。このＬＥＣラットと同じ現象がヒトの肝がんでも見られることがわかり、肝がんの治療と予防の研究に用いられている。

30

Zn

亜鉛／Zinc

同位体と存在比(%)			
^{64}Zn	49.17	^{68}Zn	18.45
^{65}Zn	0, β^+, EC, γ, 243.93d	^{69m}Zn	0, IT, β^-, γ, 13.756h
^{66}Zn	27.73	^{70}Zn	0.61
^{67}Zn	4.04	^{71}Zn	0, β^-, γ, 4.120h

電子配置	[Ar]$3d^{10}4s^2$
原子量	65.38
融点(K)	692.73(419.58℃)
沸点(K)	1180(907℃)
密度($kg \cdot m^{-3}$)	7135(固体, 293K)
	6577(液体, 融点)
地殻濃度(ppm)	70

酸化数	+1	まれにZn_2^{2+}(ガラス中)
	+2	ZnO, ZnS, $Zn(OH)_2$, ZnF_2, $ZnCl_2$

1	2	3	4	5	6	7	8	9	10	11	12	13	14	15	16	17	18
1 H																	2 He
3 Li	4 Be											5 B	6 C	7 N	8 O	9 F	10 Ne
11 Na	12 Mg											13 Al	14 Si	15 P	16 S	17 Cl	18 Ar
19 K	20 Ca	21 Sc	22 Ti	23 V	24 Cr	25 Mn	26 Fe	27 Co	28 Ni	29 Cu	**30 Zn**	31 Ga	32 Ge	33 As	34 Se	35 Br	36 Kr
37 Rb	38 Sr	39 Y	40 Zr	41 Nb	42 Mo	43 Tc	44 Ru	45 Rh	46 Pd	47 Ag	48 Cd	49 In	50 Sn	51 Sb	52 Te	53 I	54 Xe
55 Cs	56 Ba		72 Hf	73 Ta	74 W	75 Re	76 Os	77 Ir	78 Pt	79 Au	80 Hg	81 Tl	82 Pb	83 Bi	84 Po	85 At	86 Rn
87 Fr	88 Ra		104 Rf	105 Db	106 Sg	107 Bh	108 Hs	109 Mt	110 Ds	111 Rg	112 Cn	113 Nh	114 Fl	115 Mc	116 Lv	117 Ts	118 Og

ランタノイド (57〜71)	57 La	58 Ce	59 Pr	60 Nd	61 Pm	62 Sm	63 Eu	64 Gd	65 Tb	66 Dy	67 Ho	68 Er	69 Tm	70 Yb	71 Lu
アクチノイド (89〜103)	89 Ac	90 Th	91 Pa	92 U	93 Np	94 Pu	95 Am	96 Cm	97 Bk	98 Cf	99 Es	100 Fm	101 Md	102 No	103 Lr

亜鉛化合物は、太古の時代から人類に知られていたにもかかわらず、銅、鉄、スズ、鉛よりもずっと遅れて単体が得られた。酸化亜鉛（ZnO）を炭で還元するのに約１１００℃の高温を必要とするが、亜鉛の沸点は９０７℃であるので、揮発性の酸化物蒸気が反応系から飛散してしまうためである。単体分離の年代を決定することはできないが、１７４６年にドイツのマ

ルクグラフが閃亜鉛鉱（ZnS）から単体亜鉛を得る方法を発表している。

英語名zincの語源は、角膜白斑あるいは白い鉱床を意味するラテン語に由来しているという説と、ドイツ語のZinke（櫛やフォークの歯のようなとがったもの）からきており、溶鉱炉中で尖頭状に沈殿するためにこの名がつけられたとする説がある。

主な鉱物としては閃亜鉛鉱、ウルツ鉱（いずれもZnS）、菱亜鉛鉱（$ZnCO_3$）などがある。精錬には、鉱石を焙焼により酸化亜鉛とした後、高温において炭素で還元する乾式法と、硫酸に溶かしてから電解還元する湿式法があるが、後者のほうが99.995％の高純度の単体が得られる。

単体の亜鉛は青白色の金属で、化合物の酸化数は、通常+2に限られる。酸化物および水酸化物は両性化合物で、酸にもアルカリにも溶ける。

遷移元素の化合物では、五つの3d軌道（一つの軌道を2個の電子が占める）に入る電子数が1〜9個の場合に着色するが、亜鉛化合物では10個の電子で3d軌道が完全に充填されるため、通常無色である。

亜鉛の最大の用途は、耐食性のメッキである。鉄板に亜鉛メッキしたものを「トタン」という。亜鉛のほうが鉄よりもイオン化傾向が大きいため、トタンが傷ついて水に触れると、鉄の代わりに亜鉛が溶け出す。この耐食性のために、トタンは広く使われている。一方、鉄板にスズ（Sn）メッキした「ブリキ」では、鉄のほうがスズよりイオン化傾向が大きいので、傷がつくと鉄イオンが溶け出すためにさびやすい。次に多い用途は、銅との合金である真鍮（黄銅）をはじめとする合金材料である。銅60％、亜鉛40％の真鍮は硬く、銅70％、亜鉛30％の真鍮はやわらかく美しい光沢をもつ。

また、亜鉛華（ZnO、亜鉛白ともいわれる）は塗料、顔料、印刷インキ、あるいは窯業などに用いられる。酸化亜鉛（ZnO）はその殺菌作用から、亜鉛軟膏として外用薬剤にも用いられている。酸化亜鉛はまた、窒化ガリウム（GaN）に代わる次世代青色発光ダイオード（LED）の材料としても期待されている。硫化亜鉛（ZnS）は、銅とあわせてブラウン管の蛍光剤に用いられてきた。この蛍光剤に電子線を当てると、黄緑色の蛍光を発する。

亜鉛の必須性は、1934年に動物での欠乏症が報告されたが、ヒトに関しての確認は1960年代以降である。

1961年にイランやイラクで、亜鉛欠乏により成長が止まる小人症が発見された。これは臨床実験から、パンなどに多く含まれるフィチン酸（多くの植物性食品に含まれる）が胃の中で亜鉛と結合して不溶性の物質を生成し、亜鉛が体内に吸収されなくなってしまうために起こると理解された。ただし、偏った食事をしなければ、フィチン酸が含まれていても亜鉛の吸収が大きく抑制されることはない。

さらに、亜鉛の欠乏により第二次性徴の発現不全や、鉄欠乏性の貧血が生ずることが明らかにされた。1973年には遺伝的な病気である腸性肢端性皮膚炎やある種の脱毛が、翌年には味覚・嗅覚障害が亜鉛の欠乏によることが明らかになった。

亜鉛の一日の必要量は約10mgであるが、不足がちになる金属イオンであり、亜鉛を含む錠剤や自然食品が販売されている。亜鉛の欠乏症には、先天性の腸性肢端皮膚炎（ちょうせいしたん）（発達が遅れ、難治性の皮膚炎発症）、免疫異常、味覚異常などが知られている。また、2005年には、日本人の血清亜鉛濃度が測定された結果、加齢とともに減少していることが明らかにされた。

亜鉛を多く含む食物として、魚介・海藻類（カキ、カニ、寒天、のりなど）、肉類（レバーなど）、穀類・豆類（そば粉、玄米、大豆、小豆）などが挙げられる。また、通常のハムでは、鉄ポルフィリン（＝血色素）が赤色のもとであるが、イタリアの高級生ハムのパルマハムの赤色は亜鉛ポルフィリンの色である。亜鉛の過剰症は起こりにくいようであるが、缶詰から溶け出した亜鉛による中毒、発熱、吐き気、腹痛、下痢などが知られている。

生体内でタンパク質に結合して機能する金属の量としては、亜鉛は鉄に次いで多い。たとえば体重70kgの成人には、2・3gの亜鉛が含まれるといわれている。生体には、亜鉛を結合するタンパク質が3000以上あると見積もられている。代表的な亜鉛酵素を表30－1にまとめた。

炭酸脱水酵素は、炭酸ガス（CO_2）と炭酸（H_2CO_3）の間の反応を可逆的に触媒する酵素である。O_2分圧が低い体の各組織では、毛細管に拡散したCO_2は赤血球中でこの酵素により水和されH_2CO_3となるが、平衡により解離したH^+（表30－1参照）がO_2を運んで来たヘモグロビンに取り込まれるため、結合していたO_2が鉄から離れて組織に供給される。そして、解離したHCO_3^-（重炭酸イオン）はナトリウム塩の形で静脈血漿中に溶けて運ばれる。一方、肺で

酵素（分布）	機能
炭酸脱水酵素（哺乳動物血球）	$CO_2+H_2O \rightleftharpoons HCO_3^-+H^+ \rightleftharpoons H_2CO_3$の反応触媒、血液pHの調整
カルボキシペプチダーゼ（哺乳動物膵臓）	タンパク質のC末端でのペプチド結合の加水分解
ロイシンアミノペプチダーゼ（哺乳動物腎臓）	タンパク質のN末端にロイシンを含むペプチドのN末端での加水分解
アルカリホスファターゼ（動物・植物・微生物）	リン酸モノエステルの加水分解（最適pHがアルカリ性）
DNAポリメラーゼ（動物・植物・微生物）	DNA合成
RNAポリメラーゼ（動物・植物・微生物）	RNA合成
アルコール脱水素酵素（哺乳動物肝臓）	$C_2H_5OH \rightarrow CH_3CHO+2H^++2e^-$の反応を触媒（補酵素$NAD^+$も含む）

表 30-1　亜鉛を含む代表的な酵素

はO_2分圧が高いので、ヘモグロビンにO_2が結合すると、結合していたH^+が放出され、赤血球中の同酵素が逆の反応を触媒してH^+とHCO_3^-からCO_2とH_2Oを生成し、肺からCO_2が放出されることになる。

また、アルコール脱水素酵素は、われわれがお酒を飲んだときに肝臓でエタノールが代謝されていく過程で最初に作用をする酵素である（表30－1）。お酒に弱い人は、この酵素ではなくて、次に作用するアルデヒド脱水素酵素（アルコール脱水素酵素により生成したアセトアルデヒドを酢酸に酸化）の活性が低いために（活性酵素の４８７番のグルタミン酸がリシンに変異した低活性酵素になっている）、体内にアルコール脱水素酵素の生成物であるアセトアルデヒドが蓄積し、これにより頭痛、吐き気などの症状が出るとされている。一方、ヒトがメタノール（CH_3OH）を飲むと、アルコール脱水素酵素によってホルマリン（HCHO）が生成するために、その毒性によって死にいたる。

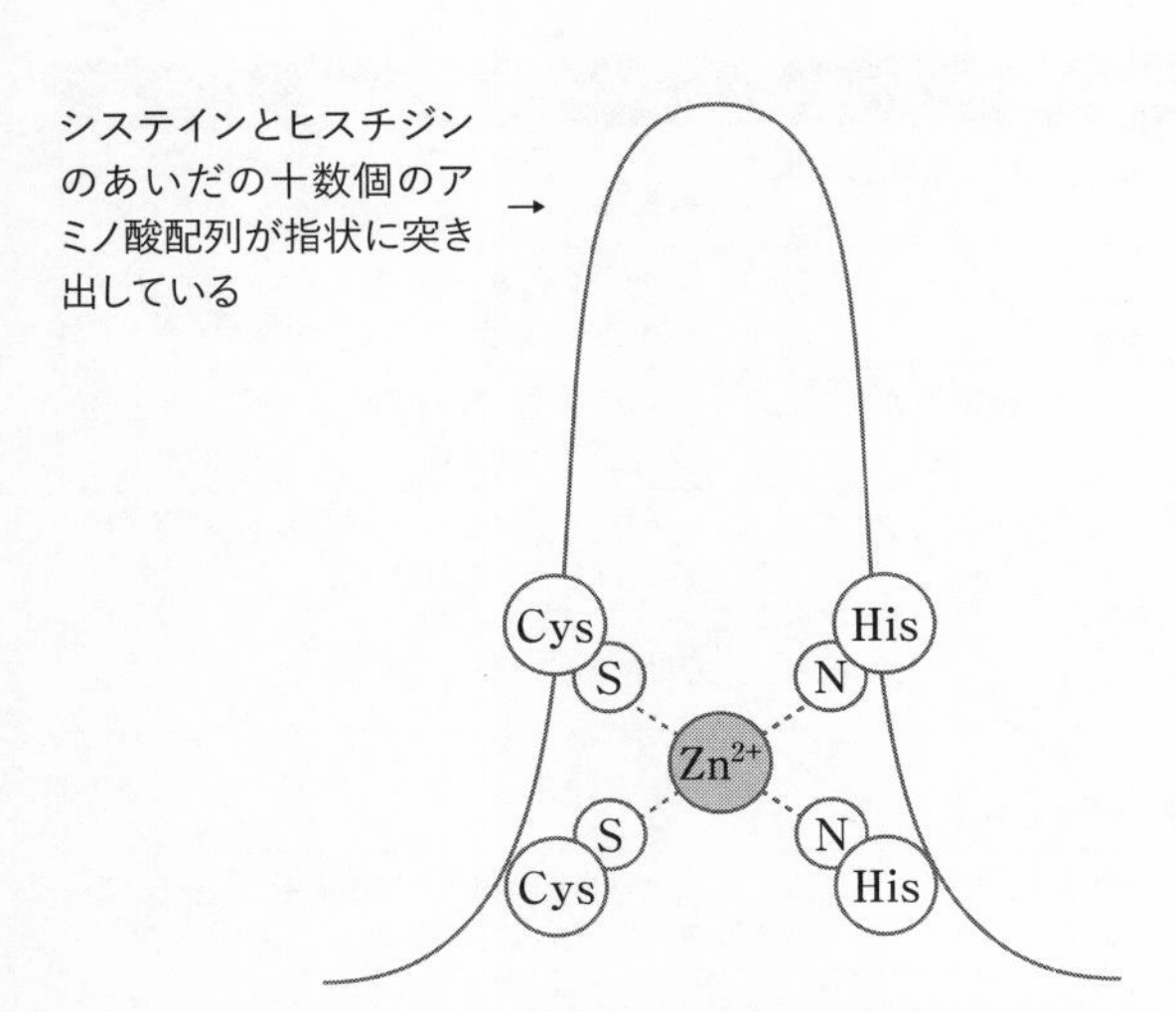

図 30-1　亜鉛フィンガータンパク質のモチーフ構造

細胞発生や分化をつかさどる重要な遺伝情報の、保存、発現、制御、調節に関わっている亜鉛タンパク質が発見されている。その構造的特徴から、亜鉛フィンガータンパク質とよばれている。このタンパク質中の亜鉛は、図30－1のように構造維持の役割を演じており、亜鉛フィンガー部分がＤＮＡ分子の溝に絡みつくように相互作用をする。

さらに、ゲノム解析法を用いた研究によって、亜鉛イオンを特異的に細胞外から細胞質へ、または細胞内小器官の内腔から細胞質へ輸送する14種類のトランスポーター（ZIP）と、その逆の輸送をする9種類のトランスポーター（ZNT）の存在が明らかになった。これらのトランスポーターは、８本（ZIP）または6本（ZNT）の膜貫通α－ヘリックス構造で膜中に結合している。後者は二量体であるが、いずれも4本のヘリックスが束になって、その真ん中を亜鉛イオンが通過する構造（ポア領域）を形成している。たとえば、腸管内に存在する食物由来の亜鉛は、細胞膜中のZIP4を介して腸管腔から腸管上皮細胞内に取り込まれ、次に膜中のZNT1を介して上皮細胞内から血液中へと放出される。これらのトランスポーターの研究成果は今後、病気の治療や薬物の開発に役立つと期待される。

亜鉛を含む抗胃潰瘍剤にポラプレジンクがある。この薬剤は、β－アラニル－Ｌ－ヒスチジン（Ｌ－カルノシン）の亜鉛錯体である。薬が潰瘍の部分に結合して胃酸から患部を守る。なお、この治療薬の副作用については２０１６年、厚生労働省から銅欠乏症による汎血球減少や貧血が報告されている。

ウイルソン病（176ページ参照）の治療薬として、酢酸亜鉛水和物が承認されている。亜鉛イオンによって消化管でメタロチオネインを生合成させて、それに銅イオンを結合することにより、銅の体内への取り込みを抑制している。さらに、ある種の亜鉛錯体では、糖尿病やメタボリックシンドロームを改善できることが動物実験で明らかにされている。

31

Ga

ガリウム／Gallium

ガリウムは、１８７０年にメンデレーエフによる元素周期表からエカアルミニウム〈周期表でアルミニウム〈Al〉の直下の元素〉と予想されていた元素である。１８７５年にフランスのボアボードランにより、ピレネー山脈の鉱山産の閃亜鉛鉱（ZnS）中から発見された。それはメンデレーエフの予言どおり、スペクトル分析によって確認された。

同位体と存在比(%)	
^{67}Ga	0, EC, γ, 78.278h
^{69}Ga	60.108
^{71}Ga	39.892
^{72}Ga	0, β^-, γ, 14.025h

電子配置	[Ar]$3d^{10}4s^24p^1$
原子量	69.723
融点(K)	302.92(29.77℃)
沸点(K)	2676(2403℃)
密度(kg・m^{-3})	5905(固体, 293K)
	6113.6(液体, 融点)
地殻濃度(ppm)	19

酸化数	+1	Ga_2O, GaCl
	+2	$Ga_2Cl_6{}^{2-}$
	+3	Ga_2O_3, $Ga(OH)_3$, GaF_3, Ga_2Cl_6

1	2	3	4	5	6	7	8	9	10	11	12	13	14	15	16	17	18
1 H																	2 He
3 Li	4 Be											5 B	6 C	7 N	8 O	9 F	10 Ne
11 Na	12 Mg											13 Al	14 Si	15 P	16 S	17 Cl	18 Ar
19 K	20 Ca	21 Sc	22 Ti	23 V	24 Cr	25 Mn	26 Fe	27 Co	28 Ni	29 Cu	30 Zn	**31 Ga**	32 Ge	33 As	34 Se	35 Br	36 Kr
37 Rb	38 Sr	39 Y	40 Zr	41 Nb	42 Mo	43 Tc	44 Ru	45 Rh	46 Pd	47 Ag	48 Cd	49 In	50 Sn	51 Sb	52 Te	53 I	54 Xe
55 Cs	56 Ba		72 Hf	73 Ta	74 W	75 Re	76 Os	77 Ir	78 Pt	79 Au	80 Hg	81 Tl	82 Pb	83 Bi	84 Po	85 At	86 Rn
87 Fr	88 Ra		104 Rf	105 Db	106 Sg	107 Bh	108 Hs	109 Mt	110 Ds	111 Rg	112 Cn	113 Nh	114 Fl	115 Mc	116 Lv	117 Ts	118 Og

ランタノイド(57～71)	57 La	58 Ce	59 Pr	60 Nd	61 Pm	62 Sm	63 Eu	64 Gd	65 Tb	66 Dy	67 Ho	68 Er	69 Tm	70 Yb	71 Lu
アクチノイド(89～103)	89 Ac	90 Th	91 Pa	92 U	93 Np	94 Pu	95 Am	96 Cm	97 Bk	98 Cf	99 Es	100 Fm	101 Md	102 No	103 Lr

31 Ga ガリウム

図31-1　ボアボードラン
（1838 － 1912）

元素の名前は、ボアボードランの祖国、フランスのラテン名（Gallia、現在のフランスを中心に北イタリア、ベルギーにまたがる古代ローマ帝国の領土を指す）にちなんでガリウムと命名された。

ボアボードランは当初、ガリウムの発見にメンデレーエフの予言は関係ないとしていた。しかし、金属ガリウムとその化合物の性質の研究を続けるうちに、実験結果が予言と一致していること、さらには密度のような物性値までもが予想と一致していること（当初、ボアボードランの求めた値は正確でないことがメンデレーエフによって指摘された）から、新元素についてのメンデレーエフの予言が正しかったことを確信した。

この金属の単独の鉱物はなく、酸化物としてボーキサイト中に、硫化物として亜鉛鉱石中などに含まれている。

単体はアルミナ精製過程のアルカリ溶液から得られる三酸化二ガリウム（Ga_2O_3）の電解還元によ

り、青みがかった銀白色金属として得られる。比較的反応性が高い金属で、酸には容易に溶け、アルミニウムに似て水酸化ナトリウム水溶液にも可溶である。また、三酸化二ガリウムは酸と塩基に溶ける両性である。

化合物の酸化状態として最も安定なものは+3で、+1、+2の化合物は稀である。

ガリウムは金属元素中では水銀（Hg）、セシウム（Cs）に次いで融点が低く、手で握ると溶けてしまう。また、液体として存在する範囲（約30～2400℃）が最も広いので、高温用温度計に用いられ、また低融点合金の成分とされる。

ガリウムの重要な用途は、ガリウムヒ素（GaAs）の化合物半導体である。ケイ素（Si）やゲルマニウム（Ge）はそれ自身で半導体性をもっているが、周期表でゲルマニウムの前後のガリウムとヒ素を反応させると半導体になることを実証したのは、ドイツ・シーメンス社のウェルカーであった。

化合物半導体とは、その名のとおり、単一の元素ではなく、複数の元素からなる半導体のことである。しかし、どんな元素の組み合わせでもよいわけではなく、元素どうしが結果的に14族（ケイ素やゲルマニウム）の元素半導体と同等の共有結合をして、結合後の外側の軌道の電子配置が、14族元素のものと同等になる必要がある。すると、元素の組み合わせが必然的に決まってくる。それぞれの元素の酸化数の和が8になるとき、つまり、+4と+4、+3と+5、+2と+6の元素の組み合わせに限られる。ガリウムヒ素半導体は、+3（ガリウム）と+5（ヒ素）の組み合わせである。

ガリウムヒ素は、ガリウム単体と亜ヒ酸（As_2O_3）から精製した金属ヒ素から合成される。この半導体は、発光特性を活かして発光ダイオード（LED。ランプや自動焦点カメラ、数字表示、プリンタなど）、半導体レーザー（レーザープリンタ、光通信、

ＣＤなど）、マイクロ波特性を活かして電界効果トランジスタ（衛星放送受信装置、携帯電話など）、磁気感応性によりホール素子（ビデオやテープレコーダなど）に利用されている。

また、ガリウムヒ素中の電子速度がケイ素の約5倍であることから高速集積回路の開発が進められているが、大きな欠陥のない単結晶の成長が困難という問題点もある。

ガリウムの窒化物である窒化ガリウム（GaN）は、青色ＬＥＤの材料として用いられる半導体で、ブルーレイディスクや液晶などにも使われている。この青色ＬＥＤの発明と実用化により、赤﨑勇、天野浩、中村修二は、２０１４年のノーベル物理学賞を受賞した。

医療分野では、放射性のクエン酸ガリウム（^{67}Ga）が、肝臓やリンパ節の腫瘍の診断に用いられている。

32 Ge

ゲルマニウム／Germanium

同位体と存在比(%)			
^{68}Ge	0, EC, 270.93d	^{74}Ge	36.52
^{70}Ge	20.52	^{75}Ge	0, β^-, 82.78m
^{71}Ge	0, EC, 11.43d	^{76}Ge	7.75
^{72}Ge	27.45	^{77}Ge	0, β^-, γ, 11.211h
^{73}Ge	7.76		

電子配置	[Ar]$3d^{10}4s^24p^2$
原子量	72.630
融点(K)	1211.5(938.3℃)
沸点(K)	3106(2833℃)
密度($kg\cdot m^{-3}$)	5323(固体, 293K)
	5490(液体, 融点)
地殻濃度(ppm)	1.5

酸化数		
酸化数	+2	GeO, $Ge(OH)_2$, GeS, $GeCl_2$, GeI_2
	+4	GeO_2, GeH_4, GeF_4, $GeCl_4$, GeS_2

1	2	3	4	5	6	7	8	9	10	11	12	13	14	15	16	17	18
1 H																	2 He
3 Li	4 Be											5 B	6 C	7 N	8 O	9 F	10 Ne
11 Na	12 Mg											13 Al	14 Si	15 P	16 S	17 Cl	18 Ar
19 K	20 Ca	21 Sc	22 Ti	23 V	24 Cr	25 Mn	26 Fe	27 Co	28 Ni	29 Cu	30 Zn	31 Ga	32 Ge	33 As	34 Se	35 Br	36 Kr
37 Rb	38 Sr	39 Y	40 Zr	41 Nb	42 Mo	43 Tc	44 Ru	45 Rh	46 Pd	47 Ag	48 Cd	49 In	50 Sn	51 Sb	52 Te	53 I	54 Xe
55 Cs	56 Ba		72 Hf	73 Ta	74 W	75 Re	76 Os	77 Ir	78 Pt	79 Au	80 Hg	81 Tl	82 Pb	83 Bi	84 Po	85 At	86 Rn
87 Fr	88 Ra		104 Rf	105 Db	106 Sg	107 Bh	108 Hs	109 Mt	110 Ds	111 Rg	112 Cn	113 Nh	114 Fl	115 Mc	116 Lv	117 Ts	118 Og

ランタノイド(57〜71)	57 La	58 Ce	59 Pr	60 Nd	61 Pm	62 Sm	63 Eu	64 Gd	65 Tb	66 Dy	67 Ho	68 Er	69 Tm	70 Yb	71 Lu
アクチノイド(89〜103)	89 Ac	90 Th	91 Pa	92 U	93 Np	94 Pu	95 Am	96 Cm	97 Bk	98 Cf	99 Es	100 Fm	101 Md	102 No	103 Lr

ゲルマニウムは、メンデレーエフによってエカケイ素として予言された元素であるが、発見されるまでに15年を要した。1885年ドイツのヴィンクラーは、フライベルク近くの鉱山から産出した銀鉱石（硫化物鉱石）の分析から、未知の元素の存在を確信した。翌年、この元素がメンデレーエフにより予言されていたエカケイ素であることを確認して、ヴィンクラーの母

32 Ge ゲルマニウム

国の古名ゲルマニア（Germania）にちなんでゲルマニウムと命名した。

ゲルマニウムの単体は、亜鉛や銅鉱石の精錬の副産物として得られる。亜鉛との分離には、蒸留により取り出した四塩化ゲルマニウム（$GeCl_4$）を加水分解して二酸化ゲルマニウム（GeO_2）としたのち、高温で水素ガスにより還元して灰白色の単体を得る。ゲルマニウムは、単体が金属と非金属の両方の性質をもつ半金属元素である。

単体ゲルマニウムは、炭素（C）やケイ素（Si）と同様にダイヤモンド型構造をとり（59ページの図6－1参照）、温度の上昇とともに電気伝導性が増す半導体としての性質を示す。またゲルマニウムは、Ge—Ge結合がSi—Si結合よりも弱いため（表32－1）、温度の上昇にともなってケイ素よりも結合が切れやすく、常温でもきわめてわずかであるが電子が飛び出している（図32－1）。

単体ゲルマニウムは空気中において安定で、高温で酸化物を生ずる。また、酸化力のある酸、熱濃硫酸、濃硝酸によく溶け、アルカリ溶液にも徐々に溶ける。ゲルマニウム化合物の酸化数は+2と+4であるが、+2のものは少ない。ゲルマニウム酸塩は一般式$xM_2O \cdot yGeO_2$で書かれ、これらは、同族のケイ素からなるケイ酸塩と類似した構造をもつので、ケイ酸塩鉱物のなかにはケイ素がごく微量のゲルマニウムで置換されたものが多い。

ゲルマニウムは半導体素子（ダイオード、トランジスタ）としての用途が多い。１９４７年のゲルマニウム・トラン

結合	結合エネルギー（kJ/mol）
C−C	347
Si−Si	222
Ge−Ge	167
Sn−Sn	155

表 32-1　結合エネルギーの比較

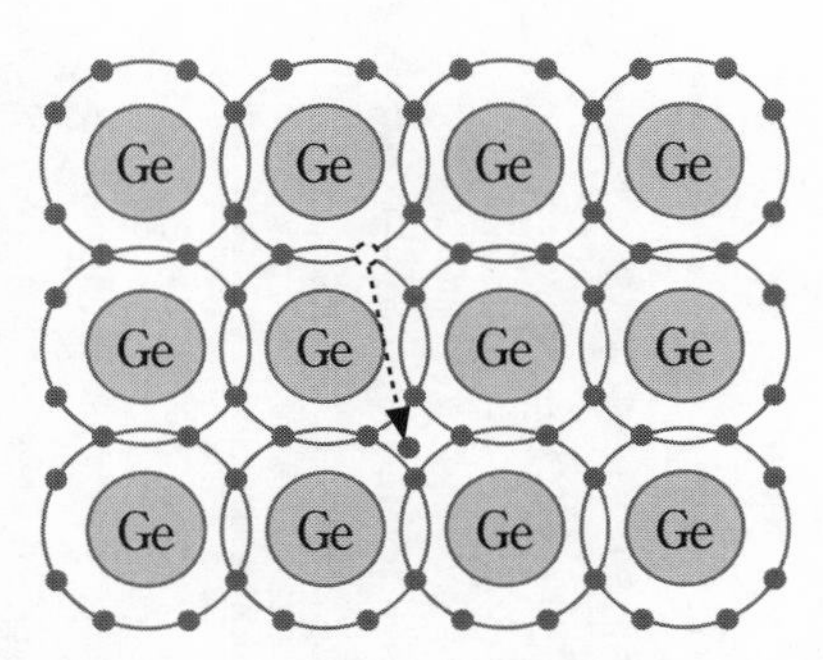

温度を上げていくと一部の結合が切れ、結合電子が自由電子となって飛び出すために、同時にホール（正孔）が生じる。

図 32-1　ゲルマニウムの半導体的性質

ジスタの発明以来、基礎物性と応用研究に莫大な人数と費用が投入されたが、１９６０年代にはケイ素がエレクトロニクス素子の主役となっている。

　このほか、ゲルマニウムの酸化物が赤外線を吸収しないためレンズや赤外線透過ガラスとして、また、金に12％くらいのゲルマニウムを加えた合金は歯科用合金として用いられている。

　１９７０年代に可能となった高純度化（純度99・９９９９９９９９％）により、γ線のエネルギーを精密に測定するためのゲルマニウム半導体検出器がつくられている。

　生体に対して、ゲルマニウムは今のところ必須元素とはされていない。

　有機ゲルマニウム化合物の毒性は、同族元素のスズ（Sn）や鉛（Pb）の場合と比較して低い。二酸化ゲルマニウムのラットによる急性毒性実験では、自発運動制御、体温低下、チアノーゼなどが認められ、死亡は強直性けいれん後の呼吸麻痺による。

薬理作用としては、1964年に初めて、ゲルマニウムのアルキル化合物がバクテリアや真菌の増殖を抑える作用をもっていることが見出された。その後、抗腫瘍作用や抗マラリア作用をもつゲルマニウム化合物が合成されるようになった。

1968年に合成されたプロパゲルマニウム（商品名レパゲルマニウム：$Ge(CH_2CH_2COOH)_2O_3$）は、2019年から食品や化粧品に配合され、用いられている（図32－2）。また1978年には、感染が生じたときに宿主の免疫機能を活性化することによりウイルスを排除し、さらにインターフェロンの産出を促進することによって、ウイルスの増殖を抑える働きがあることが見出された。プロパゲルマニウムには、ヒトの乳がんの転移抑制効果も報告されている。

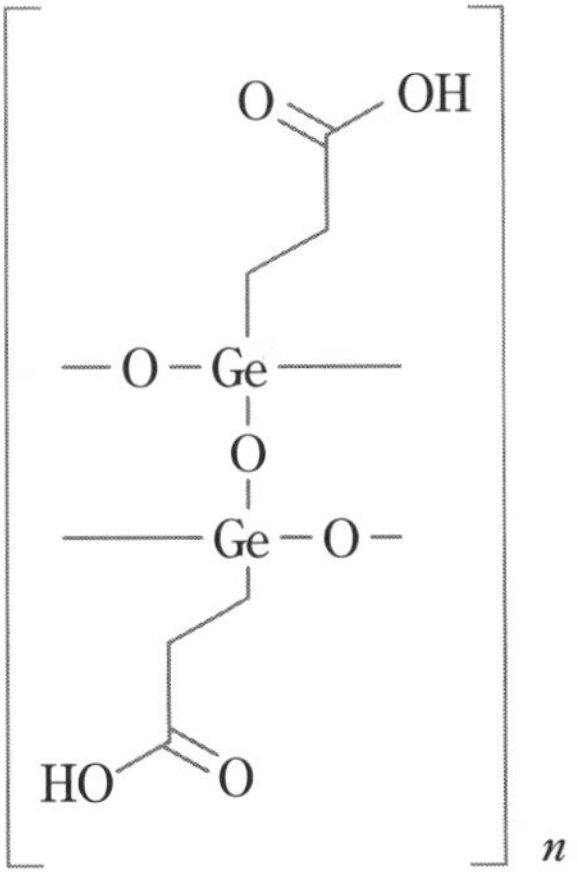

図 32-2　プロパゲルマニウムの構造

ゲルマニウムには、昔から国内外で種々の病気を治すことができるという伝説がある。水を飲むことによって難病が治癒したと伝えられる奇跡の泉の水を分析すると、ゲルマニウムが検出されるといわれているが、一般に水に不溶なゲルマニウムがどのような形で溶けているのか不明である。

高濃度の二酸化ゲルマニウムを含有した健康食品と称する商品が販売され、それを長期間摂取した人が中毒あるいは死亡した例が報告されている。1988年以来、二酸化ゲルマニウムを含有する食品について行政指導がなされてきた。

33

As

ヒ素／Arsenic

同位体と存在比(%)	
^{73}As	0, EC, γ, 80.3d
^{74}As	0, β^-, β^+, EC, γ, 17.77d
^{75}As	100
^{76}As	0, β^-, γ, 26.24h

電子配置	$[Ar]3d^{10}4s^24p^3$
原子量	74.921595
融点(K)	1090 (817℃, α, 加圧下)
沸点(K)	876(603℃, 昇華点)
密度($kg \cdot m^{-3}$)	5780 (α〈金属性〉, 293K)
	4700(β, 293K)
地殻濃度(ppm)	1.8

酸化数	−3	AsH_3
	+3	As_2O_3, As_4O_6, H_3AsO_3, AsF_3, $AsCl_3$, As_2S_3
	+5	As_4O_{10}, H_3AsO_4, $NaAsO_3$

1	2	3	4	5	6	7	8	9	10	11	12	13	14	15	16	17	18
1 H																	2 He
3 Li	4 Be											5 B	6 C	7 N	8 O	9 F	10 Ne
11 Na	12 Mg											13 Al	14 Si	15 P	16 S	17 Cl	18 Ar
19 K	20 Ca	21 Sc	22 Ti	23 V	24 Cr	25 Mn	26 Fe	27 Co	28 Ni	29 Cu	30 Zn	31 Ga	32 Ge	33 As	34 Se	35 Br	36 Kr
37 Rb	38 Sr	39 Y	40 Zr	41 Nb	42 Mo	43 Tc	44 Ru	45 Rh	46 Pd	47 Ag	48 Cd	49 In	50 Sn	51 Sb	52 Te	53 I	54 Xe
55 Cs	56 Ba		72 Hf	73 Ta	74 W	75 Re	76 Os	77 Ir	78 Pt	79 Au	80 Hg	81 Tl	82 Pb	83 Bi	84 Po	85 At	86 Rn
87 Fr	88 Ra		104 Rf	105 Db	106 Sg	107 Bh	108 Hs	109 Mt	110 Ds	111 Rg	112 Cn	113 Nh	114 Fl	115 Mc	116 Lv	117 Ts	118 Og

ランタノイド(57～71)	57 La	58 Ce	59 Pr	60 Nd	61 Pm	62 Sm	63 Eu	64 Gd	65 Tb	66 Dy	67 Ho	68 Er	69 Tm	70 Yb	71 Lu
アクチノイド(89～103)	89 Ac	90 Th	91 Pa	92 U	93 Np	94 Pu	95 Am	96 Cm	97 Bk	98 Cf	99 Es	100 Fm	101 Md	102 No	103 Lr

ヒ素は、化合物としてギリシャ人やローマ人にはよく知られていた。それらの化合物には雄黄（As_2S_3）と鶏冠石（As_4S_4）がある。ヒ素の元素名 arsenic は、黄色の顔料（雄黄）を指すギリシャ語 arsenikon に由来するといわれている。ヒ素の単体は13世紀にドイツのマグヌスによって初めて単離されたとされている。ヒ素もゲルマニウムと同様に半金属元素である。

ギリシャ時代には、すでにヒ素化合物は強壮剤や造血剤として使用されていたが、実際に効果があったかどうかはわからない。8世紀には、アラビアで鶏冠石を焼いて無水亜ヒ酸（三酸化二ヒ素 As_2O_3 または As_4O_6：水に溶けて亜ヒ酸$As(OH)_3$を生ずる）が合成されている。火山の多い地中海地域では、鶏冠石を採取するのは容易なことと思われる。

16世紀には、南イタリアのトファーニアという老女がつくり、御利益のある水ということで美顔薬として売られたのを始まりとする「トファナ水」が、本来の美顔用化粧水としてだけでなく、毒薬として夫の暗殺に利用された。その結果、大量に未亡人が発生したため、驚いた法王庁や政府筋が取り締まったが、市中に出回る量はいっこうに減らなかった。この水の主成分は亜ヒ酸であったらしい。

18世紀には、イギリスの外科医ファウラーが亜ヒ酸カリウム水溶液、いわゆる「ファウラー液」をつくった。これは19世紀になって毒性が認められても、薬として多くの病気（マラリア、結核、喘息、糖尿病、リウマチ、頭痛など）の治療に用いられていた。ヒ素の化合物は、後述のようにいまだ治療の現場から退場していない。

わが国で殺鼠剤として用いられていた石見銀山の湧水は、無水亜ヒ酸を多く含んでいる。無水亜ヒ酸はほとんど味がないので、毒薬を使ったという行為が発覚する恐れがなく、また古くは微量のヒ素を検出する手段もなかったため、毒薬として最も手ごろであったと思われる。

19世紀に入り、有名なマーシュテスト（ヒ素を含む化合物は、酸性溶液中で、発生期の水素によって還元され、アルシン〈AsH_3〉を生成する。これを加熱したガラス管に導入すると、加熱された部分に隣接して黒褐色の金属ヒ素が析出する）が確立された。しかし、犠牲者が日ごろから治療薬、化粧品、シェーレ・グリーン（三酸化二ヒ素と硫酸銅で合成）やパリ・グリーン（亜ヒ酸ナトリウムと酢酸銅で合成）のペイントを用いた壁紙などの使用によって（175ページ参照）ヒ素を摂取、またはヒ素に接触する機会があったならば、テスト結果が陽性に出るのは当然とされ、真相はやぶの中である。かの有名なナポレオンの頭髪からも、中性子放射化分析により多量のヒ素が検出されているが、毒殺と断定できない理由はそこにある。

　食品に混入することによる集団中毒の発生も多く、1900年マンチェスターのビール醸造過程でのヒ素混入による中毒、1955年にはわが国で粉ミルク製造過程のヒ素混入による中毒事件があった。また、1998年にはカレーライスにヒ素化合物が混入されたことにより、和歌山毒物カレー事件が起こっている。

　単体ヒ素には、灰色（金属光沢のある別名金属ヒ素）、黄色（ニンニク臭があり、透明ろう状でやわらかい）、黒色（黒リンと同じ構造をもつ）の3種の同素体がある。一般に化学的性質はリン（P）に似ている。

−3のヒ素の化合物は、金属間化合物といわれるヒ化物（金属元素とヒ素との化合物）をつくる。特に13族の元素とつくる化合物半導体（たとえばガリウムヒ素〈GaAs〉半導体、186ページ参照）は重要である。

　ヤギやヒツジなどの草食動物では、食物中のヒ素が欠乏すると発育障害が起こると報告されており、ヒトに対しても必須である可能性がある。われわれは食品や水からヒ素を摂取しており、一日の摂取量は、約0・1mgである。

　食品の中で比較的ヒ素含有量の多いものは、海産物（ヒジキ〈11mg／100g〉、コンブ、イセエビなど）である。それらは、海水中（3・7μg・L^{-1}）からヒ素を取り込んで濃縮しているにもかかわらず（ヒ酸などはリン酸と構造が似ているために、間違って生体に取り込まれる）、中毒を起こすことは

33 As ヒ素

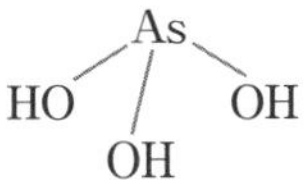

亜ヒ酸

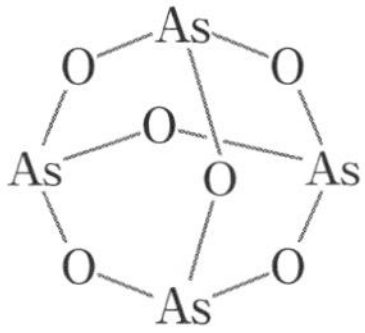

三酸化二ヒ素

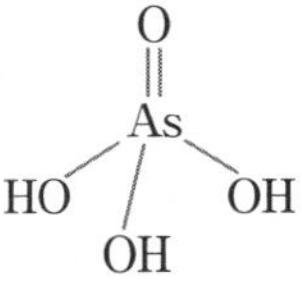

ヒ酸

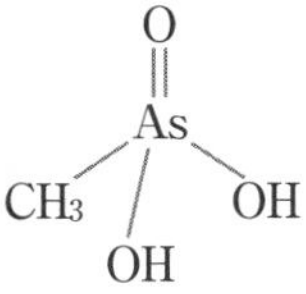

メチルアルソン酸

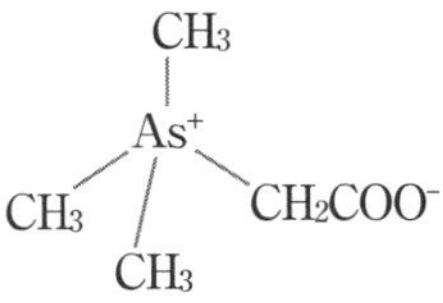

アルセノベタイン

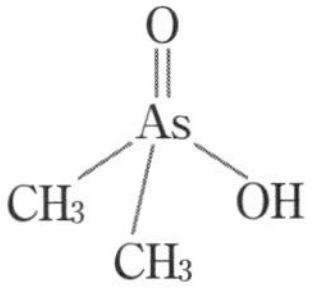

ジメチルアルシン酸

$[CH_3AsO_3]_3Fe_2$

メチルアルソン酸鉄

$[CH_3AsO_3]_mFe\cdot nNH_4$

メチルアルソン酸鉄アンモニウム

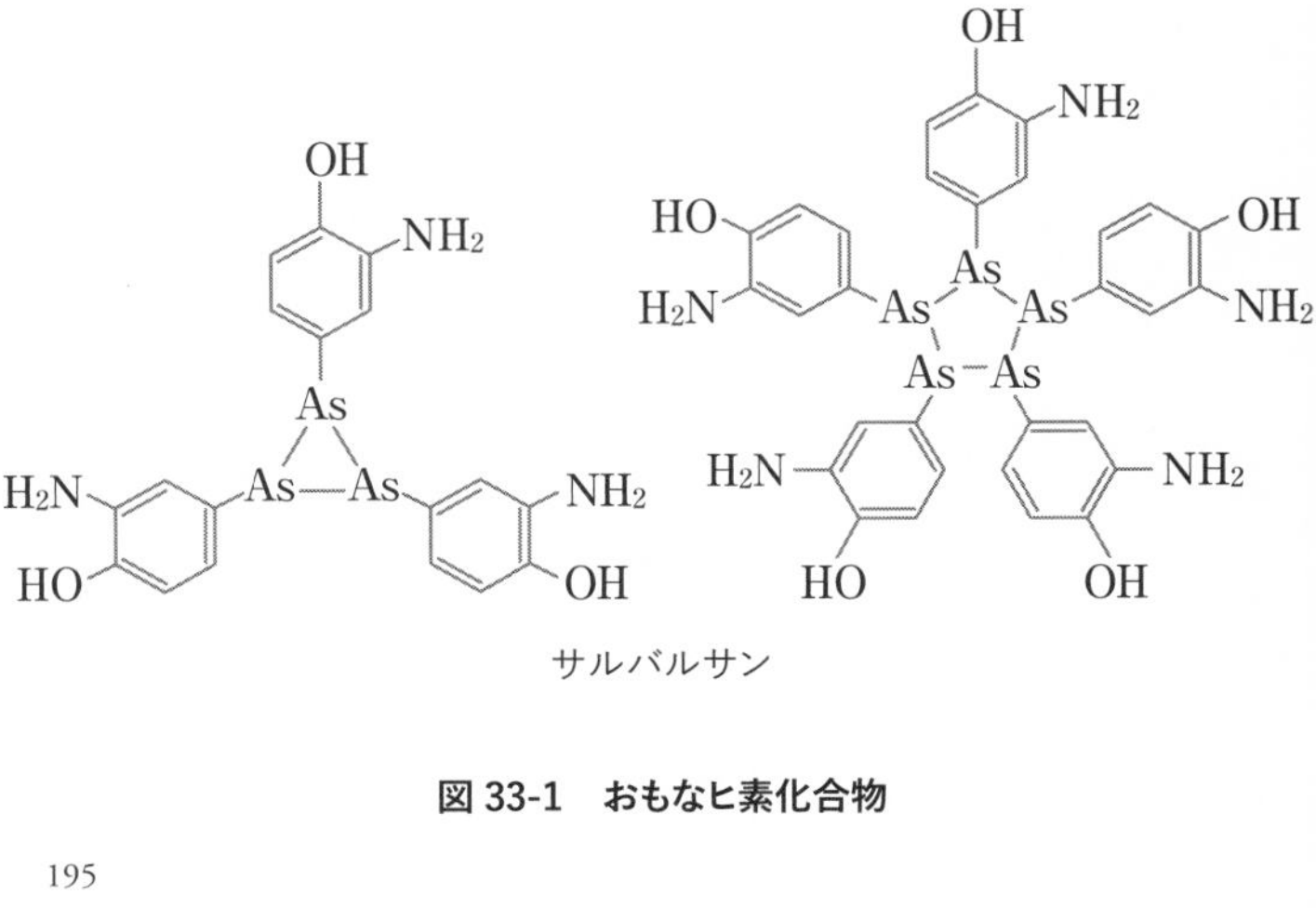

サルバルサン

図 33-1　おもなヒ素化合物

ない。また、われわれがそれらを食べて中毒にかかることもない。ヒ素の毒性はその化学形に依存している。

一般に無機ヒ素は毒性が強く、+3の水溶性のものが最も毒性が強い。致死量は0・1～0・3gである。有機ヒ素（ヒ素原子と炭素原子との結合をもつヒ素化合物）は毒性が弱い。水銀（Hg）では有機水銀のほうが毒性が強く、逆であることは興味深い。

無機ヒ素の毒性は、体内でシステインのチオール基（—SH）に結合することにより、これを含む酵素やタンパク質の機能（特にATP合成酵素系と呼吸鎖系酵素）を阻害するためと考えられている。

海産物のヒ素の化学形は無機形であることは少なく、アルセノベタイン（海産動物）、メチルアルソン酸とジメチルアルシン酸（海産植物）などの有機ヒ素化合物であり、ヒトが摂取してもすみやかに尿中に排出される。また、たとえ無機ヒ素が微量に取り込まれたとしても、肝臓でメチル化されてジメチルアルシン酸となり、やはり尿中に排出される。したがって、ヒジキを食べても中毒にかからない。

ヒ素系農薬としては、わが国ではメチルアルソン酸鉄およびメチルアルソン酸鉄アンモニウムのみがイネとブドウに対して許可されている。ドイツのエールリッヒと日本の秦佐八郎の共同研究によって発見され、梅毒の治療剤に用いられたヒ素を含む有機化合物サルバルサン（アルスフェナミン）は、最初の化学療法剤として歴史的に有名である。梅毒のスピロヘータに薬効を示すが、現在では使用されていない。

歯科用歯髄失活剤（歯の神経を壊死させる薬）として三酸化二ヒ素が使用されている。三酸化二ヒ素は患部の水と反応してH_3AsO_3となり、プロトン（H^+）を放出した解離形のAsO_3^{3-}は、細胞膜を通過したのち、細胞内のチオール基（—SH）をもつタンパク質と結合して歯髄組織を壊死させると考えられている。このとき、ヒ素中毒を防止するため、チオール基をもつＢＡＬ（２，３－ジメルカプト－１－プロパノール）、メチオニン、チオ硫酸ナトリウムなどの化合物が与えられる。

２００４年に、三酸化二ヒ素が急性前骨髄球性白血病の治療薬（トリセノックス）として承認された。高名な歌舞伎俳優もこの化合物を用いて病気から生還したことが報じられた。毒と薬は紙一重という典型的な例であろう。アフリカの熱帯病の一つである睡眠病トリパノソーマ症の治療には有機ヒ素化合物メラルソプロールが用いられている。

Column 10

日本名の中に漢字を含む元素

わが国で正式に用いられている元素名の中に、漢字を含む元素を紹介しよう。大きく2種類に分けられる。

	「素」がつけられている元素(11種類)	
(A)	水素(**H**)	ホウ素(**B**)
	炭素(**C**)	窒素(**N**)
	酸素(**O**)	フッ素(**F**)
	ケイ素(**Si**)	塩素(**Cl**)
	ヒ素(**As**)	臭素(**Br**)
	ヨウ素(**I**)	
	A以外で漢字のみで表される元素(9種類)	
(B)	硫黄(**S**)	鉄(**Fe**)
	銅(**Cu**)	亜鉛(**Zn**)
	銀(**Ag**)	白金(**Pt**)
	金(**Au**)	水銀(**Hg**)
	鉛(**Pb**)	

34

Se

セレン／Selenium

同位体と存在比(%)			
^{74}Se	0.86	^{79}Se	0, β^-, 3.27×10^{5}y
^{75}Se	0,EC, γ, 119.78d	^{80}Se	49.80
^{76}Se	9.23	^{81}Se	0, β^-, γ, 18.45m
^{77}Se	7.60	^{82}Se	8.82
^{78}Se	23.69		

電子配置	[Ar]3d^{10}4s^{2}4p^4
原子量	78.971
融点(K)	493.4(220.2℃)
沸点(K)	958.1(684.9℃)
密度(kg・m^{-3})	4790(灰色固体, 293K)
	3987(液体, 融点)
地殻濃度(ppm)	0.05

酸化数		
	−2	H_2Se
	+1	Se_4^{2+}, Se_8^{2+}, Se_2Cl_2, Se_2Br_2
	+4	SeO_2, H_2SeO_3, $SeCl_4$
	+6	SeO_3, H_2SeO_4, SeF_6

セレンは、硫黄とテルルの陰に隠れていたために未発見のままであった。1817年、スウェーデンの化学者ベルセーリウスとガーンは、硫酸製造のために黄鉄鉱を燃焼して生じた赤色沈積物を燃やしたところ、ホースラディッシュ（西洋ワサビ）のような臭いを嗅いだため、当初これをテルルの化合物と考えた。しかし翌年、さらなる研究から新元素であるとの結論に

	1	2	3	4	5	6	7	8	9	10	11	12	13	14	15	16	17	18
	1 H																	2 He
	3 Li	4 Be											5 B	6 C	7 N	8 O	9 F	10 Ne
	11 Na	12 Mg											13 Al	14 Si	15 P	16 S	17 Cl	18 Ar
	19 K	20 Ca	21 Sc	22 Ti	23 V	24 Cr	25 Mn	26 Fe	27 Co	28 Ni	29 Cu	30 Zn	31 Ga	32 Ge	33 As	34 Se	35 Br	36 Kr
	37 Rb	38 Sr	39 Y	40 Zr	41 Nb	42 Mo	43 Tc	44 Ru	45 Rh	46 Pd	47 Ag	48 Cd	49 In	50 Sn	51 Sb	52 Te	53 I	54 Xe
	55 Cs	56 Ba		72 Hf	73 Ta	74 W	75 Re	76 Os	77 Ir	78 Pt	79 Au	80 Hg	81 Tl	82 Pb	83 Bi	84 Po	85 At	86 Rn
	87 Fr	88 Ra		104 Rf	105 Db	106 Sg	107 Bh	108 Hs	109 Mt	110 Ds	111 Rg	112 Cn	113 Nh	114 Fl	115 Mc	116 Lv	117 Ts	118 Og
ランタノイド(57～71)				57 La	58 Ce	59 Pr	60 Nd	61 Pm	62 Sm	63 Eu	64 Gd	65 Tb	66 Dy	67 Ho	68 Er	69 Tm	70 Yb	71 Lu
アクチノイド(89～103)				89 Ac	90 Th	91 Pa	92 U	93 Np	94 Pu	95 Am	96 Cm	97 Bk	98 Cf	99 Es	100 Fm	101 Md	102 No	103 Lr

いたり、ベルセーリウスはテルルの語源がラテン語の地球（tellus）やローマ神話の大地の女神の名に由来するのに対して、ギリシャ語の月の女神(selene)にちなんで、selenium(英語)、Selen(独語)と命名した。

天然には、セレンは硫黄や硫化物に少量含まれて産出する。セレンの単体を得る一般的な方法は、まず銅や鉛の電解精錬の陽極泥にソーダ灰を加えて５００℃で焼き、二酸化セレン（SeO_2）とした後、二酸化硫黄（SO_2）で還元精製してセレンを得る。

単体には多くの同素体があるが、最も安定なものは金属性セレン（灰色セレン）で、半導体性、光伝導性を有する。光を固体に当てると、固体内の電子が励起して電気伝導率が増大する。光を止めると元の伝導度になる。これを光伝導とよんでいる。セレンは特にオレンジや赤の光に敏感である。さらにセレンには、赤色、黒色の非金属同素体などがある。化学的性質はどれも硫黄に類似しており、多くの金属、非金属と硫化物に似たセレン化物をつくる。

硫黄との違いとしては、一般に硫黄化合物は+6が安定であるのに対して、セレンでは+4のほうが安定である。二酸化セレン（SeO_2）は単体を酸化して容易に得られるが、硫黄と違って三酸化セレン（SeO_3）は得にくい。また、二酸化硫黄は常温常圧で気体であるが、二酸化セレンは固体であり、Se原子を頂点とし、三つのO原子を底面とする三角錐形のSeO_3単位が無限鎖を形成している。

セレンの年間総生産量は２０２０年で約２９００ｔであり、中国（１１００ｔ）、日本（７５０ｔ）、ドイツ（３００ｔ）などが主要産出国である。セレンの用途は広い。古くから有名なものに、交流と直流を変換する素子であるセレン整流器がある。金属基板に真空蒸着法で金属セレン層をつけ、その上にカドミウムを含む易融合金（融点付近まで温度を上げると結晶構造が変わる合金）の対電極を圧着して素子としたも

のである。通常、これを何枚も重ねて使うのであるが、最近ではシリコン整流器などにその地位を譲っている。

ペンキやプラスチックの赤色顔料のカドミウムレッドは、セレン化カドミウム（CdSe）を主成分としているが、この化合物はカメラの照度計などに用いられる光電池にも利用されている。

また、ふだんは電気絶縁体であるが、光が当たったときだけ電気を通す性質を利用したセレン化合物の感光材料があり、乾式電子複写（ゼログラフィー）機に使用されている。

さらに、フケ止めシャンプー（SeS_2、頭皮につく細菌を微量で有効に殺し、かつ人体にはほとんど吸収されない）、イヌの皮膚病用軟膏（$Se(SO_4)_2$）、信号灯用赤ガラス（カドミウムレッド）、ガラスの鉄除去剤（ガラスは微量の鉄が混入しているため緑色を帯びているので、それを取り除く）、ガラスの着色（太陽光や太陽熱遮蔽のためのダークガラス）など広範囲である。

一般にセレン化合物は気道を刺激し、吸入すると咽頭痛や咳、嗅覚損失、頭痛を生じ、経口摂取すると呼気のニンニク

臭を生じる。しかし、セレンは１９６９年に哺乳動物にとって必須であることが証明された。欠乏症としては、中国で発見された克山病（こくざんびょう）（Keshan disease）やカシン－ベック病(Kashin-Beck disease)が知られている。

克山病は主として子どもの心不全で、慢性のものもあるが50%は死亡するという急性のものもある。このタイプの心不全は中国ではかなり古くから知られていたが、１９３５年に大発生した。克山は地名であり、この病気は中国東北地方から南西に延びた広範囲にわたる山岳地方の農民のあいだで爆発的に発生した。

多くの検査の結果、セレンの欠乏が認められた。発病率の高い地域においては、一日のセレン摂取量

は通常（１００～２００μg）の1割くらいであった。１９７４年になって、子どもに亜セレン酸ナトリウム含有錠剤を投与することにより、患者の発生を抑えることができた。現在では、亜セレン酸ナトリウムを食卓塩に添加したり、穀物に散布したりしている。この病気では、グルタチオンペルオキシダーゼというセレンを含む酵素が欠乏している。最近、心不全患者にはセレン欠乏の可能性が高いことが知られており、亜セレン酸ナトリウムの投与で症状が改善することが臨床的に明らかにされている。

カシン－ベック病も、中国東北地方から東部シベリアの低セレン地域で認められた変形性骨関節症であるが、慢性の場合には克山病と同様、セレン以外の因子の関与も示唆されている。

これとは逆のセレン過剰も、動物に悪影響を与える。古くから、牧草地帯の家畜に方向感覚を失う病気があった。これはセレンを濃縮する植物であるゲンゲ属（*Astragalus*）植物を家畜が食べて中毒を起こしたものであった。高濃度のセレン摂取によりセレン化合物が生体内で代謝されると、タンパク質や核酸、複合糖質中の硫黄原子がセレン原子に置き換えられ、結果として正常な機能を発現できなくなったり、硫黄化合物の代謝が拮抗的に制御されたりする結果、毒性につながるものと考えられる。

セレンの推定必要量は、一日約30μg、摂取耐容上限量は、一日３３０～４６０μgであり、セレン含量が多い食品は、カツオ、マグロ、卵黄、米国産大豆などである。

グルタチオンペルオキシダーゼは、過酸化水素を水に還元する際に、還元型のグルタチオン（GSH、グルタミン酸〈γ－グルタミル結合〉－システイン－グリシンからなるトリペプチド）の酸化をともなう。つまり、2分子のGSHがシステインのチオール基（－SH）で結合して、ジスルフィド結合（GS—SG）が生成する。これによって、活性酸素である過酸化物イオン（O_2^{2-}）が無毒化され

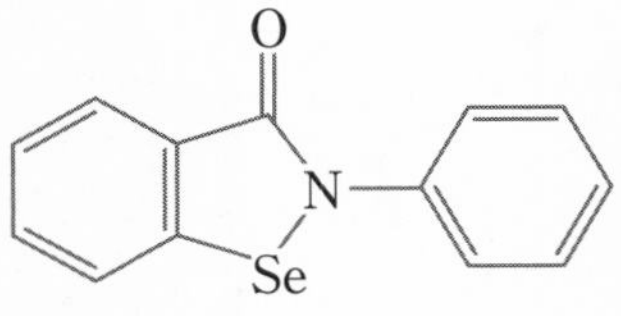

図 34-1　エブセレンの構造

る。この酵素は、活性中心にシステイン（112ページの図16-2参照）の硫黄原子をセレン原子に置換したセレノール基（—SeH）をもつセレノシステイン（Secあるいは U）を含むセレノプロテインである。

セレンには、以下の①〜③のように興味ある生理作用が見出されている。

①抗炎症性：傷や潰瘍ができると、虚血-再灌流によって生ずる炎症を防ぐためにマクロファージや好中球が集まり、炎症を起こした箇所で大量の活性酸素種（O_2^-〈超酸化物イオン〉、O_2^{2-}（過酸化物イオン）、・OHラジカル、一重項酸素$^1O_2$など）を放出する。これにより、ますます炎症が広がることがある。そこで、活性酸素種を効率よく消去することができれば、炎症は治ると考えられている。

エブセレン（図34-1）とよばれる医薬品は有機セレン化合物であり、強い抗炎症作用を示す。この薬は体内に入ると、—Se—N—結合が切れて—SeH基をもつ化合物に変化する。つまり、前述のグルタチオンペルオキシダーゼと同様の作用を示すと考えられている。

②免疫促進効果：必須微量元素の摂取量として十分な0.1ppmを上回るセレンをマウスに投与すると、赤血球凝集能や溶血球形成能などの一次免疫応答の顕著な促進が観察されている。

③重金属イオンの解毒剤：マグロの肉には、セレンと水銀がほぼ等量存在しており、セレンのメチル水銀毒性軽減効果が報告されている。

ハロゲン元素の一つである臭素の単体（Br_2）については、1826年フランスの若者バラールが、故郷モンペリエの塩水湿地の水に塩素ガスを通じて赤黒色の液体を得、新元素発見の名乗りを上げたが、この1年ほど前にドイツの若者レーヴィヒも、故郷クロイツナハの鉱泉水から同様の方法で赤色液体を得ていた。

さらにバラールは、海藻灰から得た灰汁（あく）に塩素水

35

Br

臭素／Bromine

同位体と存在比(%)			
^{77}Br	0, EC, β^+, γ, 57.04h	^{80}Br	0, β^+, β^-, EC, γ, 17.68m
^{79}Br	[50.5, 50.8]	^{81}Br	[49.2, 49.5]
		^{82}Br	0, β^-, γ, 35.282h

電子配置	[Ar]$3d^{10}4s^24p^5$
原子量	[79.901, 79.907]
融点(K)	266.0(−7.2℃)
沸点(K)	322.0(58.8℃)
密度(kg・m^{-3})	4050(固体, 123K)
	3120(液体, 293K)
	7.59(気体)
地殻濃度(ppm)	0.37

酸化数		
	−1	HBr, KBr, AgBr
	0	Br_2
	+1	Br_2O, $BrCl_2^-$
	+3	BrF_3
	+4	BrO_2
	+5	$HBrO_3$, BrF_5
	+7	$KBrO_4$

1	2	3	4	5	6	7	8	9	10	11	12	13	14	15	16	17	18
1 H																	2 He
3 Li	4 Be											5 B	6 C	7 N	8 O	9 F	10 Ne
11 Na	12 Mg											13 Al	14 Si	15 P	16 S	17 Cl	18 Ar
19 K	20 Ca	21 Sc	22 Ti	23 V	24 Cr	25 Mn	26 Fe	27 Co	28 Ni	29 Cu	30 Zn	31 Ga	32 Ge	33 As	34 Se	35 Br	36 Kr
37 Rb	38 Sr	39 Y	40 Zr	41 Nb	42 Mo	43 Tc	44 Ru	45 Rh	46 Pd	47 Ag	48 Cd	49 In	50 Sn	51 Sb	52 Te	53 I	54 Xe
55 Cs	56 Ba		72 Hf	73 Ta	74 W	75 Re	76 Os	77 Ir	78 Pt	79 Au	80 Hg	81 Tl	82 Pb	83 Bi	84 Po	85 At	86 Rn
87 Fr	88 Ra		104 Rf	105 Db	106 Sg	107 Bh	108 Hs	109 Mt	110 Ds	111 Rg	112 Cn	113 Nh	114 Fl	115 Mc	116 Lv	117 Ts	118 Og

ランタノイド(57〜71)	57 La	58 Ce	59 Pr	60 Nd	61 Pm	62 Sm	63 Eu	64 Gd	65 Tb	66 Dy	67 Ho	68 Er	69 Tm	70 Yb	71 Lu
アクチノイド(89〜103)	89 Ac	90 Th	91 Pa	92 U	93 Np	94 Pu	95 Am	96 Cm	97 Bk	98 Cf	99 Es	100 Fm	101 Md	102 No	103 Lr

とデンプンを加えて分離した2層のうち、赤褐色の上層からも臭素の単体を分離していた。青色の下層はヨウ素（I_2）を含んでいた。

22〜23歳の若者二人が臭素を射当てたのに比べ、大化学者であるドイツのリービッヒはチャンスを見落としてしまった。彼はこの数年前に、ある化学会社から褐色の液体の入ったびんを受けとり、中身の分析を依頼されていた。しかし、簡単な予備試験の後、彼はそれを塩化ヨウ素（ICl）と思い込んでしまった。その後、バラールの論文を読んだリービッヒは自分の過ちを悟り、その試料を「過ちの戸棚」に入れて以後のいましめにしたというエピソードが残っている。知識の豊富な大化学者ゆえの過ちであったのかもしれない。

新元素発見者の栄誉を得たバラールであるが、彼がその元素につけた名前のムライド(muride、海水中にあるものの意）は当時、新元素の命名が国際的な合意にもとづいてなされるようになってきたために用いられず、ギリシャ語の「刺激臭、悪臭」(bromos）を語源とするbromineと命名された。

臭素は海水1L中に65mg含まれているので、単体（Br_2）の製造には海水の臭化物イオン（Br^-）を、塩素ガス（Cl_2）で酸化する方法が用いられている。

非金属元素の単体のうちで、室温で液体であるのは臭素（暗赤色）のみである。また、低温では黒い固体となるが、これは臭素分子がファン・デル・ワールス力で結合した分子結晶である。

臭素は水や多くの有機溶媒に溶ける。活性の高いハロゲン元素の一つなので、貴ガスを除くほとんどの元素とさまざまな酸化数の化合物をつくるが、通常は臭化物イオン（Br^-）として塩を形成する。

臭素が炭素原子と結合した有機臭素化合物は、化学工業で合成原料や中間体として多数使われており、色素、薬品、農薬の製造にとって重要である。

臭素発見の3000年以上前から知られている色

35 Br 臭素

素に、アクキガイ科のシリアツブリボラ、ツロツブリボラなどの貝から抽出される王室紫（貝紫）がある（図35－1）。ローマ時代には、皇帝がその製造を管理していたといわれている。また、写真工業では臭化銀（AgBr）が感光剤の主体である。アイドルや役者などを写した印画紙を日本語で「ブロマイド」というのは、この臭化物の意味である。

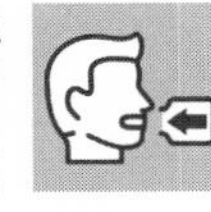

塩素を必須とする生体系では、臭素とよく似た性質をもつ塩素の代わりに取り込まれることが知られている。長時間臭化物イオンを投与すると慢性中毒を生じ、皮膚や粘膜に発疹と精神機能障害を起こす。少量の臭化カリウム（KBr）が抗てんかん薬としてけいれんを抑えるのに用いられたのは、臭素が脳の運動神経を制御することによる。

ヒト血清中のBr濃度は、約5・0 μg/mLである。哺乳動物では、臭素原子を含むタンパク質は知られていない。2012年にミバエ（実蠅）を用いた研究から、臭素が必須元素であると報告され、その後、臭素を要求する生体反応の存在や、ヒトにおける欠乏症に関する考察などから臭素の必須性が示唆されている。

一方、ある種の海藻（褐藻）は、海水中に溶けている臭化物イオンを有機物に導入して、有機臭素化合物を合成する反応を触媒する酵素をもっている。この酵素はブロモペルオキシダーゼ（過酸化水素の働きにより、Br^-をBr^+に酸化活性化して、基質を臭素化する酵素）とよばれ、ヘム鉄またはバナジウムイオンを含む金属酵素である。

図 35-1　王室紫（臭化インジゴ）

36

Kr

クリプトン／Krypton

同位体と存在比(%)			
^{78}Kr	0.355	^{83}Kr	11.500
^{79}Kr	0, β^+, EC, γ, 35.04h	^{84}Kr	56.987
^{80}Kr	2.286	^{85}Kr	0, β^-, γ, 10.739y
^{81}Kr	0, EC, 2.29×10^5y	^{86}Kr	17.279
^{82}Kr	11.593		

電子配置	[Ar]$3d^{10}4s^24p^6$
原子量	83.798
融点(K)	116.6(−156.6℃)
沸点(K)	120.9(−152.3℃)
密度(kg・m^{-3})	2823(固体, 融点)
	2413(液体, 沸点)
	3.735(気体, 273K)
地殻濃度(ppm)	0.00001

酸化数		
酸化数	0	Kr, $Kr_8(H_2O)_{46}$
	+2	KrF_2, $[KrF]^+[AsF_6]^-$

1																	18
1 H	2											13	14	15	16	17	2 He
3 Li	4 Be											5 B	6 C	7 N	8 O	9 F	10 Ne
11 Na	12 Mg	3	4	5	6	7	8	9	10	11	12	13 Al	14 Si	15 P	16 S	17 Cl	18 Ar
19 K	20 Ca	21 Sc	22 Ti	23 V	24 Cr	25 Mn	26 Fe	27 Co	28 Ni	29 Cu	30 Zn	31 Ga	32 Ge	33 As	34 Se	35 Br	36 Kr
37 Rb	38 Sr	39 Y	40 Zr	41 Nb	42 Mo	43 Tc	44 Ru	45 Rh	46 Pd	47 Ag	48 Cd	49 In	50 Sn	51 Sb	52 Te	53 I	54 Xe
55 Cs	56 Ba		72 Hf	73 Ta	74 W	75 Re	76 Os	77 Ir	78 Pt	79 Au	80 Hg	81 Tl	82 Pb	83 Bi	84 Po	85 At	86 Rn
87 Fr	88 Ra		104 Rf	105 Db	106 Sg	107 Bh	108 Hs	109 Mt	110 Ds	111 Rg	112 Cn	113 Nh	114 Fl	115 Mc	116 Lv	117 Ts	118 Og

ランタノイド(57〜71)	57 La	58 Ce	59 Pr	60 Nd	61 Pm	62 Sm	63 Eu	64 Gd	65 Tb	66 Dy	67 Ho	68 Er	69 Tm	70 Yb	71 Lu
アクチノイド(89〜103)	89 Ac	90 Th	91 Pa	92 U	93 Np	94 Pu	95 Am	96 Cm	97 Bk	98 Cf	99 Es	100 Fm	101 Md	102 No	103 Lr

1898年、ラムゼーとトラバースによって、液体空気からキセノン（Xe）とともにスペクトル分析（黄色と明るい緑のスペクトル線）により発見された。

彼らは1Lの液体空気をゆっくり蒸発させ、1mLの液体を得た。これは大部分がアルゴン（Ar）であったが、そのスペクトルにはアルゴン以外のものも含まれていた。その液体を気化させて密度を測ったところ、アルゴンより分子量の大きい気体が少量含まれていた。その元素名は、ギリシャ語の「隠れた」(kryptos)の意味から命名された。クリプトンは、空気中では1・14ppm含まれており、地球上に存在する気体の中で最も少ない。

液体空気から分別蒸留を繰り返して得られる純粋なクリプトン単体は、無色・無臭であり、同族の単体と同様に反応性の乏しい気体であるため、不活性ガス(貴ガス元素)とよばれる。融点と沸点がきわめて近いため、液体として存在する範囲がせまく、冷却して凝縮されたクリプトンは、温めるとシャーベット状になってから気化する。

また、単原子分子で電子配置が閉殻構造であるため、化学的にきわめて安定である。したがって、知られている化合物は非常に少ない。その一つとして、無色の固体である二フッ化クリプトン(KrF_2)がある。この化合物は、クリプトンとフッ素ガス(F_2)に、マイナス183℃の冷却下、放電や高エネルギーの電子や陽子を照射することにより得られるが、常温では徐々に分解してもとに戻る。

貴ガス元素は、内包フラーレン化合物、つまりフラーレン分子(^{60}C)のカゴの中に、貴ガス元素を閉じ込めた化合物をつくることが1993年に見出された。最初は、HeとNeであったが、翌1994年にはAr、Xe、Krの内包化合物がつくられた。

クリプトンは、アルゴンよりも熱損失が少なく放射効率がよいので、白熱電球や放電管の封入ガスとして用いられている。前者はクリプトンランプとよばれ、市販されている。

長さの定義として、1960年に^{86}Kr原子の橙色のスペクトル線の真空中における波長の165万763・73倍を1mとすることになったが、光速度の測定精度の向上により、現在では1mは、1秒の2億9979万2458分の1の時間に光が真空中を伝わる行程の長さで定義されている。

現在の地球大気中には、原子炉操業や燃料棒再処理などによるウラン（U）やプルトニウム（Pu）の核分裂の際に生成した人体に有害な放射性クリプトン^{85}Kr（半減期約11年）が、わずかに存在する。この核種の崩壊は、β線（99・6％）を放出して安定な^{85}Rbとなるが、一部にγ線（0・4％）も放出される。核分裂が続くかぎり減少する可能性はなく、放射性核汚染の指標の一つとなっているが、その量は年々増え続けている。ちなみに、現在の大気中における濃度は、「核の時代」以前の1000倍以上に相当する1m^3あたり1ベクレル以上といわれている。

ルビジウムは1861年、ブンゼンとキルヒホッフによって紅雲母（べにうんも）（リチア雲母ともいう）とよばれる鉱物から光や熱で赤い（ラテン語でrubidus）2本のスペクトル線を与える成分として見出された。その後、この鉱物から単体が分離された。

ルビジウムは+1のイオンとして化合物をつくる。化合物のほとんどがカリウム（K）の化合物と同形

37 Rb

ルビジウム／Rubidium

同位体と存在比(%)			
^{83}Rb	0, EC, γ, 86.2d	^{86}Rb	0, β^-, γ, EC, 18.642d
^{84}Rb	0, EC, β^+, 32.82d	^{87}Rb	27.83, β^-, 4.967×10^{10}y
^{85}Rb	72.17	^{88}Rb	0, β^-, γ, 17.773m

電子配置	[Kr]5s^1
原子量	85.4678
融点(K)	312.04(38.89℃)
沸点(K)	961(688℃)
密度(kg・m^{-3})	1532(固体, 293K)
	1475(液体, 融点)
地殻濃度(ppm)	90

酸化数	−1	液体アンモニア中の金属Rb
	+1	Rb_2O, Rb_2O_2(ペルオキシド型), RbO_2(スーパーオキシド型), RbOH, RbH, RbF, RbCl, Rb_2CO_3, $RbNO_3$, Rb_2SO_4, RbN_3, $RbNH_2$, RbC_2

1	2	3	4	5	6	7	8	9	10	11	12	13	14	15	16	17	18
1 H																	2 He
3 Li	4 Be											5 B	6 C	7 N	8 O	9 F	10 Ne
11 Na	12 Mg											13 Al	14 Si	15 P	16 S	17 Cl	18 Ar
19 K	20 Ca	21 Sc	22 Ti	23 V	24 Cr	25 Mn	26 Fe	27 Co	28 Ni	29 Cu	30 Zn	31 Ga	32 Ge	33 As	34 Se	35 Br	36 Kr
37 Rb	38 Sr	39 Y	40 Zr	41 Nb	42 Mo	43 Tc	44 Ru	45 Rh	46 Pd	47 Ag	48 Cd	49 In	50 Sn	51 Sb	52 Te	53 I	54 Xe
55 Cs	56 Ba		72 Hf	73 Ta	74 W	75 Re	76 Os	77 Ir	78 Pt	79 Au	80 Hg	81 Tl	82 Pb	83 Bi	84 Po	85 At	86 Rn
87 Fr	88 Ra		104 Rf	105 Db	106 Sg	107 Bh	108 Hs	109 Mt	110 Ds	111 Rg	112 Cn	113 Nh	114 Fl	115 Mc	116 Lv	117 Ts	118 Og

ランタノイド(57〜71)	57 La	58 Ce	59 Pr	60 Nd	61 Pm	62 Sm	63 Eu	64 Gd	65 Tb	66 Dy	67 Ho	68 Er	69 Tm	70 Yb	71 Lu
アクチノイド(89〜103)	89 Ac	90 Th	91 Pa	92 U	93 Np	94 Pu	95 Am	96 Cm	97 Bk	98 Cf	99 Es	100 Fm	101 Md	102 No	103 Lr

図37-1　ブンゼン（左、1811 − 1899）とキルヒホッフ（右、1824 − 1887）
（Ullstein bild／アフロ）

であるが、水酸化ルビジウム（RbOH）は水酸化カリウム（KOH）よりも強い塩基性を示す。ルビジウムの単体は^{85}Rbと^{87}Rb（天然放射性元素）の同位体からなり、銀白色のやわらかい金属であるが、蒸気は青色を示す。

放射性^{87}Rbはβ^-壊変（原子番号が一つ増える）して^{87}Sr（非放射性）になるため、岩石や鉱物中の^{87}Rbと^{87}Srの含有量比から、これらの物質が結晶化してから現在までの年代を算出することができる。この方法はルビジウム・ストロンチウム法といわれ、古い岩石や隕石、月の石の結晶化の年代測定はこの方法によって決められている。

ルビジウムは地球上に広く分布し（地殻中含有量は22番目）、おもにカリウム鉱物に含まれている。金属ルビジウムは不活性ガスの下で溶融塩化物を電気分解してつくられる。セシウム(Cs)とともに、電子を放出して+1のイオンになりやすい性質を利用して光電池や光電陰極に使われる。テルル化ルビジウム（Rb_2Te）はγ線のエネルギー測定に使われる。ガラスに炭酸ルビジウム（Rb_2CO_3）を添加すると電気伝導性を低下させ安定性が増すため、特殊ガラスや光学ガラス繊維に使われる。また、放射性の^{86}Rbは生体の代謝をモニターするための医療用元素として使われる。

原子は、ある決まった周波数の電波を吸収／放出する。周波数は時間の逆数なので、周波数を用いれば時間を精度高く測定できる。原子時計とは、周波数標準器と水晶振動子によるクオーツ時計を組み合わせたものである。原子時計には、ルビジウム、セシウム、ストロンチウム、イッテルビウムなどの原子を用いたものが開発されている。ルビジウム原子時計は、セシウム原子時計などに比べると正確さでは劣るが、より安価であるため、ＧＰＳ（Global Positioning System、全地球測位システム）受信器などに使われている。

１９９５年、コーネルとワイマンは^{87}Rbを０・００１Ｋまで冷却して、ルビジウム原子が個々の性質を失って一つにまとまるボース・アインシュタイン凝縮という相転移現象を実現した。

体重70kgの成人の体には約３２０mgのルビジウムが存在する。ルビジウムは細胞内に入り、同じアルカリ金属に属するカリウムイオン（K^+）と置換する可能性があると考えられる。ルビジウムのイオン半径（２・４４Å）がカリウムのイオン半径（２・３１Å）とよく似ているためである。ラットにおける毒性検査では成長不全が見られ、歩行失調や刺激過敏症になる。同時に皮膚に潰瘍を生じ、毛髪不全、極端な神経過敏症になり、死にいたる。塩化ルビジウム（RbCl）の投与によって、肝臓と腎臓に変調をきたす。

食物によって摂取されたルビジウムとカリウムの関係は、細胞内でルビジウムが40％を超えるとき、カリウムイオンで保持されている生体系が崩れ、毒性が現れる。

Column 11

元素名の語尾による分類

金属		
(A)	～umのつく元素	4種類 (Pt, Mo, Ta, La)
(B)	～iumのつく元素	76種類 (Ti, Cr, …… Nh, Mc)
(C)	～onのつく元素	1種類 (Fe)
非金属		
(A)	～iumのつく元素	1種類 (He)
(B)	～genのつく元素	3種類 (H, O, N)
(C)	～onのつく元素	9種類 (B, C, Fe, Ne, Ar, Kr, Xe, Rn, Og)
(D)	～ineのつく元素	6種類 (F, Cl, Br, I, At, Ts)

※半金属も含む

38 Sr

ストロンチウム／Strontium

同位体と存在比(%)			
^{82}Sr	0, EC, 25.34d	^{87}Sr	7.00
^{83}Sr	0, EC, β^+, 32.41d	^{87m}Sr	0, IT, EC, 2.815h
^{84}Sr	0.56	^{88}Sr	82.58
^{85}Sr	0, EC, γ, 64.849d	^{89}Sr	0, β^-, γ, 50.563d
^{86}Sr	9.86	^{90}Sr	0, β^-, 28.90y

電子配置	[Kr]$5s^2$
原子量	87.62
融点(K)	1050(777℃)
沸点(K)	1687(1414℃)
密度(kg・m^{-3})	2540(固体, 293K)
	2375(液体, 融点)
地殻濃度(ppm)	370

酸化数	+2	SrO, SrO_2(ペルオキシド形), $Sr(OH)_2$, SrF_2, $SrCl_2$, $SrCO_3$, $Sr(NO_3)_2$, SrS, SrS_4, SrH_2, SrC_2

1	2	3	4	5	6	7	8	9	10	11	12	13	14	15	16	17	18
1 H																	2 He
3 Li	4 Be											5 B	6 C	7 N	8 O	9 F	10 Ne
11 Na	12 Mg											13 Al	14 Si	15 P	16 S	17 Cl	18 Ar
19 K	20 Ca	21 Sc	22 Ti	23 V	24 Cr	25 Mn	26 Fe	27 Co	28 Ni	29 Cu	30 Zn	31 Ga	32 Ge	33 As	34 Se	35 Br	36 Kr
37 Rb	**38 Sr**	39 Y	40 Zr	41 Nb	42 Mo	43 Tc	44 Ru	45 Rh	46 Pd	47 Ag	48 Cd	49 In	50 Sn	51 Sb	52 Te	53 I	54 Xe
55 Cs	56 Ba		72 Hf	73 Ta	74 W	75 Re	76 Os	77 Ir	78 Pt	79 Au	80 Hg	81 Tl	82 Pb	83 Bi	84 Po	85 At	86 Rn
87 Fr	88 Ra		104 Rf	105 Db	106 Sg	107 Bh	108 Hs	109 Mt	110 Ds	111 Rg	112 Cn	113 Nh	114 Fl	115 Mc	116 Lv	117 Ts	118 Og

ランタノイド（57～71）	57 La	58 Ce	59 Pr	60 Nd	61 Pm	62 Sm	63 Eu	64 Gd	65 Tb	66 Dy	67 Ho	68 Er	69 Tm	70 Yb	71 Lu
アクチノイド（89～103）	89 Ac	90 Th	91 Pa	92 U	93 Np	94 Pu	95 Am	96 Cm	97 Bk	98 Cf	99 Es	100 Fm	101 Md	102 No	103 Lr

ストロンチウムの名は、スコットランドのストロンチアン（Strontian）地方特産のストロンチアン石に炭酸ストロンチウム（$SrCO_3$）として含まれていることに由来する。1787年にイギリスのホープが発見し、友人のクロフォードが確認した。1808年、イギリスのデービーは電解法を用いて金属ストロンチウムの単離に初めて成功し、ストロンチウムと命名した。

図38-1　ホープ（1766－1844）

ストロンチウムはアルカリ土類金属に属する元素で、その単体は軽く、銀白色の金属である。地殻濃度は16番目であるが、同族のカルシウム（Ca）に比べてはるかに少なく、鉱石の種類も少ない。鉱石としておもなものはセレスタイト（$SrSO_4$、天青石）とストロンチアン石（$SrCO_3$）であるが、他のアルカリ土類金属の鉱石中にも少量含まれる。

非放射性の^{87}Srは、天然のルビジウム中に存在する同位体の^{87}Rb（27・83％）がβ^-壊変した生成物であり、壊変の半減期は約4・967×10^{10}年である。これを利用して、ルビジウム・ストロンチウム法として、雲母などの鉱石の生成年代決定に使われている。

ウランやプルトニウムの核分裂のときに生ずるものの約6％は^{89}Srと^{90}Srの人工放射性同位体である。^{89}Srの半減期は約50・56日で比較的短期間に放射能は減衰するが、^{90}Srの半減期は28・90年であり、長期にわたりβ線を放射して、^{90}Yへと壊変する。^{90}Srはγ線を放出せずβ線のみを放出するので、β線厚み計算（β線のエネルギーを測定する）に標準物質として利用されている。その他、トレーサー（追跡子）などに利用されている。

ストロンチウムは、クリプトン（Kr）と同じ電子状態をとる+2のイオンとして存在する。

ストロンチウム化合物は、少量が特殊な合金や真空管のゲッター（排気能力のある物質）の材料に使われている。炭酸ストロンチウム（$SrCO_3$）は亜鉛（Zn）から鉛（Pb）やカドミウム（Cd）を除くために使用され、永久磁石などに使われる。また、ストロンチウムが炎色反応で赤色を示すことから、硝酸ストロンチウム（$Sr(NO_3)_2$）が花火などに使われる。

約100万個のストロンチウム原子を光格子に閉じ込めた時計は、ストロンチウム光格子時計とよばれ、セシウム原子時計の1000倍もの正確さをもっている。300億年に1秒狂うかどうかの精度を有するといわれている。

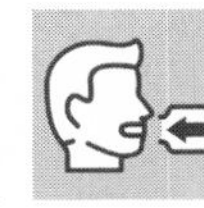

ストロンチウムは体重70 kgの人体中に320 mgが存在し、毎日2 mg程度摂取されている。

ストロンチウムイオンの毒性は一般に低いとされている。ストロンチウム化合物では、たとえばクロム酸ストロンチウム（$SrCrO_4$）の毒性はクロムイオンによるものである。また、サリチル酸ストロンチウムも有毒である。

カルシウム（Ca）とイオン半径が近く、生体内ではカルシウムイオンと置換しやすい。核分裂で放出される^{90}Srが人体に取り込まれると、カルシウムタンパク質や骨などのカルシウムイオンと同様に蓄積される。骨での存在期間は3・4～6・7年とされている。特に、人体への取り込みと保持率は成人よりも幼児の場合に5～7倍大きいと報告されている。^{90}Srは人体にとって最も危険な放射性核種の一つであり、β線を放出するために骨のがんや白血病の原因になるとされている。食品や人体中の^{90}Srの濃度はカルシウムとの比で表され、カルシウム1 gに対する^{90}Srの$\mu\mu c$（マイクロマイクロキュリー）数をストロンチウムの単位として使用する。人体に入るルートは飲料水や食物が主であり、海藻や魚、ミルクは^{90}Srを蓄積しやすい。

^{89}Srはがんの骨転移部位で起こる痛みを緩和させる薬として用いられている。^{89}Srが細胞傷害作用の強いβ線を放出し、半減期が50日程度であることと、ストロンチウムイオン（Sr^{2+}）が骨転移部位に高く集積することによる。骨転移したがんを完全に殺すまではいたらないが、痛みを軽減することができる。

39

Y

イットリウム／Yttrium

同位体と存在比(%)	
^{88}Y	0, EC, β^+, γ, 106.626d
^{89}Y	100
^{90}Y	0, β^-, γ, 64.0416h
^{91}Y	0, β^-, 58.51d

電子配置	[Kr]$4d^1 5s^2$
原子量	88.905838
融点(K)	1795(1522℃)
沸点(K)	3611(3338℃)
密度(kg・m^{-3})	4469(固体, 293K)
地殻濃度(ppm)	30

酸化数	+3	Y_2O_3, $Y(OH)_3$, $Y_2(CO_3)_3$, YF_3, YCl_3, $Y_2(SO_4)_3$, YPO_4, Y_2S_3

イットリウムは、1794年にガドリンが、スウェーデンの小さな町イッテルビー（Ytterby）で発掘された新奇な鉱石（のちに「ガドリン石」とよばれるようになる）を分析し、新元素を含む酸化物（イットリア）を発見したことに由来する。1843年にスウェーデンのモサンデルは、ガドリンが見出した酸化物を分別して、純度の高いイットリウムを得た。

1	2	3	4	5	6	7	8	9	10	11	12	13	14	15	16	17	18
1 H																	2 He
3 Li	4 Be											5 B	6 C	7 N	8 O	9 F	10 Ne
11 Na	12 Mg											13 Al	14 Si	15 P	16 S	17 Cl	18 Ar
19 K	20 Ca	21 Sc	22 Ti	23 V	24 Cr	25 Mn	26 Fe	27 Co	28 Ni	29 Cu	30 Zn	31 Ga	32 Ge	33 As	34 Se	35 Br	36 Kr
37 Rb	38 Sr	39 Y	40 Zr	41 Nb	42 Mo	43 Tc	44 Ru	45 Rh	46 Pd	47 Ag	48 Cd	49 In	50 Sn	51 Sb	52 Te	53 I	54 Xe
55 Cs	56 Ba		72 Hf	73 Ta	74 W	75 Re	76 Os	77 Ir	78 Pt	79 Au	80 Hg	81 Tl	82 Pb	83 Bi	84 Po	85 At	86 Rn
87 Fr	88 Ra		104 Rf	105 Db	106 Sg	107 Bh	108 Hs	109 Mt	110 Ds	111 Rg	112 Cn	113 Nh	114 Fl	115 Mc	116 Lv	117 Ts	118 Og
ランタノイド (57～71)			57 La	58 Ce	59 Pr	60 Nd	61 Pm	62 Sm	63 Eu	64 Gd	65 Tb	66 Dy	67 Ho	68 Er	69 Tm	70 Yb	71 Lu
アクチノイド (89～103)			89 Ac	90 Th	91 Pa	92 U	93 Np	94 Pu	95 Am	96 Cm	97 Bk	98 Cf	99 Es	100 Fm	101 Md	102 No	103 Lr

39 Y イットリウム

イットリウムは希土類元素（レアアース。34ページ参照）の一つであるが、希土類元素の発見のための長い研究の歴史は、このイットリウムの発見からスタートしている。希土類元素では唯一、一文字の元素記号をもつ。イットリウムは鉱物中に多く存在し、ガドリン石、モナズ石、ゼノタイムなど、イットリウム鉱物とよばれる花崗岩に含まれる。

イットリウムは、酸化数が+3のハロゲン化物、酸化物、水酸化物、酸素化物、硫化物として知られている。

イットリウム金属は展性や延性のない灰色の金属で、空気中では容易に表面が酸化される。熱水で分解され、アルカリでは溶けないが、酸には溶ける。イットリウム金属は合金としてよく使われ、イットリウムを含む鉄酸化物は磁石として利用されている。アルミニウムとの酸化物（$Y_3Al_5O_{12}$）の単結晶はYAG（ヤグ）（イットリウム－アルミニウム－ガーネット）とよばれ、強力な固体レーザー光を与える。白色の発光ダイオード（LED：Light Emitting Diode）ランプは、青色LED（半導体）とこのYAGとを組み合わせてつくられる。LEDランプは水銀を含まないため、蛍光灯に代わり普及している。

イットリウムは、3波長蛍光ランプやデジタルカメラの光学レンズ、セラミック、ニッケル水素電池極板、携帯電話のコンデンサーに使われている。二酸化ジルコニウム（ZrO_2）にイットリウムを加えたものはダイヤモンドに似た輝きと硬度を示す。

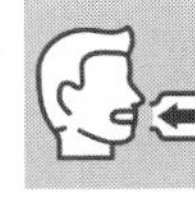

イットリウム化合物をマウスに静脈注射したときの毒性は、ランタン（La）やネオジム（Nd）などの希土類化合物に比べて低い。腸でほとんど吸収されないので、家畜や人間の消化器による食物吸収速度を測定するためのマーカーとして使われる。半減期約64時間のβ線を放出する^{90}Yは、がんに特有のタンパク質に対する抗体に結合させることで、悪性リンパ腫などの治療に用いられる。

40 Zr

ジルコニウム／Zirconium

ジルコニウムは宝石ジルコン（金色という意味のアラビア語やペルシャ語を語源とする）に含まれる元素名として知られる。1789年にクラプロートがジルコンから新しい酸化物を抽出した。次いで1824年にベルセーリウスは、この酸化物を金属カリウムで還元してジルコニウム金属を単離した。ジルコニウムは、自然界ではジルコン（$ZrSiO_4$）およびバッデリ石

同位体と存在比(%)			
^{90}Zr	51.45	^{94}Zr	17.38
^{91}Zr	11.22	^{95}Zr	0, β^-, γ, 64.032d
^{92}Zr	17.15	^{96}Zr	2.80
^{93}Zr	0, β^-, 1.64×10^6y	^{97}Zr	0, β^-, γ, 16.8h

電子配置	[Kr]$4d^25s^2$
原子量	91.224
融点(K)	2125(1852℃)
沸点(K)	4634(4361℃)
密度($kg\cdot m^{-3}$)	6506(固体, 293K)
	5800(液体, 融点)
地殻濃度(ppm)	190

酸化数		
	−1	$Zr(CO)_6^-$
	0	$Zr(bpy)_3$
	+2	$ZrCl_2$
	+3	$ZrCl_3$, $ZrBr_3$, ZrI_3
	+4	ZrO_2, $Zr(OH)_3^+$, ZrF_4, $ZrCl_4$

1	2	3	4	5	6	7	8	9	10	11	12	13	14	15	16	17	18
1 H																	2 He
3 Li	4 Be											5 B	6 C	7 N	8 O	9 F	10 Ne
11 Na	12 Mg											13 Al	14 Si	15 P	16 S	17 Cl	18 Ar
19 K	20 Ca	21 Sc	22 Ti	23 V	24 Cr	25 Mn	26 Fe	27 Co	28 Ni	29 Cu	30 Zn	31 Ga	32 Ge	33 As	34 Se	35 Br	36 Kr
37 Rb	38 Sr	39 Y	40 Zr	41 Nb	42 Mo	43 Tc	44 Ru	45 Rh	46 Pd	47 Ag	48 Cd	49 In	50 Sn	51 Sb	52 Te	53 I	54 Xe
55 Cs	56 Ba		72 Hf	73 Ta	74 W	75 Re	76 Os	77 Ir	78 Pt	79 Au	80 Hg	81 Tl	82 Pb	83 Bi	84 Po	85 At	86 Rn
87 Fr	88 Ra		104 Rf	105 Db	106 Sg	107 Bh	108 Hs	109 Mt	110 Ds	111 Rg	112 Cn	113 Nh	114 Fl	115 Mc	116 Lv	117 Ts	118 Og

ランタノイド（57～71）	57 La	58 Ce	59 Pr	60 Nd	61 Pm	62 Sm	63 Eu	64 Gd	65 Tb	66 Dy	67 Ho	68 Er	69 Tm	70 Yb	71 Lu
アクチノイド（89～103）	89 Ac	90 Th	91 Pa	92 U	93 Np	94 Pu	95 Am	96 Cm	97 Bk	98 Cf	99 Es	100 Fm	101 Md	102 No	103 Lr

(ZrO_2) として存在し、チタン（Ti）やトリウム（Th）、希土類元素などの鉱物中に少量含まれる。

ジルコンは比重が4・7と非常に大きいので、岩石の風化で砂状のジルコンが特定の場所に残され、ジルコンサンドとよばれる小結晶ができる。ジルコンサンドは世界各地に見られ、ジルコニウムは資源としては豊富にある（地殻中に190ppm）。

ジルコニウム金属は銀白色を示すが、電気炉中で二酸化ジルコニウム（バッデリ石）を還元して得られた無定形ジルコニウムは黒色粉末である。純粋金属は室温では広範囲な化学物質と反応せず耐食性に優れているが、高温の窒素気流中で水と反応する。

また、酸素分子、水素分子、窒素分子を非常に吸着しやすい。1000℃では自身の体積が膨張するのが目で見てわかるくらい酸素を吸着する。この金属の重要な性質として、天然の金属中で中性子を最も吸収しにくい金属であることが挙げられる。

ジルコニウム化合物として、最もとりやすい酸化状態は+4である。

ジルコニウム金属は耐食性、耐熱性に優れ、さらに熱中性子をほとんど吸収しない性質のため核燃料棒の被覆管として使われる。ただし、高純度のジルコニウムでないと意味がない。それは、ジルコニウムには同族元素のハフニウム（Hf）が不純物として入りやすく、このハフニウムはジルコニウムの1000倍も中性子を捕獲しやすいからである。

ところで、周期表において同族である二つの元素が、かたや天然の金属中で中性子を最も吸収しにくく、かたや非常に吸収しやすいということをふしぎに思われるかもしれない。周期表は元素の電子状態を表したもので、ジルコニウムとハフニウムは同じ族に属することから、両者は同じような電子配置をもっていることを示す。

しかし、中性子吸収は、中性子と原子核の相互作用であるため、原子の電子状態には関係しない。中性子を吸収しやすいのは、それによって、より安定な原子核になるためと考えられる。一方、中性子を吸収しにくい原子核は、もともと安定な原子核なので中性子を吸収しにくいと考えられる。

ちなみにハフニウムは、熱中性子を吸収しやすいことを要求される制御棒に使われている。

また、ジルコニウムには高温で水蒸気と反応して水素を発生する性質がある。2011年3月の福島第一原子力発電所事故では、この反応によって発生した水素が爆発し、1、3、4号機の建屋が吹き飛ばされた。さらに燃料棒も高温のために溶解し始め、1979年の米スリーマイル島原発事故に続くメルトダウン（炉心溶融）となった。

ジルコニウムは、優れたガス吸収性のために、真空管のゲッター（ガス分子吸着剤）や水素の貯蔵などに使われている。

ジルコニウムを添加したセラミックスは硬くて耐熱性に優れているため、高速度切削工具のみならず、ナイフ、包丁、ハサミ、ゴルフクラブなど日常的にも用いられている。ジルコニウムを含むメタロセンはカミンスキー触媒として、精密なポリエチレンの合成に用いられている。

ジルコニア（ZrO_2）に、イットリウム、カルシウム、マグネシウム、ハフニウムなどを4～15％ほど加えると硬度が増し、ダイヤモンドと同程度の高い屈折率をもつ結晶ができる。これは、キュービックジルコニアとよばれ、人工ダイヤモンドとして宝飾品などに用いられている。

また、ジルコニウムはチタン（Ti）と化学的性質が似ているため、酸化物は白色顔料として染料、釉薬、化粧品などに使われている。

ジルコニウムの生体に対する生理的役割は不明であるが、動物細胞には脂質に18・7$mg \cdot g^{-1}$（湿重量）存在する。食物には3～10ppm含まれていることから、ヒトでは食物とともに相当量を摂取していると考えられる。

ニオブの名前の由来は複雑である。1801年にイギリスのハチェットが、アメリカで発見されたコルンブ石から新元素と思われる金属酸化物を発見し、コロンビウム(columbium) と名づけた。しかし、翌年、スウェーデンのエーケベリによって、よく似た性質の新元素であるタンタル (tantalum) が発見され、同一物とされてしまった。

41 Nb

ニオブ／Niobium

同位体と存在比(%)	
^{93}Nb	100
^{94}Nb	0, β^-, γ, 2.03×10^4y
^{95}Nb	0, β^-, γ, 34.991d

電子配置	[Kr]$4d^4 5s^1$
原子量	92.90637
融点(K)	2741(2468℃)
沸点(K)	5015(4742℃)
密度(kg・m^{-3})	8570(固体, 293K)
	7830(液体, 融点)
地殻濃度(ppm)	20

酸化数		
	−3	$Nb(CO)_5^{3-}$
	−1	$Nb(CO)_6^-$
	+1	$(C_5H_5)Nb(CO)_4$
	+2	NbO
	+3	$LiNbO_2$, $NbCl_3$, $NbBr_3$
	+4	NbO_2, NbF_4, $NbCl_4$
	+5	Nb_2O_5, NbF_5, $NbCl_5$, $NbOCl_3$

1	2	3	4	5	6	7	8	9	10	11	12	13	14	15	16	17	18
1 H																	2 He
3 Li	4 Be											5 B	6 C	7 N	8 O	9 F	10 Ne
11 Na	12 Mg											13 Al	14 Si	15 P	16 S	17 Cl	18 Ar
19 K	20 Ca	21 Sc	22 Ti	23 V	24 Cr	25 Mn	26 Fe	27 Co	28 Ni	29 Cu	30 Zn	31 Ga	32 Ge	33 As	34 Se	35 Br	36 Kr
37 Rb	38 Sr	39 Y	40 Zr	41 Nb	42 Mo	43 Tc	44 Ru	45 Rh	46 Pd	47 Ag	48 Cd	49 In	50 Sn	51 Sb	52 Te	53 I	54 Xe
55 Cs	56 Ba		72 Hf	73 Ta	74 W	75 Re	76 Os	77 Ir	78 Pt	79 Au	80 Hg	81 Tl	82 Pb	83 Bi	84 Po	85 At	86 Rn
87 Fr	88 Ra		104 Rf	105 Db	106 Sg	107 Bh	108 Hs	109 Mt	110 Ds	111 Rg	112 Cn	113 Nh	114 Fl	115 Mc	116 Lv	117 Ts	118 Og

ランタノイド (57〜71)	57 La	58 Ce	59 Pr	60 Nd	61 Pm	62 Sm	63 Eu	64 Gd	65 Tb	66 Dy	67 Ho	68 Er	69 Tm	70 Yb	71 Lu
アクチノイド (89〜103)	89 Ac	90 Th	91 Pa	92 U	93 Np	94 Pu	95 Am	96 Cm	97 Bk	98 Cf	99 Es	100 Fm	101 Md	102 No	103 Lr

図41-1　ハチェット（1765－1847）
（Science Photo Library／アフロ）

その後、ドイツの化学者ローゼは1846年にコルンブ石とタンタル石から新元素を発見し、ギリシャ神話のタンタロスの娘ニオベにちなんでニオブと名づけた。しかし、1866年に、コロンビウムとニオブは同一元素であることがわかり、ニオブの発見者はハチェットとされたのである。イギリスや米国では長いあいだコロンビウムとよばれていたが、1949年に統一されてニオブとよばれるようになった。

ニオブ金属は灰色で、鉄（Fe）に似た硬さで展延性をもち、加熱時も冷却時も加工でき、同族のタンタル（Ta）より加工しやすい。ニオブ化合物として、−3～+5の酸化状態をとり、中性あるいはアニオン（陰イオン）の錯体をつくっている。

ニオブは金属として合金に広く使われ、鋼材に少量添加すると強度を向上させたり耐熱性を増すことができる。高純度のニオブ金属は中性子の吸収が少なく、耐食性や耐溶融ナトリウム性に優れている。

また、ニオブは10～20K（マイナス263～マイナス253℃）の超伝導臨界温度をもつため、Nb—Zn, Nb_3Ge, Nb_3Sn, Nb—Tiなどのニオブ合金は超伝導磁石材料として核磁気共鳴画像法（MRI）装置やリニアモーターカー、欧州原子核研究機構（CERN）の大型ハドロン衝突型加速器（LHC）の粒子加速器で粒子ビームの動きを調節する電磁石などに活用されている。

ニオブはコルンブ石とよばれる鉱石の中では、ニオブ酸鉄やニオブ酸マンガンとして産出する。

動物にとってニオブは必須元素ではない。体重70 kgの成人では一日に約0・6 mgのニオブを摂取している。通常のニオブ化合物の吸収速度は遅く、5％しか吸収されないが、食物からニオブ酸塩として摂取したときには50％以上が吸収される。

水素化ニオブをラットの気管に注入すると、肺への弱い毒性が報告されている。

^{95}Nbは^{95}Zrがβ^-壊変してできる核種であるが、この二つはつねに同時に検出される。

植物への蓄積は0・4 mg Nb・kg^{-1}（乾燥重量）であり、海洋生物のある種のホヤでは25～75 mg Nb・kg^{-1}（乾燥重量）を濃縮している。

Column 12

元素周期表の源をつくった元素──ストロンチウム

1790年ころ、イギリスのホープとクロフォードは、スコットランドのストロンチアン地方で発見された鉱物から新元素を発見し、ストロンチウムと名づけた。約30年後、ドイツのデーベライナーがこのストロンチウムに注目し、精製すればするほどその重さがカルシウムとバリウムの中間に近づき、化学反応では両元素にきわめてよく似ていることに気づいた。他の元素についても調べたところ、「塩素、臭素、ヨウ素」や「硫黄、セレン、テルル」などに同様の現象が見つかった。どの組も、真ん中の元素の重さや性質が両隣の元素の重さや性質の中間を示したため、「三つ組元素」と名づけた。この発見がメンデレーエフの元素周期表へのヒントと完成へと進ませることとなった。

42 Mo

モリブデン／Molybdenum

同位体と存在比(%)			
^{92}Mo	14.649	^{97}Mo	9.582
^{93}Mo	0, EC, 4.0×10^{3}y	^{98}Mo	24.292
^{94}Mo	9.187	^{99}Mo	0, β^-, γ, 65.924h
^{95}Mo	15.873	^{100}Mo	9.744
^{96}Mo	16.673	^{101}Mo	0, β^-, γ, 14.6m

電子配置	[Kr]$4d^5 5s^1$
原子量	95.95
融点(K)	2896(2623℃)
沸点(K)	5830(5557℃)
密度(kg・m^{-3})	10220(固体, 293K)
地殻濃度(ppm)	1.5

酸化数		
	−2	$Mo(CO)_5^{2-}$
	0	$Mo(CO)_6$
	+1	$Mo(C_6H_6)_2^+$
	+2	Mo_6Cl_{12}
	+3	MoF_3, $MoCl_3$
	+4	MoO_2, MoS_2, MoF_4, $MoCl_4$
	+5	Mo_2O_5, MoF_5, $MoCl_5$
	+6	MoO_3, MoO_4^{2-}, MoF_6

1	2	3	4	5	6	7	8	9	10	11	12	13	14	15	16	17	18
1 H																	2 He
3 Li	4 Be											5 B	6 C	7 N	8 O	9 F	10 Ne
11 Na	12 Mg											13 Al	14 Si	15 P	16 S	17 Cl	18 Ar
19 K	20 Ca	21 Sc	22 Ti	23 V	24 Cr	25 Mn	26 Fe	27 Co	28 Ni	29 Cu	30 Zn	31 Ga	32 Ge	33 As	34 Se	35 Br	36 Kr
37 Rb	38 Sr	39 Y	40 Zr	41 Nb	42 Mo	43 Tc	44 Ru	45 Rh	46 Pd	47 Ag	48 Cd	49 In	50 Sn	51 Sb	52 Te	53 I	54 Xe
55 Cs	56 Ba		72 Hf	73 Ta	74 W	75 Re	76 Os	77 Ir	78 Pt	79 Au	80 Hg	81 Tl	82 Pb	83 Bi	84 Po	85 At	86 Rn
87 Fr	88 Ra		104 Rf	105 Db	106 Sg	107 Bh	108 Hs	109 Mt	110 Ds	111 Rg	112 Cn	113 Nh	114 Fl	115 Mc	116 Lv	117 Ts	118 Og

ランタノイド(57〜71)	57 La	58 Ce	59 Pr	60 Nd	61 Pm	62 Sm	63 Eu	64 Gd	65 Tb	66 Dy	67 Ho	68 Er	69 Tm	70 Yb	71 Lu
アクチノイド(89〜103)	89 Ac	90 Th	91 Pa	92 U	93 Np	94 Pu	95 Am	96 Cm	97 Bk	98 Cf	99 Es	100 Fm	101 Md	102 No	103 Lr

モリブデンはギリシャ語で鉛（molybdos）を意味し、特に方鉛鉱（PbS）をモリブデナとよんでいた。しかし、後に黒鉛や輝水鉛鉱（MoS_2）もモリブデナとよぶようになり、鉛色の鉱石の総称になった。

1778年にスウェーデンのシェーレが、輝水鉛鉱から酸化モリブデン（MoO_2）を取り出し、これが後にモリブデン土とよばれた。シェーレの示唆で、1781年、同じスウェーデン人の友人イエルムは、モリブデン土を炭素で還元して新金属モリブデンを単離した。彼はこれをモリブデナム（molybdenum）と名づけたが、日本では通常、ドイツ語のモリブデン(Molybdän)が用いられている。

モリブデンは量的には多くないが、地球上に広く分布する。2020年の世界全体におけるモリブデンの年間産出量は約29万8000tであり、中国、チリ、米国、ペルー、メキシコの順である。

宮沢賢治の『風の又三郎』は、又三郎（高田三郎）がモリブデン鉱山開発をしている父に連れられて、ある小学校に転校してくるところから始まる。そして、2週間も経たないうちに開発は中止になり、又三郎は父とともに風のように去っていく。実際に舞台になった地方でも、明治時代にモリブデン鉱脈の試掘が行われたが、商業化できずに開発が中止になったという。話の中で、モリブデンは鉄と混ぜたり、薬をつくったりするとされている。

モリブデン金属は粉末のとき灰色であるが、融解すると白色を示す。融点、沸点が高く、極低温から高温まで機械的特性に優れている。モリブデン化合物は−2から+6の酸化状態をとり、水溶液中では複数のモリブデン原子を含む比較的分子量の大きな多核イオンになる。

モリブデンは、その総生産量の75%が鉄鋼などの合金材料として用いられ、モリブデン金属の90%以上が、ニッケル（Ni）やクロム（Cr）との合金としてステンレス鋼に使われている。また、タングステン（W）より安価なために、高融点の性質を利用して電子機器に使用されている。モリブデンが硫黄と結合しやすい性質を利用して、コバルト−モリブデン触媒が石油の脱硫に使われている。

モリブデン酸オレンジ（$PbMoO_4$）は安価で熱に安定な顔料として使われている。硫化モリブデン（MoS_2）はプラスチックの焼却時の脱煙に効果があり、三酸化アンチモン（Sb_2O_3）よりも優れている。

二硫化モリブデンは黒鉛（59ページの図6－1参照）と区別がつかなかった物質であり、層状の構造をもっている。この構造のために、黒鉛と同様に減摩剤に用いられる。さらにこの性質のため、固体潤滑剤として飛行機や自動車のガソリンに添加されている。

^{99}Moは、核医学で広く使われている^{99m}Tcの原料としても利用されている（229ページ参照）。

$$^{99}_{42}\mathrm{Mo}\ (\text{半減期}65.976\text{時間}) \xrightarrow{\beta^-\text{壊変}} {}^{99m}_{43}\mathrm{Tc}\ (\text{半減期}6.0067\text{時間}) \xrightarrow{\gamma\text{壊変}} {}^{99}_{43}\mathrm{Tc}$$

モリブデンは人間にとって必須元素である。モリブデンイオンは、キサンチンオキシダーゼ（キサンチンを尿酸に酸化し〈図42－1〉、同時にO_2は基質からの1電子あるいは2電子を受け取って、それぞれ$\cdot O_2^-$やO_2^{2-}となる。動物、細菌に存在）、亜硫酸オキシダーゼ（SO_3^{2-}をSO_4^{2-}に酸化、すべての真核生物に存在）、硝酸還元酵素（NO_3^-をNO_2^-に還元、細菌に存在）、ギ酸デヒドロゲナーゼ（ギ酸〈HCOOH〉をCO_2に酸化、細菌に存在、セレノプロテイン〈Se：202ページ参照〉）など、重要な酵素の活性部位に存在する。これらの酵素反応中でモリブデンは、+4と+6を往復する。なお、キサンチンオキシダーゼの生成物である尿酸は水に溶けにくいため、その血液中の濃度増加は、尿酸の結晶化による痛風を発症する原因となる。痛風の治療薬であるアロプリノールは、基質の

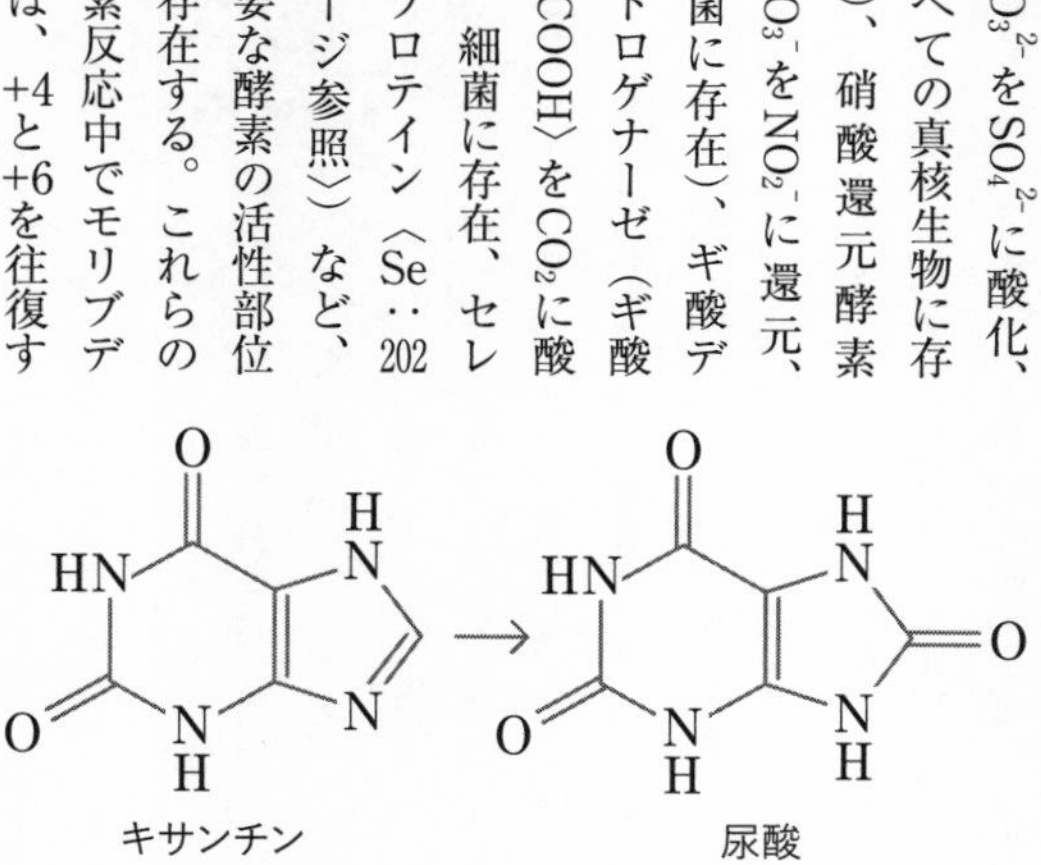

キサンチン → 尿酸

図 42-1　キサンチンオキシダーゼの反応

キサンチンに類似した構造をもつため、この酵素の阻害剤となる。

さらに、マメ科の植物の根に共生する根粒菌やアゾトバクターなどの細菌がもつ、空気中の窒素分子の固定（アンモニア、NH_3に変換）を行うニトロゲナーゼは、窒素循環という地球環境に重要な役割を演じている。地球上の総窒素固定量の約70％が、この酵素に依存するといわれている。ニトロゲナーゼは、活性部位にFeMoコファクター（FeMoco）という［Mo－7Fe－9S－C］クラスターを有しており、ここでN_2がNH_3に変換される。

モリブデンは重金属の中では毒性が低く、生体内に蓄積されない。水溶液中では、+6のMoO_4^{2-}として安定に存在しているためである。成人男性のモリブデン必要量は一日に0・03mgで、通常の一日の食物（豆類、米、レバーなど）には0・1～0・3mg含まれていることから十分に摂取できる。また、母乳に多く含まれていて、牛乳では0・07ppm存在する。

米国のコロラド州でモリブデノーシスとよばれる、家畜に発症する病気がある。この病気は、家畜が食べる牧草に含まれるモリブデンの量が多いことに原因がある。通常の牧草が3～5ppmのモリブデンを含むのに対して、この地方の牧草には20～100ppm程度含まれている。牧草の高い含有量は、その土壌に由来しており、この地方はモリブデン鉱山が多いことでも有名である。この地方の牛には、モリブデンの摂取過剰により、体重の低下、貧血、授乳不良、不妊、骨粗鬆症などの症状が起こる。これらは、体内のモリブデン濃度が上がると、銅濃度が低下する拮抗関係によって銅欠乏症になるためとされている。治療法としては、銅化合物を混合した飼料が与えられている。

43 Tc

テクネチウム／Technetium

同位体と存在比(%)	
^{97}Tc	0, EC, 4.21×10^{6}y
^{98}Tc	0, β^{-}, γ, 4.2×10^{6}y
^{99}Tc	0, β^{-}, γ, 2.11×10^{5}y
^{99m}Tc	0, IT, β^{-}, γ, 6.0067h

電子配置	[Kr]$4d^{5}5s^{2}$
原子量	[99]
融点(K)	2445(2172℃)
沸点(K)	5150(4877℃)
密度(kg・m^{-3})	11500(固体, 293K)
地殻濃度(ppm)	0(超微量)

酸化数		
酸化数	−1	$Tc(CO)_5^{-}$
	0	$Tc_2(CO)_{10}$
	+4	TcO_2, TcO_3^{2-}, $TcCl_4$
	+5	TcO_3^{-}, $TcCl_5$
	+6	TcF_6, $TcOCl_4$
	+7	Tc_2O_7, TcO_4^{-}, TcO_3Cl

1	2	3	4	5	6	7	8	9	10	11	12	13	14	15	16	17	18
1 H																	2 He
3 Li	4 Be											5 B	6 C	7 N	8 O	9 F	10 Ne
11 Na	12 Mg											13 Al	14 Si	15 P	16 S	17 Cl	18 Ar
19 K	20 Ca	21 Sc	22 Ti	23 V	24 Cr	25 Mn	26 Fe	27 Co	28 Ni	29 Cu	30 Zn	31 Ga	32 Ge	33 As	34 Se	35 Br	36 Kr
37 Rb	38 Sr	39 Y	40 Zr	41 Nb	42 Mo	43 Tc	44 Ru	45 Rh	46 Pd	47 Ag	48 Cd	49 In	50 Sn	51 Sb	52 Te	53 I	54 Xe
55 Cs	56 Ba		72 Hf	73 Ta	74 W	75 Re	76 Os	77 Ir	78 Pt	79 Au	80 Hg	81 Tl	82 Pb	83 Bi	84 Po	85 At	86 Rn
87 Fr	88 Ra		104 Rf	105 Db	106 Sg	107 Bh	108 Hs	109 Mt	110 Ds	111 Rg	112 Cn	113 Nh	114 Fl	115 Mc	116 Lv	117 Ts	118 Og

ランタノイド(57〜71)	57 La	58 Ce	59 Pr	60 Nd	61 Pm	62 Sm	63 Eu	64 Gd	65 Tb	66 Dy	67 Ho	68 Er	69 Tm	70 Yb	71 Lu
アクチノイド(89〜103)	89 Ac	90 Th	91 Pa	92 U	93 Np	94 Pu	95 Am	96 Cm	97 Bk	98 Cf	99 Es	100 Fm	101 Md	102 No	103 Lr

周期表の発表以来、43番目にあたる元素の探索が進められ、1906年にはわが国の小川正孝によりニッポニウム(nipponium)、1925年にドイツのノダックらによりマスリウム（masurium）とそれぞれ名づけられたが、いずれの研究結果も追認できなかった。

一方、原子核の構造や反応に関する理解が進むにつれて、この元素には安定な核種が存在しないことがわかり、自然界になければ新しい元素を人工的につくりだすしかない、と考えられるようになった。

イタリアの物理学者セグレとペリエは、原子番号42のモリブデン（Mo）の原子核に陽子を1個取り込ませることで原子番号43の元素をつくることができると考え、1936年夏、アメリカのカリフォルニア大学のサイクロトロンでモリブデンに重陽子（陽子1個と中性子1個からなる重水素の原子核）を照射した。1937年、照射した試料の中から、周期表の真上と真下のマンガン（Mn）とレニウム（Re）に似た新しい元素の存在を確認した。1947年、この元素は人工的につくられた最初の元素であることから、ギリシャ語の「人工の」という意味のtechnetosからテクネチウムと命名された。

テクネチウムには「同位体」が約40種類ほど存在するが、最も長寿命の同位体^{98}Tcでもその半減期は420万年しかなく、地球誕生の46億年前に存在していたテクネチウムはすべて壊変してしまったと考えられている。

1952年、メリルは恒星群の発光スペクトル中にテクネチウムの原子線を発見した。この発見はテクネチウムを合成している星が存在していることを示し、世界をおどろかせた。なぜなら、ウランの核分裂からできたモリブデンが壊変する過程で、次のようにテクネチウムが生成されるからである。

$$^{99}_{42}\mathrm{Mo}\ （半減期65.924時間）\rightarrow {}^{99m}_{43}\mathrm{Tc}\ （半減期6.0072時間）+\beta \rightarrow {}^{99}_{43}\mathrm{Tc}+\gamma$$

実際1968年に、ウラン鉱石の中に微量のテクネチウムが検出された。

小川正孝がニッポニウムと名づけた元素は、木村健二郎がX線分光分析法を用いた1930年の解析から、レニウム（Re）であったことがわかった。

同位体の一つである^{99m}Tcは^{99}Moが壊変する過程で生まれ、物質透過力の強いγ線を放出しながら、半減期約6時間という短時間で素早く崩壊する（1日で約16分の1に減少）。^{99m}Tcは、この半減期の短さと、放出する放射線のエネルギーが高くないことから、病気の診断に用いる放射能であれば体内に投与しても放射線による障害を起こす危険性は小さい。そこで、^{99m}Tcから放出される放射線の物質透過性の高さを利用して、^{99m}Tc標識化合物を投与して標的部位に分布・集積した体内での^{99m}Tcを体外から検出することによって、その分布・集積状態を測定、画像化して、がんの骨転移、心筋疾患、脳血管障害、甲状腺疾患など、さまざまな病気の診断（病気の部位、程度）が行われている（図43−1、2）。このように臨床に用いられる放射性化合物を放射性医薬品という。^{99m}Tcは1964年に放射性医薬品として初めて使用されて以来、広く用いられ、現在も臨床診断用放射性医薬品の放射性同位元素として最も多く使われている。

なお、^{99m}Tcは、親核種である^{99}Moをアルミナのカラムに充填しておき、必要時にこのカラムに生理食塩水を流すことで溶出を可能とするジェネレーターという装置によって、臨床現場で容易に入手できる。この操作の容易性も、^{99m}Tcが臨床で広く用いられている理由の一つである。

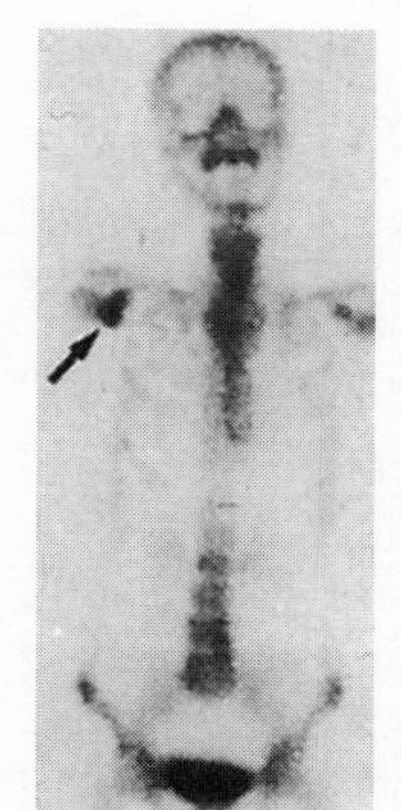
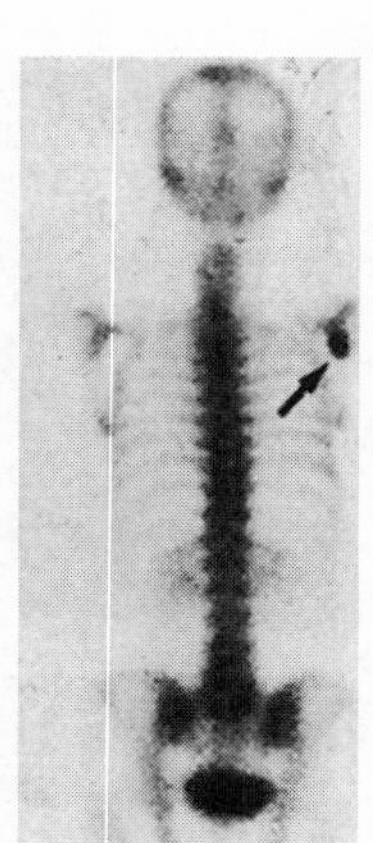

図 43-1　^{99m}Tc- リン酸化合物による骨イメージ（矢印は腫瘍の骨転移部、左：正面、右：背面）

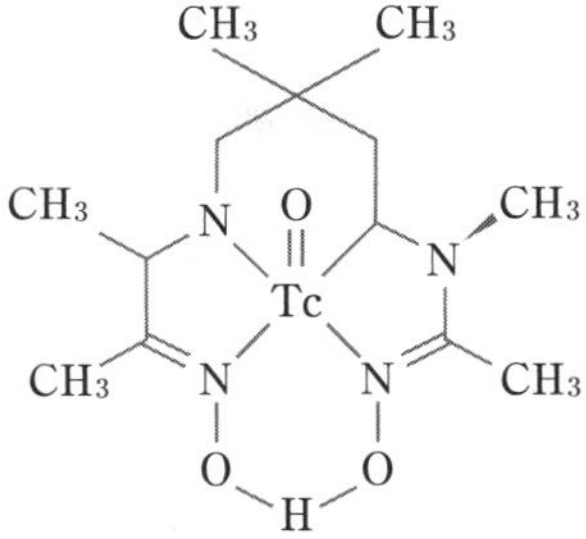

^{99m}Tc-HM-PAO
（脳血流測定剤）

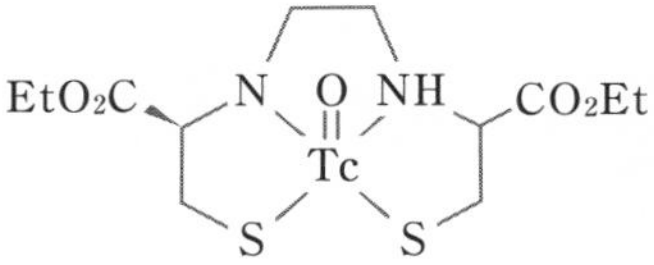

^{99m}Tc-ECD
（脳血流測定剤）

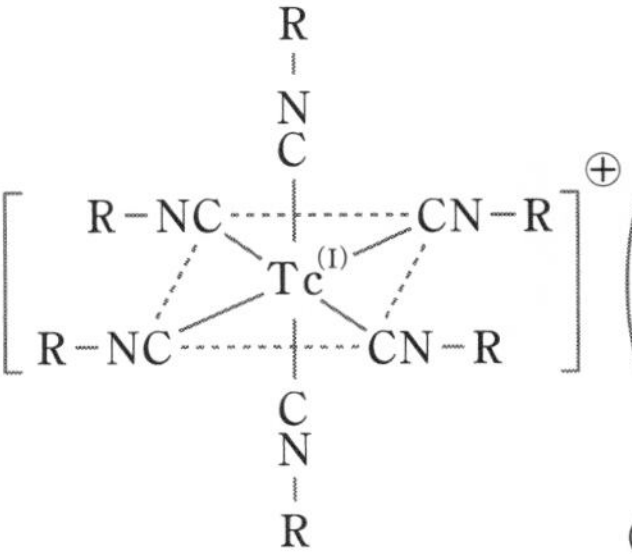

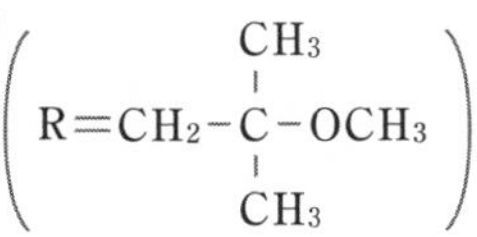

$$R = CH_2-C(CH_3)_2-OCH_3$$

^{99m}Tc-MIBI
（心筋血流測定剤）

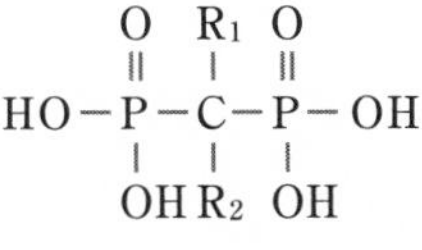

$$HO-P(=O)(OH)-CR_1R_2-P(=O)(OH)-OH$$

R_1	R_2	
H	H	…… MDP
H	OH	…… HMDP

^{99m}Tc-リン酸化合物（配位子のみを示している）
（骨イメージング剤）

図 43-2　放射性医薬品として用いられている代表的な ^{99m}Tc 化合物

44 Ru

ルテニウム／Ruthenium

同位体と存在比(%)			
^{96}Ru	5.54	^{101}Ru	17.06
^{97}Ru	0, EC, γ, 2.8370d	^{102}Ru	31.55
^{98}Ru	1.87	^{103}Ru	0, β^-, γ, 39.210d
^{99}Ru	12.76	^{104}Ru	18.62
^{100}Ru	12.60	^{106}Ru	0, β^-, 373.6d

電子配置	[Kr]$4d^7 5s^1$
原子量	101.07
融点(K)	2606(2333℃)
沸点(K)	4420(4147℃)
密度(kg・m^{-3})	12100(固体, 293K)
	10650(液体, 融点)
地殻濃度(ppm)	0.001

酸化数			
0	$Ru(CO)_5$, $Ru_2(CO)_9$, $Ru(NO)_5$	+1	Ru(CO)Br
+2	$RuCl_2$, $RuBr_2$, $Ru(CO)_2X_2$ (X = Cl, Br, I)		
+3	Ru_2O_3, RuF_3, $RuCl_3$		
+4	RuO_2, RuF_4, $Na_2[RuCl_6]$, 2核錯体$Na_4[Cl_5RuORuCl_5]$		
+5	RuF_5	+6	RuO_3, RuO_4^{2-}, RuF_6
+7	$NaRuO_4$	+8	RuO_4

1	2	3	4	5	6	7	8	9	10	11	12	13	14	15	16	17	18
1 H																	2 He
3 Li	4 Be											5 B	6 C	7 N	8 O	9 F	10 Ne
11 Na	12 Mg											13 Al	14 Si	15 P	16 S	17 Cl	18 Ar
19 K	20 Ca	21 Sc	22 Ti	23 V	24 Cr	25 Mn	26 Fe	27 Co	28 Ni	29 Cu	30 Zn	31 Ga	32 Ge	33 As	34 Se	35 Br	36 Kr
37 Rb	38 Sr	39 Y	40 Zr	41 Nb	42 Mo	43 Tc	**44 Ru**	45 Rh	46 Pd	47 Ag	48 Cd	49 In	50 Sn	51 Sb	52 Te	53 I	54 Xe
55 Cs	56 Ba		72 Hf	73 Ta	74 W	75 Re	76 Os	77 Ir	78 Pt	79 Au	80 Hg	81 Tl	82 Pb	83 Bi	84 Po	85 At	86 Rn
87 Fr	88 Ra		104 Rf	105 Db	106 Sg	107 Bh	108 Hs	109 Mt	110 Ds	111 Rg	112 Cn	113 Nh	114 Fl	115 Mc	116 Lv	117 Ts	118 Og

ランタノイド(57〜71)	57 La	58 Ce	59 Pr	60 Nd	61 Pm	62 Sm	63 Eu	64 Gd	65 Tb	66 Dy	67 Ho	68 Er	69 Tm	70 Yb	71 Lu
アクチノイド(89〜103)	89 Ac	90 Th	91 Pa	92 U	93 Np	94 Pu	95 Am	96 Cm	97 Bk	98 Cf	99 Es	100 Fm	101 Md	102 No	103 Lr

ルテニウムは１８２８年にベルセーリウスとロシアのオサンが発見したと信じられており、そのためにロシアの古地名 Ruthenia から名づけられた。１８４４年にロシアのクラウスが、オサンの実験を追試して、あらためて新しい金属ルテニウムを純粋な元素として取り出した。ルテニウムは硬くてもろい銀白色の金属であるが、酸化や腐食を受けにくく、展性に富み比重が

大きい。この性質は白金（Pt）に似ている。王水にも侵されない。

ルテニウム、ロジウム、パラジウム、オスミウム、イリジウムおよび白金の6元素は、物理化学的性質が互いに似ており、天然にもよく見出されるために、総称して白金族元素とよばれる。ルテニウムは白金やパラジウムとの合金として装飾貴金属や電気接点材料として利用されている。イリジウム－オスミウムとの合金は万年筆のペン先に用いられている。

[Ru(bipyridine)$_3$]Cl_2は光エネルギー変換錯体とよばれ、太陽の光によって水を分解して水素を生成する反応を触媒する。$Cl_6H_{42}N_{14}O_2Ru_3$の組成をもつルテニウム赤とよばれるクラスター（高分子集合体）は、ペクチン、樹脂、動物組織に結合するため、電子顕微鏡の着色剤として利用されている。酸化ルテニウム（RuO_4）は四酸化オスミウム（OsO_4）と同様に酸化剤として使われている。

ルテニウム錯体はさまざまな酸化状態と配位構造を有するため、種々の触媒反応に応用されている。野依良治（のよりりょうじ）は、キラル選択性のあるBINAP－ジアミンルテニウム触媒を開発して、カルボニル化合物を光学活性（不斉、左右非対称）なアルコールに還元できる反応を見出した。アメリカのノーレスやシャープレスとともに、2001年にノーベル化学賞を受賞した。また、1990年代に開発され、2005年のノーベル化学賞の対象となったルテニウムカルベン錯体は、2種類のオレフィン間で結合の組換えが起こるオレフィンメタセシス反応の触媒（グラブス触媒）として広く用いられている。ルテニウム錯体を用いたアンモニアの触媒的酸化反応も行われており、アンモニアを直接燃料として用いた燃料電池などへの応用が期待される。

ルテニウムは、パソコンや携帯オーディオプレーヤーなどのハードディスクの磁性層に使われ、記憶容量の増大に貢献している。これは、二つの磁性層の間に原子数個分の幅のルテニウム層をはさむことで実現している。

ほとんどのルテニウム塩はわずかに毒性があるとされている。

ルテニウム赤はカルシウムイオン（Ca^{2+}）のアンタゴニスト（レセプター〈受容体〉に対して結合するが効果を示さない薬物のこと）として、ミトコンドリア膜のカルシウムイオン結合や運搬を阻害する。この錯体はさらに、カルシウムが存在するとＡＴＰをＡＤＰとリン酸に加水分解する反応を触媒する酵素であるＡＴＰアーゼ（アデノシン三リン酸フォスファターゼ）の活性も阻害する。

Column 13

名称（英語名）と元素記号が異なる元素

英語名	日本語名	元素記号とラテン語名
Antimony	アンチモン	**Sb** (stibium)
Copper	銅	**Cu** (cuprum)
Gold	金	**Au** (aurum)
Iron	鉄	**Fe** (ferrum)
Lead	鉛	**Pb** (plumbum)
Mercury	水銀	**Hg** (hydrargyrum)
Potassium	カリウム	**K** (kalium)
Silver	銀	**Ag** (argentum)
Sodium	ナトリウム	**Na** (natrium)
Tin	スズ	**Sn** (stannum)
Tungsten	タングステン	**W** (wolframium)

ロジウムは１８０３年、イギリスのウォラストンによって発見された。白金鉱を王水に溶かして、白金やパラジウムを分離した残液は赤色を示す。この残液から得られた物質を還元して金属ロジウムを単離した。ロジウムは、この塩の水溶液がバラ色（ギリシャ語でrhodeos）であることに由来して名づけられた。

45 Rh

ロジウム／Rhodium

同位体と存在比(%)	
^{103}Rh	100
^{104}Rh	0, β^-, 42.3s
^{105}Rh	0, β^-, γ, 35.357h

電子配置	[Kr]$4d^8 5s^1$
原子量	102.90549
融点(K)	2236(1963℃)
沸点(K)	3968(3695℃)
密度(kg・m^{-3})	12400(固体, 293K)
	10700(液体, 融点)
地殻濃度(ppm)	0.0002

酸化数		
	−1	$Rh(CO)_4^-$
	0	$Rh_4(CO)_{12}$
	+1	Rh_2O, RhCl, $RhCl(PPh_3)_3$
	+2	RhO, $RhCl_2$
	+3	Rh_2O_3, RhF_3, $RhCl_3$, Rh_2S_3
	+4	RhO_2, RhF_4
	+5	$(RhF_5)_4$, RhF_6^-
	+6	RhF_6

※Ph＝フェニル基

1	2	3	4	5	6	7	8	9	10	11	12	13	14	15	16	17	18
1 H																	2 He
3 Li	4 Be											5 B	6 C	7 N	8 O	9 F	10 Ne
11 Na	12 Mg											13 Al	14 Si	15 P	16 S	17 Cl	18 Ar
19 K	20 Ca	21 Sc	22 Ti	23 V	24 Cr	25 Mn	26 Fe	27 Co	28 Ni	29 Cu	30 Zn	31 Ga	32 Ge	33 As	34 Se	35 Br	36 Kr
37 Rb	38 Sr	39 Y	40 Zr	41 Nb	42 Mo	43 Tc	44 Ru	45 Rh	46 Pd	47 Ag	48 Cd	49 In	50 Sn	51 Sb	52 Te	53 I	54 Xe
55 Cs	56 Ba		72 Hf	73 Ta	74 W	75 Re	76 Os	77 Ir	78 Pt	79 Au	80 Hg	81 Tl	82 Pb	83 Bi	84 Po	85 At	86 Rn
87 Fr	88 Ra		104 Rf	105 Db	106 Sg	107 Bh	108 Hs	109 Mt	110 Ds	111 Rg	112 Cn	113 Nh	114 Fl	115 Mc	116 Lv	117 Ts	118 Og

ランタノイド(57〜71)	57 La	58 Ce	59 Pr	60 Nd	61 Pm	62 Sm	63 Eu	64 Gd	65 Tb	66 Dy	67 Ho	68 Er	69 Tm	70 Yb	71 Lu
アクチノイド(89〜103)	89 Ac	90 Th	91 Pa	92 U	93 Np	94 Pu	95 Am	96 Cm	97 Bk	98 Cf	99 Es	100 Fm	101 Md	102 No	103 Lr

図45-1 ウォラストン
(1766 − 1828)

ロジウムはルテニウム（Ru）と同様、王水に溶けない。銀白色の元素であるため、単体金属を研磨すると反射率の高い性質を示す。そのため、光学系の機器、カメラ部品、装飾品などの表面メッキに使われている。

白金・ロジウム合金はガラス製造装置に使用されているが、価格の急騰により、合金におけるロジウムの含有量が10%まで下げられ、ガラス分野のロジウム需要が急減している。また、ロジウムや白金、パラジウムを含む三元触媒は、排ガス中の窒素酸化物、一酸化炭素や炭化水素を無害な窒素や二酸化炭素に変える優れた性能をもっている。２０２０年には、ロジウムの90%が自動車触媒コンバータとして使われている。ロジウム化合物はブチルアルデヒドを合成する低圧の酸化触媒としても使われている。

ロジウム金属およびその錯体は、経口的に与えると弱い毒性を示す。ロジウム鉱山では、白金鉱山労働者で報告されているようなアレルギー症は報告されていない。

ロジウム化合物はＤＮＡに強く結合して遺伝子の複製を阻害し、抗腫瘍性を示すが、白金錯体のような薬は開発されていない。

$^{105}RhCl_3$を使った実験では、ラットの体内にごく少量しか吸収されず、ほとんどが尿から迅速に排出され、その後、腸を通して糞便から排泄された。ただし、その際の^{105}Rhの生物学的半減期は4~16日間であった。一方、ビーグル犬を使った$^{105}RhO_2$（$^{106}RuO_2$混合）粒子の吸入では、生物学的半減期が5~9年と長期間にわたり残留し、3年経過後は80%が肺に蓄積されていた。

46 Pd

パラジウム／Palladium

同位体と存在比(%)			
^{102}Pd	1.02	^{107}Pd	0, β^-, γ, 6.5×10^6y
^{103}Pd	0, EC, γ, 16.991d	^{108}Pd	26.46
^{104}Pd	11.14	^{109}Pd	0, β^-, γ, 13.591h
^{105}Pd	22.33	^{110}Pd	11.72
^{106}Pd	27.33	^{111}Pd	0, β^-, 23.4m

電子配置	[Kr]$4d^{10}$
原子量	106.42
融点(K)	1825(1552℃)
沸点(K)	3237(2964℃)
密度($kg\cdot m^{-3}$)	12020(固体, 293K)
	10379(液体, 融点)
地殻濃度(ppm)	0.0006

酸化数		
	0	$Pd(PPh_3)_3$
	+2	PdO, $Pd(H_2O)_4^{2+}$, PdF_2, $PdCl_2$
	+4	PdO_2, PdF_4

1	2	3	4	5	6	7	8	9	10	11	12	13	14	15	16	17	18
1 H																	2 He
3 Li	4 Be											5 B	6 C	7 N	8 O	9 F	10 Ne
11 Na	12 Mg											13 Al	14 Si	15 P	16 S	17 Cl	18 Ar
19 K	20 Ca	21 Sc	22 Ti	23 V	24 Cr	25 Mn	26 Fe	27 Co	28 Ni	29 Cu	30 Zn	31 Ga	32 Ge	33 As	34 Se	35 Br	36 Kr
37 Rb	38 Sr	39 Y	40 Zr	41 Nb	42 Mo	43 Tc	44 Ru	45 Rh	**46 Pd**	47 Ag	48 Cd	49 In	50 Sn	51 Sb	52 Te	53 I	54 Xe
55 Cs	56 Ba		72 Hf	73 Ta	74 W	75 Re	76 Os	77 Ir	78 Pt	79 Au	80 Hg	81 Tl	82 Pb	83 Bi	84 Po	85 At	86 Rn
87 Fr	88 Ra		104 Rf	105 Db	106 Sg	107 Bh	108 Hs	109 Mt	110 Ds	111 Rg	112 Cn	113 Nh	114 Fl	115 Mc	116 Lv	117 Ts	118 Og

ランタノイド(57〜71)	57 La	58 Ce	59 Pr	60 Nd	61 Pm	62 Sm	63 Eu	64 Gd	65 Tb	66 Dy	67 Ho	68 Er	69 Tm	70 Yb	71 Lu
アクチノイド(89〜103)	89 Ac	90 Th	91 Pa	92 U	93 Np	94 Pu	95 Am	96 Cm	97 Bk	98 Cf	99 Es	100 Fm	101 Md	102 No	103 Lr

パラジウムは１８０３年、イギリスのウォラストンによって発見された。パラジウムの名前は、前年（１８０２年）に発見されて話題になっていた小惑星 Pallas（古代ギリシャの都市アテネの守護女神パラス・アテネーの異名）にちなんで名づけられた。

パラジウムはおもに+2と+4の酸化状態をとる。パラジウムは銀白色の金属であり、銅（Cu）や亜鉛

（Zn）およびニッケル（Ni）の精錬の副産物として得られる白金族元素である。

パラジウムは、貴金属のなかでも希少性が高く、レアメタル（希少元素）の一種である。自動車排出ガス処理用触媒や電子機器などの工業的用途が幅広い。２０２０年のパラジウムの総産出量は２１７ｔであり、産出国は多い順にロシア43%、南アフリカ34%、カナダ９%などである。この３ヵ国で世界の生産量の86%程度を占めている（155ページのコラム８参照）。

このパラジウムを話題にした篠田節子のミステリー小説「深海のＥＥＬ（イール）」（『はぐれ猿は熱帯雨林の夢を見るか』所収、２０１１年）は、希少元素パラジウムを大量に含むウナギの物語であり、時代を反映して興味深い。

パラジウムの化合物としては塩化パラジウム（$PdCl_2$）、酢酸パラジウム（$(CH_3COO)_2Pd$）、硝酸パラジウム（$Pd(NO_3)_2$）、酸化パラジウム（PdO）などがある。塩化パラジウムは、磁器に写真を入れるために用いられる。

パラジウムは自分の体積の９００倍もの水素を水素化物（PdH_3 または$PdH_{0.75}$）として吸蔵する性質をもつため、水素添加触媒や水素の精製に用いられており、植物由来の不飽和脂肪酸に水素を添加し、硬化油であるマーガリンやショートニングを製造する際の触媒としても、ニッケルや白金、銅、クロムとともに利用されている。近年では、マーガリン製造においてできるトランス脂肪酸の健康への影響も懸念されている。

また、第二次世界大戦後ドイツで開発されたワッカー法によるエチレン（C_2H_4）のアセトアルデヒド（CH_3CHO）への合成触媒に、パラジウム錯体が利用されている。パラジウムはエチレンを捕らえ、水と反応してエチレンのアセトアルデヒドへの変換を触媒する。現在では、パラジウムの代わりにロジウム（Rh）を用いるモンサント法が主流となりつつある。アメリカのヘックは、有機分子どうしを結合させるパラジウム触媒を開発し、パデュー大学の根岸英一、北海道大学の鈴木章とともに、2010年のノーベル化学賞を受賞した。

1990年代、自動車の排出ガス規制が強まるとともに、排出ガス処理用触媒の需要が急激に高まり、パラジウムの価格は2002年以後、急速に高騰したが、現在は落ち着いてきている。パラジウムは、排出ガス中の炭化水素や一酸化炭素を還元剤として、排出ガス中の窒素酸化物を窒素にまで還元する。炭化水素、一酸化炭素、窒素酸化物という三つの除去すべき成分を同時に除去するため、三元触媒とよばれる。

パラジウムは、ニッケルや白金と同様に、ピアスや肌に直接触れる宝飾品などの装着による接触性皮膚炎やアレルギーが認められている。

また、歯科治療用の金属として用いられてきたが、わずかに溶け出したパラジウムイオンがタンパク質と結合し、アレルギーを引き起こす抗原となっていることが、近年、認識されつつある。このため、世界的にはパラジウムを使わない材料の使用が推奨されている。

47

Ag

銀／Silver

同位体と存在比(%)	
^{107}Ag	51.839
^{108m}Ag	0, EC, IT, γ, 437.7y
^{109}Ag	48.161
^{110m}Ag	0, IT, β^-, γ, 249.83d
^{111}Ag	0, β^-, γ, 7.45d

電子配置	$[Kr]4d^{10}5s^1$
原子量	107.8682
融点(K)	1235.08(961.93℃)
沸点(K)	2435(2162℃)
密度(kg・m^{-3})	10500(固体, 293K)
	9345(液体, 融点)
地殻濃度(ppm)	0.07

酸化数		
	0	まれに$Ag(CO_3)$(10Kで)
	+1	Ag_2O, $Ag(OH)_2^-$, AgF, AgCl, AgBr, $AgNO_3$, Ag_2S
	+2	AgF_2, $Ag(C_5H_5N)^+$
	+3	まれにAgF_4^-

1	2	3	4	5	6	7	8	9	10	11	12	13	14	15	16	17	18
1 H																	2 He
3 Li	4 Be											5 B	6 C	7 N	8 O	9 F	10 Ne
11 Na	12 Mg											13 Al	14 Si	15 P	16 S	17 Cl	18 Ar
19 K	20 Ca	21 Sc	22 Ti	23 V	24 Cr	25 Mn	26 Fe	27 Co	28 Ni	29 Cu	30 Zn	31 Ga	32 Ge	33 As	34 Se	35 Br	36 Kr
37 Rb	38 Sr	39 Y	40 Zr	41 Nb	42 Mo	43 Tc	44 Ru	45 Rh	46 Pd	47 Ag	48 Cd	49 In	50 Sn	51 Sb	52 Te	53 I	54 Xe
55 Cs	56 Ba		72 Hf	73 Ta	74 W	75 Re	76 Os	77 Ir	78 Pt	79 Au	80 Hg	81 Tl	82 Pb	83 Bi	84 Po	85 At	86 Rn
87 Fr	88 Ra		104 Rf	105 Db	106 Sg	107 Bh	108 Hs	109 Mt	110 Ds	111 Rg	112 Cn	113 Nh	114 Fl	115 Mc	116 Lv	117 Ts	118 Og

ランタノイド(57～71)	57 La	58 Ce	59 Pr	60 Nd	61 Pm	62 Sm	63 Eu	64 Gd	65 Tb	66 Dy	67 Ho	68 Er	69 Tm	70 Yb	71 Lu
アクチノイド(89～103)	89 Ac	90 Th	91 Pa	92 U	93 Np	94 Pu	95 Am	96 Cm	97 Bk	98 Cf	99 Es	100 Fm	101 Md	102 No	103 Lr

銀は紀元前3000年ごろには人間生活の舞台に登場した金属である。銀の元素記号Agの語源は、ギリシャ語でargyros（ラテン語argentumは銀を指す）であり、「輝く」とか「明るい」という意味である。

ただし、そのころは、銀は金より高価なものとされていた。エジプトなどでは、金と銀の価値の比は1対2・5であったという。金に銀メッキをすることさえあったようである。なお、当時の銀は、その中にかなり金を含んでいたらしい。

その後、中世ヨーロッパの時代にいたるまで、銀はずっと金より高価なものであった。その後、銀の価格が下落したのは、新大陸から大量の銀が流入したことによる。

中国では、唐や宋の時代にすでに銀塊や銀食器をあつかう店があり、これを金行に対して銀行とよんでいた。貨幣の面で、しだいに銀貨が金貨に取って代わるようになると、ついにはこれが金融機関の名称となっている。

日本では、江戸時代に流通した小判は純金のように思われることがあるが、実は金と銀の合金である。この金と銀の割合は時代によって異なっている。その割合については、大強度陽子加速器（Ｊ－ＰＡＲＣ）で発生させる負ミューオンによって非破壊的に調べられた。

銀は主としてその硫化物である輝銀鉱（Ag_2S）として産出するほか、銅や鉛、亜鉛などの精錬の副産物として産出する。２０１８年には、地球上に存在する銀の総量は１４０万ｔと推定された。金の総量が23万ｔ程度であることを考えると、銀は比較的多く地球上に存在している金属である。２０２０年の統計によれば、銀の最も多い産出国はメキシコで５５４１ｔ、中国が３３７８ｔ、ペルーは２７７２ｔであった。この３ヵ国で世界の約50％を占めている（２０１６年時点の詳しいデータは155ページのコラム８参照）。

銀は古くから宝飾品や食器として用いられている。銀でつくられている宝飾品や食器などを放置すると黒ずむのは、銀が空気中の硫黄成分と反応するからである。特に指輪が黒ずみやすいのは、皮膚にはシステインという硫黄を含むアミノ酸を構成成分とするタンパク質があるためである。硫化水素を含む温泉に入ると、銀でできた装飾品は、硫化銀を生成するため黒ずむの

で、温泉に入る前にはずしておくとよい。

銀は、室温における電気伝導率があらゆる金属の中でいちばん大きいと同時に、光の反射率も非常によい。したがって、導電性を活かして最先端のエレクトロニクス産業で重用される一方で、魔法びんの二重壁の内面を銀メッキして断熱性をよくするといった用途にも使われる。

また、銀は展性と延性が金の次に大きく、0・0015㎜と極薄の箔をつくれる。さらに、1gあれば1800mの長さに延ばせる。

銀は2010年代の中盤以降、ディーゼルエンジンの排ガス浄化において、白金に代わる触媒として注目されている。ディーゼルエンジンは、ガソリンエンジンと比べて二酸化炭素（CO_2）排出量が少ないが、窒素化合物（NOx）を多く発生させてしまう。NOxを除去するために銀触媒が発見された。これによって、ディーゼルエンジンの排ガス触媒の低コスト化が実現することが期待されている。開発したのは三井金属鉱業であるが、開発成功の第一報は2008年4月であり、実用化のめどが立つまでに8年を要した。

銀化合物の利用として最もよく知られているものは臭化銀（AgBr）であろう。臭化銀は光に当たると銀を遊離する性質をもっているので、写真用感光性材料として広く用いられている。これを利用して撮る写真は、近年では「銀塩写真」といわれる。化学反応を利用する「銀塩写真」は、撮影方法（潜像の作り方）や現像（化学反応で銀を析出させる）の過程に人の手が入るチャンスがあり、格別の味わいを求める多くのファンがいる。

ハロゲン化銀の一つに塩化銀（AgCl）がある。塩化銀を銀電極上にコーティングした電極は安定した電位を示すため、電位差を測定するときの基準電極として用いられる。pHメーターにはガラス電極が用いられるが、このときの電位の基準として銀／塩化銀電極を用いる。しかし近年では、ＦＥＴ（電界

47 Ag 銀

効果トランジスタ）をセンサーとするpH電極が登場し、取り扱いやすさや、化学反応プロセスへのpH測定器としての組み込みやすさから、需要が高まっている。

塩化銀は400～2200nmの光を透過させるため、赤外線写真（700～900nm）撮影用の透過フィルターとして用いられている。

酸化銀（Ag_2O）は加熱により容易に酸素を放出して銀になる。これを利用して、溶かした有機溶媒中に酸化銀を分散してから樹脂に塗布し、700℃で加熱すると、有機溶媒のみが飛び去り、銀の塗布膜がつくれる。酸化銀はまた、酸化銀電池として小型の電子機器の電力供給源として利用されている。

硫化銀（Ag_2S）はガラスの黒色目盛りに、クロム酸銀（Ag_2CrO_4）は橙色顔料として用いられている。このほかテトラヨウ化水銀酸銀は高温（40～50℃）で赤血色に変化し、冷えると黄色になるため、ベアリングの過熱防止用温度センサーとして用いられる。

銀は血液中に0.003mg・L^{-1}が検出される。日常の食事からは0.0014～0.08mgの銀が摂取されている。中毒症状を起こす量は60mgであり、致死量は1.3～6.2gである。

銀の化合物である硝酸銀（$AgNO_3$）は、古代エジプトで殺菌剤として用いられていた。硝酸銀の1～2%水溶液は新生児の淋菌感染による眼炎予防のための点眼用に、0.01～0.5%水溶液は殺菌消毒薬として用いられる。0.025%水溶液はチフス菌を2時間以内に殺す能力をもつが、その強い殺菌作用は、銀がバクテリアの酵素などと強く結びつき、酵素を失活させるためであると考えられている。

硝酸銀または酸化銀（Ag_2O）とペプトン、アルブミンあるいはアルブモーゼなどのタンパク質を反応させると、プロテイン銀ができる。プロテイン銀は銀塩の殺菌力を保持したまま、刺激性を抑制したものであり、鼻炎、扁桃腺炎の塗布剤として0・5~5%水溶液が、尿道や膀胱の洗浄用として0・1~0・2%水溶液が、カタル性結膜炎に2~10%水溶液が用いられる。

殺菌消毒剤として、サルファダイアジン銀という銀化合物が用いられている。この薬は銀がバクテリアのDNAと結合する作用によって殺菌する効果を示すと考えられている。

近年、種々の生物から酵素・タンパク質を抽出して精製し、その性質を調べることが盛んに行われている。得られたタンパク質の純度を調べる方法の一つに電気泳動法がある。得られたタンパク質標本が均一の純粋なものであれば電気泳動のパターンは単一のバンドを示す。

タンパク質標本が微量の場合、より高い感度を求めて銀染色が行われている。タンパク質を電気泳動ゲルに固定した後、硝酸銀で処理をすると、銀はタンパク質と結合する。結合した銀を還元すると、黒くなるバンドがタンパク質の存在を示す。この方法によると、従来の染色法よりも10~20倍感度が高くタンパク質を検出することができる。この性質を利用して、宇宙におけるタンパク質結晶化実験に必要となる高純度タンパク質の調製が行われた。

48

Cd

カドミウム／Cadmium

同位体と存在比(%)			
^{106}Cd	1.245	^{113}Cd	12.227
^{107}Cd	0, β^+, EC, 6.5h	^{114}Cd	28.754
^{108}Cd	0.888	^{115}Cd	0, β^-, γ, 53.46h
^{109}Cd	0, EC, 461.9d	^{115m}Cd	0, β^-, γ, 44.56d
^{110}Cd	12.470	^{116}Cd	7.512
^{111}Cd	12.795	^{117}Cd	0, β^-, γ, 2.42h
^{112}Cd	24.109		

電子配置	[Kr]$4d^{10}5s^2$
原子量	112.414
融点(K)	594.18(321.03℃)
沸点(K)	1040(767℃)
密度(kg・m^{-3})	8650(固体)
	7996(液体, 融点)
地殻濃度(ppm)	0.11

酸化数		
酸化数	+1	まれに$Cd_2[AlCl_4]_2$
	+2	CdO, CdS, $Cd(OH)_2$, CdF_2, $CdCl_2$

1	2	3	4	5	6	7	8	9	10	11	12	13	14	15	16	17	18
1 H																	2 He
3 Li	4 Be											5 B	6 C	7 N	8 O	9 F	10 Ne
11 Na	12 Mg											13 Al	14 Si	15 P	16 S	17 Cl	18 Ar
19 K	20 Ca	21 Sc	22 Ti	23 V	24 Cr	25 Mn	26 Fe	27 Co	28 Ni	29 Cu	30 Zn	31 Ga	32 Ge	33 As	34 Se	35 Br	36 Kr
37 Rb	38 Sr	39 Y	40 Zr	41 Nb	42 Mo	43 Tc	44 Ru	45 Rh	46 Pd	47 Ag	48 Cd	49 In	50 Sn	51 Sb	52 Te	53 I	54 Xe
55 Cs	56 Ba		72 Hf	73 Ta	74 W	75 Re	76 Os	77 Ir	78 Pt	79 Au	80 Hg	81 Tl	82 Pb	83 Bi	84 Po	85 At	86 Rn
87 Fr	88 Ra		104 Rf	105 Db	106 Sg	107 Bh	108 Hs	109 Mt	110 Ds	111 Rg	112 Cn	113 Nh	114 Fl	115 Mc	116 Lv	117 Ts	118 Og
ランタノイド(57〜71)			57 La	58 Ce	59 Pr	60 Nd	61 Pm	62 Sm	63 Eu	64 Gd	65 Tb	66 Dy	67 Ho	68 Er	69 Tm	70 Yb	71 Lu
アクチノイド(89〜103)			89 Ac	90 Th	91 Pa	92 U	93 Np	94 Pu	95 Am	96 Cm	97 Bk	98 Cf	99 Es	100 Fm	101 Md	102 No	103 Lr

カドミウムは１８１７年、ドイツのシュトロマイヤーによって発見された。

シュトロマイヤーがハノーバー公国の全薬局の監督長官であった際、酸化亜鉛（ZnO）を含んでいるはずの薬が酸化亜鉛ではなく炭酸亜鉛（$ZnCO_3$）を含んでいることに気づいた。この炭酸亜鉛を調べているうちに新しい元素に気づき、カドミウムを分離することに成功した。

カドミウムという名前はフェニキアの神話上の王子カドムス（ギリシャの地名でもある）にちなんでつけられたという説がある。

カドミウムは0（金属）から+2までの酸化数をとる。同族である亜鉛、カドミウム、水銀（Hg）は、それぞれ3d、4d、5d殻が10個の電子で満たされており、ほかにそれぞれ4s、5s、6s殻に2個の電子をもっている。同じ条件で4s、5s、6s殻に電子を1個もつ銅（Cu）、銀（Ag）、金（Au）は、+1のほか、それぞれ3d、4d、5d殻の電子を失った+2や+3の状態をとるのに対して、亜鉛、カドミウム、水銀はそれぞれ4s、5s、6s殻の電子を失った+2までの酸化数しかとらない。

カドミウムは主として硫化カドミウム（CdS）として産出するが、工業的には硫化亜鉛鉱石（ZnS）から亜鉛を得る際の副産物として得られる。カドミウムの世界の年間産出量は、2020年で1300tである。中国がそのうちの約25%を占め、韓国、日本、カザフスタン、カナダなどと続いている。

カドミウムは低融点であるためハンダの材料として用いられたが、現在では、使用禁止または成分表示により規制されている。

カドミウムは、1899年にスウェーデンのユングナーによってつくられたニッケル－カドミウム電池（ニッカド電池またはニカド電池）の電極として重要である。正極にニッケル酸化物、負極にカドミウムを用い、電解液には水酸化カリウムと少量の水酸化リチウムを含んだ水溶液を用いる。ニッケル－カドミウム電池は寿命がきわめて長く、かなりの回数の充放電に耐えることができる。この電池の電圧は約1.2Vである。

なお、電池の評価にはその起電力を正確に測ることが重要である。そのためには起電力の再現性がよく、また温度による起電力の変化が小さい標準電池が必要である。硫酸カドミウム、カドミウムアマルガム、水銀、硫酸水銀からなる電池はその開発者名をとってウェストン電池とよばれ、標準電池として長いあいだ用いられてきた。

カドミウムは、ベアリング材料やサビ止めのメッキに用いられ、亜鉛メッキよりもサビ止めの効果が大きい。カドミウム化合物は蛍光作用があるため、テレビのモニターの蛍光材料としても利用されている。銀－インジウム－カドミウム合金は耐食性・寸法安定性がよいため、高価なハフニウム（ただし最も優れた材料である）に代わって原子炉（軽水炉）における中性子制御棒に用いられている。

硫化カドミウム（CdS）は半導体として光電管、光電子増倍管および光電素子に用いられてきた。また、カメラの自動露出機構の光センサーとして使われ、TTL（Through The Lens）測光という言葉が生まれた。これは光の量によって電気抵抗が変化する性質を利用している。固体検出器のフォトダイオードとして、最近ではシリコーンが広く用いられるようになってきたが、赤外域ではカドミウム化合物が使われている。

テルル化水銀（HgTe）とテルル化カドミウム（CdTe）は任意の比率で固溶体（異なる物質が均一に混じり合ったもの）をつくることができ、混晶とよばれる一種の結晶を形成する。この二つの化合物の混合比により波長感度特性を人為的に変えることが可能であり、カットオフ波長（遮断波長）が2～30 μmのものがつくられている。テルル化カドミウム薄膜太陽電池はまた、この光に対する特性からアモルファス系の太陽電池としても利用されている。

カドミウムは、顔料や絵の具の材料としても使われている（以下、漢字表記は顔料での、カナ表記は絵の具での名称を表す）。カドミウム黄（カドミウムイエロー）は硫化カドミウム（CdS）、硫化亜鉛（ZnS）とセレン化カドミウム（CdSe）からつくられ、カドミウム緑（カドミウムグリーン）はカドミウム黄とフタロシアニン緑からつくられている。アメリカの画家ケネス・ノーランドの油彩画「カドミウム・レイディアンス」は、カドミウムイエローを用いて制作されている。

カドミウムは血液中に0・0052 mg・L^{-1}が検出される。日常の食事から摂取される量は0・007～3 mgであり、3～330 mgの摂取によって中毒症状を示し、致死量は1・5～9 gである。体重70 kgの成人で平均して50 mgのカドミウムが検出される。

体内に吸収されたカドミウムは、最初に肝臓に蓄積する。それからゆっくりと腎臓に輸送される。カドミウムの生物学的半減期はラット、マウスで100～300日、イヌでは250～500日、サルで4年、ヒトでは10～30年くらいである。

カドミウムはメタロチオネイン（metallothionein）という硫黄を含むタンパク質と結合する。カドミウムと結合したメタロチオネインは、アメリカのバリーによって1957年にウマの腎臓から初めて発見された金属結合性タンパク質である。

メタロチオネイン遺伝子は、重金属やステロイドの一種で、タンパク質の合成を促すグルココルチコイド、細胞の増殖・分化あるいはタンパク質合成の指令など情報伝達を担うインターロイキンなどによってメッセンジャーRNAの合成を誘導する。つまり、カドミウムのような有害重金属が体内に入るとメタロチオネインの合成が促され、毒性を抑える作用が現れる。しかし、メタロチオネインの生物学的半減期は数日であり、分解されたメタロチオネインはふたたび金属イオンを遊離する。新たに合成されたメタロチオネインによって遊離した金属イオンは捕捉されるため、見かけ上長期にわたってメタロチオネインと結合している。一見、解毒されているかのように思われるが、肝機能障害などによってメタロチオネインからカドミウムが遊離するとさまざまな毒性が現れる。

植物の重金属耐性機構で重要な役割を果たしているフィトケラチンは、動物のメタロチオネインと同様に重金属を無毒化すると考えられている。

カドミウムによる中毒事件は、富山県神通川流域の「イタイイタイ病」として、社会に大きな問題を投げかけた。カドミウムが腎臓に蓄積すると、チオール基（—SH）を含むタンパク質や酵素と強く結合してそれらを変性させ腎障害を引き起こす。その結果として細胞や組織に障害を生じ、カルシウム代謝に異常を招き、カルシウムが骨から失われ、骨が変形したり折れたりして、全身が痛み衰弱してついには死んでしまう。

シダ植物のヘビノネゴザは、銅、亜鉛、カドミウム耐性の植物である。鉱山などの重金属に富む場所に生育するため、カナクサとよばれ、鉱脈さがしの目印とされてきた。千早茜の小説『しろがねの葉』（2022年。第168回直木賞受賞）では、石見銀山を舞台として、ヘビノネゴザが主人公の生涯を決める大きな役割を果たしている。

カドミウムは毒性のある金属として好ましくない元素の面をもつが、2008年に、海洋性微生物のダイアトムという珪藻の一種から単離された炭酸脱水酵素（カーボニックアンヒドラーゼ）は、カドミウムを使って炭酸ガス（CO_2）を重炭酸イオン（HCO_3^-）に変換する反応を行っていることが報告された。炭酸脱水酵素は、人の体にも存在する重要な酵素であり、通常は亜鉛を有している。海洋環境は、生存に必要な微量元素を取りにくく、亜鉛を摂取することができない場合は、カドミウムを利用することができるようになったものと考えられている。

49

In

インジウム／Indium

同位体と存在比(%)	
^{111}In	0, γ, EC, 2.8047d
^{113}In	4.281
^{113m}In	0, IT, 99.476m
^{114m}In	0, IT, EC, γ, 49.51d
^{115}In	95.719, β^-, 4.41×10^{14}y
^{116}In	0, β^-, 14.10s
^{116m}In	0, β^-, 54.29m

電子配置	[Kr]$4d^{10}5s^25p^1$
原子量	114.818
融点(K)	429.76(156.61℃)
沸点(K)	2345(2072℃)
密度(kg・m^{-3})	7310(固体, 298K)
	7032(液体, 融点)
地殻濃度(ppm)	0.049

酸化数	+1	InCl, InBr, InI
	+2	$In_2Cl_6^{2-}$, $In_2I_6^{2-}$
	+3	In_2O_3, $In(OH)_3$, $In(H_2O)_6^{3+}$, InF_3, $InCl_3$

1	2	3	4	5	6	7	8	9	10	11	12	13	14	15	16	17	18
1 H																	2 He
3 Li	4 Be											5 B	6 C	7 N	8 O	9 F	10 Ne
11 Na	12 Mg											13 Al	14 Si	15 P	16 S	17 Cl	18 Ar
19 K	20 Ca	21 Sc	22 Ti	23 V	24 Cr	25 Mn	26 Fe	27 Co	28 Ni	29 Cu	30 Zn	31 Ga	32 Ge	33 As	34 Se	35 Br	36 Kr
37 Rb	38 Sr	39 Y	40 Zr	41 Nb	42 Mo	43 Tc	44 Ru	45 Rh	46 Pd	47 Ag	48 Cd	49 In	50 Sn	51 Sb	52 Te	53 I	54 Xe
55 Cs	56 Ba		72 Hf	73 Ta	74 W	75 Re	76 Os	77 Ir	78 Pt	79 Au	80 Hg	81 Tl	82 Pb	83 Bi	84 Po	85 At	86 Rn
87 Fr	88 Ra		104 Rf	105 Db	106 Sg	107 Bh	108 Hs	109 Mt	110 Ds	111 Rg	112 Cn	113 Nh	114 Fl	115 Mc	116 Lv	117 Ts	118 Og

ランタノイド(57〜71)	57 La	58 Ce	59 Pr	60 Nd	61 Pm	62 Sm	63 Eu	64 Gd	65 Tb	66 Dy	67 Ho	68 Er	69 Tm	70 Yb	71 Lu
アクチノイド(89〜103)	89 Ac	90 Th	91 Pa	92 U	93 Np	94 Pu	95 Am	96 Cm	97 Bk	98 Cf	99 Es	100 Fm	101 Md	102 No	103 Lr

インジウムは1863年、ドイツのリヒターとライヒによって閃亜鉛鉱の発光スペクトルの中に発見された。インジウムという名前の由来はその輝線スペクトル（波長451nm）がインジゴ色（藍色、ラテン語で indicum）であることによる。

インジウムは主として0（金属）から+3までの酸化数をとる。インジウムは硫化亜鉛（ZnS）を含む閃亜鉛鉱や硫化鉛（PbS）を含む方鉛鉱および鉄鉱石中から産出する。

インジウムの地殻中の存在量（0・049ppm）はきわめて低いため、レアメタルに含まれる。確認されているインジウムの埋蔵量は6000tで、うち採掘可能な埋蔵量は2800tである。年間の産出量は400〜700tほどだが、2020年は約714tとなり、そのうち中国が40%、韓国が32%、日本が10%を占めている。2006年までは北海道の豊羽（とよは）鉱山でインジウムに富む高品位の亜鉛鉱石が産出し、世界有数のインジウム産出量を誇っていたが、現在は輸入鉱石に頼っている。

インジウムはやわらかい銀白色の金属で、空気中では酸化膜の被膜に覆われて安定に存在し、水とも反応しない。インジウムはその酸化被膜によって常温では金属光沢を失わないためメッキ材料として用いられる。

インジウムをシリコン（ケイ素、Si）やゲルマニウム（Ge）にごく少量混入すると、インジウムは価電子が3個であり、シリコンやゲルマニウムは価電子が4個あるので、結合をつくるための電子が1個不足し、正の電荷をもつホール（正孔）を生じる。このホールは他の原子から電子を奪うため、電子を奪われた原子にはホールが生じ、あたかもホールによって正の電荷が運ばれるかのように見える。これがp型半導体である。

ヒ素（As）やアンチモン（Sb）は価電子が5個あって自由電子（負の電荷をもつ）が余り、結晶中を動き回る。これがn型半導体である。

インジウム化合物のおもな用途は、液晶に用いられる透明電極や蛍光体、電池材料である。インジウム化合物は、一般にインジウムヒ素（InAs）、インジウムリン（InP）、インジウムアンチモン（InSb）のような半導体材料として用いられている。インジウムアンチモンを用いた赤外線検出器は広い波長範囲をカバーし、しかも高感度であるという特徴をもつため広く使われている。酸化インジウムに酸化スズを混ぜてつくるＩＴＯ（Indium Tin Oxide、透明導電膜）は液晶、プラズマ、有機ＥＬ（エレクトロルミネッセンス）を用いたフラットパネルディスプレイの透明電極材料として利用されている。ＩＴＯ電極材料としてのインジウムの国内需要量は、液晶テレビの普及もあってか、２００１年に２６０ｔであったのが、２００５年には５０４ｔと増加した経緯がある。インジウムは限られた元素の一つであり、リサイクル利用が進められている。

　インジウムは、利用の推進とともに、環境や健康に対する影響についても規制を受けている。インジウムは、眼や気道を刺激することが知られており、咳や息切れを起こしたり、摂取によって吐き気や嘔吐を催したりする。この他、中長期毒性が知られている。ヒトに対する毒性としては、インジウム・スズ化合物の吸入によって、間質性肺炎が生じることが報告されている。このため、インジウム化合物は労働安全衛生法において、特定化学物質障害予防規則の中に記載され、作業環境測定や健康診断受診が義務づけられている。また、インジウム化合物を取り扱う作業では、呼吸用保護具の使用が義務づけられている。

　インジウムの同位体の一つである放射性の^{111}In（半減期２・８０４７日）は、サイクロトロンでつくられ、イオンまたは錯体を形成して、造血骨髄の核医学診断薬として用いられている。37～１１１MBq（メガベクレル）を静注して用いる。

Column 14

地球を分析した最初の人・クラーク

ハーバード大学を卒業した後、ハワード大学の化学、物理学の教授となったクラーク（1847〜1931年）は、1883年から1924年まで米国地質調査所の化学主任を務めた。蓄積された膨大な数の岩石に関する化学分析の結果にもとづいて、1889年に最初の論文「地殻の平均化学組成」を発表するとともに、元素進化説にもとづいて星の化学組成の分析結果と星雲仮説を統一的に理解できることを示した。

1924年には、地表下約10マイル（約16km）までの岩石組成を発表した。地表下10マイルの厚さの地球表層は、地球の全体積の約0・7％に相当する。クラークは、地球表層が0・03％の気圏、6・91％の水圏、93・06％の岩石圏からなるとして、地表の元素の重量％を推定した。

ファースマンは、地殻中の元素の平均質量％を「クラーク」と名づけ、その後「クラーク数」とよばれるようになった（次ページの表参照）。

地球を初めて分析したクラークは、地球化学という新しい学問を生み出すとともに、元素進化説や生命の海洋起源説を立証するためにきわめて大きな役割を果たすこととなった（530ページ参照）。

＊乾燥した大気の体積%

元素	クラーク数	岩石圏	水圏	気圏*
$_{1}$H	0.87	——	10.7	1×10^{-4}
$_{2}$He	$\sim 10^{-6}$	——	——	5×10^{-4}
$_{6}$C	0.08	0.020	0.0027	0.031
$_{7}$N	0.03	0.002	0.00005	78.08
$_{8}$O	49.5	46.4	86.0	20.95
$_{9}$F	0.03	0.063	0.00013	——
$_{11}$Na	2.63	2.36	1.02	——
$_{12}$Mg	1.93	2.33	0.13	——
$_{13}$Al	7.56	8.23	0.000001	——
$_{14}$Si	25.8	28.15	0.00029	——
$_{15}$P	0.08	0.11	0.000007	——
$_{16}$S	0.06	0.026	0.086	$<10^{-4}$
$_{17}$Cl	0.19	0.013	1.85	——
$_{18}$Ar	$\sim 10^{-4}$	——	——	0.93
$_{19}$K	2.40	2.09	0.037	——
$_{20}$Ca	3.39	4.15	0.038	——
$_{26}$Fe	4.70	5.63	0.000001	——

地球表面付近における元素存在比（質量%）

50 Sn

スズ／Tin

同位体と存在比(%)			
^{112}Sn	0.97	^{119}Sn	8.59
^{113}Sn	0, EC, γ, 115.09d	^{120}Sn	32.58
^{114}Sn	0.66	^{121}Sn	0, β^-, 27.03h
^{115}Sn	0.34	^{122}Sn	4.63
^{116}Sn	14.54	^{123}Sn	0, β^-, 129.2d
^{117}Sn	7.68	^{124}Sn	5.79
^{118}Sn	24.22	^{125}Sn	0, β^-, 9.64d

電子配置	[Kr]$4d^{10}5s^{2}5p^{2}$
原子量	118.710
融点(K)	505.118(231.968℃)
沸点(K)	2876(2603℃)
密度(kg・m^{-3})	5750(α)
	7310(β, 293K)
	6973(液体, 融点)
地殻濃度(ppm)	2.2

酸化数		
	+2	SnO, SnF_2, $SnCl_2$, $Sn(OH)^+$
	+4	SnO_2, SnF_4, $SnCl_4$, $SnCl_6^{2-}$

1	2	3	4	5	6	7	8	9	10	11	12	13	14	15	16	17	18
1 H																	2 He
3 Li	4 Be											5 B	6 C	7 N	8 O	9 F	10 Ne
11 Na	12 Mg											13 Al	14 Si	15 P	16 S	17 Cl	18 Ar
19 K	20 Ca	21 Sc	22 Ti	23 V	24 Cr	25 Mn	26 Fe	27 Co	28 Ni	29 Cu	30 Zn	31 Ga	32 Ge	33 As	34 Se	35 Br	36 Kr
37 Rb	38 Sr	39 Y	40 Zr	41 Nb	42 Mo	43 Tc	44 Ru	45 Rh	46 Pd	47 Ag	48 Cd	49 In	**50 Sn**	51 Sb	52 Te	53 I	54 Xe
55 Cs	56 Ba		72 Hf	73 Ta	74 W	75 Re	76 Os	77 Ir	78 Pt	79 Au	80 Hg	81 Tl	82 Pb	83 Bi	84 Po	85 At	86 Rn
87 Fr	88 Ra		104 Rf	105 Db	106 Sg	107 Bh	108 Hs	109 Mt	110 Ds	111 Rg	112 Cn	113 Nh	114 Fl	115 Mc	116 Lv	117 Ts	118 Og

ランタノイド (57～71)	57 La	58 Ce	59 Pr	60 Nd	61 Pm	62 Sm	63 Eu	64 Gd	65 Tb	66 Dy	67 Ho	68 Er	69 Tm	70 Yb	71 Lu
アクチノイド (89～103)	89 Ac	90 Th	91 Pa	92 U	93 Np	94 Pu	95 Am	96 Cm	97 Bk	98 Cf	99 Es	100 Fm	101 Md	102 No	103 Lr

スズは古代より知られている元素であり、その元素記号はラテン語のStannumに由来している。スズ（1～30％）と銅からつくられる「青銅」は古代から用いられていた合金の一つである。スズ含量の少ない青銅は装身具に使い、中間の含量のものは剣や槍に使い、含量の多いものは矢じりや鏡に使用された。青銅は、硬いが容易に鋳造することができる性質をもつので、現

代においてもベアリングやバルブ、あるいは機械の部品材料として用いられている。

スズは漢字では「錫」と表され、「金」と「易」からなる会意文字である。容易に延ばせる金属の意味を示している。

スズは原鉱石である錫石（すずいし）から得られる。２０２０年の世界の精製スズ産出量は約27万８０００ｔであったが、２０２１年には37万８４００ｔに増えた。中国・インドネシア・ミャンマーの上位３ヵ国の産出量は世界全体の約66％であり、生産上位10ヵ国の合計で世界全体の約97％を占めている。とりわけアジアのシェアが大きく、世界全体のスズ産出の約70％を占める。

スズはやわらかい銀白色の金属であり、酸化被膜のため酸素におかされず水とも反応しない。スズは室温付近では展性や延性に富む金属であるが、温度によって３種類の同素体が存在する。

灰色スズ（α－Sn）$\overset{13.2℃}{\Leftrightarrow}$ 白色スズ（β－Sn）$\overset{161℃}{\Leftrightarrow}$ γスズ（γ－Sn）$\overset{232℃}{\Leftrightarrow}$ 液体スズ

灰色スズはダイヤモンド型構造をもっているが、Sn—Snの結合エネルギーが炭素族化合物の中では最も小さいため、もろくて非金属性を示す。かつてナポレオン軍がロシアとの戦いに敗れて退却したとき、兵士の服のボタンが灰色になってとれてしまった。冬のロシアでマイナス30℃の低温に長期間さらされたスズのボタン（白色スズ）が変態して灰色スズになったと考えられる。このような変態現象は当時、スズペストとよばれた。

スズはまた、酸ともアルカリとも反応する性質をもっている両性元素である。ハンダや合金、メッキなどに使われるほか、海藻や貝類などが船底に付着するのを避けるために塗布される船底塗料として有機スズ化合物が利用されている。有機スズ化合物

（トリフェニルスズやトリブチルスズ）は動植物に取り込まれて毒性を示し、海藻や貝類は死滅する。これらの化合物は人に対しても神経障害を起こす猛毒であり、ある種の貝の性転換を引き起こす「環境ホルモン」の一つとなる。1991年以来、有機スズ系漁網防汚剤の使用は全面的に禁止されている。

スズの元素としての特徴は、同位体の多さである。スズの同位体は自然界に存在する安定同位体10個を含めて21個が知られている。この同位体の多さは一般に〝マジックナンバー（魔法数）〟として説明される。原子核は、それを構成する陽子あるいは中性子の数が2、8、20、28、50、82、126のとき安定となる。これらの数字がマジックナンバーである。スズは陽子数が50であるため非常に安定であり、中性子数のとりうる範囲が広い。

スズの化合物の中でも風変わりなものが四塩化スズ（$SnCl_4$）であろう。多くの金属の化合物はイオン結合性のものが多く、融点や沸点が高い。しかし、四塩化スズは常温では発煙性の液体であり、融点はマイナス33・3℃、沸点は114℃である。このことはスズ（+4）と塩素原子との結合が、イオン的ではなくて共有結合的であることを示している。

酸化スズ（SnO_2）は空気中で安定で、電子が非常に動きやすいn型酸化物半導体であり、一酸化炭素（CO）や硫化水素（H_2S）などのガスセンサーとして優れた性質を示す。このガスセンサーは固体表面にガスが吸着するときの電気伝導率の変化を利用している。通常は表面に吸着した酸素に電子をとられ、表面の電気伝導率が減少しているが、一酸化炭素や硫化水素などの還元性のガス中では酸素が電子を放出し、電気伝導率が増加する。これによってガスを検出できるわけである。なお、酸化性のガス中では逆に電気伝導率が減少する。

酸化スズはまた、透明のまま電気伝導性をもつ物質でもあり、ガラスに酸化スズを被覆したものを伝導ガラスという。飛行機の前方ガラスのように水蒸気が氷結して視界が妨げられると困るようなところに使われ、電気を通して温め、氷結を防ぐ。

硫化第二スズ（SnS_2）は黄金色顔料（モザイクゴールド）として知られている。スズ、硫黄、塩化アンモニウム（pHの調節剤）によって、木製品があたかも金メッキしたようになる。

K	＞	Ca	＞	Na	＞	Mg	＞	Al	＞	Zn	＞
貸そう		か		な		ま		あ		あ	
Fe	＞	Ni	＞	Sn	＞	Pb	＞	H	＞	Cu	＞
て		に		す		な		ひ		ど	
Hg	＞	Ag	＞	Pt	＞	Au					
す		ぎる		借		金					

図50-1　おもな元素のイオン化傾向

鉄板にスズメッキしたものがブリキである。スズは鉄（Fe）よりイオン化傾向が小さいので溶け出しにくく、鉄を保護する。しかし、ブリキに穴があいてしまったりすると、中の鉄がどんどん溶け出してしまう。

近年、紙やフィルムの剥離剤としてシリコーン系剥離剤がある。この剥離剤の製造においては、スズ触媒による縮合硬化が利用されている。

体重70 kgの成人で平均して20 mgのスズが検出される。日常の食事から0.2～3.5 mgのスズが摂取されている。2 gで中毒症状を示すが、神経障害性をもち猛毒である有機スズ化合物を除いて毒性はあまり強くない。これまでにスズはラットにとって必須であると認められている。また、人間にもおそらく必須であると考えられているが、その生理的役割については不明である。

51

Sb

アンチモン／Antimony

同位体と存在比(%)	
^{121}Sb	57.21
^{122}Sb	0, $\beta^{\pm}$, EC, γ, 2.7238d
^{123}Sb	42.79
^{124}Sb	0, β^{-}, γ, 60.20d
^{125}Sb	0, β^{-}, γ, 2.7586y

電子配置	[Kr]$4d^{10}5s^{2}5p^{3}$
原子量	121.760
融点(K)	903.89(630.74℃)
沸点(K)	1860(1587℃)
密度(kg・m^{-3})	6691(固体, 293K)
	6483(液体, 融点)
地殻濃度(ppm)	0.2

酸化数	−3	SbH_3
	+3	Sb_4O_6, SbO_3^{3-}, SbF_3, $SbCl_3$, Sb_2S_3
	+4	SbF_4, $SbCl_4$
	+5	Sb_4O_{10}, $Sb(OH)_6^{-}$, SbF_5(液体), $SbCl_5$(液体)

1	2	3	4	5	6	7	8	9	10	11	12	13	14	15	16	17	18
1 H																	2 He
3 Li	4 Be											5 B	6 C	7 N	8 O	9 F	10 Ne
11 Na	12 Mg											13 Al	14 Si	15 P	16 S	17 Cl	18 Ar
19 K	20 Ca	21 Sc	22 Ti	23 V	24 Cr	25 Mn	26 Fe	27 Co	28 Ni	29 Cu	30 Zn	31 Ga	32 Ge	33 As	34 Se	35 Br	36 Kr
37 Rb	38 Sr	39 Y	40 Zr	41 Nb	42 Mo	43 Tc	44 Ru	45 Rh	46 Pd	47 Ag	48 Cd	49 In	50 Sn	51 Sb	52 Te	53 I	54 Xe
55 Cs	56 Ba		72 Hf	73 Ta	74 W	75 Re	76 Os	77 Ir	78 Pt	79 Au	80 Hg	81 Tl	82 Pb	83 Bi	84 Po	85 At	86 Rn
87 Fr	88 Ra		104 Rf	105 Db	106 Sg	107 Bh	108 Hs	109 Mt	110 Ds	111 Rg	112 Cn	113 Nh	114 Fl	115 Mc	116 Lv	117 Ts	118 Og

ランタノイド(57〜71)	57 La	58 Ce	59 Pr	60 Nd	61 Pm	62 Sm	63 Eu	64 Gd	65 Tb	66 Dy	67 Ho	68 Er	69 Tm	70 Yb	71 Lu
アクチノイド(89〜103)	89 Ac	90 Th	91 Pa	92 U	93 Np	94 Pu	95 Am	96 Cm	97 Bk	98 Cf	99 Es	100 Fm	101 Md	102 No	103 Lr

アンチモンはおそらく、古代より知られていた元素であると考えられている。錬金術時代には確かに登場していて、初期の報告は１４５０年にドイツのテルデによって行われたと推定されている。

アンチモンの語源はギリシャ語やアラビア語に遡るといわれるが、俗説が入り交じり明らかでないようである。たとえば、ギリシャ語のアンチ＋モノスに由来して、天然には単独では見出されないという意味である、という説がある。

古代ギリシャやアラビアの女性たちは、眉墨（まゆずみ）あるいはアイシャドウに黒色の鉱物粉末を用いていた。エジプトのクレオパトラも愛用していたといわれる。この粉末は、現在の輝安鉱（きあんこう）で主成分は硫化アンチモン（Sb_2S_3）と思われる。

この眉墨は当時、stibiとかstimmiとよばれていた。このため元素記号はラテン語のstibiumからきていると思われる。

輝安鉱は、日本刀のような美しい結晶がまれに産出し、博物館などで展示されている。かつて愛媛県の市之川鉱山（現在は閉山）で大型の美しい輝安鉱結晶が産出し、明治時代には多くの標本が海外に流出した。

アンチモンは硫化物として産出し、２０１９年のアンチモン鉱石産出量は約13万ｔである。そのうち中国が８万９０００ｔ、ロシアが３万ｔを占め、タジキスタン、ミャンマーと続いている。地球上に約１５０万ｔが存在すると見積もられている。

アンチモンは銀白色に輝き、周期表で上下にあるヒ素（As）とビスマス（Bi）とともに半金属である。かつては活字合金として用いられたが、現在ではほとんど使用されていない。

三酸化アンチモン（Sb_2O_3）は、プラスチックやゴム、繊維（カーテンやマットレスなど）などの難燃助剤として使われているが、難燃性プラスチックとしては、各種の電気・電子機器、住宅建材、自動車に利用されている。三硫化二アンチモン（Sb_2S_3）は花火の白色炎に使用されている。アンチモンは、難燃性向上のような比較的限定された使用法ではあるものの、広範に利用されていることもあり、実に、化学物質排出把握管理促進法、消防法、毒劇物取締法、薬事法、労働基準法、労働安全衛生法、船舶安全法、航空法、港則法、食品衛生法、高圧ガス

保安法と、多岐にわたる法規制を受けている。

半金属は半導体に近い性質をもっており、シリコン（ケイ素、Si）にアンチモンを混ぜたものや、インジウム（In）との化合物（InSb）などが半導体として重要である。

ゲルマニウム（Ge）・アンチモン・テルル（Te）の合金は安定なアモルファス（非晶質）をつくり、高速に記録の書き換えができるため、ＤＶＤに用いられている。

アンチモンはまた、光電子増倍管ではセシウムとの化合物（SbCs）が半導体として光電面に使用されている。

アンチモンは１００mgで中毒症状を示し、非常に毒性が強い。日常の食事から０・００２～１・３mgのアンチモンが摂取されている。タンニンはアンチモンと結合するため、体内にアンチモンが入ったときにはお茶を飲むとよい。アンチモン化合物は、イネの芽や根の生育を阻害する。原子炉修理作業において、^{125}Sbを吸入した労働者の肺からアンチモンが検出されたが、肺からの消失半減期は、非喫煙者で６００～１１００日であり、喫煙者ではさらに長く、１７００～３７００日であったとする報告がある。ラットを用いた実験から、アンチモンは、肝臓において解毒物質であるグルタチオンと結合することも知られている。

アンチモンを含む酒石酸アンチモニルカリウム（$KSb(C_4H_2O_6) \cdot 1.5H_2O$）などは、化学療法剤として梅毒や住血吸虫症などの治療に用いられた。

52 Te

テルル／Tellurium

同位体と存在比(%)			
^{120}Te	0.09	^{126}Te	18.84
^{122}Te	2.55	^{127}Te	0, β^-, γ, 9.35h
^{123}Te	0.89, EC, 9.2×10^{16}y	^{128}Te	31.74
^{124}Te	4.74	^{130}Te	34.08, 6.8×10^{20}y
^{125m}Te	0, IT, γ, 57.40d	^{131}Te	0, β^-, γ, 25.0m
^{125}Te	7.07		

電子配置	[Kr]4d^{10}5s^{2}5p^4
原子量	127.60
融点(K)	723.0(449.8℃)
沸点(K)	1264(991℃)
密度(kg・m^{-3})	6240(固体, 293K)
	5797(液体)
地殻濃度(ppm)	0.005

酸化数		
	−2	H_2Te
	−1	Te_2^{2-}
	+2	TeO, $TeCl_2$
	+4	TeO_2, H_2TeO_3, TeO_3^{2-}, $TeCl_4$
	+5	Te_2Fe_{10}
	+6	TeO_3, H_2TeO_4, TeF_6

1	2	3	4	5	6	7	8	9	10	11	12	13	14	15	16	17	18
1 H																	2 He
3 Li	4 Be											5 B	6 C	7 N	8 O	9 F	10 Ne
11 Na	12 Mg											13 Al	14 Si	15 P	16 S	17 Cl	18 Ar
19 K	20 Ca	21 Sc	22 Ti	23 V	24 Cr	25 Mn	26 Fe	27 Co	28 Ni	29 Cu	30 Zn	31 Ga	32 Ge	33 As	34 Se	35 Br	36 Kr
37 Rb	38 Sr	39 Y	40 Zr	41 Nb	42 Mo	43 Tc	44 Ru	45 Rh	46 Pd	47 Ag	48 Cd	49 In	50 Sn	51 Sb	**52 Te**	53 I	54 Xe
55 Cs	56 Ba		72 Hf	73 Ta	74 W	75 Re	76 Os	77 Ir	78 Pt	79 Au	80 Hg	81 Tl	82 Pb	83 Bi	84 Po	85 At	86 Rn
87 Fr	88 Ra		104 Rf	105 Db	106 Sg	107 Bh	108 Hs	109 Mt	110 Ds	111 Rg	112 Cn	113 Nh	114 Fl	115 Mc	116 Lv	117 Ts	118 Og

ランタノイド(57〜71)	57 La	58 Ce	59 Pr	60 Nd	61 Pm	62 Sm	63 Eu	64 Gd	65 Tb	66 Dy	67 Ho	68 Er	69 Tm	70 Yb	71 Lu
アクチノイド(89〜103)	89 Ac	90 Th	91 Pa	92 U	93 Np	94 Pu	95 Am	96 Cm	97 Bk	98 Cf	99 Es	100 Fm	101 Md	102 No	103 Lr

1782年にオーストリアの鉱物学者・化学者のミュラー・フォン・ライヘンシュタインによって新しい元素が発見された。元素名はラテン語のtellus（地球）やローマ神話の大地の女神の名に由来して、1798年にクラプロートが命名した。クラプロートはその10年前にウランを発見し、天の神の名をとって命名された新惑星ウラノス（天王星）にちなんで名づけ

ており、テルルも惑星名から名づけられた。

テルルは、工業的には銅の精錬における陽極付着物として得られる。テルルの埋蔵量は3万8000tで、2021年の年間産出量は580tである。そのうち中国が340t、日本75t、ロシア70t、カナダ45t、スウェーデン40tであり、上位5ヵ国で産出量の98%を占めている。テルルは半金属であり、空気中または酸素の存在下で燃える。水や塩酸とは反応しないが硝酸には溶解する。

テルルは一般には陶磁器やガラスの赤や黄色の色づけ用の材料として用いられる。ビスマスとの合金は、熱電変換素子やペルティエ素子に用いられている。

テルルは、赤外線（0.77μm～1mmの波長の光）検出器用の材料として用いられる。テルル化鉛（PbTe）とテルル化スズ（SnTe）の固溶体（異なる物質が均一に混じり合ったもの）は、6～30μm領域の光検出器として期待されている。

宇宙では、微小重力環境を利用した半導体素子の製造や、タンパク質や核酸の構造を解析するための結晶化実験が行われている。たとえば、テルル化鉛とテルル化スズの固溶体をつくることができ、$Pb_{0.85}Sn_{0.15}Te$という化合物が得られている。

テルルを主成分とするGe—Sb—Te合金はレーザー光で一瞬にして特有のユニット構造をもつアモルファス（非晶質）になるため、書き換え可能な光ディスク（DVD－RAM）に用いられている。また、二酸化テルル（TeO_2）や亜テルル酸（TeO_3^-）は、合成ゴムの加硫促進剤として利用されている。

体内では骨にはなく、血液中でおよそ0.0055mg・L^{-1}が検出される。日常の食事から摂取されるテルルの量は0・1mg以下である。0・25mgで中毒症状を呈し、致死量は2gである。テルルにさらされると、呼気や汗がニンニク臭となる。眠気、食欲不振、吐き気を感じたり、発汗停止や皮膚炎を起こす。

53

I

ヨウ素／Iodine

同位体と存在比(%)	
^{123}I	0, EC, β^+, γ, 13.224h
^{125}I	0, EC, γ, 59.407d
^{127}I	100
^{128}I	0, β^-, β^+, EC, 24.99m
^{129}I	0, β^-, γ, 1.57×10^7y
^{131}I	0, β^-, γ, 8.0252d

電子配置	[Kr]$4d^{10}5s^25p^5$
原子量	126.90447
融点(K)	386.8(113.6℃)
沸点(K)	457.6(184.4℃)
密度($kg\cdot m^{-3}$)	4930(固体, 293K)
地殻濃度(ppm)	0.14

酸化数	−1	I^-, HI, KI
	0	I_2, I_3^-
	+1	ICl_2^-
	+3	I_4O_6, ICl_3
	+5	I_2O_5, HIO_3, IO_3^-, IF_5
	+7	H_5IO_6, HIO_4, IF_6

1																	18
1 H	2											13	14	15	16	17	2 He
3 Li	4 Be											5 B	6 C	7 N	8 O	9 F	10 Ne
11 Na	12 Mg	3	4	5	6	7	8	9	10	11	12	13 Al	14 Si	15 P	16 S	17 Cl	18 Ar
19 K	20 Ca	21 Sc	22 Ti	23 V	24 Cr	25 Mn	26 Fe	27 Co	28 Ni	29 Cu	30 Zn	31 Ga	32 Ge	33 As	34 Se	35 Br	36 Kr
37 Rb	38 Sr	39 Y	40 Zr	41 Nb	42 Mo	43 Tc	44 Ru	45 Rh	46 Pd	47 Ag	48 Cd	49 In	50 Sn	51 Sb	52 Te	53 I	54 Xe
55 Cs	56 Ba		72 Hf	73 Ta	74 W	75 Re	76 Os	77 Ir	78 Pt	79 Au	80 Hg	81 Tl	82 Pb	83 Bi	84 Po	85 At	86 Rn
87 Fr	88 Ra		104 Rf	105 Db	106 Sg	107 Bh	108 Hs	109 Mt	110 Ds	111 Rg	112 Cn	113 Nh	114 Fl	115 Mc	116 Lv	117 Ts	118 Og

ランタノイド (57〜71)	57 La	58 Ce	59 Pr	60 Nd	61 Pm	62 Sm	63 Eu	64 Gd	65 Tb	66 Dy	67 Ho	68 Er	69 Tm	70 Yb	71 Lu
アクチノイド (89〜103)	89 Ac	90 Th	91 Pa	92 U	93 Np	94 Pu	95 Am	96 Cm	97 Bk	98 Cf	99 Es	100 Fm	101 Md	102 No	103 Lr

ヨウ素は1811年、フランスのクールトアによって発見され、1813年にゲイ＝リュサックによって新元素であることが確認された。

ヨウ素自体の存在は、古代ギリシャや中国で、海藻中に含まれている甲状腺腫（がんではない）の治療に有効なものとして知られていたようである。ヨウ素の語源であるギリシャ語イオーデース

(iodes) はスミレ色という意味であり、ヨウ素が熱されたとき発する蒸気のスミレ色に由来する。日本語の沃素は明治期にドイツ語のJodを沃度と音訳したところからきており、漢字としての意味はない。

日本におけるヨウ素の歴史は江戸時代後期に見られる。1846年に医師の島立甫がコンブからヨウ素の抽出に成功したと、日本最古の化学書物で宇田川榕庵著『舎密開宗』(1837~1847年刊行)に新金属「伊阿沓母」(イオヂウム)という名前で紹介されている。

チリ硝石は0.3%のヨウ化カルシウム(CaI_2)を含んでいるのでヨウ素の原料として重要である。ヨウ素は海藻から得られていたが、最近では主として地下水に含まれるヨウ素イオン(I^-)を塩素で酸化し、それを昇華させて精製する方法によって得ている。世界のヨウ素の埋蔵量は620万tと推定され、日本はこのうちの約490万t、約8割を占めている。さらにその大半は千葉県で産出する。2020年の世界産出量は約3万tで、チリが約2万t、日本は約9000tを産出し、この2ヵ国で世界の約97%を占めている。

ヨウ素は黒紫色の非金属ハロゲン元素であり、水には溶けにくいが、クロロホルムやエタノールなどの有機溶媒によく溶けて紫色や茶褐色を示す。紫色を示す溶媒には、二硫化炭素(CS_2)、四塩化炭素(CCl_4)、クロロホルム($CHCl_3$)などがあり、茶褐色を示す溶媒にはベンゼン、エタノール、アセトンなどがある。しかし、ヨウ化カリウム(KI)水溶液にはヨウ素はよく溶ける。これは次の反応によるものである。

$$K^+ + I^- + I_2 \rightarrow K^+ + I_3^-$$

なお、ケガをしたときに用いるヨードチンキは、ヨウ化カリウムとヨウ素をアルコールと水の混合液に溶かしたものである。

ヨウ素の検出法として、ヨウ素デンプン反応が昔からよく知られている。ヨウ素の水溶液とデンプンを混ぜると青紫色となり、たいへん鋭敏な反応である。この青紫色は、デンプン分子のらせん構造の中央の筒の中にヨウ素分子が並んで入り込んでいるために生じていると考えられている。

ヨウ素は、タングステン（W）をフィラメントとする白熱灯に封入されている。これをハロゲンランプという（以前はヨウ素だけであったのでタングステン－ヨウ素ランプとよばれていたが、現在では臭素、塩素も用いられている）。

まず、点灯中の高温フィラメントからタングステンが蒸発してガラス壁へ向かう。その途中でヨウ素とタングステンが反応して化合物をつくる。この化合物は蒸気となり、ガラス壁がある程度熱いため付着せずに循環し、フィラメント近くまで戻ってくると、その高温により解離し、タングステンはフィラメントに戻る。

これによって、フィラメントをつくっているタングステンが蒸発してガラス壁に黒くこびりつく黒化が起こりにくくなる。また、タングステンの蒸発が結果的に抑制されているので、フィラメントの断線までほとんど１００％の明るさを維持できる。小型化が可能であるため腕時計の照明用電球にも用いられている。

ヨウ素は、メタルハライドランプにも用いられる。メタルハライドランプとは、水銀ランプの発光管の中に、他の金属を金属ハロゲン化物として添加することによって金属特有の色を出すものである。また、数種類の金属ハロゲン化物を混合すると高効率の白色光を得ることができる。たとえば、ヨウ化ナトリウム（波長５８９nm）、ヨウ化タリウム（波長５３５nm）、ヨウ化インジウム（波長４５１nm）の組み合わせでは、それぞれが赤色、緑色、青色の光（光の三原色）となっているために、組み合わせると白色光になる。

体重70kgの成人には、平均して11mgのヨウ素がある。日常の食事から摂取されるヨウ素の量は0・1〜0・2mgである。2mgで中毒症状を呈し、致死量は2〜3gである。

ヨウ素は必須微量元素の一つであり、一日の必要量は成人で0・2〜0・5mgである。

ヨウ素は海産食品に多く含まれ、海に近いところでは水、野菜などからもとれるので、四方を海に囲まれた日本では欠乏症はほとんどない。しかし、米国の大陸内部などでは不足しがちで、食塩にヨウ素を添加したものが販売されている。

ヨウ素はI^-の形で食物から小腸を経て血液中に入る。甲状腺に取り込まれたあと、ペルオキシダーゼの働きで、過酸化水素の存在下、ヨウ素分子(I_2)に酸化され、その後、非酵素的にチログロブリンという高分子量のタンパク質のチロシン残基がヨウ素化され、甲状腺ホルモンの前駆体が生成する。さらにこの後、甲状腺ホルモンであるチロキシンおよびトリヨードチロニンへと誘導される。ヨウ素は、いずれも乾燥重量100g中に、コンブで100〜300mg、ワカメで7〜24mg、ヒジキで20〜60mg、海産魚類には0・1〜0・3mg含まれている。

ヨウ素の欠乏はただちに甲状腺ホルモンの欠乏を招く。これが原因となって腫瘍になることもある。また、胎児期や新生児期に甲状腺ホルモンが欠乏すると、知能の遅れや発育障害をともなうクレチン病となる。

日常の甲状腺ホルモン欠乏ではエネルギー代謝の低下、運動機能の減退が起こる。ヨウ素の過剰摂取では甲状腺の肥大が起こるだけである。

1986年に起こったチェルノブイリ原発事故では放射性ヨウ素^{131}Iが多量に環境に放出された。甲状腺に取り込まれやすいヨウ素の性質から、事故後、周辺地域では甲状腺がんが多発している。

2011年には、東日本大震災の津波によって福島第一原子力発電所の事故が起こり、このときも環境中に放射性ヨウ素^{131}Iが放出された。このため、コウナゴなど、春先に成長の著しい魚や、ホウレンソウなどの農作物に放射性ヨウ素が検出され、摂食制限となった。２０１１年3月23日に観測した雨水中（屋根等に降下した放射性ヨウ素も一緒に測っている）には、５０００Bq／Lの放射性ヨウ素が検出されたが、４月19日には、８Bq／Lとなり、5月11日には、不検出となった。その後も放射性セシウムに関する問題もあり、長期にわたる対策が必要となっている。一方で、放射性物質に関する教育不足もあり、多くの誤解等が生じたことも、このような物質の社会的側面である。

ヨウ素は必須微量元素であるだけでなく、医薬品としての利用価値も高い。ヨウ素自体に殺菌、抗ウイルス作用があるので外用の殺菌消毒にヨードチンキ、ヨードホルムが使われている。その他、甲状腺ホルモン補給を目的とした薬品やX線造影剤、最近注目を浴びつつある核医学診断・治療分野での放射性ヨウ素を含む製剤などがある。サイクロトロンで作られる^{123}I（半減期13・２２４時間）を含む塩酸N－イソプロピル－４－ヨードアンフェタミンは、37～２２２MBqが投与されて、局所脳血流診断に使われる。また、^{131}Iが、バセドウ氏病のような甲状腺機能亢進症等に使われている。

54

Xe

キセノン／Xenon

同位体と存在比(%)			
^{124}Xe	0.095	^{131}Xe	21.232
^{125}Xe	0, EC, β^+, γ, 16.9h	^{132}Xe	26.909
^{126}Xe	0.089	^{133}Xe	0, β^-, γ, 5.2475d
^{127}Xe	0,EC, γ, 36.346d	^{134}Xe	10.436
^{128}Xe	1.910	^{135}Xe	0, β^-, 9.14h
^{129}Xe	26.401	^{136}Xe	8.857
^{130}Xe	4.071	^{137}Xe	0, β^-, 3.83m

電子配置	[Kr]$4d^{10}5s^25p^6$
原子量	131.293
融点(K)	161.3(−111.9℃)
沸点(K)	165.1(−108.1℃)
密度(kg・m^{-3})	3540(固体, 融点)
	2939(液体, 沸点)
	5.8971(気体, 273K)
地殻濃度(ppm)	0.000002

酸化数				
酸化数	0	$Xe_8(H_2O)_{46}$		
	+2	XeF_2	+4	XeF_4
	+6	XeO_3, $XeOF_4$, XeF_6		
	+8	XeO_4, XeO_3F_2, Ba_2XeO_6		

1	2	3	4	5	6	7	8	9	10	11	12	13	14	15	16	17	18
1 H																	2 He
3 Li	4 Be											5 B	6 C	7 N	8 O	9 F	10 Ne
11 Na	12 Mg											13 Al	14 Si	15 P	16 S	17 Cl	18 Ar
19 K	20 Ca	21 Sc	22 Ti	23 V	24 Cr	25 Mn	26 Fe	27 Co	28 Ni	29 Cu	30 Zn	31 Ga	32 Ge	33 As	34 Se	35 Br	36 Kr
37 Rb	38 Sr	39 Y	40 Zr	41 Nb	42 Mo	43 Tc	44 Ru	45 Rh	46 Pd	47 Ag	48 Cd	49 In	50 Sn	51 Sb	52 Te	53 I	54 Xe
55 Cs	56 Ba		72 Hf	73 Ta	74 W	75 Re	76 Os	77 Ir	78 Pt	79 Au	80 Hg	81 Tl	82 Pb	83 Bi	84 Po	85 At	86 Rn
87 Fr	88 Ra		104 Rf	105 Db	106 Sg	107 Bh	108 Hs	109 Mt	110 Ds	111 Rg	112 Cn	113 Nh	114 Fl	115 Mc	116 Lv	117 Ts	118 Og

ランタノイド(57〜71)	57 La	58 Ce	59 Pr	60 Nd	61 Pm	62 Sm	63 Eu	64 Gd	65 Tb	66 Dy	67 Ho	68 Er	69 Tm	70 Yb	71 Lu
アクチノイド(89〜103)	89 Ac	90 Th	91 Pa	92 U	93 Np	94 Pu	95 Am	96 Cm	97 Bk	98 Cf	99 Es	100 Fm	101 Md	102 No	103 Lr

キセノンは1898年、イギリスのラムゼーとトラバースによって発見された。液体空気の分留によって、最初にネオン（Ne）、次にクリプトン（Kr）が、そして最も揮発しにくい部分からキセノンが発見された。放射性元素ラドン（Rn）とのちに合成されるオガネソン（Og）を除き、すでに発見されていたヘリウム（He）とアルゴン（Ar）を含めて、貴ガス元素5種類はす

べてラムゼーが発見した。

キセノンの語源であるクセノス（xenos）は、ギリシャ語で異邦人やなじみにくいものという意味であり、キセノンの揮発しにくさを象徴している。キセノンはスズ（Sn）に次いで安定同位体の多い元素である。

貴ガスのキセノンは空気中には0・087ppmしか存在しない。酸素や窒素、アルゴンガスを空気から分離精製する過程で、低沸点副生成物をさらに蒸留して高純度のキセノンガスが得られている。キセノンの年間生産量は40t程度で、半導体製造や人工衛星のイオンエンジンなどへの需要が高まっているが、大量に生産することは容易ではない。

キセノンは、ヘリウム（ガラス壁をも透過）、ネオン、アルゴン、クリプトンと同様にゴム、ビニールなどを透過するので、容器には工夫が必要である。

深宇宙探査機、たとえば〝はやぶさ〟のイオンエンジンでは、静電荷電粒子による推進法が採用され、放射性のラドンを除いて、イオン化エネルギーが最も小さいキセノンが用いられた。

貴ガスについては、発見の当初から化合物をつくろうとする試みが多数なされてきた。しかし、思うように化合物はつくれず、そのため貴ガスは非常に不活性な元素であると考えられていた。初期には、少なくとも水（H_2O）やヒドロキノン（$C_6H_4(OH)_2$）とのファン・デル・ワールス相互作用によるクラスター化合物（一つの分子の格子構造の中に他の分子が入り込んでできる化合物）が知られてはいた。

その後、カナダのバートレットは、キセノンとヘキサフルオロ白金の蒸気との混合によって、常温で赤色の固体が得られることを見出し、$XePtF_6$であると報告した。これを機に貴ガス化合物の合成が行われ、種々のキセノンの化合物やいくつかのクリプトン、ラドンの化合物が得られるにいたった。

キセノンはフッ素分子（F_2）と反応してキセノンフッ化物を生じる。特にXeF_2はキセノンとフッ素ガスの混合気体に日光を当てるだけで無色の結晶として容易に得られる。

キセノンはその特性を活かして、光源用材料として広く用いられている。キセノンランプは、キセノンガスを透明な発光管内に封入し、電気エネルギーで発光させるものである。発光スペクトルは高い輝度をもち、スペクトル分布が紫外域から可視域を経て赤外域にまでわたり、きわめて自然昼光に似ている。キセノンランプの用途はストロボスコープ、スポットライト、内視鏡、集魚灯ほかきわめて広く、最近ではその視認性のよさを利用して自動車のヘッドライト用光源に用いられている。

キセノンやその他の貴ガスの隕石中の組成と同位体比を調べることにより、隕石の母天体とその年代を推定することができる。アポロ計画によって持ち帰られた月の岩石の貴ガス組成、バイキング探査船によって明らかとなった火星の大気のデータなどは、隕石の起源が月であったり、火星であったりすることを教えてくれる。

南極で見つかった隕石のうち、SNC隕石とよばれる隕石の貴ガス組成と同位体比の分析結果は、$^{40}Ar/^{33}Ar$が地球の10倍以上、$^{129}Xe/^{132}Xe$が地球の2倍以上の値を示し、バイキングの火星大気のデータとよく一致することから、SNC隕石の母天体が火星であるとされている。

タンパク質の構造を解析するには、高い電子密度をもつ元素をタンパク質結晶にしみ込ませてから、X線を当てる必要がある。これまで、ウランやタングステンなどの重い元素が用いられてきたが、最近の軌道放射光によるX線を用いた構造解析では、キセノンをタンパク質結晶にしみ込ませた後、極低温にするとキセノンが動かなくなり、タンパク質の構造を解析できる。同時に、キセノン程度の大きさの気体分子が、どのようにタンパク質に結合しているかなどがわかる。

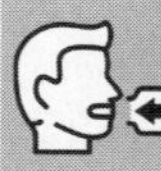

キセノンを含め、貴ガスは生体への影響は強くはない。しかし、多くの不活性ガス（特に有名なものは笑気ガス〈N_2O〉。不活性ガスは通常はヘリウムやネオンなどの貴ガス元素を指すが、反応に関与しない気体という意味で用いられることもある）と同様に、キセノンにも麻酔作用があることが１９４４年に報告された。このように、多くのガスに麻酔作用があることから、潜水時に生じる窒素酔いという言葉は、ガスナルコーシスと改められたが、そのメカニズムについてはわかっていない。

キセノンは、Ｘ線ＣＴにおいて、局所脳血流量および脳血流分布の測定に用いられている。キセノンはまた、核医学診断分野でも利用されている。原子炉でつくられる^{133}Xeは、肺の換気機能の検査に用いられている。

55

Cs

セシウム／C(a)esium

同位体と存在比(%)	
^{133}Cs	100
^{134}Cs	0, β^-, γ, EC, 2.0652y
^{135}Cs	0, β^-, 2.3×10^6y
^{137}Cs	0, β^-, γ, 30.08y

電子配置	[Xe]$6s^1$
原子量	132.90545196
融点(K)	301.59(28.44℃)
沸点(K)	944(671℃)
密度(kg・m^{-3})	1873(固体, 293K)
	1843(液体, 融点)
地殻濃度(ppm)	3

酸化数	+1	CsO_2, Cs_2O_2, CsOH, CsH, CsF, CsCl, Cs_2CO_3

1	2	3	4	5	6	7	8	9	10	11	12	13	14	15	16	17	18
1 H																	2 He
3 Li	4 Be											5 B	6 C	7 N	8 O	9 F	10 Ne
11 Na	12 Mg											13 Al	14 Si	15 P	16 S	17 Cl	18 Ar
19 K	20 Ca	21 Sc	22 Ti	23 V	24 Cr	25 Mn	26 Fe	27 Co	28 Ni	29 Cu	30 Zn	31 Ga	32 Ge	33 As	34 Se	35 Br	36 Kr
37 Rb	38 Sr	39 Y	40 Zr	41 Nb	42 Mo	43 Tc	44 Ru	45 Rh	46 Pd	47 Ag	48 Cd	49 In	50 Sn	51 Sb	52 Te	53 I	54 Xe
55 Cs	56 Ba		72 Hf	73 Ta	74 W	75 Re	76 Os	77 Ir	78 Pt	79 Au	80 Hg	81 Tl	82 Pb	83 Bi	84 Po	85 At	86 Rn
87 Fr	88 Ra		104 Rf	105 Db	106 Sg	107 Bh	108 Hs	109 Mt	110 Ds	111 Rg	112 Cn	113 Nh	114 Fl	115 Mc	116 Lv	117 Ts	118 Og

ランタノイド(57～71)	57 La	58 Ce	59 Pr	60 Nd	61 Pm	62 Sm	63 Eu	64 Gd	65 Tb	66 Dy	67 Ho	68 Er	69 Tm	70 Yb	71 Lu
アクチノイド(89～103)	89 Ac	90 Th	91 Pa	92 U	93 Np	94 Pu	95 Am	96 Cm	97 Bk	98 Cf	99 Es	100 Fm	101 Md	102 No	103 Lr

セシウムは１８６０年、ドイツの物理学者キルヒホッフ（電流に関するキルヒホッフの法則でも有名）と化学者ブンゼン（ブンゼンバーナーの発明者）によって鉱泉中より発見された。彼らは濃縮した鉱泉水の炎色反応の中に、それまで知られていたアルカリ金属（リチウム、ナトリウム、カリウム）化合物とは異なる２本の輝線スペクトルを見出した。分光器で観測した輝

線スペクトルが青色だったことから、灰青色を意味するラテン語「カエジウス（caesius）」に由来し、ブンゼンがセシウムと名づけた。

セシウムは分光分析（炎光分析）で発見された最初の元素であり、以後この方法でいくつかの元素が発見された。金属セシウムは、1881年にドイツのセッテルベルクにより単離された。

主要鉱石はポルックス石（$CsAlSi_2O_6$）である。紅雲母（リチウムを含む）にも含まれることから、工業的にはリチウム（Li）製造の副産物として得られる。海水中や温泉中にも見出される。ほとんどが+1の塩として存在し、代表的な化合物としてはCsX（Xはハロゲン）、ミョウバン類（$CsM(SO_4)_2 \cdot 12H_2O$〈Mは+3の金属〉）などがある。酸化物にはさまざまな組成と異なった色をもつものが知られている。たとえばCs_7Oは青銅色、Cs_4O赤紫色、$Cs_{11}O_3$紫色、CsO_2橙色などである。

セシウムはアルカリ金属元素の一つで、黄色がかった銀色でやわらかく展性に富む。反応性はアルカリ金属元素中最大で、空気中で常温でもただちに酸化され、高温では二酸化セシウム（CsO_2）となる。水とも爆発的に反応して水素を発生し、水酸化物となる。生じた水酸化セシウム（CsOH）は水酸化アルカリのうちで最もアルカリ性が強い。セシウムは窒素、炭素、水素と直接反応する。

セシウムは全元素中で最も陽性が強い。すなわち、イオン化エネルギー（原子または分子から1個の電子を奪い陽イオンになるときに必要とするエネルギー。イオン化電圧ともいう）や電子親和力（原子や分子が1個の電子と結合して陰イオンになるときに放出するエネルギー）が小さい。したがって、光が当たると電子を放出しやすくなるため（光電効果）、銀（Ag）やアンチモン（Sb）などとの合金にして光電管の材料として使われる。

そのほか、ヨウ化セシウム（CsI）は質量分析計の測定値校正用の標準物質、赤外線スペクトルのプリズム、X線蛍光スクリーンとして、ギ酸セシウム（HCOOCs）は石油採掘用の掘穿（くっせん）泥水（油井を採掘する際に用いる）として、水酸化セシウム（CsOH）は自動車バンパー・内装材用のポリウレタン原材料生産の触媒として用いられている。さらに、塩化セシウム（CsCl）や硫酸セシウム（Cs_2SO_4）などの溶液は、大きい比重を利用して核酸などの生体高分子を遠心分離する際に用いられている（密度勾配遠心法）。

セシウムは、現代のわれわれにとって非常に重要な役割を果たしている。

かつては、時間における「秒」は地球の自転を基準に決められていたが、１９６７年に、^{133}Cs原子を用いた定義に改められ、２０１９年5月20日からは、「単位s^{-1}（Hzに等しい）による表現で、非摂動・基底状態にある^{133}Cs原子の二つの超微細準位間の遷移による放射の周波数$\Delta\nu$を正確に９１９２６３１７７０と定めることによって定義される」と定められた。現在われわれが用いている時刻は、１９５８年1月1日零時の世界時を原点にして、セシウム原子時計による定義にもとづいて作り出された1秒を積み重ねていくことで決められている。しかしセシウム原子時計は、２０３０年に想定されている国際単位系の秒の再定義においては、誤差が３００億年に1秒程度といわれているストロンチウム光格子時計に置き換えられる可能性がある。

セシウムは動植物組織に微量に含まれるが、必須性は今のところ明らかではない。人体に対する中毒症状なども知られていない。ただし、核分裂生成物の一つである放射性同位元素の^{137}Csは壊変してγ線を出すため有害である。γ線は波長の短い電磁波で、波長が短いためエネルギーが高い。α線（ヘリウムの原子核）やβ線（電子・陽電子）に比べてはるかに物質透過力が高く、この透過力を利用してがん治療などに用いられ

るが、誤って体内に取り込まれると無差別にγ線が飛び出すため危険である。

^{137}Csは核爆発実験や原子力発電所事故によって生じる大量の核分裂生成物の中に含まれ、大気中で循環したあと、徐々に地上に降りてくる。２０１１年に起こった福島第一原子力発電所事故でも大量の^{137}Csが放出され、半減期が長いことから人体への影響が危惧されている（484ページのコラム35参照）。人体に吸収されると、化学的性質がカリウム（K）に似ているため筋肉などに集まる。腎臓を経て体外に排出されるまで3ヵ月〜半年かかると考えられており、その間、無差別に飛び出すγ線が体内被曝源となるためたいへん危険である。

植物は、必須栄養素であるカリウムと物理化学的性質の類似したセシウムを、カリウム輸送体によって競合的に土壌から取り込んでいる。セシウムイオンは、土壌に含まれる粘土鉱物表面のフレイドエッジサイト（Frayed edge site）とよばれる部位の大きさと同じであるため、そこに吸着されて、土壌中ではほとんど移動しない。そのため、カリウムイオンが多い自然環境中では、植物はセシウムイオンをわずかしか吸収しないが、放射性セシウムでは微量でも問題となってしまう。

１９８６年のチェルノブイリ原発事故以後、周辺の欧州地域では^{137}Csがキノコに高濃度に濃縮されていることがわかった。福島第一原発事故以降の東北地方でも、キノコへの^{137}Csの蓄積が問題となっている。安定な^{133}Csも同様にキノコに濃縮される。なぜキノコがセシウムを濃縮するのかはまだ明らかにされていないが、セシウムを取り込む量は種による違いが大きいことがわかってきている。

Column 15

「アルカリ」の語源

セシウムはアルカリ金属の仲間である。「アルカリ」という言葉をつくったのは、中世の錬金術師ゲーベルといわれている。アルカリは、英語ではalkaliと書かれ、その語源はアラビア語のal-qilyにあるとされている。alは定冠詞で、qilyは、特にオカヒジキ属の植物を焼いた灰のことを指している。オカヒジキは、海岸の砂浜に群落をつくるアカザ科の一年草であり、日本でも各地に見られる。海藻のヒジキに似ているので、この名前がつけられた。植物の灰は、海藻では炭酸ナトリウム（Na_2CO_3）、陸の植物では炭酸カリウム（K_2CO_3）が主成分だが、これらをまとめてアルカリとよんでいる。その後、水に溶けて塩基性を示す、すなわち赤色リトマスを青色に変える物質を総称して、アルカリという言葉が使われるようになった。化合物には、水酸化カリウム、水酸化ナトリウムやアンモニアなどが挙げられる。

56 Ba

バリウム／Barium

同位体と存在比(%)			
^{130}Ba	0.11	^{135m}Ba	0, IT, γ, 28.11h
^{131}Ba	0,EC, β^+, γ, 11.50d	^{136}Ba	7.85
^{132}Ba	0.10	^{137}Ba	11.23
^{133}Ba	0, EC, γ, 10.551y	^{138}Ba	71.70
^{134}Ba	2.42	^{139}Ba	0, β^-, γ, 82.93m
^{135}Ba	6.59	^{140}Ba	0, β^-, γ, 12.75d

電子配置	[Xe]$6s^2$
原子量	137.327
融点(K)	1002(729℃)
沸点(K)	2171(1898℃)
密度($kg\cdot m^{-3}$)	3594(固体, 293K)
	3325(液体, 融点)
地殻濃度(ppm)	500

酸化数		
酸化数	+2	BaH_2, BaO, $Ba(OH)_2$, BaO_2(ペルオキシド), BaF_2, $BaCl_2$, $BaCO_3$, $BaSO_4$

1	2	3	4	5	6	7	8	9	10	11	12	13	14	15	16	17	18
1 H																	2 He
3 Li	4 Be											5 B	6 C	7 N	8 O	9 F	10 Ne
11 Na	12 Mg											13 Al	14 Si	15 P	16 S	17 Cl	18 Ar
19 K	20 Ca	21 Sc	22 Ti	23 V	24 Cr	25 Mn	26 Fe	27 Co	28 Ni	29 Cu	30 Zn	31 Ga	32 Ge	33 As	34 Se	35 Br	36 Kr
37 Rb	38 Sr	39 Y	40 Zr	41 Nb	42 Mo	43 Tc	44 Ru	45 Rh	46 Pd	47 Ag	48 Cd	49 In	50 Sn	51 Sb	52 Te	53 I	54 Xe
55 Cs	56 Ba		72 Hf	73 Ta	74 W	75 Re	76 Os	77 Ir	78 Pt	79 Au	80 Hg	81 Tl	82 Pb	83 Bi	84 Po	85 At	86 Rn
87 Fr	88 Ra		104 Rf	105 Db	106 Sg	107 Bh	108 Hs	109 Mt	110 Ds	111 Rg	112 Cn	113 Nh	114 Fl	115 Mc	116 Lv	117 Ts	118 Og

ランタノイド(57〜71)	57 La	58 Ce	59 Pr	60 Nd	61 Pm	62 Sm	63 Eu	64 Gd	65 Tb	66 Dy	67 Ho	68 Er	69 Tm	70 Yb	71 Lu
アクチノイド(89〜103)	89 Ac	90 Th	91 Pa	92 U	93 Np	94 Pu	95 Am	96 Cm	97 Bk	98 Cf	99 Es	100 Fm	101 Md	102 No	103 Lr

バリウムを含む鉱石は17世紀から知られており、イタリア・ボローニャの靴職人で錬金術師のカッシャローロが、パテルノ山でとれる光沢のある重い石を炭と灼熱すると、暗所で赤く光ることを見出していた。今でいう硫化バリウムリン光体である。

この「ボローニャ石」の発光源を新元素として1808年に突きとめたのは、イギリスの化学者デービーである。デービーは8年前に発明されたボルタの電池を用いた電気分解により金属バリウムを得ていたが、すでに知られていた同族元素（ベリリウム〈Be〉、マグネシウム〈Mg〉、カルシウム〈Ca〉、ストロンチウム〈Sr〉。なお、マグネシウム、カルシウム、ストロンチウムはデービーにより同年に単離された）に比べて重いことから、ギリシャ語の「重い」（barys）に由来してバリウムと名づけた。デービーの得たものは水銀アマルガムで、完全に純粋な状態ではなかった。

純粋な金属バリウムは、1855年にブンゼンが溶融塩化バリウムを電気分解することにより得た。

バリウムは単体として自然に遊離して存在することはないが、化合物は地殻に比較的多量に含まれる（第14位、巻末付録530ページ参照）。主要鉱石は重晶石（$BaSO_4$）、毒重土石（$BaCO_3$）である。安定なものは+2イオンとして存在し、イオン半径は1.42Åと同じ第6周期のアルカリ金属元素のセシウム（Cs、

アルカリ金属元素	Li	Na	K	Rb	Cs	
第一イオン化電圧（eV）	5.392	5.139	4.341	4.176	3.894	
第二イオン化電圧（eV）	75.640	47.286	31.632	27.28	23.16	
原子半径（Å）	1.57	1.91	2.35	2.50	2.72	
イオン半径（M^+）（Å）	0.76	1.02	1.38	1.52	1.67	
アルカリ土類金属元素	**Be**	**Mg**	**Ca**	**Sr**	**Ba**	**Ra**
第一イオン化電圧（eV）	9.323	7.646	6.113	5.695	5.212	5.279
第二イオン化電圧（eV）	18.211	15.035	11.872	11.03	10.004	10.147
原子半径（Å）	1.12	1.60	1.97	2.15	2.22	2.21
イオン半径（M^{2+}）（Å）	0.27	0.72	1.00	1.26	1.42	1.48

表56-1　アルカリ金属とアルカリ土類金属の比較（CRC Handbook等のデータによる）

1・57Å）よりは小さい。

アルカリ土類金属は、同一周期のアルカリ金属元素よりも電子が一つ多く入っているため、原子半径は大きくなると予想される。しかし、実際には、電子が原子核に強く引きつけられるため、アルカリ土類金属元素の原子半径はアルカリ金属元素のそれよりも小さくなる。イオンの場合は、アルカリ土類金属元素の電荷が+1ずつ増えるので、この傾向はいっそう強くなる（表56-1）。

バリウムは歴史的に重要な発見の一翼を担った元素でもある。1938年にドイツのハーンとシュトラスマンは、ウラン（U）に中性子を照射すると、ウランよりはるかに原子番号の小さいバリウムが検出されることを発見した。この発見が原子核分裂を証明することとなり、原子力エネルギー利用への道を開くこととなった。

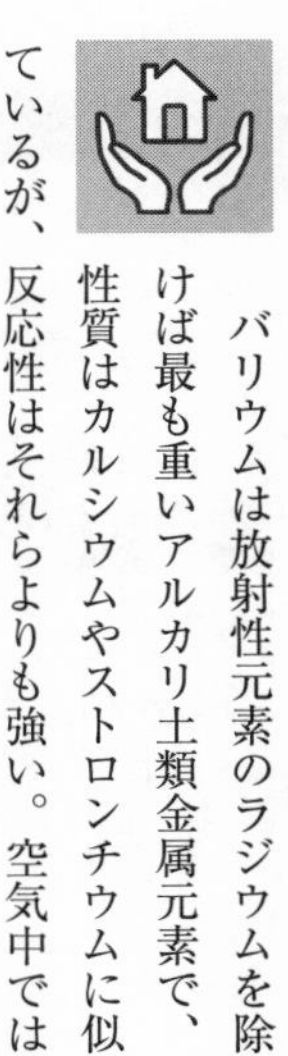

バリウムは放射性元素のラジウムを除けば最も重いアルカリ土類金属元素で、性質はカルシウムやストロンチウムに似ているが、反応性はそれらよりも強い。空気中では常温で表面が酸化され、高温では酸化バリウム（BaO）と窒化バリウム（Ba_3N_2）を生ずる。水と激しく反応し、水素を発生して溶ける。

バリウムと気体との強い反応性を利用して、真空系から残留ガスを取り除き高真空を維持するためのゲッター（ガス分子吸着剤）として用いられる。

バリウムの化合物は幅広く活用されているが、炎色反応が緑であることから、硝酸バリウム（$Ba(NO_3)_2$）は花火の材料として用いられる。硫酸バリウム（$BaSO_4$）の溶液は比重が大きいことから、油井の採掘の際に掘穿泥水として破砕した岩石の屑を浮き上がらせて取り除くのに用いられている。

高温超伝導体の代表的なものとして、バリウムを含むＹＢＣＯ（イットリウム－バリウム－銅酸化物）がある。

白色ＬＥＤ（light-emitting diode）ランプは、青色、黄色、緑色や赤色ＬＥＤを組み合わせてつくられるが、最近、青色や緑色のＬＥＤ用蛍光体にバリウムが用いられている。

バリウムといえば健康診断などで消化器検診時に飲む白い液体「バリウムがゆ」が思い出される。バリウムがゆは、硫酸バリウムに粘着剤を加えて水に懸濁したもので、バリウムのＸ線に対する不透明性を利用して、そのままでは写らない組織の輪郭を明瞭にするために服用する。経口投与された硫酸バリウムの毒性は低い。これは、硫酸バリウムが水や希酸に溶けないためである。

しかし、水溶性のバリウム化合物は強い毒性をもち、殺鼠剤、殺虫剤などに用いられる。カルシウムとよく似た性質をもつバリウムのイオン（Ba^{2+}）が体内に取り込まれると、細胞膜の透過性あるいは極性に変化を起こす。その結果、骨格筋麻痺、低カリウム血症、胃腸障害、高血圧、不整脈などが引き起こされる。これは、Ba^{2+}がK^{+}イオンチャネルの拮抗剤として働き、神経系が適切な機能を失うためである。重篤な場合には呼吸器筋肉の麻痺により死にいたることがある。成人に対する経口致死量は１～15ｇである。

毒性の強いバリウムであるが、自然界では植物、海藻、海産動物などに含まれている。積極的にバリウムを利用している生物もいる。チリモ科のある藻類は、幼生時に水底へ潜って捕食者から逃れるための重りとして、またある種の繊毛虫は重力センサーとして硫酸バリウムを体内に取り込み、利用しているといわれている。なぜバリウムを使うのかはっきりした理由はわからないが、バリウム化合物が「重い」こと、また地殻中に比較的多量に含まれることから進化の過程で利用しやすかったためであろう。

57 La

ランタン／Lanthanum

同位体と存在比(%)	
^{132}La	0, β^+, γ, 4.8h
^{133}La	0, EC, β^+, γ, 3.912h
^{135}La	0, EC, β^+, γ, 19.4h
^{137}La	0, EC, 6×10^4y
^{138}La	0.08881, EC, β^-, γ, 1.05×10^{11}y
^{139}La	99.91119
^{140}La	0, β^-, γ, 1.67855d
^{141}La	0, β^-, γ, 3.92h

電子配置	[Xe]$5d^16s^2$
原子量	138.90547
融点(K)	1193(920℃)
沸点(K)	3734(3461℃)
密度(kg・m^{-3})	6145(298K)
地殻濃度(ppm)	32

酸化数	+3	La_2O_3, $LaCl_3$, $La(OH)_3$, LaF_3, LaOCl

	1	2	3	4	5	6	7	8	9	10	11	12	13	14	15	16	17	18
	1 H																	2 He
	3 Li	4 Be											5 B	6 C	7 N	8 O	9 F	10 Ne
	11 Na	12 Mg											13 Al	14 Si	15 P	16 S	17 Cl	18 Ar
	19 K	20 Ca	21 Sc	22 Ti	23 V	24 Cr	25 Mn	26 Fe	27 Co	28 Ni	29 Cu	30 Zn	31 Ga	32 Ge	33 As	34 Se	35 Br	36 Kr
	37 Rb	38 Sr	39 Y	40 Zr	41 Nb	42 Mo	43 Tc	44 Ru	45 Rh	46 Pd	47 Ag	48 Cd	49 In	50 Sn	51 Sb	52 Te	53 I	54 Xe
	55 Cs	56 Ba		72 Hf	73 Ta	74 W	75 Re	76 Os	77 Ir	78 Pt	79 Au	80 Hg	81 Tl	82 Pb	83 Bi	84 Po	85 At	86 Rn
	87 Fr	88 Ra		104 Rf	105 Db	106 Sg	107 Bh	108 Hs	109 Mt	110 Ds	111 Rg	112 Cn	113 Nh	114 Fl	115 Mc	116 Lv	117 Ts	118 Og
ランタノイド (57～71)				57 La	58 Ce	59 Pr	60 Nd	61 Pm	62 Sm	63 Eu	64 Gd	65 Tb	66 Dy	67 Ho	68 Er	69 Tm	70 Yb	71 Lu
アクチノイド (89～103)				89 Ac	90 Th	91 Pa	92 U	93 Np	94 Pu	95 Am	96 Cm	97 Bk	98 Cf	99 Es	100 Fm	101 Md	102 No	103 Lr

ランタンからルテチウム（Lu）までの15元素を希土類元素（広義にはスカンジウム〈Sc〉とイットリウム〈Y〉を含む17元素）、またはランタノイド（ランタニド）という。

「希土類元素（レアアース）」という名前は、存在がまれな元素という意味でつけられ、純粋に取り出すことが難しかったために存在が少ないものと信じられていたことに由来している。

実際には、火成岩中でコバルトや亜鉛程度、少ないものでも金、銀よりは多く含まれており、スカンジウムを除けば資源としてはむしろ豊富で希土類とよぶのは適当ではないが、現在でも希土類という名前でよばれている。希土類元素には他の元素では代用できない機能をもっているものが多いので、希土というイメージが現代でも通用するのであろう。

ランタノイドはランタンのようなものという意味で、ランタンからルテチウムまでの希土類元素がランタンと非常によく似た性質をもっていることに由来している。

メンデレーエフの周期表の一つの枠にはただ一つの元素が入るが、ランタノイドはこの点、特異である。ランタンの枠の中に、あと14個ものランタノイド元素が席を占めている。このままでは見にくいので、ランタノイドは周期表の下欄に並べられることになった。「希土類元素がいくつあるのか」「なぜ1個の枠に多数の元素が入るのか」とメンデレーエフの頭を悩ませた問題は、当時は明らかでなかった4f電子によるものであることが後年明らかになった。

ランタノイドに特徴的な4f電子軌道は、5sや5p軌道よりも内側にあるのが特徴である。4f電子軌道は7個の軌道をもつので、合計14個の電子が収容できる（一つの軌道には二つの電子が入る）。

15種のランタノイドは、通常+3であり、ランタンからルテチウムまで4f電子を0～14個収容している（表57－1）。+2あるいは+4などの異常な酸化数は、4f電子が空（0個、Ce^{4+}）、半分充満（7個、Eu^{2+}）のときのみ安定である。セリウム（Ce）から電子が1個ずつ内側の4f電子軌道に入るとき、化学結合の特徴を示す外側の軌道5s、5pは各元素とも同じため、+3のランタノイドは同様な化学的性質をもっている。これが希土類元素を発見する際に化学者を悩ませ、かつ混乱をもたらした原因であった。

原子半径は溶解度など元素の化学的性質を決めるうえで重要な役割を担っている。

原子番号	元素名	元素記号	内殻	外殻電子			イオン半径 (R^{3+} Å)	外殻 (+3イオン)			イオンの色 (+3イオン)
				4f	5d	6s		4f	5d	6s	
57	ランタン	**La**	[Xe]*	0	1	2	1.172	0	0	0	無
58	セリウム	**Ce**		1	1	2	1.15	1	0	0	無 (+4, 橙赤)
59	プラセオジム	**Pr**		3	0	2	1.13	2	0	0	緑
60	ネオジム	**Nd**		4	0	2	1.123	3	0	0	淡紫
61	プロメチウム	**Pm**		5	0	2	1.11	4	0	0	桃
62	サマリウム	**Sm**		6	0	2	1.098	5	0	0	黄
63	ユウロピウム	**Eu**		7	0	2	1.087	6	0	0	淡桃 (+2, 淡褐)
64	ガドリニウム	**Gd**		7	1	2	1.078	7	0	0	無
65	テルビウム	**Tb**		9	0	2	1.063	8	0	0	淡桃
66	ジスプロシウム	**Dy**		10	0	2	1.052	9	0	0	黄
67	ホルミウム	**Ho**		11	0	2	1.041	10	0	0	淡黄
68	エルビウム	**Er**		12	0	2	1.033	11	0	0	桃
69	ツリウム	**Tm**		13	0	2	1.020	12	0	0	淡緑
70	イッテルビウム	**Yb**		14	0	2	1.008	13	0	0	無
71	ルテチウム	**Lu**		14	1	2	1.001	14	0	0	無

*キセノン（Xe）の電子配置：$1s^22s^22p^63s^23p^63d^{10}4s^24p^64d^{10}5s^25p^6$

表 57-1　希土類元素（ランタノイド）の性質

ランタンから始まるランタノイドでは、電子の増加が最外殻軌道ではなく4f電子軌道で起こる。原子核の電荷（プラス）の増加によって電子（マイナス）が強く引きつけられる効果のほうが大きくなるため、ランタノイドでは、原子番号が増えるにしたがって原子半径、イオン半径は減少する。これは「ランタノイド収縮」とよばれている。

イオン半径が大きく軽いランタノイド前半のランタン（La）～ユウロピウム（Eu）を軽希土類、イオン半径が小さく重いランタノイド後半のガドリニウム（Gd）～ルテチウム（Lu）は重希土類という。

希土類元素の歴史は１７９４年のイットリウム（Y）の発見に始まるが、１００件以上の元素発見の報告の中で正しかったのはわずか10件という混乱の歴史が続いた。その原因の一つは元素の混合物を新しい元素と間違えたためで、性質が似ているものをうまく分離する方法がなかったことによる。当時は再結晶といって、粉末を加熱し、溶かして濾過（ろか）した後、冷やして物質を析出させる方法しかなく、何百回、何千回と再結晶を繰り返して分離を行ったが、溶解度が近い物質の分離は困難であった。

１７９４年にガドリン（フィンランド）は新しい元素（イットリウムの酸化物）を報告した。このとき分析に用いた鉱物（セリウムが主成分）から、１８０３年にベルセーリウスとヒージンガー（スウェーデン）、クラプロート（ドイツ）らが独自にセリウムを発見し、１８３９年にはモサンデル（スウェーデン）が、師ベルセーリウスが検出した硝酸セリアとよばれた物質を熱分解後、酸で抽出して、

図57-1　モサンデル（1797 – 1858）

新元素ランタンの酸化物（ランタナ、La_2O_3）を得た。

ランタンという名前はギリシャ語のlanthanein（隠れる）に由来している。後年、モサンデルが得たランタンに、さらに隠れた元素（サマリウム、ユウロピウム、プラセオジム、ネオジム）があることが判明した。

ランタンは希土類元素ではセリウム（Ce）、ネオジム（Nd）に次いで3番目に地殻に多い（セリウム68ppm、ネオジム38ppm、ランタン32ppm）。工業的にはモナズ石（リン酸塩）、バストネサイト（フッ化炭酸塩）から抽出・沈殿により酸化物として得られる。途中で得られるミッシュメタルとよばれる希土類元素の混合物合金（25％含まれるランタンとセリウム、ネオジムが主成分）は安価なため発火合金、ガラスの研磨剤、鉄鋼への添加剤として重要な製品原料となっている。ミッシュメタルに鉄を30％加えたものが発火合金であり、衝撃によって火花を出すので使い捨てライター等の点火部に用いる。
ランタンはランタノイド中、周期表のいちばん左に位置し、陽子数が少ないために核中の陽子と電子がプラスとマイナスで引き合う力が小さく、希土類元素中では最も大きなイオン半径をもっている。ランタノイドでは唯一色がなく、磁性をもたない（反磁性である）。これはランタンが4f電子軌道に電子をもたないことによっている。
希土類元素は工業的には、
①4f電子の特性
②イオン半径、電荷、あるいは化学的性質の中から都合のよい性質
が利用されている。

ランタンの場合には、どちらかといえば②が利用され、蛍光体、レーザー、硫黄や酸素のセンサー、セラミックス、水素吸蔵合金、あるいは電子ビームの陰極材料をつくるのに用いられている。また、①の特性から、色がないことを利用して高い屈折率の

光学レンズや、高周波をよく通すセラミックコンデンサに用いられる。

ランタンはまた、アーク溶接において放射性のトリウム（Th）に代わる電極材料として有用である。1・05×10^{11}年の半減期をもつ^{138}Laは岩石の年代測定に利用されている。

石油は有限のエネルギー資源であり、人類の未来のエネルギー源は水素（H_2）と酸素（O_2）を使った燃料電池といわれている。燃料電池の構造は、水素と酸素（あるいは空気）を反応させて電気を取り出すもので、水の電気分解の逆を行うものである。もともと燃料電池は宇宙での使用を考えて開発され、アポロ宇宙船などに利用されていた。爆発性の水素を安全に扱うために水素を安全に貯蔵することが必要であるが、ここに金属ランタンとニッケルの合金（$LaNi_5$）が使われている。ハイブリッド車には1台に10kg近い希土類が使われている。たとえばバッテリーには、充放電が速く、安全性が高いニッケル－水素電池が使われている。水素は負極のランタンMと結合したMH（$LaNi_5H_6$）の形で蓄えられ、NiOOHと組み合わされて放電するとMと$Ni(OH)_2$になり、充電すると元に戻る。コストダウンのため、ランタンを含む混合物のミッシュメタルも使われる。

水素吸蔵のメカニズムは次のように考えられている。気体の水素は原子2個が結合しているが、吸蔵合金の表面では結合が切れて原子がばらばらに金属と結合する。小さな水素原子は金属原子間の大きな隙間を自由に移動でき、高温低圧で元の分子に戻るしくみである。

酸化ランタン（La_2O_3）を含むガラス（SiO_2）は屈折率が高く、カメラや望遠鏡のレンズとして有用である。ホウ化ランタン（LaB_6）は高輝度の電子線源として電子顕微鏡などで利用されている。臭化ランタン（$LaBr_3$）は発光量が大きく減衰時間が短いためＰＥＴ（Positron Emission Tomography）用のシンチレータとして注目されている。

近年、さまざまなセンサーが開発されている。応力が加わると電圧を発生する物質である圧電体（ピエゾ素子）は、車の燃料噴射やインクジェットプリンタに使われているが、チタン酸ジルコン酸鉛（PZT）にランタンを加え、PLZTとよばれる$(Pb,La)(Zr, Ti)O_3$が使われている。高純度のPLZTは透明であり、光シャッター等の電気光学素子として使用される。

石油は、使用用途の少ない重油を分解し、用途の多いガソリン等として用いる。このとき使われる触媒は、石油と一緒に移動するFCC触媒（流動接触分解触媒）とよばれ、六員環が連続した特定の形をもったゼオライト（$Na_2O \cdot Al_2O_3 \cdot nSiO_2$）のナトリウムにランタン、セリウムを組み込んだものが使用されている。

リニアモーターカーに使われる超電導磁石は、液体ヘリウムなどの寒剤なしで使える銅酸化物やレブコ（REBCO）とよばれる$REBa_2Cu_3O_y$（REはGd、Eu、Smなどの希土類元素、yは整数）を中心に開発がシフトしており、線材形成まで開発が進行している。この他、ランタン水素が高圧下ではほぼ室温で超電導となるなどの新しい開発も進んでいる。

透析患者は、腎臓から食事に含まれるリン酸を排出できないため、摂取したリン酸を除去する必要がある。炭酸ランタン（$La_2(CO_3)_3$）は、リン酸とリン酸ランタン（$La_2(HPO_4)_3$）の難溶性沈殿を作るため、リン酸除去に用いられる。消化器官からほとんど吸収されず、通常用いられる陰イオン交換樹脂に比べ、副作用が小さい利点がある。

ある種の細菌は、ランタンが結合した酵素をもっていることが見出された。ランタンは酵素に強く取り込まれて、酵素の構造をカルシウム酵素と同様に制御しており、生体金属酵素の一種と考えられた。希土類元素にも生体必須元素の可能性があることで注目されている。

Column 16

水の電気分解を発見した人
——ウィリアム・ニコルソン

水素ガスと酸素ガスを混ぜて点火すると爆発して水になるが、水を電気分解すると水素と酸素になるとわかったのは、さほど昔ではない。この事実を発見したのがウィリアム・ニコルソンで、約220年前の出来事である。1753年にロンドンに生まれたニコルソンは、30歳で哲学者協会「コーヒーハウス」に就職してフランスの化学者ラボアジェとも知己を得た。当時の英国社会に、誰もが自由に意見発表できる場がないことを憂慮したニコルソンは1797年、科学誌「自然哲学・化学・技芸」を創刊した。当時の一般市民の科学リテラシーを高めた画期的な企画で、英国の科学発展を大きく後押しした。

イタリア人のボルタが1800年にボルタ電池を発明した数ヵ月後、ニコルソンは外科医の友人カーライルとともに、ボルタ電池の両極を薄い水酸化ナトリウム水溶液に浸す実験を行った。すると水が電気分解され、酸素と水素が体積比1（陽極）対2（陰極）で発生したのである。当時の産業社会はこの発見を活用するには未成熟で、ニコルソンが経済的利益を得ることはなかった。

水素は燃えると水になり、二酸化炭素を出さないため、今や脱炭素社会のエネルギー源として注目を集めている。現在の水素の工業的生産では、水の電気分解によって水素がつくられるのではなく、製鉄に使うコークス製造の副産物として製造されている。しかし、ニコルソンらによる水の電気分解は、現代の脱炭素社会の扉を開いた貴重な発見といえる。

58 Ce

セリウム／Cerium

同位体と存在比(%)			
^{132}Ce	0, EC, γ, 3.51h	^{139}Ce	0, EC, γ, 137.63d
^{133}Ce	0, EC, β^{+}, γ, 97m	^{140}Ce	88.449
^{134}Ce	0, EC, γ, 75.9h	^{141}Ce	0, β^{-}, γ, 32.511d
^{135}Ce	0, EC, β^{+}, γ, 17.7h	^{142}Ce	11.114
^{136}Ce	0.186	^{143}Ce	0, β^{-}, γ, 33.039h
^{137}Ce	0, EC, β^{+}, γ, 9.0h	^{144}Ce	0, β^{-}, γ, 284.8d
^{138}Ce	0.251		

電子配置	[Xe]$4f^15d^16s^2$	
原子量	140.116	
融点(K)	1072(799℃)	
沸点(K)	3699(3426℃)	
密度(kg・m^{-3})	8240(α固体, 298K)	6749(β固体, 298K)
	6773(γ固体, 298K)	6700(δ固体, 298K)
地殻濃度(ppm)	68	

酸化数		
酸化数	+3	Ce_2O_3, $Ce(OH)_3$, CeF_3, $CeCl_3$, $Ce(NO_3)_5^{2-}$
	+4	CeO_2, CeF_4, $Ce(SO_4)_2$, $CeCl_6^{2-}$, $Ce(NO_3)_6^{2-}$

1	2	3	4	5	6	7	8	9	10	11	12	13	14	15	16	17	18
1 H																	2 He
3 Li	4 Be											5 B	6 C	7 N	8 O	9 F	10 Ne
11 Na	12 Mg											13 Al	14 Si	15 P	16 S	17 Cl	18 Ar
19 K	20 Ca	21 Sc	22 Ti	23 V	24 Cr	25 Mn	26 Fe	27 Co	28 Ni	29 Cu	30 Zn	31 Ga	32 Ge	33 As	34 Se	35 Br	36 Kr
37 Rb	38 Sr	39 Y	40 Zr	41 Nb	42 Mo	43 Tc	44 Ru	45 Rh	46 Pd	47 Ag	48 Cd	49 In	50 Sn	51 Sb	52 Te	53 I	54 Xe
55 Cs	56 Ba		72 Hf	73 Ta	74 W	75 Re	76 Os	77 Ir	78 Pt	79 Au	80 Hg	81 Tl	82 Pb	83 Bi	84 Po	85 At	86 Rn
87 Fr	88 Ra		104 Rf	105 Db	106 Sg	107 Bh	108 Hs	109 Mt	110 Ds	111 Rg	112 Cn	113 Nh	114 Fl	115 Mc	116 Lv	117 Ts	118 Og

ランタノイド(57〜71)	57 La	58 Ce	59 Pr	60 Nd	61 Pm	62 Sm	63 Eu	64 Gd	65 Tb	66 Dy	67 Ho	68 Er	69 Tm	70 Yb	71 Lu
アクチノイド(89〜103)	89 Ac	90 Th	91 Pa	92 U	93 Np	94 Pu	95 Am	96 Cm	97 Bk	98 Cf	99 Es	100 Fm	101 Md	102 No	103 Lr

1794年にガドリンによってイットリウムが報告された鉱物から1803年、ベルセーリウスとヒージンガー（スウェーデン）、クラプロート（ドイツ）らは独自に新しい元素の酸化物を分離した。

そして、元素の発見当時（1801年）に準惑星一号として発見され、ローマ神話の女神ケレス（Ceres）の名をとって命名された準惑星ケレスにちなみ、「セリウム」と名づけた。異なる国の科学者が最初の発見者であることを争った最初の元素となった。

セリウムは、地殻には希土類元素中最も多く含まれることもあって、ランタノイドでは最初に発見された。とはいうものの、実際にはセリウムからガドリニウム（Gd）にいたる複雑な混合物であることが後年明らかにされ、1839年モサンデル（スウェーデン）がセリウムとランタンを分離するまで純粋なセリウムは得られなかった。

図58-1　クラプロート
（1743 – 1817）
（Science & Society Picture Library／アフロ）

セリウムは主としてバストネサイト（フッ化炭酸塩）からとれるが、セリウムを主成分とする鉱石（セル石）は元素発見に大きく貢献した。鉱石から一つの希土類元素を分離精製するのは容易ではないが、セリウムの場合は希土類元素では唯一+4が安定なことを利用して容易に分離精製できる。

+3のセリウムは4f電子を1個もっているため、常磁性（磁石としての性質）を示す。セリウムなどの希土類元素を含む金属間化合物には、4f電子と伝導電子が絡みあって磁性や超伝導など多彩な性質を示す重い電子系とよばれる物質群がある。重い電子系（金属的な電気伝導を示すにもかかわらず、電子間の相互作用が非常に強いために伝導電子の質量が自由電子の質量に比べて数百倍から1000倍も重くなる物質群）の一つである$CeCu_2Si_2$（1979年発見）の超電導が、長年信じられてきた磁気的なゆらぎにもとづく機構では説明できないことがわかり、興味がもたれている。

他の希土類元素同様+3の化合物が一般的である

が、安定な+4の化合物がセリウムを特徴づけている。これはランタン（La）の項でも説明したように、セリウムは+4のとき4f軌道の電子が空になるためである。金属あるいは金属塩を加熱して得られる酸化セリウムはすべて+4のCeO_2となる。

+3のCe_2O_3は特殊な条件でつくられるが、+4を不純物として含む。+3のセリウム水溶液を空気にさらしておくと、空気中の酸素によって酸化されて+4セリウムが生成する。

+4のセリウム塩として硝酸セリウムアンモニウム（$(NH_4)_2Ce(NO_3)_6$）は酸化還元滴定によく用いられ、セリウム+4が、たとえば鉄+2を酸化して+3にするとともに、自らは+3になる。

工業的に重要なのはガラスの研磨剤であり、酸化セリウム（CeO_2）がおもに用いられる。単に硬度が高いだけでなく、酸化セリウムがガラスと化学反応を起こす化学機械研磨（Si—O—Ce—Oを形成）が重要であり、半導体基板や液晶パネル、宝石の研磨に用いられる。半導体の研磨は高集積に必須である。

酸化セリウムは紫外線をよく吸収するため、紫外線吸収ディスプレイや車のUVカットガラス、紫外線吸収用化粧品にも用いられる。また、ガラスの不純物として含まれる黒っぽい+2の鉄（FeO）を酸化して、透明度の高いガラスをつくるガラスの色消しにも役立つ。

酸化セリウム中の活性化された酸素は、車の排ガス中の炭化水素（HC）、一酸化炭素（CO）、ノックス（NOx）を素早く酸化・還元するのを助ける。このため、車の排ガスをクリーンにする白金、パラジウム、ロジウムからなる触媒の量を低減でき、注目されている。アーク溶接には酸化セリウム入りタングステン電極が用いられる。また、部分的に還元された酸化セリウム（CeO_{2-x}）は酸素を取り込むので、脱酸素剤として使われている。

セリウムに電子ビームを当てると青色に発光する

ため、ブラウン管に利用されてきた。近年ではＹＡＧ（ヤグ）（217ページ参照）結晶$Y_3Al_5O_{12}$にセリウムを添加した黄色蛍光体を青色ＬＥＤの補色として、白色ＬＥＤが開発された。

　このほか酸化セリウムは、顔料や陶器の釉薬として黄色系の色を出すのに役立っている。皮革がよく染まる働きももっている。

　硫化セリウム（CeS_2）は１８００℃に耐える耐熱るつぼに用いられる。

　一般に、希土類元素とシュウ酸との塩は水に不溶である。シュウ酸セリウムは不溶で局所に留まり嘔吐反射を抑えるため、鎮吐薬として用いられている。植物に与えたところ、セリウムに光合成促進と植物生長が認められた。ミッシュメタルの他のおもな成分であるネオジムとランタンの効果は、植物の種類に依存した。

　希土類元素で汚染された地域の子どもたちの知能指数はそうでない地域の子どもたちより低く、ヒトへの長期暴露の危険性が示唆された。希土類元素が、植物や植物を食べた動物からヒトへと移行し、肝臓や腎臓等に集まって生体機能の低下がもたらされた可能性が高いが、詳細は不明である。技術のハイテク化にともなって希土類元素の使用量は増加しており、将来的な環境リスクとして危惧されている。

59

Pr

プラセオジム／Praseodymium

同位体と存在比(%)	
^{139}Pr	0, EC, β^+, γ, 4.41h
^{141}Pr	100
^{142}Pr	0, EC, β^-, γ, 19.12h
^{143}Pr	0, β^-, γ, 13.57d
^{145}Pr	0, β^-, γ, 5.98h

電子配置	[Xe]$4f^3 6s^2$
原子量	140.90766
融点(K)	1204(931℃)
沸点(K)	3785(3512℃)
密度(kg・m^{-3})	6773(固体, 293K)
地殻濃度(ppm)	9.5

酸化数		
酸化数	+3	Pr_2O_3, $PrCl_3$, $Pr(NO_3)_3$, $Pr_2(SO_4)_3$, PrF_3, $Pr(OH)_3$, $Pr(acac)_3$, $K_2SO_4{\cdot}Pr_2(SO_4)_3$
	+4	PrO_2, PrF_4, Na_2PrF_6

※acac＝アセチルアセトナート

1	2	3	4	5	6	7	8	9	10	11	12	13	14	15	16	17	18
1 H																	2 He
3 Li	4 Be											5 B	6 C	7 N	8 O	9 F	10 Ne
11 Na	12 Mg											13 Al	14 Si	15 P	16 S	17 Cl	18 Ar
19 K	20 Ca	21 Sc	22 Ti	23 V	24 Cr	25 Mn	26 Fe	27 Co	28 Ni	29 Cu	30 Zn	31 Ga	32 Ge	33 As	34 Se	35 Br	36 Kr
37 Rb	38 Sr	39 Y	40 Zr	41 Nb	42 Mo	43 Tc	44 Ru	45 Rh	46 Pd	47 Ag	48 Cd	49 In	50 Sn	51 Sb	52 Te	53 I	54 Xe
55 Cs	56 Ba		72 Hf	73 Ta	74 W	75 Re	76 Os	77 Ir	78 Pt	79 Au	80 Hg	81 Tl	82 Pb	83 Bi	84 Po	85 At	86 Rn
87 Fr	88 Ra		104 Rf	105 Db	106 Sg	107 Bh	108 Hs	109 Mt	110 Ds	111 Rg	112 Cn	113 Nh	114 Fl	115 Mc	116 Lv	117 Ts	118 Og

ランタノイド(57〜71)	57 La	58 Ce	59 Pr	60 Nd	61 Pm	62 Sm	63 Eu	64 Gd	65 Tb	66 Dy	67 Ho	68 Er	69 Tm	70 Yb	71 Lu
アクチノイド(89〜103)	89 Ac	90 Th	91 Pa	92 U	93 Np	94 Pu	95 Am	96 Cm	97 Bk	98 Cf	99 Es	100 Fm	101 Md	102 No	103 Lr

オーストリアのウェルスバッハは1885年、それまで長いあいだ純粋のジジミウム（ギリシャ語で双子の意味）と信じられてきた物質から、分別結晶法によってプラセオジムとネオジム（Nd）を分離した。前者は明るい緑色をしていたことから、ギリシャ語のprasios（青みがかった緑、ギリシャ語のprason〈ニラ、西洋ネギ〉に由来）から緑の双子（プラセオ＋

ジジミウム）という意味でプラセオジムと名づけた（プラセオジウムではない）。

ジジミウムの歴史はセリウムの発見に遡る。１８３９年にセリウムとランタンを分離したモサンデルは、さらにランタンがランタンと別のものに分かれる（双子となる）ことを見出し、ジジミウムと名づけた。ジジミウムの存在は以後40年間も不変のままで、１８６９年、周期表を最初に完成したロシアのメンデレーエフも、周期表にはジジミウムの記号Diを載せていた。これはジジミウムを構成するプラセオジム、ネオジム、サマリウム（Sm）、ユウロピウム（Eu）が、お互いに性質がよく似ていて当時の分別結晶法では分離が難しかったためである。

ロシアの鉱山技師サマルスキーは、ウラル地方で新しい希土類元素を含む鉱物を発見し、１８４７年にドイツのローゼが発見者の名前を記念してサマルスキー石と名づけた。同様の鉱物が北アメリカのカロライナからも得られる。

一方、分光学は１８５０年頃から始まり、１８７０年代には改良が加えられ、少量の物質を用いて良質のスペクトルが得られるようになった。スペクトルに新しい線が見つかれば、それは新しい元素であることを意味した。１８７９年、サマリウム（実はサマリウムとユウロピウム）がジジミウムから分離され、プラセオジムとネオジムの発見につながった。ジジミウムという名前は消え、どうにか語尾にその面影を見ることができる。

プラセオジム金属は銀白色であるが、空気中では酸化されて表面は黄色を帯びる。工業用途は比較的少ないが、緑色に着目して各種の塩類や酸化物はプラセオジムイエローとして、陶磁器の釉薬に用いられる。また、プラセオジム磁石（$PrCo_5$）が開発されている。物理的な強度が高く、複雑な加工が可能であり、加熱することで曲げることもできる。さびにくいなど利点があるが、コバルトを含むため高価である。

Column 17

メンデレーエフの周期表──視界を広げる望遠鏡

若いころに大きな国際会議に出席することは、科学的思考の形成にとって大切なことであろう。1860年ドイツのカールスルーエで開催された国際会議に出席したメンデレーエフ（1834〜1907年）は、カニッツァロの発表した原子量についての考え方に共鳴、感動した。

その後メンデレーエフは研究を続け、当時発見されていた63種類の元素について、1869年に「元素の諸特性とその原子量との関係」という論文を発表し、最初の周期表を提案した。メンデレーエフは、元素に固有な値として原子量と原子価（酸化数）に注目し、元素を原子量の小さいほうから順に並べた。

この周期表の中でメンデレーエフは、将来発見されるかもしれない未知の元素の存在とその性質を予測した。この予測がメンデレーエフが生きているあいだに的中することになり、周期表が世界に認められることになった。

たとえば、「周期表でアルミニウムの直下」を意味する元素を「エカアルミニウム」（「エカ」はサンスクリット語で「1」を意味する）と名づけたが、フランスのボアボードランが1875年にピレネー山脈の鉱山で見つけたガリウムがそれに相当するとわかった。さらに、エカホウ素と名づけられた元素は、1879年にスウェーデンのニルソンによりスカンジウムとして、エカケイ素は1886年にドイツのヴィンクラーによってゲルマニウムとして発見された。

メンデレーエフが〝視界を広げる望遠鏡〟とよんだ周期表は、元素の分類のみならず、化学結合論の展開などを含む自然の法則を認識させるきわめて大きな〝道具〟となった。

	原子価 1 R_2O	原子価 2 RO	原子価 3 R_2O_3	原子価 4 RO_2	原子価 5 R_2O_5	原子価 6 RO_3	原子価 7 R_2O_7	原子価 8 RO_4
1	**H** 1							
2	**Li** 7	**Be** 9.4	**B** 11	**C** 12	**N** 14	**O** 16	**F** 19	
3	**Na** 23	**Mg** 24	**Al** 27.3	**Si** 28	**P** 31	**S** 32	**Cl** 35.5	
4	**K** 39	**Ca** 40	エカホウ素 44	**Ti** 48	**V** 51	**Cr** 52	**Mn** 55	**Fe Co Ni** 56 59 59
5	(**Cu** 63)	**Zn** 65	エカアルミニウム 68	エカケイ素 72	**As** 75	**Se** 78	**Br** 80	
6	**Rb** 85	**Sr** 87	**Yt** 88	**Zr** 90	**Nb** 94	**Mo** 96	エカマンガン 100	**Ru Rh Pd** 104 104 106
7	(**Ag** 108)	**Cd** 112	**In** 113	**Sn** 118	**Sb** 122	**Te** 125	**J** 127	
8	**Cs** 133	**Ba** 137	**Di** 138	**Ce** 140	—	—	—	— — —
9	(—)	—	—	—	—	—	—	
10	—	—	**Er** 178	**La** 180	**Ta** 182	**W** 184	—	**Os Ir Pt** 195 197 198
11	(**Au** 199)	**Hg** 200	**Tl** 204	**Pb** 207	**Bi** 208	—	—	
12	—	—	—	**Tn** 231	—	**U** 240	—	— — —

メンデレーエフの1870年の周期表

60 Nd

ネオジム／Neodymium

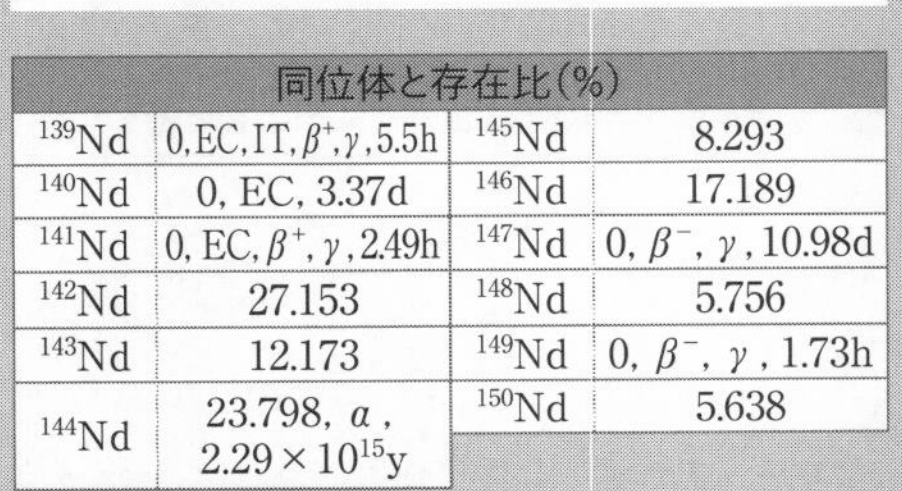

同位体と存在比(%)			
^{139}Nd	0, EC, IT, β^+, γ, 5.5h	^{145}Nd	8.293
^{140}Nd	0, EC, 3.37d	^{146}Nd	17.189
^{141}Nd	0, EC, β^+, γ, 2.49h	^{147}Nd	0, β^-, γ, 10.98d
^{142}Nd	27.153	^{148}Nd	5.756
^{143}Nd	12.173	^{149}Nd	0, β^-, γ, 1.73h
^{144}Nd	23.798, α, 2.29×10^{15}y	^{150}Nd	5.638

電子配置	$[Xe]4f^46s^2$
原子量	144.242
融点(K)	1294(1021℃)
沸点(K)	3341(3068℃)
密度($kg \cdot m^{-3}$)	7007(固体, 293K)
地殻濃度(ppm)	38

酸化数		
	+2	NdO, $NdCl_2$, NdI_2
	+3	Nd_2O_3, $Nd(OH)_3$, $NdCl_3$, NdF_3, $Nd(NO_3)_3$, $Nd_2(SO_4)_3$, $Nd(C_2H_3O_2)_3$, $Nd_2(CO_3)_3$, $2NH_4NO_3 \cdot Nd(NO_3)_3$
	+4	Cs_2NdF_6

1	2	3	4	5	6	7	8	9	10	11	12	13	14	15	16	17	18
1 H																	2 He
3 Li	4 Be											5 B	6 C	7 N	8 O	9 F	10 Ne
11 Na	12 Mg											13 Al	14 Si	15 P	16 S	17 Cl	18 Ar
19 K	20 Ca	21 Sc	22 Ti	23 V	24 Cr	25 Mn	26 Fe	27 Co	28 Ni	29 Cu	30 Zn	31 Ga	32 Ge	33 As	34 Se	35 Br	36 Kr
37 Rb	38 Sr	39 Y	40 Zr	41 Nb	42 Mo	43 Tc	44 Ru	45 Rh	46 Pd	47 Ag	48 Cd	49 In	50 Sn	51 Sb	52 Te	53 I	54 Xe
55 Cs	56 Ba		72 Hf	73 Ta	74 W	75 Re	76 Os	77 Ir	78 Pt	79 Au	80 Hg	81 Tl	82 Pb	83 Bi	84 Po	85 At	86 Rn
87 Fr	88 Ra		104 Rf	105 Db	106 Sg	107 Bh	108 Hs	109 Mt	110 Ds	111 Rg	112 Cn	113 Nh	114 Fl	115 Mc	116 Lv	117 Ts	118 Og

ランタノイド(57〜71)	57 La	58 Ce	59 Pr	60 Nd	61 Pm	62 Sm	63 Eu	64 Gd	65 Tb	66 Dy	67 Ho	68 Er	69 Tm	70 Yb	71 Lu
アクチノイド(89〜103)	89 Ac	90 Th	91 Pa	92 U	93 Np	94 Pu	95 Am	96 Cm	97 Bk	98 Cf	99 Es	100 Fm	101 Md	102 No	103 Lr

オーストリアのウェルスバッハが1885年、それまで純粋のジジミウム（ギリシャ語で双子の意味）と信じられてきたものから、プラセオジム（Pr）とネオジムを分離し、後者は「新しい双子」を意味するギリシャ語neos（新しい）+didymos（双子）から、英語でネオジミウムと名づけた。日本では、ドイツ語のNeodymにならってネオジムと名づけられた。

60 Nd ネオジム

図60-1　ウェルスバッハ（1858 − 1929）

1889年にエッフェル塔が建てられたパリでの万国博覧会では、科学の偉業（最新の科学の研究成果）としてランタン（La）、セリウム（Ce）、ネオジムのサンプル（純粋な酸化物）が展示された。この時代はガス灯のあかりに希土類元素を用いていた程度で、それらは一般の人々にとっては現在のような身近な存在ではなかった。

ネオジムは地殻には希土類元素中セリウムに次いで2番目に多い元素である（セリウム68ppm、ネオジム38ppm）。ミッシュメタル（希土類元素混合物合金）にはセリウム、ランタンに次いで3番目に多く、十数％含まれる。

ネオジム金属は銀白色であるが、空気中で酸化されて表面は青みを帯びた灰色になる。おもな化合物としては+3の化合物が知られ、セリウム、プラセオジムで見られた+4の化合物はほとんどない。

工業的に重要な応用は最強の永久磁石、ネオジム磁石（略してネオジム磁石）である。これはネオジム、鉄、ホウ素（ボロン）からなる磁石（$Nd_2Fe_{14}B$）で、従来用いられてきたフェライト磁石（いわゆる酸化鉄磁石）の10倍以上のパワーをもつ。ネオジム磁石は、1982年に住友特殊金属（現・日立金属）の佐川眞人により発明（特許申請）され、日本が誇るオリジナル研究の成果である。

ネオジムは磁気モーメントが特定の方向をもちやすい性質があり、鉄と混ぜると、ネオジムの磁気方向のみならず鉄の磁気の方向までが同じ方向に固定され、全体として大きく強い磁力（磁石）となる。

磁石の強さは結晶の構造と電子の相互作用に依存する。原子半径の小さいホウ素はネオジム原子と鉄原子の距離を調節し、両原子の相互作用を最大にする役割がある。

強力な磁石は高性能のモーターやスピーカーをつくることを可能にし、超小型化できるため、ビデオデッキ、カメラ、ヘッドホンステレオの開発をもたらした。ハイブリッド車のモーターと発電機や携帯電話のバイブレーションの振動モーターなど幅広い分野で活躍している。コンピュータに使用されるハードディスクドライブもこのタイプが大部分を占め、その需要は年々増す一方である。小型の携帯イヤホンで高品質な音楽が楽しめるのもネオジム磁石のおかげである。ジスプロシウム添加によって耐熱性の問題がクリアされ、用途が拡大した。2021年には、自動車メーカーの約85%がネオジムモーターを使用し、同年にアップルが製品にリサイクル希土類元素を45%使用するなど、グリーンエネルギーにも貢献している。しかし、すべての車が電気自動車になった場合のネオジム供給の問題が予見されており、リサイクルや海洋資源発掘などが試みられている。

強力なネオジム磁石が玩具として利用されるにつれて幼児が磁石を誤飲し、磁石が腸を挟んだために腸に穴があく事故が報告されており、注意が呼びかけられている。

ネオジムの利用として次いで重要なものが固体レーザーへの使用である。レーザー光は物質の高いエネルギー軌道にある電子が下の軌道に誘導されて落ちるときに放出される光で、ネオジムは長寿命、高効率など、レーザーとして優れた特性を有している。代表的なものにイットリウム－アルミニウム－ガーネット（YAG（ヤグ）：Nd（$Y_3Al_5O_{12}$：Nd^{3+}））固体レーザーがある。イットリウムの数%をネオジムに置換したレーザーは、室温でネオジムから1060nmの光を出し、機械的にも強いため研究や工業・医療用に広く利用されている。このほか、小型セラミックコンデンサにもネオジムが加えられている。

タイヤのゴム弾性をもつブタジエンゴムは、ネオジム触媒によってシス型ポリブタジエンとしてつくられている。特殊な用途であるが、ガラスに入れた酸化ネオジムは黄色（波長585nm）の光を完全に吸収し、青・赤・緑の光を通すため、航空、航海での信号灯の識別用メガネに用いられる。また、溶接の際に出る光を防ぐ防護メガネの着色、サングラスの一部にもプラセオジム同様に使われている。

ネオジムを含む希土類元素（レアアース）の2020年における世界の埋蔵量と生産量を表60－1に示す。埋蔵量と生産量はともに中国が1位を占めている。

順位	埋蔵量		順位	生産量	
	1億2000万t			24万t	
1	中国	37%	1	中国	58%
2	ブラジル	18%	2	アメリカ	16%
2	ベトナム	18%	3	ミャンマー	13%
4	ロシア	10%	4	オーストラリア	7%
5	インド	6%	5	マダガスカル	3%

表60-1　希土類元素（レアアース）の世界の埋蔵量と生産量（2020年）（「USGS2021」より）

現在では、プロメチウムのすべての核種が放射性であることがわかっている。ただし、最も半減期の長いものでも^{145}Pmの17・7年である。おもな生成ルートである地殻中のウラン（U）の核分裂によって生成されるプロメチウムは、全体で780gと見積もられ、事実上自然界には存在しない。このため、初期に試みられた天然からの分離はことごとく失敗した。

61 Pm

プロメチウム／Promethium

同位体と存在比(%)	
^{143}Pm	0, EC, γ, 265d
^{144}Pm	0, EC, γ, 1.0y
^{145}Pm	0, EC, γ, 17.7y
^{146}Pm	0, EC, β^-, γ, 5.53y
^{147}Pm	0, β^-, γ, 2.62y
^{148}Pm	0, IT, β^-, γ, 5.368d
^{148m}Pm	0, β^-, γ, 41.29d
^{149}Pm	0, β^-, γ, 53.1h
^{150}Pm	0, β^-, γ, 2.698h
^{151}Pm	0, β^-, γ, 28.4h

電子配置	[Xe]$4f^5 6s^2$
原子量	[145]
融点(K)	1441(1168℃)
沸点(K)	約3000(約2727℃)
密度(kg・m^{-3})	7220(固体, 298K)
地殻濃度(ppm)	超微量

酸化数		
酸化数	+3	Pm_2O_3, $Pm(OH)_3$, $Pm(H_2O)_x^{3+}$, PmF_3

1	2	3	4	5	6	7	8	9	10	11	12	13	14	15	16	17	18
1 H																	2 He
3 Li	4 Be											5 B	6 C	7 N	8 O	9 F	10 Ne
11 Na	12 Mg											13 Al	14 Si	15 P	16 S	17 Cl	18 Ar
19 K	20 Ca	21 Sc	22 Ti	23 V	24 Cr	25 Mn	26 Fe	27 Co	28 Ni	29 Cu	30 Zn	31 Ga	32 Ge	33 As	34 Se	35 Br	36 Kr
37 Rb	38 Sr	39 Y	40 Zr	41 Nb	42 Mo	43 Tc	44 Ru	45 Rh	46 Pd	47 Ag	48 Cd	49 In	50 Sn	51 Sb	52 Te	53 I	54 Xe
55 Cs	56 Ba		72 Hf	73 Ta	74 W	75 Re	76 Os	77 Ir	78 Pt	79 Au	80 Hg	81 Tl	82 Pb	83 Bi	84 Po	85 At	86 Rn
87 Fr	88 Ra		104 Rf	105 Db	106 Sg	107 Bh	108 Hs	109 Mt	110 Ds	111 Rg	112 Cn	113 Nh	114 Fl	115 Mc	116 Lv	117 Ts	118 Og

ランタノイド (57～71)	57 La	58 Ce	59 Pr	60 Nd	61 Pm	62 Sm	63 Eu	64 Gd	65 Tb	66 Dy	67 Ho	68 Er	69 Tm	70 Yb	71 Lu
アクチノイド (89～103)	89 Ac	90 Th	91 Pa	92 U	93 Np	94 Pu	95 Am	96 Cm	97 Bk	98 Cf	99 Es	100 Fm	101 Md	102 No	103 Lr

１９１３年にイギリスのモーズリーが原子の蛍光Ｘ線の波長の逆数の平方根と原子番号が直線関係にあること（モーズリーの法則）を発見し、ネオジム（Nd）とサマリウム（Sm）のあいだに61番目の元素があることを理論的に示した。これを受けて、アメリカとイタリアの化学者たちが１９２６年に独自に発見し、それぞれイリニウム、フロレンシウムと名づけたが、元素の単離はできなかった。

１９４０年代に入ると原子力開発（アメリカのマンハッタン計画）が急ピッチで進められ、ウランの精製と関連して放射性希土類元素の化学が進展した。その原動力はコライエルらによって考案された陽イオン交換クロマトグラフィー法を使った分離であった（図61－1）。陽イオン樹脂の柱に陽イオン形の希土類元素の混合物を静電的に結合させ、これに陰イオン性の化合物を樹脂柱の上から流すと、樹脂に結合している希土類元素は化合物と結合しやすいものから順に樹脂から離れていくしくみである。

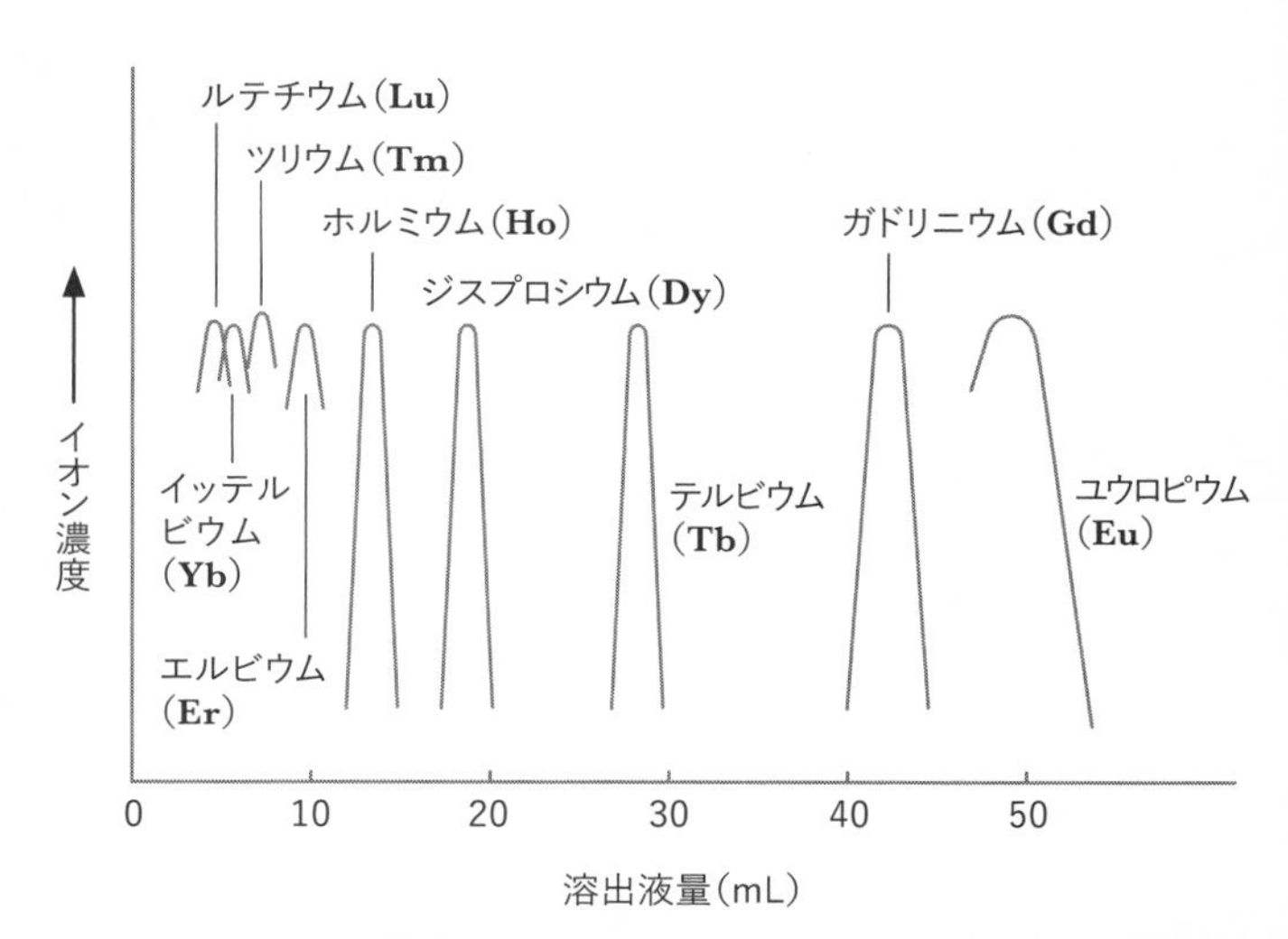

図 61-1　陽イオン交換クロマトグラフィー法によるランタノイドの分離例

図61-2　コライエル
（1912 − 1971）

1947年にはアメリカの化学者マリンスキー、グレンデニン、およびコライエルが、ウランの核分裂生成物から陽イオン交換クロマトグラフィー法を用いて質量数147（半減期約2・6年）と149（半減期53・1時間）の61番目の元素を発見した。新元素はコライエルの妻が示唆し、古代ギリシャ神話で人類に初めて火をもたらしたとされる火の神プロメテウスにちなみ、プロメチウムと名づけられた。天から火を盗み人類に与えたプロメテウスはゼウスにより拷問にかけられたが、「核分裂」によって新しい元素をつくった人類は核戦争の可能性という拷問にかけられているようである。

プロメチウムには安定同位体がないため、一般に使用できる化合物はない。84番目のポロニウム（Po）以後は、たいてい寿命が短い放射性元素である。原子番号の小さな原子で不安定な核種は、61番目のプロメチウムと43番目のテクネチウム（Tc）だけである。ただし、^{98}Tcは420万年もの半減期をもつため、プロメチウムの半減期は際立って短い。

核分裂生成物から希土類元素の混合物として分離された^{147}Pmは、陽イオン交換クロマトグラフィー法によりクエン酸錯体として精製後、酸化プロメチウム（Pm_2O_3）として取り出された。酸化数+3のピンク～赤色を示す。プロメチウムはその放射性のため、青白色～緑色の蛍光を放出する。かつては時計の蛍光板や蛍光灯のグロー放電ランプに使用されたが、現在では亜鉛合金が用いられている。プルトニウムのα線を使った原子力電池に対し、プロメチウムから出るβ線を使う原子力電池が過去に開発された。

62 Sm

サマリウム／Samarium

同位体と存在比(%)			
^{142}Sm	0, EC, β^+, γ, 72.49m	^{150}Sm	7.37
^{144}Sm	3.08	^{151}Sm	0, β^-, γ, 94.7y
^{145}Sm	0, EC, γ, 340d	^{152}Sm	26.74
^{146}Sm	0, α, 6.8×10^7y	^{153}Sm	0, β^-, γ, 46.284h
^{147}Sm	15.00, α, 1.07×10^{11}y	^{154}Sm	22.74
^{148}Sm	11.25, α, 7×10^{15}y	^{156}Sm	0, β^-, γ, 9.4h
^{149}Sm	13.82		

電子配置	$[Xe]4f^66s^2$
原子量	150.36
融点(K)	1345(1072℃)
沸点(K)	2064(1791℃)
密度($kg\cdot m^{-3}$)	7520(固体, 293K)
地殻濃度(ppm)	7.9

酸化数		
	+2	SmO, SmS, $SmCl_2$, SmF_2, $SmSO_4$, $SmCO_3$,
	+3	Sm_2O_3, $Sm(OH)_3$, $SmCl_3$, SmF_3, $Sm(H_2O)_x^{3+}$, $Sm(NO_3)_3$, $Sm_2(SO_4)_3$, SmI_3, $Sm_2(CO_3)_3$, $3Mg(NO_3)_2\cdot2Sm(NO_3)_3$

1	2	3	4	5	6	7	8	9	10	11	12	13	14	15	16	17	18
1 H																	2 He
3 Li	4 Be											5 B	6 C	7 N	8 O	9 F	10 Ne
11 Na	12 Mg											13 Al	14 Si	15 P	16 S	17 Cl	18 Ar
19 K	20 Ca	21 Sc	22 Ti	23 V	24 Cr	25 Mn	26 Fe	27 Co	28 Ni	29 Cu	30 Zn	31 Ga	32 Ge	33 As	34 Se	35 Br	36 Kr
37 Rb	38 Sr	39 Y	40 Zr	41 Nb	42 Mo	43 Tc	44 Ru	45 Rh	46 Pd	47 Ag	48 Cd	49 In	50 Sn	51 Sb	52 Te	53 I	54 Xe
55 Cs	56 Ba		72 Hf	73 Ta	74 W	75 Re	76 Os	77 Ir	78 Pt	79 Au	80 Hg	81 Tl	82 Pb	83 Bi	84 Po	85 At	86 Rn
87 Fr	88 Ra		104 Rf	105 Db	106 Sg	107 Bh	108 Hs	109 Mt	110 Ds	111 Rg	112 Cn	113 Nh	114 Fl	115 Mc	116 Lv	117 Ts	118 Og

ランタノイド(57～71)	57 La	58 Ce	59 Pr	60 Nd	61 Pm	62 Sm	63 Eu	64 Gd	65 Tb	66 Dy	67 Ho	68 Er	69 Tm	70 Yb	71 Lu
アクチノイド(89～103)	89 Ac	90 Th	91 Pa	92 U	93 Np	94 Pu	95 Am	96 Cm	97 Bk	98 Cf	99 Es	100 Fm	101 Md	102 No	103 Lr

1875年にガリウム（Ga）を発見したフランスのボアボードランはサマルスキー石を徹底的に研究し、40年ものあいだ純粋なものと信じられてきたジジミウムから、新しい元素と不純物を分離することに成功した。1879年のことである。新元素は、鉱物の発見者サマルスキーと鉱物の名前サマルスキー石（samarskite）にちなんでサマリウムと名づけられた。

しかし、ボアボードランが発見したサマリウムもまだ不純物を含んでおり、この物質から1880年にはガドリニウム（Gd）、1896年にはユウロピウム（Eu）の2元素が発見された。

サマリウムは比較的地殻に多く、希土類元素中4番目である（7・9ppm）。工業的にはバストネサイト（フッ化炭酸塩）から酸や有機溶媒で抽出し、塩化物を塩化ナトリウムまたは塩化カルシウムと溶融し、電気分解して単体を得ている。金属サマリウムは鉄と銀との中間の銀白色を示す。

+3の化合物が一般に知られるが、比較的不安定な+2の化合物の存在がサマリウムの特徴である。水溶液は赤色であるが、水や酸素で酸化され、すみやかに+3の黄色になる。

工業的な応用は永久磁石が主である。ネオジム磁石（$Nd_2Fe_{14}B$）が世に出るまでは、サマリウム系磁石（$SmCo_5$やSm_2Co_{17}）が最強の磁石として用いられていた。磁石のしくみはネオジム磁石と同様で、希土類元素と遷移金属元素の組み合わせにより磁気の方向がそろいやすい結晶構造になり強い磁石となる。ネオジム磁石は鉄を主成分とするのでさびやすいこと、高温では磁石の性質が低下することから、サマリウム系磁石もスピーカーやマイクロホンに依然として使用されている。1970年にウォークマン（ソニー）が実現したのはSm－Co磁石のおかげであった。ネオジム磁石を超えるサマリウム系磁石($Sm_2Fe_{17}N_{2\text{-}3}$)も開発されている。

サマリウムは触媒として有用であり、一酸化炭素の水素化や一酸化窒素の還元などの反応をするため自動車の排ガスの浄化に利用されている。

放射性の^{147}Smは半減期が1070億年であるため、太陽系の形成時にまで遡れる太古の年代測定に使用される。また、^{152}Sm－エチレンジアミン四ホスホン酸錯体は、レキシドロナムという名前で骨がんの疼痛緩和薬に用いられる。

フランスのドマルセは1896年、当時サマリウム（Sm）と考えられていた元素から、特有の吸収スペクトルをもつ元素を分離することに成功し、ヨーロッパ大陸にちなんでユウロピウムと名づけた。ここに、セリウムから始まった軽希土類元素発見の歴史は幕を閉じることになる。後年、周期表でユウロピウムの真下に相当する新元素の合成に成功したアメリカのグループ

63 Eu

ユウロピウム／Europium

同位体と存在比(%)			
^{145}Eu	0, EC, γ, 5.93d	^{152}Eu	0, EC, β^-, β^+, γ, 13.517y
^{146}Eu	0, EC, β^+, γ, 4.61d		
^{147}Eu	0, EC, α, β^+, 24.1d	^{152m}Eu	0, EC, β^-, γ, 9.312h
^{148}Eu	0, EC, α, β^+, γ, 54.5d	^{153}Eu	52.19
^{149}Eu	0, EC, γ, 93.1d	^{154}Eu	0, β^-, EC, γ, 8.601y
^{150}Eu	0, EC, β^+, γ, 36.9y	^{155}Eu	0, β^-, γ, 4.761y
^{150m}Eu	0, β^-, β^+, γ, 12.8h	^{156}Eu	0, β^-, γ, 15.19d
^{151}Eu	47.81, α	^{157}Eu	0, β^-, γ, 15.18h

電子配置	[Xe]$4f^7 6s^2$
原子量	151.964
融点(K)	1095(822℃)
沸点(K)	1870(1597℃)
密度(kg・m^{-3})	5243(固体, 293K)
地殻濃度(ppm)	2.1

酸化数		
	+2	EuO, EuS, $EuCl_2$, EuF_2, $EuSO_4$, $EuCO_3$
	+3	Eu_2O_3, $Eu(OH)_3$, $EuCl_3$, EuF_3, $Eu(H_2O)_x^{3+}$, $Eu(NO_3)_3$, $Eu_2(SO_4)_3$, $Eu_2(CO_3)_3$

1	2	3	4	5	6	7	8	9	10	11	12	13	14	15	16	17	18
1 H																	2 He
3 Li	4 Be											5 B	6 C	7 N	8 O	9 F	10 Ne
11 Na	12 Mg											13 Al	14 Si	15 P	16 S	17 Cl	18 Ar
19 K	20 Ca	21 Sc	22 Ti	23 V	24 Cr	25 Mn	26 Fe	27 Co	28 Ni	29 Cu	30 Zn	31 Ga	32 Ge	33 As	34 Se	35 Br	36 Kr
37 Rb	38 Sr	39 Y	40 Zr	41 Nb	42 Mo	43 Tc	44 Ru	45 Rh	46 Pd	47 Ag	48 Cd	49 In	50 Sn	51 Sb	52 Te	53 I	54 Xe
55 Cs	56 Ba		72 Hf	73 Ta	74 W	75 Re	76 Os	77 Ir	78 Pt	79 Au	80 Hg	81 Tl	82 Pb	83 Bi	84 Po	85 At	86 Rn
87 Fr	88 Ra		104 Rf	105 Db	106 Sg	107 Bh	108 Hs	109 Mt	110 Ds	111 Rg	112 Cn	113 Nh	114 Fl	115 Mc	116 Lv	117 Ts	118 Og

ランタノイド(57〜71)	57 La	58 Ce	59 Pr	60 Nd	61 Pm	62 Sm	63 Eu	64 Gd	65 Tb	66 Dy	67 Ho	68 Er	69 Tm	70 Yb	71 Lu
アクチノイド(89〜103)	89 Ac	90 Th	91 Pa	92 U	93 Np	94 Pu	95 Am	96 Cm	97 Bk	98 Cf	99 Es	100 Fm	101 Md	102 No	103 Lr

図63-1　ドマルセ（1852 − 1904）

は、アメリカ大陸にちなんでアメリシウムという名前をつけた。ヨーロッパとアメリカの対抗意識が元素名にも見られておもしろい。

ユウロピウムは軽希土類中最も地殻に少ない元素（2・1ppm）だが、工業的に重要である。バストネサイト（フッ化炭酸塩）から酸と有機溶媒による抽出と還元を組み合わせて大量に得られている。

希土類中唯一安定な+2化合物の存在がユウロピウムの特徴であり、精製にもこの性質が利用される。+2化合物の水溶液は淡褐色であるが、ヨウ素、重クロム酸で酸化され、+3の淡赤色になる。

Eu^{2+}はある種の岩石中に凝集する現象が知られている。月の高地にある斜長石には他の希土類元素と比べてユウロピウムが異常に多く検出され、月が、地球のマグマから岩石ができる初期に誕生したことを示している。生まれたばかりの地球に天体が衝突し、その破片から月が形成されたことを支持する事実である。軽希土類元素は火山岩や深成岩などマグマに多く含まれることから、軽希土類／重希土類の元素比により地球の歴史が調べられている。

工業的に重要な応用は、ユウロピウム（+3）の蛍光（赤色）の利用である。蛍光はある物質に光を当てると10^{-9}〜10^{-1}秒間の寿命で放出される光のことである。当てた光よりも長い波長の光（多くの場合可視光）が出る。光エネルギーを吸収して電子がより高い軌道に上がったのち、別の軌道に落ちるときにエネルギーが光として放出され、蛍光が見える。

1964年に酸化ユウロピウム（Eu_2O_3）がカ

ラーテレビの蛍光体に用いられた。わが国で「キド（輝度）カラー」と名づけられたブラウン管テレビは、ユウロピウムに代表される希土（キド）類元素をブラウン管の発光面に塗って、電子ビームで光らせて色を出したことに由来する。

ユウロピウムは赤色を、テルビウム（Tb）は緑色を、セリウム（Ce）は青色を出す重要な元素である。単に水銀を封入した蛍光灯よりも、食物などが自然色に近く見える３波長蛍光灯もつくられている。蛍光灯の水銀量を従来の３分の１に抑えたものや、停電になってもボーッと光るホタル蛍光灯、さらにはＬＥＤ電球にもすべてユウロピウムが加えられている。青白く冷たい光の白色ＬＥＤランプにユウロピウムイオンを添加することで、暖色性のある白色ＬＥＤランプが開発されている。

紫外線を当てると赤、青、緑に発光するある種のユウロピウム錯体は、ヨーロッパの統合紙幣の認証に使われている。50、１００ユーロ紙幣に紫外線を当てると、さまざまな部分が赤、黄、緑などに発光する。わが国の郵便はがきや封書にも「見えない消印」が使われている。インクにはユウロピウム錯体が使われ、通常の可視光のもとでは無色だが、波長３４０～３８０nmの紫外線（紫外線ＬＥＤのＵＶランプの光など）を当てると赤い蛍光を発する。このインクを使って郵便物にバーコードを印刷し、輸送・配達時に紫外光を照射して読み取り処理されている。手元に届いたはがきや封書に紫外線を当てると、赤いバーコードが見られる。ユウロピウム錯体はＮＭＲ（核磁気共鳴法）スペクトルのシフト試薬として有機化合物の構造解析などにも用いられる。

医学や生化学の領域では、ユウロピウムがもつ蛍光の強さと寿命の長さを利用したイムノアッセイ（抗原抗体反応を用いた免疫分析法）が用いられている。高感度で測定できるため、放射性物質による測定に取って代わる方法として注目されている。

Column 18

ランタノイドとアクチノイドの共通した元素名のつけ方

	アクチノイド	ランタノイド
大陸の名前	$_{95}$**Am**（アメリカ）	$_{63}$**Eu**（ヨーロッパ）
人の名前	$_{96}$**Cm**（キュリー）	$_{64}$**Gd**（ガドリン）
地名	$_{97}$**Bk**（バークレー）	$_{65}$**Tb**（イッテルビー）

フランスのボアボードランがジジミウムからサマリウム（Sm）を分離することに成功したことを聞いたスイスのマリニャクは、1878年にイッテルビウム（Yb）を発見したばかりであったが、追試を行って1880年に別の分離画分に新しい元素を認めた。サマリウムを発見したボアボードランは、1886年にこれが新元素であることを確認し、最初に希土類元素

64 Gd

ガドリニウム／Gadolinium

同位体と存在比(%)			
^{146}Gd	0, EC, β^+, γ, 48.27d	^{153}Gd	0, EC, γ, 239.47d
^{147}Gd	0, EC, β^+, γ, 38.1h	^{154}Gd	2.18
^{148}Gd	0, α, 71.1y	^{155}Gd	14.80
^{149}Gd	0, EC, α, γ, 9.28d	^{156}Gd	20.47
^{150}Gd	0, α, 1.79×10^{6}y	^{157}Gd	15.65
^{151}Gd	0, EC, α, γ, 120d	^{158}Gd	24.84
^{152}Gd	0.20, α, 1.08×10^{14}y	^{159}Gd	0, β^-, γ, 18.479h
		^{160}Gd	21.86

電子配置	[Xe]$4f^7 5d^1 6s^2$
原子量	157.25
融点(K)	1586(1313℃)
沸点(K)	3539(3266℃)
密度(kg・m^{-3})	7900.4(固体, 298K)
地殻濃度(ppm)	7.7

酸化数	+2	GdI_2
	+3	Gd_2O_3, $Gd(OH)_3$, $GdCl_3$, GdF_3, $Gd(H_2O)_x^{3+}$, $Gd(NO_3)_3$, $Gd_2(SO_4)_3$, $Gd(C_2H_3O_2)_3$, $3Mg(NO_3)_2\cdot 2Gd(NO_3)_3$

1	2	3	4	5	6	7	8	9	10	11	12	13	14	15	16	17	18
1 H																	2 He
3 Li	4 Be											5 B	6 C	7 N	8 O	9 F	10 Ne
11 Na	12 Mg											13 Al	14 Si	15 P	16 S	17 Cl	18 Ar
19 K	20 Ca	21 Sc	22 Ti	23 V	24 Cr	25 Mn	26 Fe	27 Co	28 Ni	29 Cu	30 Zn	31 Ga	32 Ge	33 As	34 Se	35 Br	36 Kr
37 Rb	38 Sr	39 Y	40 Zr	41 Nb	42 Mo	43 Tc	44 Ru	45 Rh	46 Pd	47 Ag	48 Cd	49 In	50 Sn	51 Sb	52 Te	53 I	54 Xe
55 Cs	56 Ba		72 Hf	73 Ta	74 W	75 Re	76 Os	77 Ir	78 Pt	79 Au	80 Hg	81 Tl	82 Pb	83 Bi	84 Po	85 At	86 Rn
87 Fr	88 Ra		104 Rf	105 Db	106 Sg	107 Bh	108 Hs	109 Mt	110 Ds	111 Rg	112 Cn	113 Nh	114 Fl	115 Mc	116 Lv	117 Ts	118 Og

ランタノイド(57〜71)	57 La	58 Ce	59 Pr	60 Nd	61 Pm	62 Sm	63 Eu	64 Gd	65 Tb	66 Dy	67 Ho	68 Er	69 Tm	70 Yb	71 Lu
アクチノイド(89〜103)	89 Ac	90 Th	91 Pa	92 U	93 Np	94 Pu	95 Am	96 Cm	97 Bk	98 Cf	99 Es	100 Fm	101 Md	102 No	103 Lr

（イットリウム：Y）を発見したガドリンの功績をたたえてガドリニウムと名づけた。

ガドリニウムはユウロピウム（Eu）やサマリウムと同様、バストネサイト（フッ化炭酸塩）から酸や有機溶媒により抽出して得られる。ガドリニウムから希土類元素最後のルテチウム（Lu）までは重希土類に分類され、ユウロピウムまでの軽希土類とは諸性質が多少異なる。

+3の化合物が一般に知られる。+3の色はランタン（La）やセリウム（Ce）同様無色である。

ガドリニウムの重要な性質は、7個の4f軌道のそれぞれに1個ずつ電子が入っており、希土類元素中で最大数（7個）の不対電子を有していることである（284ページの表57-1参照）。この不対電子に依存して磁気モーメントが最大になるため、この特性を活かした利用が期待できる。

磁気冷凍という冷却方法がある。磁場をかけて磁気モーメントをそろえた物質（秩序系）から磁場を取り去ると、磁気モーメントの向きがバラバラ（無秩序系）になる。このとき増加するエントロピーを補償するため熱を吸収し、温度が下がる（図64-1）。液体ヘリウムで冷却した極低温下で、断熱したまま磁気冷凍を行うと、1000分の1K以下の超低温まで達することができる（断熱消磁法）。

1980年代にコンピュータのメモリとして利用された磁気バブルには、ガドリニウム-ガリウム-ガーネット（$Gd_3Ga_5O_{12}$）が媒体として用いられた。磁気バブルとは、かける磁場を強くしていくと磁区（磁気モーメントが一定の方向を向いた領域）が、泡がつぶれるように消失する現象のことをいう。現在は、半導体メモリの台頭によって役目を終えている。

ガドリニウムはこのほか、ランタンと同様に光学レンズに、またテルビウム（Tb）やジスプロシウム（Dy）と同様に、光ファイバー、光磁気記録用ディスクなどに用いられている。光磁気記録は磁化したところと磁化していないところを磁気の代わりに光で読み出す方法で、高密度かつ書き換え可能な記録が特徴である。

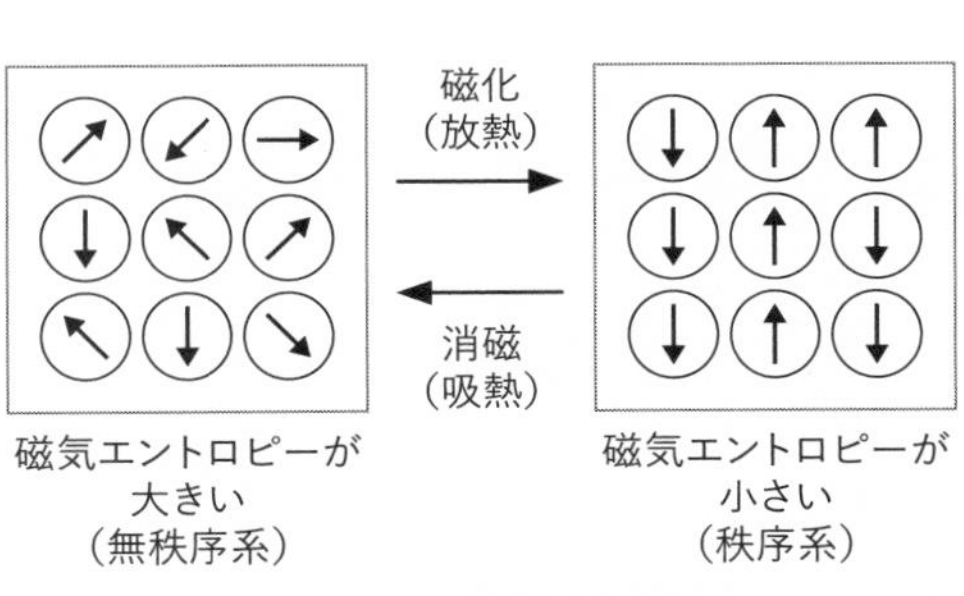

図 64-1　磁気冷凍の原理

ガドリニウムが全元素中最も熱中性子（低い運動エネルギーをもつ中性子）を吸収することを利用して、原子炉の制御（反応制御、原子消火器）に使用されるほか、見えない中性子をガドリニウムに吸収させて発光させ、X線フィルム上に感光させるシンチレータ（蛍光化剤）としても使用される。また、ガドリニウムはテルビウムと同様にX線の増感剤として利用されている。

ガドリニウムは強磁性になる温度（キュリー温度）が約20℃であり、鉄（Fe）、コバルト（Co）、ニッケル（Ni）以外で、元素単体の金属が室温付近で強磁性となる唯一の元素である。

医療への応用では、ガドリニウムのジエチレントリアミン五酢酸（DTPA）およびその誘導体の錯体が、ちょうどX線造影剤のバリウムのようにMRI（核磁気共鳴画像法）における画像に濃淡をつける試薬（イメージング剤）として使用される。すなわち、ガドリニウ

ム周辺の水はガドリニウムイオンのもつ大きな磁気モーメントの影響を受けて、影響を受けていない水とは異なった性質を示す。このことを利用して、画像にコントラストをつけ病気の診断に役立てている。しかし、多量のガドリニウム投与によって赤斑やただれが全身の皮膚に出やすいため、腎疾患患者に対するガドリニウム造影剤の使用には注意が必要である。

Column 19

元素発見者ランキング

元素を初めて発見した人々の物語を知ることは、元素の歴史を学ぶことにつながり興味深い。アメリカのシーボーグをリーダーとするグループによる人工元素の合成・発見が群を抜いて多い。

ベルセーリウス、ヒージンガー（スウェーデン）とクラプロート（ドイツ）によるセリウム（Ce）の同時発見は、元素の第一発見者をめぐる国を挙げての論争となった最初の例である。

順位	発見者（国名）	発見元素数（個）	発見元素
1	シーボーグ（アメリカ）	9	Pu Am Cm Bk Cf Es Fm Md No
2	デービー（イギリス）	6	Na K Mg Ca Sr Ba
3	ラムゼー（イギリス）	5	Ar He Kr Ne Xe
4	シェーレ（スウェーデン）	4	Cl Mo W Mn
4	ベルセーリウス（スウェーデン）	4	Se Ce Th Si
6	クラプロート（ドイツ）	3	U Zr Ce
6	ボアボードラン（フランス）	3	Ga Sm Dy

65 Tb

テルビウム／Terbium

同位体と存在比(%)			
^{153}Tb	0, EC, β^+, γ, 2.34d	^{158}Tb	0, EC, β^-, γ, 180y
^{154}Tb	0, EC, β^+, γ, 21.5h	^{159}Tb	100
^{155}Tb	0, EC, γ, 5.32d	^{160}Tb	0, β^-, γ, 72.3d
^{156}Tb	0, EC, γ, 5.35d	^{161}Tb	0, β^-, γ, 6.89d
^{157}Tb	0, EC, γ, 71y		

電子配置	[Xe]$4f^9 6s^2$
原子量	158.925354
融点(K)	1629(1356℃)
沸点(K)	3396(3123℃)
密度(kg・m^{-3})	8229(固体, 293K)
地殻濃度(ppm)	1.1

酸化数	+3	Tb_2O_3, $Tb(OH)_3$, $TbCl_3$, TbF_3, $Tb(H_2O)_x^{3+}$, $Tb(NO_3)_3$, $Tb_2(SO_4)_3$
	+4	TbO_2, TbF_4

1	2	3	4	5	6	7	8	9	10	11	12	13	14	15	16	17	18
1 H																	2 He
3 Li	4 Be											5 B	6 C	7 N	8 O	9 F	10 Ne
11 Na	12 Mg											13 Al	14 Si	15 P	16 S	17 Cl	18 Ar
19 K	20 Ca	21 Sc	22 Ti	23 V	24 Cr	25 Mn	26 Fe	27 Co	28 Ni	29 Cu	30 Zn	31 Ga	32 Ge	33 As	34 Se	35 Br	36 Kr
37 Rb	38 Sr	39 Y	40 Zr	41 Nb	42 Mo	43 Tc	44 Ru	45 Rh	46 Pd	47 Ag	48 Cd	49 In	50 Sn	51 Sb	52 Te	53 I	54 Xe
55 Cs	56 Ba		72 Hf	73 Ta	74 W	75 Re	76 Os	77 Ir	78 Pt	79 Au	80 Hg	81 Tl	82 Pb	83 Bi	84 Po	85 At	86 Rn
87 Fr	88 Ra		104 Rf	105 Db	106 Sg	107 Bh	108 Hs	109 Mt	110 Ds	111 Rg	112 Cn	113 Nh	114 Fl	115 Mc	116 Lv	117 Ts	118 Og

ランタノイド(57～71)	57 La	58 Ce	59 Pr	60 Nd	61 Pm	62 Sm	63 Eu	64 Gd	65 Tb	66 Dy	67 Ho	68 Er	69 Tm	70 Yb	71 Lu
アクチノイド(89～103)	89 Ac	90 Th	91 Pa	92 U	93 Np	94 Pu	95 Am	96 Cm	97 Bk	98 Cf	99 Es	100 Fm	101 Md	102 No	103 Lr

スウェーデンのモサンデルは、セリウム（Ce）からランタン（La）の分離に成功したことに続いて、1794年にスウェーデンの町イッテルビーからとれたガドリン石からガドリンによって発見されたイットリウム（Y）を研究した。1843年、これをアンモニアによる水酸化物の分別沈殿とシュウ酸による分別沈殿によって3種の成分に分け、そのうちの一つを

イッテルビーにちなんでテルビウムと名づけた。

なお、この町は68番目の元素エルビウム（Er）や70番目のイッテルビウム（Yb）の命名にも用いられているため、化学界では超のつくほど有名な町である。ただし、どれもよく似た名前と元素記号が採用され、後世の学生を悩ませることにもなった（320ページのコラム20参照）。

テルビウムは、ゼノタイム（リン酸塩）からアルカリ処理、水酸化物の濾過、続いてイオン交換により得られる、淡い桃色を示す+3化合物が一般に知られる。+4はセリウム以外は安定ではないが、テルビウムでは+4化合物は酸化物とフッ化物で存在する。他に+4が準安定な元素はプラセオジム（Pr）だけで、+4化合物の存在はテルビウムの特色となっている。

鉱山から取り出し粗精製したテルビウムの酸化物は+3のTb_2O_3と+4のTbO_2が混じった七酸化四テルビウム（Tb_4O_7）という混合原子価化合物（分子内に異なった酸化数の金属イオンを含む化合物）であり、これから+3の酸化テルビウム（Tb_2O_3）が得られている。

カラーテレビのブラウン管では、緑色を出すためにテルビウムを利用してきた。コンピュータの記録媒体として地位を確立した光磁気ディスクには、テルビウム－鉄－コバルト合金に代表される重希土類元素－遷移金属元素系の合金が使われている。レーザー光の照射による加熱で磁化の向きを変化させて磁気記録を書き込み、レーザー光の反射の磁化の向きによる変化を利用して情報を読み出している。

磁場を加えると物質の形状が変化する現象を磁歪（じわい）とよぶ。ニッケルなど多くの磁性体が磁歪効果を示すが、サイズの変化量はせいぜい10万分の1程度と小さい。ところが、超磁歪材料とよばれるテルビウム－鉄、テルビウム－ジスプロシウム－鉄（$Tb_{0.27}Dy_{0.73}Fe_2$）では、磁歪効果が１００倍以上になる。超磁歪材料は電動アシスト自転車のトルクセンサー

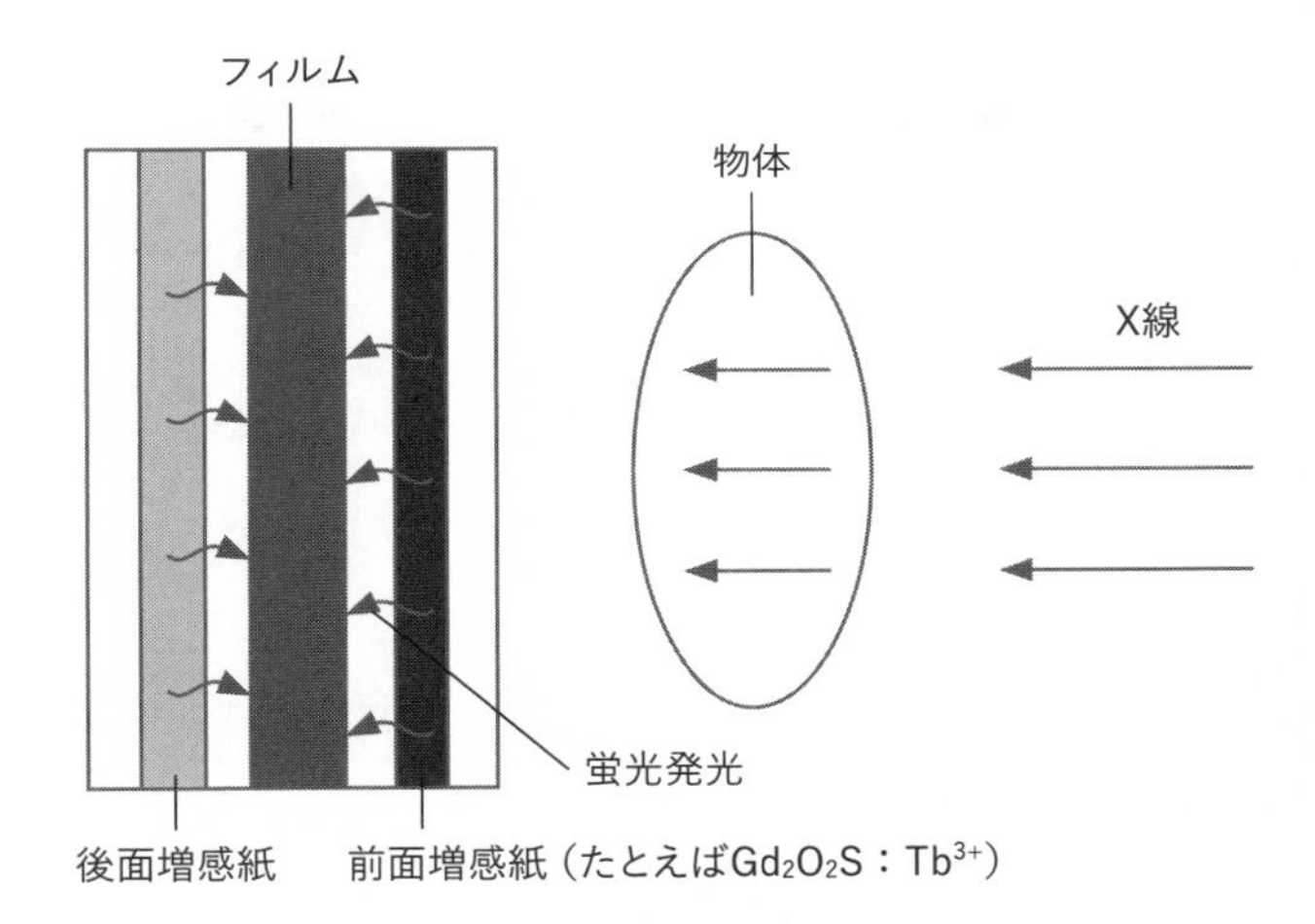

図 65-1　蛍光発光増感剤の原理

（磁性体に力を加えることにより磁場が生じる「逆磁歪効果」〈ビラリ効果〉を利用して、ペダル踏力（とうりょく）を検出する装置）、魚群探知機のソナー音源、フラットパネル型のスピーカー、プリントヘッドなどに用いられている。この秘密はテルビウムの平らな4f電子雲にあり、磁場がかかると電子が動くため、それに合わせて結合に関係している周囲の原子が動くことによるものである。

希土類元素は磁性体や発光体に多く使われ、酸化テルビウムは緑の蛍光体として用いられるが、いずれも希土類元素に特徴的な電子（4f電子）のスピンの向きや電子状態間の遷移を利用している。

ヒトの骨や肺などを診断する際のX線撮影や、船舶やパイプラインなどの溶接箇所の非破壊検査に用いられるX線フィルムの感度を上げるために、X線が照射されると蛍光を放出する増感剤が必要である。このフィルム感度を高める増感剤としてGd_2O_2S中に含ませたTb^{3+}が用いられている（図65－1）。

66

Dy

ジスプロシウム／Dysprosium

同位体と存在比(%)			
^{152}Dy	0, EC, α, γ, 2.38h	^{160}Dy	2.329
^{153}Dy	0, EC, β^{+}, γ, 6.29h	^{161}Dy	18.899
^{154}Dy	0, α, 3.0×10^{6}y	^{162}Dy	25.475
^{155}Dy	0, EC, β^{+}, γ, 10.0h	^{163}Dy	24.896
^{156}Dy	0.056	^{164}Dy	28.260
^{157}Dy	0, EC, γ, 8.14h	^{165}Dy	0, β^{-}, γ, 2.344h
^{158}Dy	0.095	^{166}Dy	0, β^{-}, γ, 81.5h
^{159}Dy	0, EC, γ, 144.4d		

電子配置	[Xe]$4f^{10}6s^{2}$
原子量	162.500
融点(K)	1685(1412℃)
沸点(K)	2835(2562℃)
密度(kg・m^{-3})	8550(固体, 293K)
地殻濃度(ppm)	6

酸化数		
	+2	$DyCl_2$, DyI_2
	+3	Dy_2O_3, $Dy(OH)_3$, $DyCl_3$, DyF_3, $Dy(H_2O)_x{}^{3+}$, $Dy(NO_3)_3$
	+4	Cs_3DyF_7

1	2	3	4	5	6	7	8	9	10	11	12	13	14	15	16	17	18
1 H																	2 He
3 Li	4 Be											5 B	6 C	7 N	8 O	9 F	10 Ne
11 Na	12 Mg											13 Al	14 Si	15 P	16 S	17 Cl	18 Ar
19 K	20 Ca	21 Sc	22 Ti	23 V	24 Cr	25 Mn	26 Fe	27 Co	28 Ni	29 Cu	30 Zn	31 Ga	32 Ge	33 As	34 Se	35 Br	36 Kr
37 Rb	38 Sr	39 Y	40 Zr	41 Nb	42 Mo	43 Tc	44 Ru	45 Rh	46 Pd	47 Ag	48 Cd	49 In	50 Sn	51 Sb	52 Te	53 I	54 Xe
55 Cs	56 Ba		72 Hf	73 Ta	74 W	75 Re	76 Os	77 Ir	78 Pt	79 Au	80 Hg	81 Tl	82 Pb	83 Bi	84 Po	85 At	86 Rn
87 Fr	88 Ra		104 Rf	105 Db	106 Sg	107 Bh	108 Hs	109 Mt	110 Ds	111 Rg	112 Cn	113 Nh	114 Fl	115 Mc	116 Lv	117 Ts	118 Og

ランタノイド(57〜71)	57 La	58 Ce	59 Pr	60 Nd	61 Pm	62 Sm	63 Eu	64 Gd	65 Tb	66 Dy	67 Ho	68 Er	69 Tm	70 Yb	71 Lu
アクチノイド(89〜103)	89 Ac	90 Th	91 Pa	92 U	93 Np	94 Pu	95 Am	96 Cm	97 Bk	98 Cf	99 Es	100 Fm	101 Md	102 No	103 Lr

1875年にガリウム（Ga）を、1879年にはサマリウム（Sm）を発見したフランスのボアボードランは、1886年にホルミウムと思われていた物質に新しい元素にもとづくスペクトル線を発見した。再結晶を繰り返すことによってホルミウムから新元素を取り出すことに成功し、ギリシャ語のdysprositos（近づき難い）からジスプロシウムと名づけた。名前の

由来からその苦労がしのばれる。実際にこの元素を純粋に分離したのはフランスのユルバンであった（1907年）。

19世紀の技術ではたいへんであった精製も、現代ではイオン交換法、改良された抽出法を用いて容易にできるようになった。それでも目的とする元素が多く含まれる鉱石を使うことは必須である。重希土類元素量の多いゼノタイム（リン酸塩）がよく使われる。ジスプロシウムは重希土類元素中、最も多く地殻にある（6ppm）。

工業的には、光磁気記録や磁歪（強磁性体を磁場内に置くと伸縮や変形が起こる現象）に応用される。最強力ネオジム磁石の使用可能温度を高めるための必須添加元素として重要で、ジスプロシウムを加えることにより使用可能温度が80℃から200℃まで上昇する。この性質を応用してハイブリッド車のエンジンがつくられている。近年は、コストダウンと資源危機の回避を目的として、ジスプロシウム添加を削減する開発が進められている。

+3ジスプロシウムは光のエネルギーをためて発光体に与える性質をもつため、発光体（+2ユウロピウム）と組み合わせて蓄光性物質（ルミノーバ）が開発されている。昼間の光をためて、夜暗いところで発光させることができ、警告用サイン（たとえば非常口マーク）など多方面で利用されている。発がん性のある放射性元素を含まないことが特徴で、希土類元素の組み合わせが大きな力を発揮している。

電気回路に用いられるコンデンサは、絶縁体の中で分極して電荷を蓄える。セラミックコンデンサに多く使われるチタン酸バリウム（$BaTiO_3$、略称チタバリ）の高温での高い分極能を室温で使えるよう、ジスプロシウムやホルミウムが添加されている。

希土類元素の生体での生理活性あるいは毒性については、わずかなことしかわかっていない。

生命は海から出現し、海の成分を現在でも用いている。一方、天然の希土類元素の大部分はリン酸塩やフッ化物など難溶性の状態で存在している。これらの事実を考えると、希土類元素が生体に必須である可能性は低いようである。ただし、希土類元素のイオン半径がカルシウム（Ca）とほとんど同じことから、カルシウムと同様の役割が期待されている。

ヒトに希土類元素の塩化物を投与した場合、原子番号が大きいほど体内に留まりやすく、ランタン（La）やセリウム（Ce）などの軽希土類元素は骨に、ジスプロシウムなどの重希土類元素は肝臓に蓄積する傾向があり、イオン半径が似たカルシウムやマグネシウムと似た挙動を示すようである。発がん性の報告は現在のところない。

希土類元素がハイテク材料として大量に使われるようになったのはごく最近であるから、今後生体との関連性を研究する必要があろう。

Column 20

四つの元素名の起源となった町

スカンジナビア半島は希土類元素の宝庫といわれている。18世紀末から20世紀初めにかけて、希土類元素発見の舞台となった。とりわけスウェーデンの小さな町イッテルビーは、四つの元素名の起源となった町として有名である。

原子番号	元素名 元素記号	発見年 発見者
39	イットリウム **Y**	1794 ガドリン
65	テルビウム **Tb**	1843 モサンデル
68	エルビウム **Er**	1843 モサンデル
70	イッテルビウム **Yb**	1878 マリニャク

67 Ho

ホルミウム／Holmium

同位体と存在比(%)	
^{161}Ho	0, EC, γ, 2.48h
^{163}Ho	0, EC, 4570y
^{165}Ho	100
^{166}Ho	0, β^-, γ, 28.824h
^{166m}Ho	0, β^-, γ, 1132.6y
^{167}Ho	0, β^-, γ, 3.1h

電子配置	[Xe]$4f^{11}6s^2$
原子量	164.930 329
融点(K)	1747(1474℃)
沸点(K)	2668(2395℃)
密度(kg・m^{-3})	8795(固体, 293K)
地殻濃度(ppm)	1.4

酸化数	+3	Ho_2O_3, $Ho(OH)_3$, $HoCl_3$, HoF_3, $Ho(H_2O)_x^{3+}$, $Ho(NO_3)_3$, $Ho_2(SO_4)_3$

1	2	3	4	5	6	7	8	9	10	11	12	13	14	15	16	17	18
1 H																	2 He
3 Li	4 Be											5 B	6 C	7 N	8 O	9 F	10 Ne
11 Na	12 Mg											13 Al	14 Si	15 P	16 S	17 Cl	18 Ar
19 K	20 Ca	21 Sc	22 Ti	23 V	24 Cr	25 Mn	26 Fe	27 Co	28 Ni	29 Cu	30 Zn	31 Ga	32 Ge	33 As	34 Se	35 Br	36 Kr
37 Rb	38 Sr	39 Y	40 Zr	41 Nb	42 Mo	43 Tc	44 Ru	45 Rh	46 Pd	47 Ag	48 Cd	49 In	50 Sn	51 Sb	52 Te	53 I	54 Xe
55 Cs	56 Ba		72 Hf	73 Ta	74 W	75 Re	76 Os	77 Ir	78 Pt	79 Au	80 Hg	81 Tl	82 Pb	83 Bi	84 Po	85 At	86 Rn
87 Fr	88 Ra		104 Rf	105 Db	106 Sg	107 Bh	108 Hs	109 Mt	110 Ds	111 Rg	112 Cn	113 Nh	114 Fl	115 Mc	116 Lv	117 Ts	118 Og

ランタノイド(57～71)	57 La	58 Ce	59 Pr	60 Nd	61 Pm	62 Sm	63 Eu	64 Gd	65 Tb	66 Dy	67 Ho	68 Er	69 Tm	70 Yb	71 Lu
アクチノイド(89～103)	89 Ac	90 Th	91 Pa	92 U	93 Np	94 Pu	95 Am	96 Cm	97 Bk	98 Cf	99 Es	100 Fm	101 Md	102 No	103 Lr

１８４３年にモサンデルは、希土類元素の混合物であった当時のイットリウムを、イットリウム（Y）とテルビウム(Tb)、さらにエルビウムに分離した。このエルビウムから１８７８年にイッテルビウムが分離された。これもまた純粋でなく、１８７９年にスカンジウムが、１９０７年にルテチウムが分離された。

一方、スウェーデンのクレーベは１８７９年にエルビウムから二つの新元素を分離した。その一つはスウェーデンの首都ストックホルムの古名 Holmia にちなんでホルミウムと名づけられ、もう一つはツリウム（Tm）と名づけられた。このホルミウムも不純物を含んでおり、ようやく純粋なホルミウムを得たのはホンベルグであった（１９１１年）。

金属ホルミウムは銀白色の光沢をもち、乾燥した空気中では安定である。熱を加えたり湿気をおびた空気に触れると、急速にさびてしまう。ホルミウムは重希土類元素量の多いゼノタイム（リン酸塩）からイオン交換法を用いて分離される。淡黄色の+3化合物が一般に知られている。

ホルミウムはf電子軌道間の遷移にもとづく５３７nmの幅の狭い光吸収帯をもつため、酸化ホルミウム（Ho_2O_3）を添加したガラスが分光光度計（物質の吸収スペクトルを測定する機械）の波長校正に用いられる（ネオジムも同様の目的で使われる）。

希土類元素はそれ自体が可視領域に特徴的な色をもっているため、色ガラスによく使われる。希土類元素の色は金属原子内で起こる電子の遷移に由来し、64番目のガドリニウム（Gd）をはさんだ両側の元素の色（+3の場合）はよく似ている（284ページの表57－1参照）。ホルミウムに対応する元素は天然に存在しないプロメチウム（Pm）であるから、ホルミウムの淡黄色は貴重である。

ＹＡＧ（ヤグ）レーザーにクロム、ツリウム、ホルミウムを添加したＣＴＨ：ＹＡＧレーザーは、硬い組織でも十分な破砕力があり、組織の深部に熱の影響を与えずに表面で切開と止血が同時にできるため、尿路結石の破砕や前立腺の手術などに利用されている。

重希土類元素の地殻中の含有量は少なく（ホルミウムは１.４ppm）、価格も高いので、工業的に利用するには、性質がよく似て価格も安い軽希土類元素がよく用いられる。希土類元素の生産および埋蔵量の最も多い国は中国である。

重希土類元素の発見の歴史は、1787年にアレニウスがスウェーデンの町イッテルビーで新しい鉱物を発見したことから始まる。次いで1794年に、フィンランドのガドリンは新鉱物（のちにガドリン石と命名）の中に新しい元素イットリウムを発見した。このイットリウムには希土類元素が混合していた。イットリウム（Y）の原子番号と質量数はランタン

68 Er

エルビウム／Erbium

同位体と存在比(%)			
^{160}Er	0, EC, γ, 28.58h	^{167}Er	22.869
^{161}Er	0, EC, β^+, γ, 3.21h	^{168}Er	26.978
^{162}Er	0.139	^{169}Er	0, β^-, γ, 9.392d
^{163}Er	0, EC, β^+, γ, 75.0m	^{170}Er	14.910
^{164}Er	1.601	^{171}Er	0, β^-, γ, 7.516h
^{165}Er	0, EC, 10.36h	^{172}Er	0, β^-, γ, 49.3h
^{166}Er	33.503		

電子配置	[Xe]$4f^{12}6s^2$
原子量	167.259
融点(K)	1802(1529℃)
沸点(K)	3136(2863℃)
密度(kg・m^{-3})	9066(固体, 298K)
地殻濃度(ppm)	3.8

酸化数	+3	Er_2O_3, $Er(OH)_3$, $ErCl_3$, ErF_3, $Er(H_2O)_x^{3+}$, $Er(NO_3)_3$, $Er_2(C_2O_4)_3$

1	2	3	4	5	6	7	8	9	10	11	12	13	14	15	16	17	18
1 H																	2 He
3 Li	4 Be											5 B	6 C	7 N	8 O	9 F	10 Ne
11 Na	12 Mg											13 Al	14 Si	15 P	16 S	17 Cl	18 Ar
19 K	20 Ca	21 Sc	22 Ti	23 V	24 Cr	25 Mn	26 Fe	27 Co	28 Ni	29 Cu	30 Zn	31 Ga	32 Ge	33 As	34 Se	35 Br	36 Kr
37 Rb	38 Sr	39 Y	40 Zr	41 Nb	42 Mo	43 Tc	44 Ru	45 Rh	46 Pd	47 Ag	48 Cd	49 In	50 Sn	51 Sb	52 Te	53 I	54 Xe
55 Cs	56 Ba		72 Hf	73 Ta	74 W	75 Re	76 Os	77 Ir	78 Pt	79 Au	80 Hg	81 Tl	82 Pb	83 Bi	84 Po	85 At	86 Rn
87 Fr	88 Ra		104 Rf	105 Db	106 Sg	107 Bh	108 Hs	109 Mt	110 Ds	111 Rg	112 Cn	113 Nh	114 Fl	115 Mc	116 Lv	117 Ts	118 Og

ランタノイド(57〜71)	57 La	58 Ce	59 Pr	60 Nd	61 Pm	62 Sm	63 Eu	64 Gd	65 Tb	66 Dy	67 Ho	**68 Er**	69 Tm	70 Yb	71 Lu
アクチノイド(89〜103)	89 Ac	90 Th	91 Pa	92 U	93 Np	94 Pu	95 Am	96 Cm	97 Bk	98 Cf	99 Es	100 Fm	101 Md	102 No	103 Lr

（La）からルテチウム（Lu）までのランタノイドよりもはるかに小さいにもかかわらず、イットリウムとランタノイドはイオン半径がほとんど同じ（ランタノイド収縮）であるため、混在して産出する。

セリウムと思われていた物質から１８３９年にランタンを見つけたスウェーデンのモサンデルは、イットリウムを研究し、１８４３年に三つの成分（イットリウム、テルビウム、エルビウム）に分けることに成功し、いずれもイッテルビーに由来する名前を与えた。

後年、モサンデルが分離したエルビウムから、ジスプロシウム（Dy）、ホルミウム（Ho）、ツリウム（Tm）、イッテルビウム（Yb）、ルテチウム（Lu）およびスカンジウム（Sc）の六つの新元素が発見され、純粋なエルビウムは１８７９年にスウェーデンのクレーベによって初めて得られた。

エルビウムは重希土類元素量の多いゼノタイム（リン酸塩）からイオン交換法を用いて分離される。桃色の+3化合物が一般に知られている。

情報通信で主役となっている石英ガラス製光ファイバーは、長距離を伝送すると強度が低下する。そのため希土類元素を添加したファイバー内で光を吸収させ、4f電子を励起・増幅させた発光を送る光アンプ法がとられる。エルビウムを含む光ファイバー（ＥＤＦ：Erbium Doped Fiber）は、１０００km以上にわたって信号を光のままで送ることができる。増幅させる光波長に応じてエルビウム、プラセオジム、ツリウム、イッテルビウムが使い分けられる。その他エルビウムをＹＡＧ（ヤグ）レーザーに添加したエルビウムＹＡＧレーザーが出す２９４０nmの赤外光は、炭酸レーザーの１０６０nmより組織のダメージが小さく、歯科領域で利用されている。ガラスに酸化エルビウムを添加するとピンク色になる。

69 Tm

ツリウム／Thulium

同位体と存在比(%)			
^{163}Tm	0, EC, β^+, γ, 1.810h	^{169}Tm	100
^{165}Tm	0, EC, β^+, γ, 30.06h	^{170}Tm	0, β^-, γ, 127.8d
^{166}Tm	0, EC, β^+, γ, 7.70h	^{171}Tm	0, β^-, γ, 1.92y
^{167}Tm	0, EC, γ, 9.25d	^{172}Tm	0, β^-, γ, 63.6h
^{168}Tm	0, EC, β^-, β^+, γ, 93.1d	^{173}Tm	0, β^-, γ, 8.24h

電子配置	[Xe]$4f^{13}6s^2$
原子量	168.934219
融点(K)	1818(1545℃)
沸点(K)	2220(1947℃)
密度(kg・m^{-3})	9321(固体, 293K)
地殻濃度(ppm)	0.48

酸化数	+2	$TmCl_2$, $TmBr_2$, TmI_2
	+3	Tm_2O_3, $Tm(OH)_3$, $TmCl_3$, TmF_3, $Tm(H_2O)_x^{3+}$, TmI_3, $Tm(NO_3)_3$

1	2	3	4	5	6	7	8	9	10	11	12	13	14	15	16	17	18
1 H																	2 He
3 Li	4 Be											5 B	6 C	7 N	8 O	9 F	10 Ne
11 Na	12 Mg											13 Al	14 Si	15 P	16 S	17 Cl	18 Ar
19 K	20 Ca	21 Sc	22 Ti	23 V	24 Cr	25 Mn	26 Fe	27 Co	28 Ni	29 Cu	30 Zn	31 Ga	32 Ge	33 As	34 Se	35 Br	36 Kr
37 Rb	38 Sr	39 Y	40 Zr	41 Nb	42 Mo	43 Tc	44 Ru	45 Rh	46 Pd	47 Ag	48 Cd	49 In	50 Sn	51 Sb	52 Te	53 I	54 Xe
55 Cs	56 Ba		72 Hf	73 Ta	74 W	75 Re	76 Os	77 Ir	78 Pt	79 Au	80 Hg	81 Tl	82 Pb	83 Bi	84 Po	85 At	86 Rn
87 Fr	88 Ra		104 Rf	105 Db	106 Sg	107 Bh	108 Hs	109 Mt	110 Ds	111 Rg	112 Cn	113 Nh	114 Fl	115 Mc	116 Lv	117 Ts	118 Og

ランタノイド(57～71)	57 La	58 Ce	59 Pr	60 Nd	61 Pm	62 Sm	63 Eu	64 Gd	65 Tb	66 Dy	67 Ho	68 Er	69 Tm	70 Yb	71 Lu
アクチノイド(89～103)	89 Ac	90 Th	91 Pa	92 U	93 Np	94 Pu	95 Am	96 Cm	97 Bk	98 Cf	99 Es	100 Fm	101 Md	102 No	103 Lr

ツリウムは、ホルミウム（Ho）と同時に発見された。すなわち、ガドリンが分離したイットリウムを含む希土類元素の混合物から、1843年にモサンデルがイットリウム、テルビウムおよびエルビウムを分離した。このエルビウムから、1878年にイッテルビウムが分離され（これもまた純粋でなく、後年さらにスカンジウム、ルテチウムが分離された）、さらに

１８７９年にスウェーデンのクレーベが三つの成分に分離することに成功した。このうちの二つが新元素であり、一つはホルミウム、もう一つがツリウムと名づけられた。

ツリウムの由来には、スカンジナビア半島の旧地名Thule（ツーレ）にちなんだとする説、スウェーデンの町ツーレからとったとする説、世界の最果ての極北の地 ultimate Thule を記念したとする説などがある。

ツリウムは重希土類元素量の多いゼノタイム（リン酸塩）からイオン交換法で分離される。希土類の中では地殻中に最も少ない元素であり（０・４８ppm）、薄い緑色の+3化合物が一般に知られる。

ツリウムは希土類元素の中では価格が高いこともあって、クロム、ツリウム、ホルミウムを添加すると２０８０〜２１００nmのレーザーを発振する医療用ＣＴＨ：ＹＡＧ（ヤグ）レーザーや蛍光体など用途は限られている。注目は光アンプで、ツリウムを添加した光アンプを使用すると、エルビウムの光アンプ（324ページ参照）が対応できない波長帯（Ｓバンド）の光を増幅することができ、光ファイバーの伝送容量を増やすことができる。原子炉で放射化したツリウムは携帯型のX線源として使用でき、歯の診断に用いられる。

ツリウムはまた、放射線を吸収したあとに加熱すると蛍光発色する、熱ルミネセンス現象を利用した放射線量計としても利用されている。

70 Yb

イッテルビウム／Ytterbium

同位体と存在比(%)			
^{164}Yb	0, EC, γ, 75.8m	^{173}Yb	16.103
^{166}Yb	0, EC, γ, 56.7h	^{174}Yb	32.025
^{168}Yb	0.123	^{175}Yb	0, β^-, γ, 4.185d
^{169}Yb	0, EC, γ, 32.018d	^{176}Yb	12.995
^{170}Yb	2.982	^{177}Yb	0, β^-, γ, 1.911h
^{171}Yb	14.086	^{178}Yb	0, β^-, γ, 74m
^{172}Yb	21.686		

電子配置	[Xe]$4f^{14}6s^2$
原子量	173.045
融点(K)	1097(824℃)
沸点(K)	1466(1193℃)
密度($kg \cdot m^{-3}$)	6965(固体, 293K)
地殻濃度(ppm)	3.2

酸化数		
酸化数	+2	YbO, YbS, YbF_2, $YbCl_2$, $YbSO_4$, $YbCO_3$
	+3	Yb_2O_3, $Yb(OH)_3$, $YbCl_3$, YbF_3, $Yb(H_2O)_x^{3+}$, YbI_3, $Yb(NO_3)_3$, $Yb(C_2H_3O_2)_3$

1	2	3	4	5	6	7	8	9	10	11	12	13	14	15	16	17	18
1 H																	2 He
3 Li	4 Be											5 B	6 C	7 N	8 O	9 F	10 Ne
11 Na	12 Mg											13 Al	14 Si	15 P	16 S	17 Cl	18 Ar
19 K	20 Ca	21 Sc	22 Ti	23 V	24 Cr	25 Mn	26 Fe	27 Co	28 Ni	29 Cu	30 Zn	31 Ga	32 Ge	33 As	34 Se	35 Br	36 Kr
37 Rb	38 Sr	39 Y	40 Zr	41 Nb	42 Mo	43 Tc	44 Ru	45 Rh	46 Pd	47 Ag	48 Cd	49 In	50 Sn	51 Sb	52 Te	53 I	54 Xe
55 Cs	56 Ba		72 Hf	73 Ta	74 W	75 Re	76 Os	77 Ir	78 Pt	79 Au	80 Hg	81 Tl	82 Pb	83 Bi	84 Po	85 At	86 Rn
87 Fr	88 Ra		104 Rf	105 Db	106 Sg	107 Bh	108 Hs	109 Mt	110 Ds	111 Rg	112 Cn	113 Nh	114 Fl	115 Mc	116 Lv	117 Ts	118 Og

ランタノイド(57〜71)	57 La	58 Ce	59 Pr	60 Nd	61 Pm	62 Sm	63 Eu	64 Gd	65 Tb	66 Dy	67 Ho	68 Er	69 Tm	**70 Yb**	71 Lu
アクチノイド(89〜103)	89 Ac	90 Th	91 Pa	92 U	93 Np	94 Pu	95 Am	96 Cm	97 Bk	98 Cf	99 Es	100 Fm	101 Md	102 No	103 Lr

1794年にガドリンによって発見されたイットリウムを、モサンデルが1843年、イットリウム、テルビウム（この二者は純粋）とエルビウムに分離した。

1878年スイスのマリニャクは、硝酸エルビウムの分別結晶によって淡赤色のエルビウムとは異なる白い酸化物を分離し、スウェーデンの町イッテルビーにちなんでイッテルビウムと名づけた。

後年、このイッテルビウムから、１８７９年にメンデレーエフが予言した元素（エカホウ素）であるスカンジウム（Sc）が発見された。その後、イッテルビウムからはルテチウム（Lu）が分離され、純粋なイッテルビウムが得られたのは１９０７年になってからであった。

イッテルビーはストックホルムの東南東30㎞にある小さな町であるが、この町にちなんだ元素の名前が、イッテルビウム、イットリウム、テルビウムおよびエルビウムと、四つもあるのは驚きである。優れた化学分離法をもたなかった時代には、溶解－濃縮－濾過を根気よく繰り返すことによってわずかな溶解度の差から分離するしかなかった。したがって特定の元素を多く含む鉱物は、その存在量がわずかなものであり貴重な存在であった。このため、鉱物を産出したイッテルビーにちなんで四つの元素に似たような名称が与えられる結果となった。

イッテルビウムは、重希土類元素量の多いゼノタイム（リン酸塩）からイオン交換法を用いて分離される。+3化合物が一般に知られるが、不安定な+2化合物の存在がイッテルビウムの特徴である。重希土類元素の中では例外的にさびやすい。水溶液は明るいオレンジ色であるが、水、酸素で酸化され、すみやかに+3の無色になる。

工業的な応用としては、ガラスの着色（黄緑色）やレーザーの添加剤に使われている。イッテルビウムをガラスファイバーに含むファイバーレーザーは、高出力が可能でレーザー切断・溶接・マーキング・穴あけに使用され、小型・高能率のためネオジムYAG（ヤグ）レーザーの地位を奪いつつある。イッテルビウムを含むYAGレーザーは、フェムト秒の超パルスレーザーとして使われる。イッテルビウムは炭素やマンガン、有機高分子とともに圧力センサーとしても使われている。また、鉄、あるいはマグネシウムなどの非鉄金属に少量混合し、もろさを克服し、機械的性質を向

上させるのに利用されている。希土類元素の役割は、材質中に含まれる硫黄その他微量の不純物をつかまえることだといわれている。

イッテルビウムは光電変換の効率のよい985nmに吸収帯があるため、赤外光のエネルギーを電気エネルギーに変換する光熱起電力発電システムに用いられている。^{169}Ybがγ線を放射する性質を利用して携帯型の放射線源として利用できる。

Column 21

女性科学者と元素

元素科学に貢献した女性は多いと思われるが、元素研究の歴史に名前を残す女性は多くない。ここでは5名の女性科学者を紹介する。

1	**マリー・キュリー（1867 ～ 1934年）** [ポーランド・フランス] 夫ピエールとともにポロニウム（**Po**）とラジウム（**Ra**）を発見、「放射能」という新しい言葉を生み出した。ノーベル賞を2回受賞。
2	**イレーヌ・ジョリオ=キュリー（1897 ～ 1956年）** [フランス] マリー・キュリーの娘で、夫フレデリックとともに最初の人工放射性元素（^{30}**P**）を合成。ノーベル賞受賞。
3	**リーゼ・マイトナー（1878 ～ 1968年）** [オーストリア・スウェーデン] ハーンとともにプロトアクチニウム（**Pa**）を発見、さらにハーンやシュトラスマンとともにウラン（**U**）の核分裂を見出して理論的に解明。
4	**マリア・ゲッパート=メイヤー（1906 ～ 1972年）** [ドイツ・アメリカ] 元素の魔法数を発見、ハンス・イェンゼン（ドイツ）とともに理論を提唱。ノーベル賞受賞。
5	**マルグリット・ペレー（1909 ～ 1975年）** マリー・キュリーの助手を務め、自然界から見つかる最後の元素となったフランシウム（^{223}**Fr**）を発見。

71 Lu

ルテチウム／Lutetium

同位体と存在比(%)			
^{169}Lu	0, EC, β^+, γ, 34.06h	^{175}Lu	97.401
^{170}Lu	0, EC, β^+, γ, 2.012d	^{176}Lu	2.599, β^-, γ, 3.8×10^{10}y
^{171}Lu	0, EC, β^+, γ, 8.24d		
^{172}Lu	0, EC, γ, 6.70d	^{176m}Lu	0, β^-, γ, 3.68h
^{173}Lu	0, EC, γ, 1.37y	^{177}Lu	0, β^-, γ, 6.647d
^{174}Lu	0, EC, β^+, γ, 3.31y	^{177m}Lu	0, β^-, IT, 160.44d
^{174m}Lu	0, IT, γ, 142d	^{179}Lu	0, β^-, γ, 4.6h

電子配置	[Xe]$4f^{14}5d^{1}6s^{2}$
原子量	174.9668
融点(K)	1936(1663℃)
沸点(K)	3668(3395℃)
密度($kg\cdot m^{-3}$)	9840(固体, 293K)
地殻濃度(ppm)	0.51

酸化数		
酸化数	+3	Lu_2O_3, $Lu(OH)_3$, $LuCl_3$, LuF_3, $Lu(H_2O)_x^{3+}$, $Lu(NO_3)_3$

1	2	3	4	5	6	7	8	9	10	11	12	13	14	15	16	17	18
1 H																	2 He
3 Li	4 Be											5 B	6 C	7 N	8 O	9 F	10 Ne
11 Na	12 Mg											13 Al	14 Si	15 P	16 S	17 Cl	18 Ar
19 K	20 Ca	21 Sc	22 Ti	23 V	24 Cr	25 Mn	26 Fe	27 Co	28 Ni	29 Cu	30 Zn	31 Ga	32 Ge	33 As	34 Se	35 Br	36 Kr
37 Rb	38 Sr	39 Y	40 Zr	41 Nb	42 Mo	43 Tc	44 Ru	45 Rh	46 Pd	47 Ag	48 Cd	49 In	50 Sn	51 Sb	52 Te	53 I	54 Xe
55 Cs	56 Ba		72 Hf	73 Ta	74 W	75 Re	76 Os	77 Ir	78 Pt	79 Au	80 Hg	81 Tl	82 Pb	83 Bi	84 Po	85 At	86 Rn
87 Fr	88 Ra		104 Rf	105 Db	106 Sg	107 Bh	108 Hs	109 Mt	110 Ds	111 Rg	112 Cn	113 Nh	114 Fl	115 Mc	116 Lv	117 Ts	118 Og

ランタノイド(57〜71)	57 La	58 Ce	59 Pr	60 Nd	61 Pm	62 Sm	63 Eu	64 Gd	65 Tb	66 Dy	67 Ho	68 Er	69 Tm	70 Yb	71 Lu
アクチノイド(89〜103)	89 Ac	90 Th	91 Pa	92 U	93 Np	94 Pu	95 Am	96 Cm	97 Bk	98 Cf	99 Es	100 Fm	101 Md	102 No	103 Lr

1878年にマリニャクはエルビウムからイッテルビウムを分離し、翌1879年に入ってイッテルビウムからスカンジウム（Sc）を分離し、これに続いて

1907年にはフランスのユルバンが新しい元素を分離した。パリの古名ルテチア（Lutetia）からルテチウムと名づけた。1885年にプラセオジム（Pr）とネオジム（Nd）を発見したオーストリアの

71 Lu ルテチウム

ウェルスバッハも、ちょうど同じころに71番目の元素を発見し、カシオピウムという名をつけたが、ユルバンの論文のほうが数ヵ月早かったために、命名権はユルバンの手に落ちた。もう一人、アメリカのジェームズも独自にこの元素を発見していたが、発表が遅かったため名前は残らなかった。

ルテチウムの発見をもって、天然由来のランタノイド発見の歴史は1803年のセリウムの発見からほぼ1世紀を経て幕を閉じた。

当時の照明器具は、チャップリンの映画「ライムライト」に見られるように、ライム（CaO、酸化カルシウム）のガス灯であった。金属酸化物の粗い網（マントル）をガスで加熱して灯を点けていた。ウェルスバッハは、ルテチウム発見前の1880年代に、ガス灯のマントルにセリウム（Ce）と放射性のトリウム（Th）の酸化物を使ってガス灯を明るくすることに成功した。これがきっかけとなって希土類元素が工業的に大量に製造されるようになった。発火石、研磨剤、石油改良触媒と続き、希土類元素の2番目のブレークスルーはカラーテレビの蛍光剤への使用であった。3度目は磁石であり、希土類は元素を変えながら100年を超えてわれわれの生活に恩恵をもたらしている（344ページのコラム24参照）。

ルテチウムはツリウム（Tm）と並んで地球上での量が少ない希土類元素である。重希土類元素量の多いゼノタイム（リン酸塩）からイオン交換法を用いて分離される。+3化合物が一般に知られ、水溶液は無色である。^{176}Luは天然存在比2・599%、半減期

**図71-1　ユルバン
(1872 − 1938)**

３８０億年の天然放射性核種であり、古代の地層岩石や宇宙鉱物など数億～数十億年単位の古い年代測定にルテチウム－ハフニウム法として使用される。

　セリウムを添加したケイ酸ルテチウムはＰＥＴ診断のための陽電子検出器として利用されている。中性子を照射したルテチウムはβ線源として放射線治療への応用などの研究もなされている。ルテチウムの地殻濃度（０・５１ppm）は希土類元素の中ではツリウムに次いで低いが、金や銀と比べると高い。分離に手間がかかるため非常に高価である。

Column 22

希土類元素（レアアース）発見の歴史

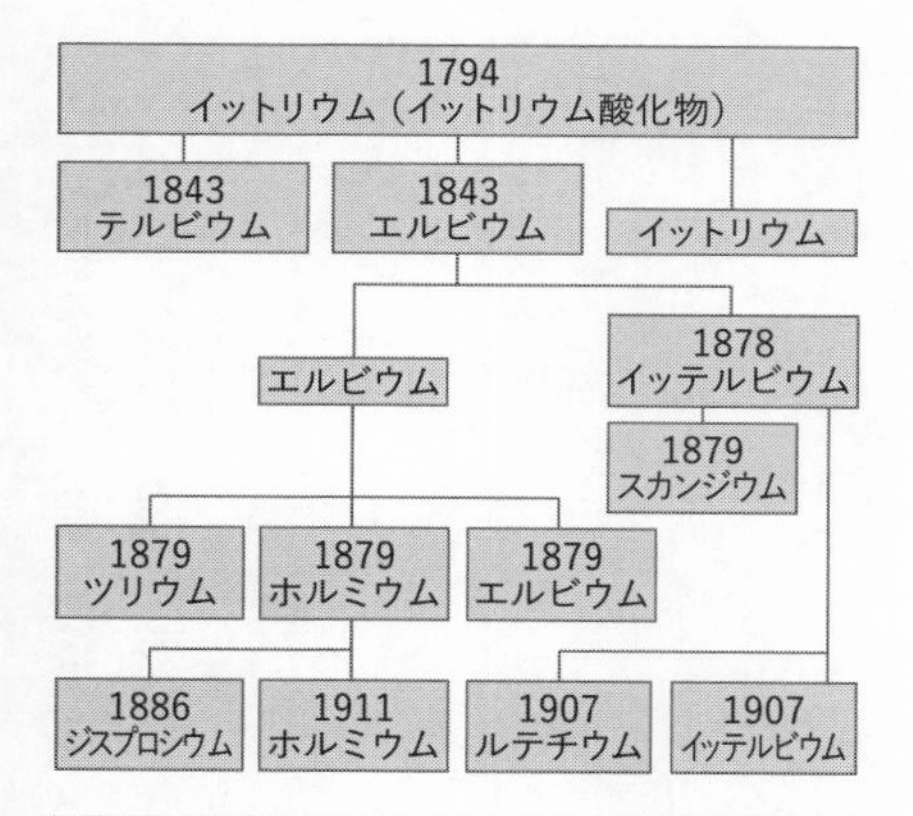

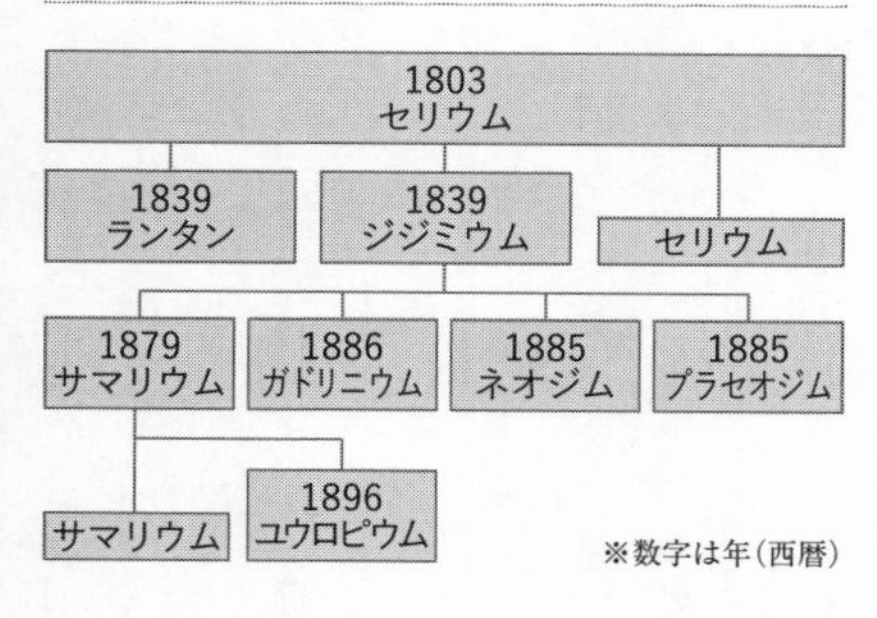

※数字は年（西暦）

72 Hf

ハフニウム／Hafnium

同位体と存在比(%)			
^{172}Hf	0, EC, γ, 1.87y	^{178}Hf	27.28
^{174}Hf	0.16	^{179}Hf	13.62
^{175}Hf	0, EC, 70.0d	^{180}Hf	35.08
^{176}Hf	5.26	^{181}Hf	0, β^-, γ, 42.39d
^{177}Hf	18.60	^{182}Hf	0, β^-, γ, 8.9×10^6y

電子配置	[Xe]$4f^{14}5d^26s^2$
原子量	178.486
融点(K)	2503(2230℃)
沸点(K)	5470(5197℃)
密度(kg・m^{-3})	13310(固体, 293K)
	12000(液体, 融点)
地殻濃度(ppm)	3

酸化数		
	0	[$(C_5Me_5)Hf(CO)_4$]$^-$
	+1	HfCl
	+2	$HfCl_2$
	+3	$HfCl_3$, $HfBr_3$, HfI_3
	+4	HfO_2, $Hf(OH)^{3+}$, HfF_4, $HfCl_4$など

1	2	3	4	5	6	7	8	9	10	11	12	13	14	15	16	17	18
1 H																	2 He
3 Li	4 Be											5 B	6 C	7 N	8 O	9 F	10 Ne
11 Na	12 Mg											13 Al	14 Si	15 P	16 S	17 Cl	18 Ar
19 K	20 Ca	21 Sc	22 Ti	23 V	24 Cr	25 Mn	26 Fe	27 Co	28 Ni	29 Cu	30 Zn	31 Ga	32 Ge	33 As	34 Se	35 Br	36 Kr
37 Rb	38 Sr	39 Y	40 Zr	41 Nb	42 Mo	43 Tc	44 Ru	45 Rh	46 Pd	47 Ag	48 Cd	49 In	50 Sn	51 Sb	52 Te	53 I	54 Xe
55 Cs	56 Ba		72 Hf	73 Ta	74 W	75 Re	76 Os	77 Ir	78 Pt	79 Au	80 Hg	81 Tl	82 Pb	83 Bi	84 Po	85 At	86 Rn
87 Fr	88 Ra		104 Rf	105 Db	106 Sg	107 Bh	108 Hs	109 Mt	110 Ds	111 Rg	112 Cn	113 Nh	114 Fl	115 Mc	116 Lv	117 Ts	118 Og

ランタノイド (57〜71)	57 La	58 Ce	59 Pr	60 Nd	61 Pm	62 Sm	63 Eu	64 Gd	65 Tb	66 Dy	67 Ho	68 Er	69 Tm	70 Yb	71 Lu
アクチノイド (89〜103)	89 Ac	90 Th	91 Pa	92 U	93 Np	94 Pu	95 Am	96 Cm	97 Bk	98 Cf	99 Es	100 Fm	101 Md	102 No	103 Lr

ハフニウムは1922〜1923年に、コペンハーゲンのボーア研究所で研究していたコスターとヘベシーらによってノルウェー産の鉱石ジルコン（$ZrSiO_4$）からX線分析と分別結晶を繰り返すことによって発見され、コペンハーゲンのラテン名Hafniaにちなんで名づけられた。

周期表では、ハフニウムの前に一連のランタノイド元素（La～Lu）があり、ランタノイド収縮（285ページ参照）のためにハフニウムのイオン半径（+4、0.84Å）はジルコニウム（Zr）のイオン半径（+4、0.87Å）とほとんど等しくなっている。そのためハフニウムの化学的性質はジルコニウムと非常によく似ており、この両者の分離は、すべての元素中で最も困難であるといわれている。ハフニウムは地殻中に比較的豊富に存在し（3ppm）、すべてのジルコニウム鉱物に含まれているにもかかわらず発見が遅れたのはこのためである。

ハフニウムには質量数174、176、177、178、179、180の六つの安定同位体があり、^{176}Hfの存在量は^{176}Luのβ^-壊変（半減期380億年）によって、太陽系の歴史とともに増加してきたと考えられる。

ハフニウム金属の世界の年間生産量は、100t前後と推定されている。単体のハフニウムは銀色の重い金属であり、延性に富んでいる。空気に触れても表面に丈夫な酸化物の薄い膜ができるので、腐食されにくくなる。ハフニウムは+4が安定であり、特に四フッ化ハフニウム（HfF_4）はフッ化ガラスの原料として重要である。

一般に、金属材料は約10μmの結晶の粒からなり、その粒同士の境界は結晶粒界とよばれる。合金を加熱してつくるとき、不純物が結晶粒界に集まり、合金の強度が変化する。硫黄やリンは合金を弱くし、ホウ素、炭素、ジルコニウムやハフニウムは強くすることが知られている。このためハフニウムはニッ

図72-1　ヘベシー（1885 – 1966）

ケル系耐熱合金に少量添加されており、ジェットエンジンのタービンブレードやプラズマアークノズルなどに用いられている。酸化ハフニウム薄膜を用いた強誘電体不揮発性メモリが開発されつつある。従来は困難であった10nmまでの薄膜化が可能とされ、低消費電力かつ長寿命の不揮発性メモリとして期待されている。第5世代通信（5G）後の大容量・高速通信を可能とする高周波増幅器用の窒化ガリウム（GaN）トランジスタのゲート絶縁膜に、ハフニウム系高耐熱高誘電材料が採用されている。

ハフニウムは中性子吸収率がきわめて高いため、原子炉の制御棒として用いられている。化学的性質の似ているジルコニウムの中性子吸収率が低く、燃料棒の被覆に使われるのと好対照である。化学反応では原子核は不変で、それをとりまく電子のふるまいに支配されるのに対して、核反応は原子核そのものの変化であるためである。

その他、炭化ハフニウムは切削工具の材料に、フッ化ハフニウムは光ファイバーに使われている。窒化ハフニウムは高温用（耐火）セラミックスに用いられている。酸化ハフニウムは紫外域から赤外域まで幅広い光を透過し、高い屈折率をもつため、紫外域用の光学部品に使われる。

ハフニウムは人体や動物に対して必須ではなく、生体の反応系に含まれていたという報告もまったくない。

73

Ta

タンタル／Tantalum

タンタルは1802年、スウェーデンのエーケベリによって発見された。この元素の発見にさまざまな困難がともなったことから、ギリシャ神話の神タンタロスにちなんで名づけられた。

英語でtantalizeという単語は「じらして苦しめる」という意味である。

天然に存在するタンタルの同位体のほとんどは^{181}Ta

同位体と存在比(%)	
^{180}Ta	β^-, γ, 8.154h
^{180m}Ta	0.01201, EC, β^-, IT, 7×10^{15}y以上
^{181}Ta	99.98799
^{182}Ta	0, β^-, γ, 114.74d

電子配置	[Xe]$4f^{14}5d^{3}6s^{2}$
原子量	180.94788
融点(K)	3258(2985℃)
沸点(K)	5783(5510℃)
密度(kg・m^{-3})	16654(固体, 293K)
	15000(液体, 融点)
地殻濃度(ppm)	2

酸化数		
	−3	$Ta(CO)_5^{3-}$
	−1	$Ta(CO)_6^-$
	0	$Ta_2(CO)_{12}$
	+1	$(C_5H_5)Ta(CO)_4$
	+2	$TaCl_2(dmpe)_2$
	+3	TaF_3, $TaCl_3$, $TaBr_3$
	+4	TaO_2, $TaCl_4$, $TaBr_4$, TaI_4
	+5	Ta_2O_5, TaF_5, $TaCl_5$, $TaOF_3$, TaO_2Fなど

※dmpe=1,2－ビス(ジメチルホスフィノ)エタン

1	2	3	4	5	6	7	8	9	10	11	12	13	14	15	16	17	18
1 H																	2 He
3 Li	4 Be											5 B	6 C	7 N	8 O	9 F	10 Ne
11 Na	12 Mg											13 Al	14 Si	15 P	16 S	17 Cl	18 Ar
19 K	20 Ca	21 Sc	22 Ti	23 V	24 Cr	25 Mn	26 Fe	27 Co	28 Ni	29 Cu	30 Zn	31 Ga	32 Ge	33 As	34 Se	35 Br	36 Kr
37 Rb	38 Sr	39 Y	40 Zr	41 Nb	42 Mo	43 Tc	44 Ru	45 Rh	46 Pd	47 Ag	48 Cd	49 In	50 Sn	51 Sb	52 Te	53 I	54 Xe
55 Cs	56 Ba		72 Hf	73 Ta	74 W	75 Re	76 Os	77 Ir	78 Pt	79 Au	80 Hg	81 Tl	82 Pb	83 Bi	84 Po	85 At	86 Rn
87 Fr	88 Ra		104 Rf	105 Db	106 Sg	107 Bh	108 Hs	109 Mt	110 Ds	111 Rg	112 Cn	113 Nh	114 Fl	115 Mc	116 Lv	117 Ts	118 Og

ランタノイド(57～71)	57 La	58 Ce	59 Pr	60 Nd	61 Pm	62 Sm	63 Eu	64 Gd	65 Tb	66 Dy	67 Ho	68 Er	69 Tm	70 Yb	71 Lu
アクチノイド(89～103)	89 Ac	90 Th	91 Pa	92 U	93 Np	94 Pu	95 Am	96 Cm	97 Bk	98 Cf	99 Es	100 Fm	101 Md	102 No	103 Lr

であり約99・98799%を占めるが、残りのわずか0・01201%が^{180m}Taであり、太陽系で最も希少な同位体である。^{180m}Taの「m」は「metastable」（準安定）を意味する。^{180m}Taの半減期は7×10^{15}年である。^{180}Taは人工元素であり、半減期は8・154時間である。

タンタルの化学的性質はニオブ（Nb）と非常によく似ているために分離が難しかった。1866年にスイスのマリニャクが、フッ化水素酸を用いた溶媒抽出法を発見し、両者の分離が可能になった。タンタルを含む鉱物としてはコルタン（コルンブ石とタンタル石〈鉄とマンガンのニオブ－タンタル酸塩〉）やサマルスキー石があり、工業的にはスズ精錬時の副産物からも得られる。

タンタルの2021年の主要な産出国はコンゴ民主共和国、ブラジル、ルワンダ、ナイジェリア、中国などである。

単体のタンタルは光沢のある灰色金属で、かなり硬いが延性に富んでいる。金属単体ではタングステン（W）、レニウム（Re）、オスミウム（Os）に次いで4番目に融点が高く、沸点もレニウム、タングステンに次いで3番目に高い。金属タンタルはほとんどの試薬に侵されず、またきわめて酸化されにくい。そのため、白金（Pt）の代用品として利用されることがある。

タンタルには、窒素、酸素、水素などの気体を吸着する性質があるため、ゲッター（ガス分子吸着剤）として電子管材に用いられている。

タンタルのおもな酸化数は+5であるが、不安定ながら−3～+4もとりうる。タンタルはフィラメント、整流器やコンデンサなどの電子部品、真空炉の部品などに用いられている。特にタンタルのコンデンサは小型・軽量であり、パソコン、携帯電話などの電子機器の小型化に欠かせないものとなっている。耐腐食性のTa－W－Co合金やTa－W－Mo合金は、耐酸性が必要な化学工業装置に用いられる。

近年、タンタル酸リチウム（$LiTaO_3$）の焦電効果（温度によって分極が変化する現象）を利用したデスクトップサイズの核融合装置が開発され、扱いやすい中性子線源としての利用が期待される。

タンタルは体液との反応性が低いため、人体にはほぼ無害と考えられ、人工骨や人工関節など整形外科用の医療材料として使われている。最近では、歯のインプラント（フィクスチャー）としての利用が盛んである。

Column 23

間違えやすい元素名

セシウム	**Cs**（Caesium）*
セリウム	**Ce**（Cerium）
セレン	**Se**（Selenium）
ルテニウム	**Ru**（Ruthenium）
ルテチウム	**Lu**（Lutetium）
イットリウム	**Y**（Yttrium）
イッテルビウム	**Yb**（Ytterbium）
テルビウム	**Tb**（Terbium）
エルビウム	**Er**（Erbium）
レニウム	**Re**（Rhenium）
ロジウム	**Rh**（Rhodium）
ルテニウム	**Ru**（Ruthenium）
ルビジウム	**Rb**（Rubidium）
タンタル	**Ta**（Tantalum）
タリウム	**Tl**（Thallium）
ツリウム	**Tm**（Thulium）
トリウム	**Th**（Thorium）
テルル	**Te**（Tellurium）
テルビウム	**Tb**（Terbium）
テクネチウム	**Tc**（Technetium）
プラセオジム	**Pr**（Praseodymium）
プロメチウム	**Pm**（Promethium）
プロトアクチニウム	**Pa**（Protactinium）
カドミウム	**Cd**（Cadmium）
ガドリニウム	**Gd**（Gadolinium）

＊アメリカではCesium

74 W

タングステン／Tungsten

同位体と存在比(%)			
^{180}W	0.12	^{184}W	30.64
^{181}W	0, EC, γ, 121.2d	^{185}W	0, β^-, γ, 75.1d
^{182}W	26.50	^{186}W	28.43
^{183}W	14.31	^{187}W	0, β^-, γ, 23.72h

電子配置	[Xe]$4f^{14}5d^4 6s^2$
原子量	183.84
融点(K)	3680(3407℃)
沸点(K)	5828(5555℃)
密度($kg \cdot m^{-3}$)	19300(固体, 293K)
	17700(液体, 融点)
地殻濃度(ppm)	1

酸化数				
	−4	$W(CO)_4^{4-}$	−2	$W(CO)_5^{2-}$
	−1	$W_2(CO)_{10}^{2-}$	0	$W(CO)_6$
	+2	WCl_2, WBr_2, WI_2		
	+3	WCl_3, WBr_3, WI_3		
	+4	WO_2, WF_4, WCl_4, WS_2		
	+5	W_2O_5, WF_5, WCl_5, $WOCl_5^{2+}$		
	+6	WO_3, WO_4^{2-}, WF_6, WCl_6, $WOCl_4$		

1	2	3	4	5	6	7	8	9	10	11	12	13	14	15	16	17	18
1 H																	2 He
3 Li	4 Be											5 B	6 C	7 N	8 O	9 F	10 Ne
11 Na	12 Mg											13 Al	14 Si	15 P	16 S	17 Cl	18 Ar
19 K	20 Ca	21 Sc	22 Ti	23 V	24 Cr	25 Mn	26 Fe	27 Co	28 Ni	29 Cu	30 Zn	31 Ga	32 Ge	33 As	34 Se	35 Br	36 Kr
37 Rb	38 Sr	39 Y	40 Zr	41 Nb	42 Mo	43 Tc	44 Ru	45 Rh	46 Pd	47 Ag	48 Cd	49 In	50 Sn	51 Sb	52 Te	53 I	54 Xe
55 Cs	56 Ba		72 Hf	73 Ta	**74 W**	75 Re	76 Os	77 Ir	78 Pt	79 Au	80 Hg	81 Tl	82 Pb	83 Bi	84 Po	85 At	86 Rn
87 Fr	88 Ra		104 Rf	105 Db	106 Sg	107 Bh	108 Hs	109 Mt	110 Ds	111 Rg	112 Cn	113 Nh	114 Fl	115 Mc	116 Lv	117 Ts	118 Og

ランタノイド(57〜71)	57 La	58 Ce	59 Pr	60 Nd	61 Pm	62 Sm	63 Eu	64 Gd	65 Tb	66 Dy	67 Ho	68 Er	69 Tm	70 Yb	71 Lu
アクチノイド(89〜103)	89 Ac	90 Th	91 Pa	92 U	93 Np	94 Pu	95 Am	96 Cm	97 Bk	98 Cf	99 Es	100 Fm	101 Md	102 No	103 Lr

1781年にスウェーデンのシェーレは、当時はタングステン（tungsten、スウェーデン語で「重い石」）、現在では灰重石（scheelite）とよばれている鉱石（主成分$CaWO_4$）から新しい元素の酸化物を単離し、タングステンが元素名として用いられるようになった。

一方、昔から、スズを精錬する際、スズ鉱石とタングステンを含む鉱石を混ぜると、スズと化合して複雑な化合物ができることが知られていた。この"スズを狼のようにむさぼり食べる"鉱石をwolframite（ウォルフラマイト）とよんでいた。1783年にスペインのデ・エルヤル兄弟が、鉄マンガン重石（狼の鉱石）から初めて金属を単離し、この元素名をウォルフラム（wolfram）と名づけ、この名称がかなり広く用いられていた。このため、現在では元素名にはタングステンが用いられているが、元素記号にはwolframのWが用いられている。また、ドイツでは今でもWolframとよんでいる。

タングステンは、工業的には前述の灰重石や鉄マンガン重石から得られ、おもな産出国（2019年）は中国、ベトナム、ロシア、モンゴル、北朝鮮などである（2017年時点の詳しいデータは155ページのコラム8参照）。希少元素（レアメタル）の一種であり、日本の国家備蓄7鉱種の一つである（464ページ参照）。

純粋に精製したタングステン金属はかなりやわらかいが、不純物が混入すると硬く、もろくなる。タングステンはおもに+2から+6の酸化状態をとる。+6のフッ化タングステン（WF_6）は常温で最も密度の高い気体である。

タングステンはすべての金属のうちで最も融点が高い。沸点もレニウムに次いで2番目に高く、すなわち蒸気圧も低く、細い線に加工できるので、白熱電球のフィラメントに用いられている（図74－1）。また熱により膨張する程度がホウ素ガラスとほぼ同じであるため、ガラスに封入する細線としても用いられる。

タングステンの密度（19・30g／cm^3）は金（19・32g／cm^3）に近いため、表面加工したタングステンを金の偽物として使う詐欺犯罪が発生している。試金石で削り、硝酸への溶解性を比較することなどで区別できる。

鉄鋼にタングステンを加えると著しく硬度が増す。炭素との化合物、炭化タングステン（WC）は

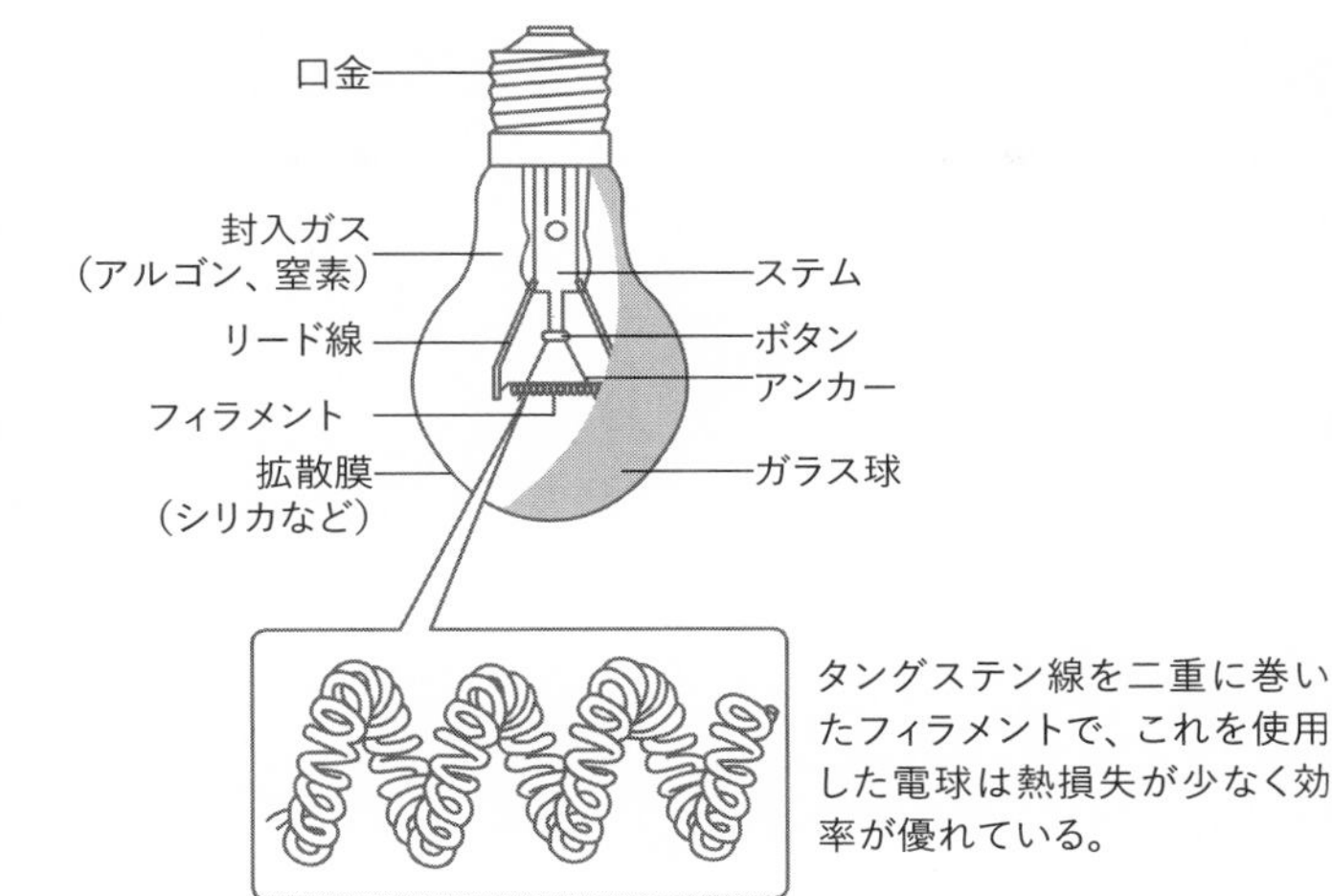

図 74-1　白熱電球の構造

ダイヤモンド、炭化ホウ素（B_4C）に次いで硬く、機械材料や切削工具材料として利用されている。近年、周期表の第4、5、6族金属の炭化物を鉄、コバルト、ニッケルなどの金属と焼結した超硬合金が実用化されている。特に、タングステンを含むWC－Co系合金は低温／高温にかかわらず硬さに優れ、物性が安定している。さらに、WC－TiC－Co, WC－TaC－Co, WC－Ni－Cr系超硬合金なども開発されている。タングステンはモリブデン（Mo）やルテニウム（Ru）と並んで、炭素―炭素二重結合の組換え反応（メタセシス反応）の触媒に用いられる。

酸化タングステン（WO_3）には電圧をかけると透明から青色へ変化する性質があり、透明度を調節できる窓ガラスに応用されている。また、酸化タングステンの光触媒作用を利用して、室内光でも効果を発揮する抗菌コートが開発されている。

酵素	機能
ホルメートデヒドロゲナーゼ（FDH）	ギ酸から水素を奪ってNADPにわたす
カルボン酸レダクターゼ（CAR）	カルボン酸をアルデヒドに還元する
ホルミルメタノフランデヒドロゲナーゼ（FMDH）	二酸化炭素をホルムアルデヒドに還元しメタノフランに結合させる
アルデヒドフェレドキシンオキシドレダクターゼ（AOR）	フェレドキシンを電子受容体としてアルデヒドをカルボン酸に酸化する
ホルムアルデヒドフェレドキシンオキシドレダクターゼ（FOR）	フェレドキシンを電子受容体としてホルムアルデヒドをギ酸に酸化する

表 74-1　タングステンを含む酵素

タングステンは、哺乳類にとって必須ではない。ヤギに低濃度のタングステンを含む飼料を与えると、むしろ成長が阻害されることが観察されている。ヒトは一日あたりおよそ8〜13μgのタングステンを食物から摂取している。

嫌気性で、かつ好熱性または超好熱性のバクテリアから、タングステンを含む数種類の酵素が発見されている（表74−1）。これらの酵素はエネルギー代謝や光合成に関わっている。

このうちギ酸脱水素酵素（ホルメートデヒドロゲナーゼ）は、次の反応のようにギ酸を二酸化炭素に変換する。

$$HCOOH + 2NADP^+ \rightleftarrows CO_2 + 2NADPH$$

この酵素は反対の反応、つまり二酸化炭素からギ酸をごくわずかにつくることもできる。もしこの反応をする触媒反応系が見つかれば、光合成系に加えて、地球温暖化の防止につながるものとして注目される。ある種のタングステン錯体が二酸化炭素をつかまえることが報告されているので、これからの研究が期待される。

好熱性細菌は原始の生物であると考えられているので、最初の生物はタングステンに依存していたのではないかと推測されている。タングステンを含む好熱性細菌は、酸素ガスのない嫌気的な雰囲気の下で、+6タングステンを+4に還元する反応により、体の中の化合物を酸化している。たとえば、アルデヒドを含む化合物をカルボン酸にしている。

細菌の中のタングステン酵素の酸化還元電位はまだわかっていないが、+6から0への化学的に測定された系での還元電位で比較すると、タングステンでは約0・03Vに対して、モリブデンでは約マイナス0・22Vである。体内の有機化合物を酸化する反応には、還元電位のより低い物質が有利と考えられる。このため、タングステンを用いて開始された生化学反応は、生物の進化の過程で、より効率の高いモリブデンを利用したものに変わっていったのではないかと推定されるが、真実はこれからの研究を待たねばならないだろう。

好熱性細菌でモリブデンよりもタングステンが必要とされる理由としては、深海の熱水噴出孔周辺のように好熱性生物が生息している火山性の環境にはタングステンが豊富に存在すること、また、高温下ではタングステンを含む活性種がモリブデンより安定であることが考えられる。

タングステンの塩Na_2WO_4は経口投与すると中程度の毒性を示し、おもに中枢神経系に作用する。過剰に摂取すると、中枢神経障害から呼吸困難、死にいたる場合もある。

ラットにNa_2WO_4を長期的に与えるとモリブデン欠乏症となり、体重が低下し、精子の動きなどもにぶくなる。タングステンがモリブデンの代わりに生体に取り込まれたためと推定される。

タングステン酸アンチモンアンモニウム（ＨＰＡ23）は、いくつかの種類のネズミにおいて、レトロウイルスによって引き起こされる乳がんや白血病などの発生を抑える効果があると報告されている。ＨＰＡ23はエイズの治療にも試験的に用いられたが有効性が認められず、治療薬とはならなかった。半導体産業で用いるフッ化タングステン（WF_6）は水と反応してフッ化水素（HF）を放出するために非常に毒性が強い。

Column 24

希土類元素（レアアース）
――Rare-earth elements

希土類元素とは、元素周期表の第3族第4周期から第6周期のランタノイド元素までの17元素の総称である。いずれも化学的性質が互いによく似ているため分離しにくく、完全な分離・精製までに100年の歴史を要した貴重な元素群である。かつては混合希土（ミッシュメタル）としてライターの着火石の鉄合金などに使われていたが、最近は分離・精製技術が進歩し、強力磁石や蛍光体の生産などに利用されている。

地球上の限られた地域に偏って存在し、埋蔵量や生産量も数ヵ国による限定された状態にある（301ページの表60－1参照）。そのような背景から、時代の変化に応じて価格変動が激しい傾向にある。

左の表に、希土類元素が日々の生活にどのように関わっているかを簡単に示した。

原子番号	元素名	おもな用途
21	スカンジウム	軽い自転車のフレーム
39	イットリウム	YAGレーザー・蛍光体
57	ランタン	高屈折率低分散ガラス
58	セリウム	ハードディスクガラスの研磨
59	プラセオジム	ゴーグルの材料・コンデンサー
60	ネオジム	ネオジム磁石
61	プロメチウム	原子力電池
62	サマリウム	サマリウムコバルト磁石
63	ユウロピウム	蛍光体(青・赤)
64	ガドリニウム	蛍光体・MRI画像強調剤
65	テルビウム	蛍光体(緑)・電動アシスト自転車
66	ジスプロシウム	ネオジム磁石
67	ホルミウム	手術用レーザー
68	エルビウム	光ファイバー
69	ツリウム	光ファイバー
70	イッテルビウム	ガラス着色(黄緑)
71	ルテチウム	年代測定・陽電子検出

75

Re

レニウム／Rhenium

レニウムは１９２５年にドイツのノダック、タッケ（後のノダック夫人）、ベルクらにより天然に安定に存在する元素の中では最後に発見され、発見者たちの祖国の大河ライン川のラテン名Rhenusにちなんで名づけられた。レニウムは、メンデレーエフの時代からその存在が予想され、ドビマンガン（周期表でマンガンの下の下に位置する元素）と仮称されていた。「ド

同位体と存在比(%)	
^{185}Re	37.40
^{186}Re	0, EC, β^-, γ, 3.7183d
^{187}Re	62.60, β^-, 4.33×10^{10}y
^{188}Re	0, β^-, γ, 17.0040h

電子配置	[Xe]$4f^{14}5d^5 6s^2$
原子量	186.207
融点(K)	3453(3180℃)
沸点(K)	5869(5596℃)
密度(kg・m^{-3})	21020(固体, 293K)
	18900(液体, 融点)
地殻濃度(ppm)	0.0004

酸化数			
−3	$Re(CO)_4^{3-}$	+3	Re_2O_3, Re_3Cl_9, Re_3Br_9, Re_3I_9など
−1	$Re(CO)_5^-$	+4	ReO_2, ReF_4, $ReCl_4$
0	$Re_2(CO)_{10}$	+5	$ReCl_5$, Re_2O_5, ReF_5
+1	$Re(CO)Cl$, $K_5Re(CN)_6$	+6	ReO_3
+2	ReF_2, $ReCl_2$	+7	Re_2O_7, ReF_7, $KReO_4$

1	2	3	4	5	6	7	8	9	10	11	12	13	14	15	16	17	18
1 H																	2 He
3 Li	4 Be											5 B	6 C	7 N	8 O	9 F	10 Ne
11 Na	12 Mg											13 Al	14 Si	15 P	16 S	17 Cl	18 Ar
19 K	20 Ca	21 Sc	22 Ti	23 V	24 Cr	25 Mn	26 Fe	27 Co	28 Ni	29 Cu	30 Zn	31 Ga	32 Ge	33 As	34 Se	35 Br	36 Kr
37 Rb	38 Sr	39 Y	40 Zr	41 Nb	42 Mo	43 Tc	44 Ru	45 Rh	46 Pd	47 Ag	48 Cd	49 In	50 Sn	51 Sb	52 Te	53 I	54 Xe
55 Cs	56 Ba		72 Hf	73 Ta	74 W	75 Re	76 Os	77 Ir	78 Pt	79 Au	80 Hg	81 Tl	82 Pb	83 Bi	84 Po	85 At	86 Rn
87 Fr	88 Ra		104 Rf	105 Db	106 Sg	107 Bh	108 Hs	109 Mt	110 Ds	111 Rg	112 Cn	113 Nh	114 Fl	115 Mc	116 Lv	117 Ts	118 Og

ランタノイド (57～71)	57 La	58 Ce	59 Pr	60 Nd	61 Pm	62 Sm	63 Eu	64 Gd	65 Tb	66 Dy	67 Ho	68 Er	69 Tm	70 Yb	71 Lu
アクチノイド (89～103)	89 Ac	90 Th	91 Pa	92 U	93 Np	94 Pu	95 Am	96 Cm	97 Bk	98 Cf	99 Es	100 Fm	101 Md	102 No	103 Lr

ビ」とはサンスクリット語の数詞で「2」を表す。

1906年に小川正孝が発見し43番元素ニッポニウムとして報告した試料は、実際はレニウムであったことが明らかになっている。

単体のレニウムは銀白色の金属であり、融点は元素単体の中ではタングステンに次いで2番目に高く、沸点は最も高い。密度も高く、オスミウム（Os）、イリジウム（Ir）、白金（Pt）に次いで4番目である。レニウムは–3～+7の酸化状態をとりうるが、通常は+4～+7の酸化状態で存在することが多い。

+6レニウム化合物ReO_3は、金属酸化物であるにもかかわらず電気伝導率が異常に高く、液体窒素温度付近では銀と同程度である。

元素を分類すると、典型元素と遷移元素に分けることができる（32ページ参照）。典型元素はsまたはp軌道に価電子をもつ元素であり、遷移元素はdまたはf軌道に価電子をもつ元素である。遷移元素には次のような性質がある。

①単体は典型的な金属であり、硬度が大きく、融点が高く、電気伝導率や熱伝導率が大きい。
②電気陰性度が比較的低い。
③酸に溶け、一般に多くの酸化状態をとり、錯体をつくり、イオンや錯体に特有の色を示す。

遷移元素は、d軌道に電子を充塡させるdブロック元素と、f軌道に電子を充塡させるfブロック元素（内部遷移金属元素）に分かれる。さらに、dブロック元素は四つの系列に分かれる。周期表で第4周期のスカンジウム（Sc）から亜鉛（Zn）まで、第5周期のイットリウム（Y）からカドミウム（Cd）まで、第6周期のランタン（La）から水銀（Hg）までと、第7周期のアクチニウム（Ac）からコペルニシウム（Cn）までである。fブロック元素はランタノイド系列とアクチノイド系列に分かれる。

一般に金属錯体は、これら遷移金属元素と有機化合物との複合体であるが、遷移金属元素どうしが結合する金属化合物も存在する。この場合、d軌道や

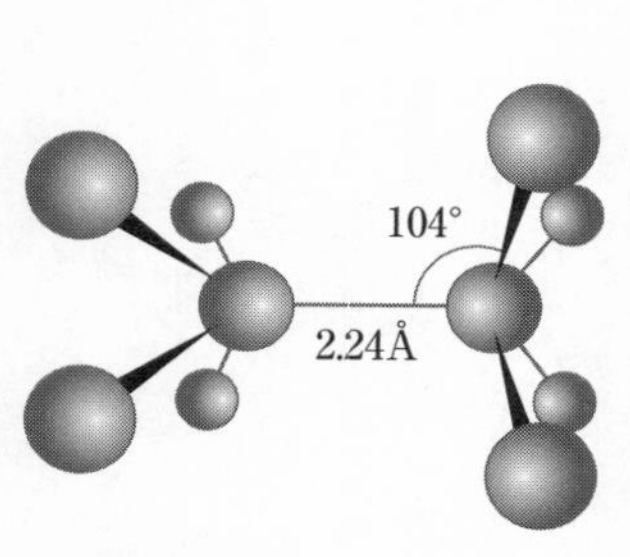

図 75-1　$Re_2Cl_8^{2-}$の構造

f軌道が結合に直接関係し、興味深い化合物を生成することが知られている。たとえば、有機化合物では見られない四重結合をつくることがある。$Re_2Cl_8^{2-}$では、Re—Re結合の結合間距離（2·24Å）が他のレニウム金属中のRe—Re結合の結合間距離（2·75Å）よりもかなり短くなり（図75-1）、きわめて安定な化合物となる。このような例は、Mo-Cr-Ru合金などでも知られている。

レニウムは地殻中の存在量が非常に少ない（0·0004ppm）。輝水鉛鉱に微量に存在し、工業的にはモリブデン精錬の煙塵から取り出されている。おもな生産国（2020年）は、チリ、ポーランド、アメリカ、ウズベキスタン、韓国などである。1994年に択捉島の茂世路岳にほぼ純粋な二硫化レニウム（ReS_2）が存在することが発見され、レニウム鉱（Rheniite）と命名された。^{187}Re（半減期433億年）から^{187}Osへの壊変を利用したレニウム-オスミウム年代測定法が鉱物の生成年代測定に用いられている。

レニウムの用途は小規模である。たとえば、質量分析計のフィラメント、ペン先、電気接点、W-Re熱電対（2000℃以上）でつくられる高温用温度センサー、水素化や脱水素化の触媒などが挙げられる。レニウムを含む超耐熱合金（スーパーアロイ）は高温でも強度が高く、ジェットエンジンやロケットエンジンなどに使用されている。

76

Os

オスミウム／Osmium

同位体と存在比(%)			
^{184}Os	0.02	^{189}Os	16.15
^{185}Os	0, EC, γ, 94d	^{190}Os	26.26
^{186}Os	1.59, α, 2.0×10^{15}y	^{191}Os	0, β^-, 15.4d
^{187}Os	1.96	^{192}Os	40.78
^{188}Os	13.24	^{193}Os	0, β^-, 29.830h

電子配置	[Xe]$4f^{14}5d^66s^2$
原子量	190.23
融点(K)	3318(3045℃)
沸点(K)	5285(5012℃)
密度(kg・m^{-3})	22590(固体, 293K)
	20100(液体, 融点)
地殻濃度(ppm)	0.0001

酸化数			
−2	$Os(CO)_4{}^{2-}$	+4	OsO_2, OsF_4, OsI_4, $OsBr_4$, $OsCl_6{}^{2-}$
0	$Os(CO)_5$	+5	OsF_5, $OsCl_5$
+1	OsI	+6	OsF_6
+2	$OsCl_2$, OsI_2	+7	OsF_7
+3	$OsCl_3$, $OsBr_3$, OsI_3	+8	OsO_4, $OsO_4(OH)_2{}^{2-}$

1	2	3	4	5	6	7	8	9	10	11	12	13	14	15	16	17	18
1 H																	2 He
3 Li	4 Be											5 B	6 C	7 N	8 O	9 F	10 Ne
11 Na	12 Mg											13 Al	14 Si	15 P	16 S	17 Cl	18 Ar
19 K	20 Ca	21 Sc	22 Ti	23 V	24 Cr	25 Mn	26 Fe	27 Co	28 Ni	29 Cu	30 Zn	31 Ga	32 Ge	33 As	34 Se	35 Br	36 Kr
37 Rb	38 Sr	39 Y	40 Zr	41 Nb	42 Mo	43 Tc	44 Ru	45 Rh	46 Pd	47 Ag	48 Cd	49 In	50 Sn	51 Sb	52 Te	53 I	54 Xe
55 Cs	56 Ba		72 Hf	73 Ta	74 W	75 Re	76 Os	77 Ir	78 Pt	79 Au	80 Hg	81 Tl	82 Pb	83 Bi	84 Po	85 At	86 Rn
87 Fr	88 Ra		104 Rf	105 Db	106 Sg	107 Bh	108 Hs	109 Mt	110 Ds	111 Rg	112 Cn	113 Nh	114 Fl	115 Mc	116 Lv	117 Ts	118 Og

ランタノイド(57〜71)	57 La	58 Ce	59 Pr	60 Nd	61 Pm	62 Sm	63 Eu	64 Gd	65 Tb	66 Dy	67 Ho	68 Er	69 Tm	70 Yb	71 Lu
アクチノイド(89〜103)	89 Ac	90 Th	91 Pa	92 U	93 Np	94 Pu	95 Am	96 Cm	97 Bk	98 Cf	99 Es	100 Fm	101 Md	102 No	103 Lr

オスミウムは１８０３年に、イギリスのテナントによって白金鉱の中からイリジウム（Ir）とともに発見され、四酸化オスミウム（OsO_4）の強い臭いからギリシャ語のosme（臭い）にちなんで名づけられた。

オスミウムの地殻中の存在量は０・０００１ppmであり、遷移元素としては、ラジウムとイリジウムに次いで希少である。オスミウムの主要な産出国と

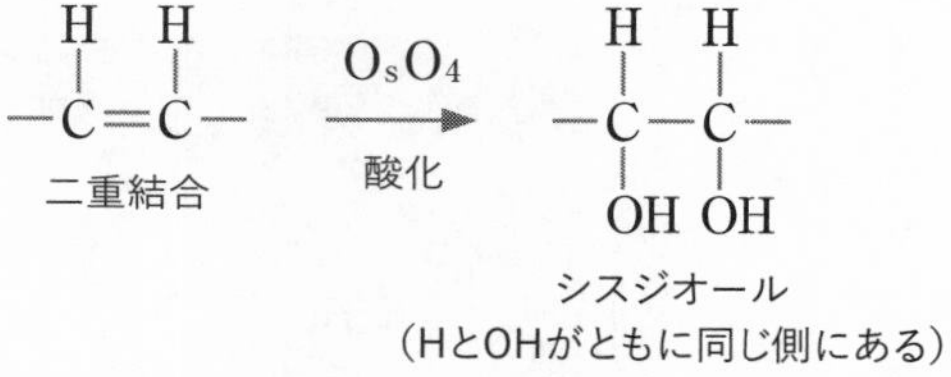

$$-\overset{\displaystyle H}{\underset{}{C}}=\overset{\displaystyle H}{\underset{}{C}}- \xrightarrow[\text{酸化}]{O_sO_4} -\overset{\displaystyle H}{\underset{\displaystyle OH}{C}}-\overset{\displaystyle H}{\underset{\displaystyle OH}{C}}-$$

二重結合

シスジオール
（HとOHがともに同じ側にある）

図 76-1　四酸化オスミウムの働き

して、南アフリカ、ロシア、北アメリカなどが知られている。

単体のオスミウム金属は青白色で、硬くてもろい。比重は約22・6で、イリジウムとともに最も重い物質の一つである。微粉末のオスミウムは空気中では室温でも一部酸化され、四酸化オスミウムの臭気を発する。

かたまり状のものも200℃以上で酸化が始まる。オスミウムは−2から+8の酸化状態をとるが、+3と+4が最も安定である。+8化合物である四酸化オスミウムは、無色で猛毒の気体であり、オゾンのような臭気を放つ。

オスミウムは、タングステン、レニウムに次いで3番目に融点が高く、高い融点と硬度を利用して電気接点に用いられている。

オスミウムとイリジウムは合金の状態で白金鉱として存在し、イリドスミンとよばれている。岩手県花巻市で生まれた詩人・童話作家の宮沢賢治は、

76 Os オスミウム

1918年に岩手県にイリドスミンがあることを初めて発見したことでよく知られている。詩の中でも、イリドスミンを詩っている。この合金はほとんどの酸、アルカリに侵されず耐久性が高いので、万年筆のペン先などに用いられている。

^{187}Osは、$^{187}Os/^{188}Os$や$^{187}Rn/^{187}Os$の比が、地球や小惑星の岩石の年代測定に用いられる。

四酸化オスミウムは有機合成において炭素–炭素二重結合をシスジオールに酸化する際の酸化剤（図76–1）や、生物組織の顕微鏡観察の際の固定（染色）剤として利用されている。

オスミウムは動物にとって必須ではないが、動物の成長を促進することが知られている。金属オスミウムや二酸化オスミウム（OsO_2）は無害であるのに対して、四酸化オスミウム（OsO_4）は毒性がきわめて強く、目をおかし、重度の結膜炎を引き起こす場合もある。頭痛、呼吸器の炎症、気管支炎、肺炎などが動物でも人間でも報告されている。

試験管内の実験では、四酸化オスミウムはチミジンと不可逆的に結合することによりDNAと反応する。生体内でもそのような効果があるかどうかはまだわかっていない。

77

Ir

イリジウム／Iridium

同位体と存在比(%)	
^{191}Ir	37.3
^{192}Ir	0, EC, β^-, γ, 73.829d
^{193}Ir	62.7
^{194m}Ir	0, β^-, γ, 171d

電子配置	[Xe]$4f^{14}5d^7 6s^2$
原子量	192.217
融点(K)	2716(2443℃)
沸点(K)	4710(4437℃)
密度(kg・m^{-3})	22560(固体, 293K)
	20000(液体, 融点)
地殻濃度(ppm)	0.000003

酸化数		
	+1	$Ir(CO)Cl(PPh_3)_2$
	+2	$IrCl_2$
	+3	IrF_3, $IrCl_3$
	+4	IrO_2, IrF_4, IrS_2
	+5	IrF_5
	+6	IrF_6, IrF_7^-

1	2	3	4	5	6	7	8	9	10	11	12	13	14	15	16	17	18
1 H																	2 He
3 Li	4 Be											5 B	6 C	7 N	8 O	9 F	10 Ne
11 Na	12 Mg											13 Al	14 Si	15 P	16 S	17 Cl	18 Ar
19 K	20 Ca	21 Sc	22 Ti	23 V	24 Cr	25 Mn	26 Fe	27 Co	28 Ni	29 Cu	30 Zn	31 Ga	32 Ge	33 As	34 Se	35 Br	36 Kr
37 Rb	38 Sr	39 Y	40 Zr	41 Nb	42 Mo	43 Tc	44 Ru	45 Rh	46 Pd	47 Ag	48 Cd	49 In	50 Sn	51 Sb	52 Te	53 I	54 Xe
55 Cs	56 Ba		72 Hf	73 Ta	74 W	75 Re	76 Os	77 Ir	78 Pt	79 Au	80 Hg	81 Tl	82 Pb	83 Bi	84 Po	85 At	86 Rn
87 Fr	88 Ra		104 Rf	105 Db	106 Sg	107 Bh	108 Hs	109 Mt	110 Ds	111 Rg	112 Cn	113 Nh	114 Fl	115 Mc	116 Lv	117 Ts	118 Og

ランタノイド(57〜71)	57 La	58 Ce	59 Pr	60 Nd	61 Pm	62 Sm	63 Eu	64 Gd	65 Tb	66 Dy	67 Ho	68 Er	69 Tm	70 Yb	71 Lu
アクチノイド(89〜103)	89 Ac	90 Th	91 Pa	92 U	93 Np	94 Pu	95 Am	96 Cm	97 Bk	98 Cf	99 Es	100 Fm	101 Md	102 No	103 Lr

イリジウムはイギリスのテナントによって1803年に発見され、その塩類が虹のように多彩な色を示すことから、ギリシャ神話の虹の女神Irisにちなんで命名された。

単体イリジウムはあらゆる金属の中で最も腐食されにくく、熱王水にすらなかなか溶けない。しかし、硬くてもろいのできわめて加工しにくく、単独での用途は耐熱・耐薬品性るつぼなどに限られる。比重は約22・6で、オスミウムとともに最も重い物質の一つである。

イリジウムはおもに+1、+3および+4の酸化状態が重要である。+1化合物は例外なくπ結合性の配位子（たとえば芳香環をもつ化合物やCOなど）との錯体である。純粋に単離できる酸化物は+4の二酸化イリジウム（IrO_2）のみであり、+3の三酸化二イリジウム（Ir_2O_3）は純粋なものが得られず存在を疑問視する声もある。一般にイリジウムが水に溶けている場合、$[IrCl_6]^{3-}$, $[IrCl_6]^{2-}$, $[Ir(NH_3)_6]^{3+}$などの錯イオンとして存在している。

イリジウムは他の金属、特に白金族金属の硬化元素として用いられる。白金との合金は電気分解の際の不溶解電極、接点材料などに用いられ、キログラム原器とメートル原器の材料となった。１７９９年につくられたメートル原器は白金のみでできていたが、長期保存に耐えるものとして、１８８９年に白金とイリジウムが90対10の合金で原器が複数個つくりなおされた。現在の長さの単位は、光がある一定の時間に真空中を伝わる距離として定義されている。重さの単位は、２０１９年5月にキログラム原器が廃止され、正確に決めたプランク定数を用いる方法に改定された。

プランク定数にもとづく定義では、静止エネルギー（E）と質量（m）の関係式$E=mc^2$（cは光速度）を用いて、ある振動数νの光子のエネルギー（$E=h\nu$）と等しい静止エネルギーをもつ物体の質量を1kgとしている。すなわち、キログラムは$\{(299792458)^2/6.62606957\}\times10^{34}$ Hzの光子のエネルギーに等価な質量である。

イリジウムはエンジンの点火プラグに使われ、通常のプラグよりはるかに長もちする。オスミウムとの合金は万年筆のペン先などに利用される。また、有機ELの燐光（りんこう）材にイリジウム錯体が用いられている。

イリジウムは地殻中では非常に希少な元素だが（0・0000003ppm）、宇宙空間を漂う隕石には、この元素を比較的豊富に含んだものもある。約6600万年前の中生代白亜紀と新生代古第三紀の境界（K－Pg境界）を示す地層が大量のイリジウムを含んでいることが発見され、恐竜などの大量絶滅は、イリジウムを含んだ巨大隕石の衝突によって引き起こされたと考えられている。メキシコのユカタン半島にあるチクシュルーブ・クレーターは、直径約10kmの巨大隕石が落下した際の衝撃によってできたものと考えられている。

放射性同位体^{192}Irはγ線源として腫瘍の放射線治療に用いられている。

78

Pt

白金／Platinum

同位体と存在比(%)			
^{190}Pt	0.012, α, 6.5×10^{11}y	^{195m}Pt	0, IT, γ, 4.010d
^{191}Pt	0, EC, γ, 2.8d	^{196}Pt	25.211
^{192}Pt	0.782	^{197}Pt	0, β^-, γ, 19.8915h
^{193}Pt	0, EC, 50y	^{198}Pt	7.356
^{194}Pt	32.864	^{199}Pt	0, β^-, γ, 30.80m
^{195}Pt	33.775		

電子配置	[Xe]$4f^{14}5d^9 6s^1$
原子量	195.084
融点(K)	2042(1769℃)
沸点(K)	4100(3827℃)
密度(kg・m^{-3})	21450(固体, 293K)
地殻濃度(ppm)	0.001

酸化数		
酸化数	0	$Pt(PPh_3)_3$, $Pt(PF_3)_4$
	+2	PtO, $PtCl_2$, $PtBr_2$, PtI_2, $PtCl_4{}^{2-}$, $Pt(NH_3)_2Cl_2$
	+4	PtO_2, $Pt(OH)_6{}^{2-}$, $PtCl_4$, $PtCl_6{}^{2-}$
	+5	$(PtF_5)_4$, $PtF_6{}^-$
	+6	PtO_3, PtF_6

1	2	3	4	5	6	7	8	9	10	11	12	13	14	15	16	17	18
1 H																	2 He
3 Li	4 Be											5 B	6 C	7 N	8 O	9 F	10 Ne
11 Na	12 Mg											13 Al	14 Si	15 P	16 S	17 Cl	18 Ar
19 K	20 Ca	21 Sc	22 Ti	23 V	24 Cr	25 Mn	26 Fe	27 Co	28 Ni	29 Cu	30 Zn	31 Ga	32 Ge	33 As	34 Se	35 Br	36 Kr
37 Rb	38 Sr	39 Y	40 Zr	41 Nb	42 Mo	43 Tc	44 Ru	45 Rh	46 Pd	47 Ag	48 Cd	49 In	50 Sn	51 Sb	52 Te	53 I	54 Xe
55 Cs	56 Ba		72 Hf	73 Ta	74 W	75 Re	76 Os	77 Ir	**78 Pt**	79 Au	80 Hg	81 Tl	82 Pb	83 Bi	84 Po	85 At	86 Rn
87 Fr	88 Ra		104 Rf	105 Db	106 Sg	107 Bh	108 Hs	109 Mt	110 Ds	111 Rg	112 Cn	113 Nh	114 Fl	115 Mc	116 Lv	117 Ts	118 Og

ランタノイド(57～71)	57 La	58 Ce	59 Pr	60 Nd	61 Pm	62 Sm	63 Eu	64 Gd	65 Tb	66 Dy	67 Ho	68 Er	69 Tm	70 Yb	71 Lu
アクチノイド(89～103)	89 Ac	90 Th	91 Pa	92 U	93 Np	94 Pu	95 Am	96 Cm	97 Bk	98 Cf	99 Es	100 Fm	101 Md	102 No	103 Lr

自然界に存在する白金は古代エジプトなどの時代からさまざまな国で利用されていたが、実際に白金がヨーロッパで広く知られるようになったのは１７４８年、ウロアが著書の中で「南米コロンビアで金とともに新しい金属が産する」と記載したことによる。しかし、学問的な白金の発見は、１７４１年にウッドがジャマイカからもち帰った白金を、ワトソンが１７５１年に

論文にして報告したときとされている。白金は外観が銀に似ているため、スペイン語の銀plataの縮小詞platina（かわいい小粒の銀を表す愛称）から命名された。日本語の白金は、この金属がヨーロッパでwhite goldとよばれていたことに由来する。

地上に存在する白金の総量は約1万6000tといわれ、金の二十数万tに比べはるかに少ない。白金は、イリジウム（Ir）やオスミウム（Os）など白金とよく似た性質をもつ他の元素との合金として、あるいは硫化物やヒ化物として天然から産出され、2020年の産出量は南アフリカが世界の約7割を占め、ロシア、ジンバブエ、カナダ、アメリカが続いている（2018年時点の詳しいデータは155ページのコラム8参照）。

銀白色の白金は王水以外には溶けない。しかし、赤熱すると塩素と反応する。白金は、おもに+2および+4の酸化状態をとり、多くの場合錯体として存在している。錯体としては、[PtX_4]（+2）または[PtX_6]（+4）（Xは塩素、臭素、ヨウ素の各イオン、チオシアン、アミン、アンモニアなど）で表される種類のものがよく知られている。酸化物としてはPtO_2をはじめPtOやPtO_3がある。

白金はそれ自身は化学的には不活性である一方で、触媒として優れた能力を有するために広い用途をもっている。美しい銀白色の外観を利用した装飾品としてはもちろんのこと、万年筆のペン先に用いる白金合金（白金、ロジウム、イリジウム、オスミウムなどを含む）、廃止されたキログラム原器の材料（白金90％、イリジウム10％）、あるいは、石油精製の諸工程やアンモニアの酸化による硝酸の製造などにおける触媒として広く用いられている。また、自動車の排気ガス排出管に取り付けられている排出ガス処理用触媒としても利用されている。これは、装置の基材の表面に白金超微粒子をコーティングしたもので、その白金が排気ガス中の人体に有害な物質（一酸化炭素、

窒素酸化物NOx、炭化水素）を安全性の高い二酸化炭素、窒素、水などの物質に変換（浄化）する作用を触媒している。

また、溶融ガラスやフッ化水素酸などの腐食性の強い試薬を取り扱うための容器またはその内張り、電子工業や電気化学的な研究に用いる電極や良質の接点、抵抗線などにも用いられている。さらに、温度測定用の熱電対や抵抗温度計、パソコンなどのハードディスク内の情報を記録するための磁石部分などにも使われている。

医療の分野においては、白金化合物の一つであるシスプラチンが、切れ味の鋭いがんの治療薬として利用されている。この化合物は$[PtCl_4]^{2-}$にアンモニアを作用させてつくることができ、シスジアンミンジクロロ白金（+2）が正式な名称である。

この化合物の抗がん効果は、最初アメリカのローゼンバーグにより発見された。彼は、大腸菌の培養実験を行っていたとき、直流電流を通じながらこれを培養したところ大腸菌の細胞分裂が抑制されることを見つけ、これが電流の影響ではなく、使用した白金電極から流れ出した白金イオンが培地の成分と反応してできた、ある種の白金化合物によるものであることを明らかにした（１９６５年）。

さらに１９６９年、彼は、大腸菌の細胞分裂が抑制されるのであればがん細胞の分裂も抑えられる可能性があると考えて研究を続けた結果、この白金化合物ががんを抑制することを動物を用いて明らかにした。これが抗がん剤シスプラチンのはじまりである。臨床的には、アメリカで最初に試みられ、その後多くの国で使用されるようになった。わが国でも１９８５年から一般に使用され、睾丸腫瘍、膀胱がん、卵巣がん、非小細胞肺がん、食道がん、胃がんなど、幅広く治療に用いられている。シスプラチンの抗がん作用の機構に関してはまだ不明なところも多いが、現在では次のように考えられている。

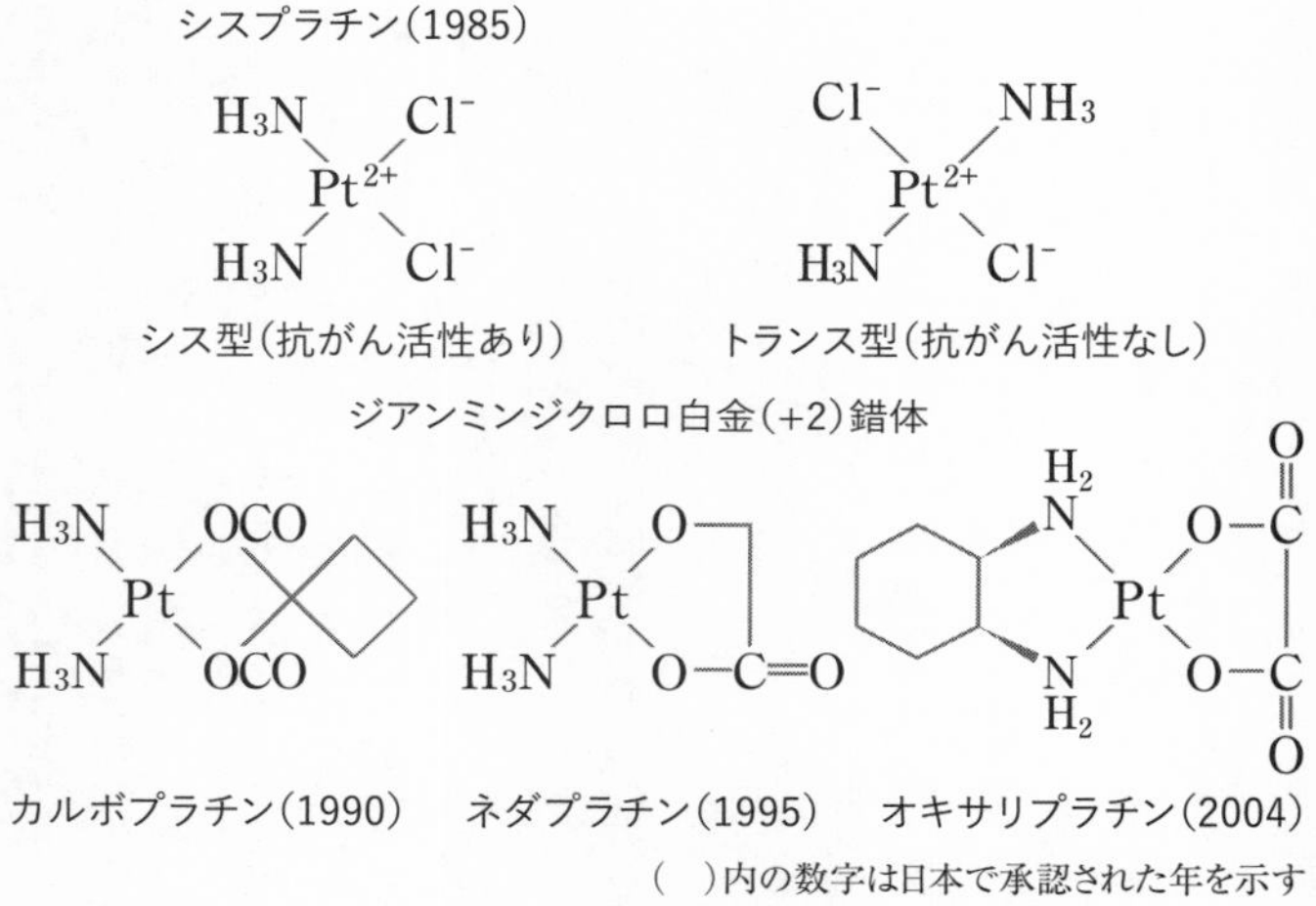

シスプラチン(1985)

H_3N　Cl^-　Pt^{2+}　H_3N　Cl^-

Cl^-　NH_3　Pt^{2+}　H_3N　Cl^-

シス型(抗がん活性あり)　　トランス型(抗がん活性なし)

ジアンミンジクロロ白金(+2)錯体

H_3N　OCO　Pt　H_3N　OCO

H_3N　O　Pt　H_3N　O—C=O

H_2N　O—C=O　Pt　NH_2　O—C=O

カルボプラチン(1990)　ネダプラチン(1995)　オキサリプラチン(2004)

(　)内の数字は日本で承認された年を示す

図 78-1　抗がん作用を示す白金錯体

白金に結合している2個のアンモニア分子は強く結合しているが、残りの2個の塩化物イオンは結合が弱く、まわりの環境に応じて他の化合物で置換される。点滴で静脈内に投与されたシスプラチンは血液中では塩化物イオン濃度が高いので安定であり、しかもシスプラチンとしての全体の電荷をもたないので（分子内でプラスとマイナスの電荷が相殺されている。図78－1）、そのままの形で細胞膜を通過し、細胞内に移行する。しかし、細胞内では塩化物イオン濃度が低いので、塩化物イオンは水酸化物イオン（OH^-）に置き換えられ、2個の水酸化物イオンが結合した化合物に変化し、この化合物が細胞核内のＤＮＡと結合してＤＮＡの複製を阻害し抗がん作用を示すと推定されている。

細胞内の白金のＤＮＡとの結合のしかたについては、さまざまな可能性がある。核磁気共鳴法（ＮＭＲ）やＸ線構造解析法などを用いた結果から、白金に結合している2個の水酸化物イオンがはずれて、その部分に、同じ1本のDNA鎖のなかの隣り合ったグアニンとグアニン、あるいはグアニンとアデニンとがそれぞれ結合している様式のものの割合が多いことが示されている（このようなDNAの一本鎖に2ヵ所で結合している結合様式を一本鎖交叉結合という）。

一方、2個のアンモニア分子が白金に対して同じ側に結合しているシスプラチンとは異なり、2個のアンモニア分子が対角線上に向かい合って結合しているトランス型の化合物では、DNAには結合するにもかかわらず、抗がん作用はほとんど示さない。トランス型の化合物の場合にはシス型の化合物に比べ、DNAの構造をより大きく乱してしまうため、細胞のもつ修復監視システムに発見されて除去されてしまうためであろうと考えられる。したがって、シス型化合物はDNAと結合することによりDNAの構造は乱すものの、その結合体が修復監視システムには見つからずにDNAの複製のみを阻害するために、がん細胞の増殖を抑えることができるといわれている。

シスプラチンは正常細胞にも同様に作用するため、腎臓への毒性、悪心、嘔吐などさまざまな副作用が現れる。抗がん活性を保ちながら、一方でこれらの毒性、特に腎毒性を少しでも軽くする化合物の設計が試みられ、シスプラチンを改造したカルボプラチン、ネダプラチン、オキサリプラチンなどの化合物（図78－1）が開発・使用されている（これらの薬剤は白金製剤やプラチナ製剤とよばれている）。

さらに、シスプラチンを投与すると、がん細胞はいったんは縮小するが、ときとしてふたたび増殖し始め、そのときふたたびシスプラチンを投与してもその増殖を抑えることができなくなることがある。これはがん細胞において薬物に対する耐性が形成されたためである。そこで、腎毒性の軽減とともに、この薬剤耐性を克服する白金化合物の開発が積極的に進められている。

79

Au

金／Gold

同位体と存在比(%)			
^{195}Au	0, EC, γ, 186.01d	^{198}Au	0, β^-, γ, 2.6941d
^{197}Au	100	^{199}Au	0, β^-, γ, 3.139d

電子配置	[Xe]$4f^{14}5d^{10}6s^1$
原子量	196.966570
融点(K)	1337.58(1064.43℃)
沸点(K)	3130(2857℃)
密度(kg・m^{-3})	19320(固体, 293K)
	17280(液体, 融点)
地殻濃度(ppm)	0.0011

酸化数		
酸化数	−1	$Au(NH_3)n^-$(液体アンモニア中)
	0	Au(金塊)
	+1	Au_2S, $Au(CN)_2^-$
	+3	Au_2O_3, $Au(OH)_4^-$, $AuCl_4^-$, $AuCl_3(OH)^-$, Au_2S_3, AuF_3, Au_2Cl_6, $AuBr_3$
	+5	AuF_5
	+6	AuF_6

1	2	3	4	5	6	7	8	9	10	11	12	13	14	15	16	17	18
1 H																	2 He
3 Li	4 Be											5 B	6 C	7 N	8 O	9 F	10 Ne
11 Na	12 Mg											13 Al	14 Si	15 P	16 S	17 Cl	18 Ar
19 K	20 Ca	21 Sc	22 Ti	23 V	24 Cr	25 Mn	26 Fe	27 Co	28 Ni	29 Cu	30 Zn	31 Ga	32 Ge	33 As	34 Se	35 Br	36 Kr
37 Rb	38 Sr	39 Y	40 Zr	41 Nb	42 Mo	43 Tc	44 Ru	45 Rh	46 Pd	47 Ag	48 Cd	49 In	50 Sn	51 Sb	52 Te	53 I	54 Xe
55 Cs	56 Ba		72 Hf	73 Ta	74 W	75 Re	76 Os	77 Ir	78 Pt	79 Au	80 Hg	81 Tl	82 Pb	83 Bi	84 Po	85 At	86 Rn
87 Fr	88 Ra		104 Rf	105 Db	106 Sg	107 Bh	108 Hs	109 Mt	110 Ds	111 Rg	112 Cn	113 Nh	114 Fl	115 Mc	116 Lv	117 Ts	118 Og

ランタノイド(57〜71)	57 La	58 Ce	59 Pr	60 Nd	61 Pm	62 Sm	63 Eu	64 Gd	65 Tb	66 Dy	67 Ho	68 Er	69 Tm	70 Yb	71 Lu
アクチノイド(89〜103)	89 Ac	90 Th	91 Pa	92 U	93 Np	94 Pu	95 Am	96 Cm	97 Bk	98 Cf	99 Es	100 Fm	101 Md	102 No	103 Lr

金の最大の価値は、世界貨幣として経済的に独特な地位をもっていることにある。世界全体の金の年間生産量は3000~3300tであり、これまでに採掘された金の総量は約18万tとされている。

金は銅とともに人類が古くから知っていた金属である。『旧約聖書』などにも金に関する記述がある。また、イラク南部にある紀元前2600年ごろの王墓から、金を使った宝石細工が出土していることなどから、エジプトやメソポタミア地方では早くから使われていたことがうかがえる。

金の英語名goldは、インド・ヨーロッパ語のghel（輝く）に由来する。元素記号Auは、オーロラと同じ語源の金のラテン語aurumに由来している。2020年の最大の金産出国は中国（370t）であり、オーストラリア（330t）、ロシア（300t）、アメリカ（190t）、カナダ（170t）と続く（2017年時点の詳しいデータは155ページのコラム8参照）。

金は化学的には反応性が低く、通常の酸やアルカリなどの溶液とは反応しない。しかし、塩素などのハロゲンには反応するので、塩素を発生する王水には溶ける。また、酸素の存在でシアンイオン（CN^-）を含む溶液には溶解してシアン化物となる。水溶液中では、金はおもに+1または+3の酸化状態をとる。化合物としては、+1化合物は一般に不安定であるが、+3化合物は安定なものが多く、Na［$AuCl_4$］や$K[Au(CN)_4]$を含む溶液は、金メッキを行うときのメッキ液として使われている。

しかし、通常自然界では、その化学的な不活性さと他の元素との化合のしにくさのため、金は単体として存在し、腐食しにくく黄金色の美しい輝きを長いあいだ保つことができる。さらに、やわらかいため細長く引き延ばしたり薄くしたりするなどの加工がしやすいので、高価な装飾品として用いられている。ちなみに、金箔なら厚さ0・0001mmまで薄くすることができ、1gの金があれば3000mの針金とすることもできる。純金のままではやわらかすぎるので、銅、銀、白金、ニッケルなどの合金として用いられることが多く、この金合金の品位はカラット（K）で表される。これは、合金の重量を24としたときに含まれる金の重量の割合を示し、18金（24のうち18、すなわち75％が金という意味）、24金

（純金）などのように用いられる。

また、電気伝導性が高く、腐食しにくいこと、合金は強度が高いことを利用して、携帯電話などの集積回路など電子部品にも広く利用されているとともに、歯科治療材にも用いられている。

化学的に安定な金に触媒作用はないと考えられてきたが、直径5nm以下のナノ粒子は驚くべき触媒作用を示すことがわかった。たとえば100℃の高温を必要とする白金やパラジウム触媒による一酸化炭素の除去を、金ナノ粒子はマイナス70℃の極低温で達成する。なお金ナノ粒子に黄金色の輝きはなく、赤茶色の粉末である。

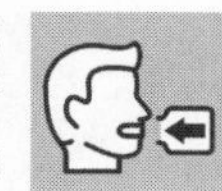

金は古くから医療にも用いられていたが、治療上注目されるようになったのは1890年に金シアン化合物が結核菌の成長を抑えることがコッホらによって見出されてからである。その後、1914年に金チオ硫酸ナトリウムが、1917年には金メルカプトベンゾールが結核の治療に用いられた。

しかし、当時結核の一種と考えられていたリウマチ性関節炎が、のちに結核とは異なる病気であることがわかり、これらの金化合物はこのリウマチ性関節炎の治療のために用いることが試みられるようになった。その後、1960年にヨーロッパのリウマチ協議会が、リウマチ性関節炎治療薬として金チオマレイン酸、金チオグルコースなどの新しい金化合物を開発し、それらが病気の進行を遅らせたり、骨が侵食されるのを防ぐことを認めた。

さらに、副作用を軽くして、しかも経口投与ができる化合物の開発に関する研究が続けられ、1976年に金チオグルコースの誘導体であるオーラノフィンが開発された。オーラノフィンは金チオグルコースよりも脂質に溶けやすく、生体膜の透過性を高めて消化管から吸収できるように工夫された化合物である。

オーラノフィンを投与すると、関節組織のうち、

79 Au 金

$Au-S-CHCOONa$ / CH_2COONa

金チオリンゴ酸ナトリウム

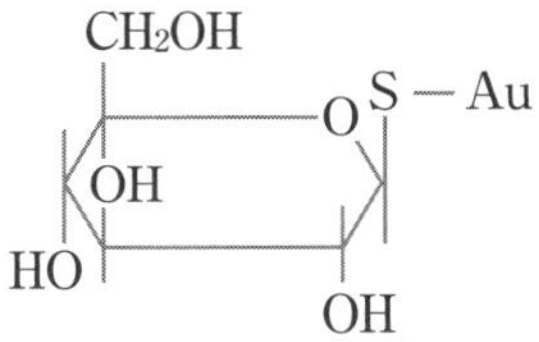

金チオグルコース

$Na_3Au(S_2O_3)_2$

金チオ硫酸ナトリウム

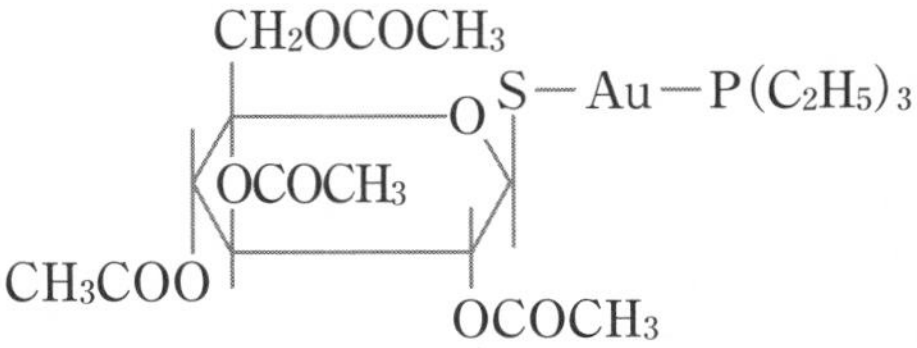

オーラノフィン

図 79-1　リウマチ治療に用いられる金化合物

軟骨や筋肉部分にはほとんど蓄積せず、関節腔中で潤滑油の役割をしている滑液中に蓄積する。リウマチ性関節炎は、滑液が存在する関節腔内の炎症と、軟骨のコラーゲンなどの細胞間物質の崩壊が原因して、関節軟骨が障害されて関節の機能が失われていく病気といわれている。この症状に対して、金化合物は、コラーゲンなどに結合してその分解を抑えたり、炎症を起こす物質に直接結合してそれらを不活性化したり、関節の骨膜のリソソームにある加水分解酵素の作用を抑制して炎症に関連する物質の生成を抑えたり、免疫機能に関係するリンパ球の活性化を抑制するなどしてその治療効果を現していると考えられている。

　多核白血球のミエロペルオキシダーゼがつくるOCl^-と細胞内のSCN^-とからできるHCNが金化合物と反応すると、金シアニドアニオン（$Au(CN)_2^-$）ができる。これが抗リウマチや抗炎症活性の本体とも考えられている。

哺乳動物における金の必須性は証明されていないが、健康なヒトでは毛髪、肺、胎盤、血液などに極微量含まれている。しかし、金化合物投与などにより過剰に蓄積した場合には、皮膚炎、腎臓障害、肝臓障害、貧血などの障害が生じる。わが国では金箔入りの日本酒などを飲む慣習があるが、この金箔は吸収されず、そのまま消化管を素通りすると考えられる。金箔を食べたくらいでは問題ないというわけである。

金をナノメートル（10億分の1メートル）単位まで小さくした金ナノ粒子は、体積あたりの表面積が大きいために多数の化合物を表面にコーティングすることができる。そこで、治療薬を表面にコーティングして薬物の標的部位への送達のための輸送体としての利用が注目されている。この金ナノ粒子は発色性がよく、かつ退色しないことから、抗体などを結合させて目的とする生体組織の染色にも利用されている。

Column 25

金、銀、銅、なんでも比較

	金	銀	銅
原子番号	**79**	**47**	**29**
原子量	196.966570	107.8682	63.546
融点	1064.43°C	961.93°C	1084.5°C
沸点	2857°C	2162°C	2562°C
比重(g/cm³, 293K)	19.3	10.5	8.96
地殻中の元素濃度	0.0011ppm	0.07ppm	60ppm
熱伝導率(W/cm・K)(0°C)	3.19	4.28	4.03
電気抵抗率(10^{-8}Ωm)(0°C)	2.05	1.47	1.55
1kgあたりの値段(地金)	約7,950,000円	約98,000円	約1,245円
主要産出国	中国 オーストラリア ロシア	メキシコ ペルー 中国	チリ ペルー オーストラリア

(金属の価格は2023年2月下旬のデータ、日本経済新聞商品市況等より)

80 Hg

水銀／Mercury

同位体と存在比(%)			
^{196}Hg	0.15	^{201}Hg	13.17
^{197}Hg	0, EC, γ, 64.14h	^{202}Hg	29.74
^{198}Hg	10.04	^{203}Hg	0, β^-, γ, 46.59d
^{199}Hg	16.94	^{204}Hg	6.82
^{200}Hg	23.14	^{205}Hg	0, β^-, 5.2m

電子配置	$[Xe]4f^{14}5d^{10}6s^2$
原子量	200.592
融点(K)	234.28(－38.87℃)
沸点(K)	629.73(356.58℃)
密度($kg \cdot m^{-3}$)	13546(液体, 293K)
地殻濃度(ppm)	0.05

酸化数		
	＋1	Hg_2F_2, Hg_2Cl_2, Hg_2^{2+}
	＋2	$Hg(NO_3)_2$, HgO, HgS, HgF_2, $HgCl_2$, $Hg(CH_3)_2$など

1	2	3	4	5	6	7	8	9	10	11	12	13	14	15	16	17	18
1 H																	2 He
3 Li	4 Be											5 B	6 C	7 N	8 O	9 F	10 Ne
11 Na	12 Mg											13 Al	14 Si	15 P	16 S	17 Cl	18 Ar
19 K	20 Ca	21 Sc	22 Ti	23 V	24 Cr	25 Mn	26 Fe	27 Co	28 Ni	29 Cu	30 Zn	31 Ga	32 Ge	33 As	34 Se	35 Br	36 Kr
37 Rb	38 Sr	39 Y	40 Zr	41 Nb	42 Mo	43 Tc	44 Ru	45 Rh	46 Pd	47 Ag	48 Cd	49 In	50 Sn	51 Sb	52 Te	53 I	54 Xe
55 Cs	56 Ba		72 Hf	73 Ta	74 W	75 Re	76 Os	77 Ir	78 Pt	79 Au	80 Hg	81 Tl	82 Pb	83 Bi	84 Po	85 At	86 Rn
87 Fr	88 Ra		104 Rf	105 Db	106 Sg	107 Bh	108 Hs	109 Mt	110 Ds	111 Rg	112 Cn	113 Nh	114 Fl	115 Mc	116 Lv	117 Ts	118 Og

ランタノイド(57～71)	57 La	58 Ce	59 Pr	60 Nd	61 Pm	62 Sm	63 Eu	64 Gd	65 Tb	66 Dy	67 Ho	68 Er	69 Tm	70 Yb	71 Lu
アクチノイド(89～103)	89 Ac	90 Th	91 Pa	92 U	93 Np	94 Pu	95 Am	96 Cm	97 Bk	98 Cf	99 Es	100 Fm	101 Md	102 No	103 Lr

水銀は古代からよく知られていた金属の一つであり、ヨーロッパで紀元前1～紀元4世紀に書かれた本に、すでに辰砂(しんしゃ)(HgS)から水銀をつくる方法が記載されている。

元素名のmercuryは、ローマ神話の商売の神メルクリウスMercuriusに由来する。この神は翼をもち、神々の使者として天地を自在に駆けめぐる。また、水星Mercuryは太陽に最も近く、天空を速く

80 Hg 水銀

運行するため、俊足の神の名前が与えられている。水銀は流動性に富み生物のように駆けめぐるため、これらに由来して命名された。

元素記号のHgは「水のような銀」を意味するギリシャ語源のラテン語hydrargyrum（hydro〈水〉とargyrum〈銀〉からの合成語）に由来する。日本語名の水銀という語は、中国古代から使用されていたものであり、元素記号と同じ由来である。

水銀は室温で唯一液体の銀白色の金属元素である。表面張力が大きいため、机の上でこぼすと、均一に広がらず球形となって散らばる。空気中では安定であるが、高温で加熱すると赤色の酸化物（HgO）になる。水銀には単体（金属水銀）とともに、無機のイオン型の無機水銀化合物と、有機化合物中の炭素原子が水銀原子と直接結合した有機水銀化合物とがある。

無機水銀化合物では、水銀は+1と+2の酸化状態をとる。「やわらかい酸」としての性質をもつ+2水銀イオンは、「やわらかい塩基」としての性質をもつ硫黄（S）との親和性が高く、硫黄原子を含む化合物と安定な錯体をつくる。一方、有機水銀化合物には、水銀原子にメチル基（—CH_3）、エチル基（—C_2H_5）、フェニル基（—C_6H_5）などに含まれている炭素原子が直接結合したメチル水銀、エチル水銀、フェニル水銀などの化合物がある。

あらゆる化学反応は「酸」と「塩基」の反応によって生じるが、この反応で「電子移動を起こしやすい性質」をもち強い結合をする仲間を「やわらかい」と表現し、「電子移動を起こしにくい性質」をもっているが強い結合をする仲間を「硬い」と表現する。水銀は「やわらかい酸」の代表であり、前述したように「やわらかい塩基」の代表である硫黄と強い結合をつくる。硫化水素（H_2S）がただよう山には水銀、カドミウム、銀などの重金属が多いのはこのためである。一方、「硬い酸」にはカルシウムなどがあり、「硬い塩基」の酸素原子を含む炭酸イオンやリン酸イオンと強く結合する。大理石（カルシウムが主成分）には炭酸イオンが多いのはこのためである。この法則を見出したのはアメリカのピアソンである（1963年）。

金属水銀はガラス壁面にくっつかず、また膨張係数が大きく、広い温度範囲にわたってほぼ一定であるため、温度計や体温計、血圧計に昔から利用されていた（最近は水銀不使用製品に切り替え）。また、水銀は多くの金属との合金をつくることができる。水銀との合金はやわらかいペースト状のものが多いことから、ギリシャ語のmalagma（やわらかい物質）に由来して、特にアマルガムといい、かつては鉛、スズ、ビスマスのアマルガムは鏡面、亜鉛やカドミウムのアマルガムは標準電池、銀やスズのアマルガムは歯科用に用いられていた。

また、アマルガムは金属精錬にも利用されている。たとえば、現在ではほとんど行われていないが、以前は砂金とりの際に、水銀を用いてアマルガム化して金を抽出し、これを加熱して水銀だけを蒸発させることによって、高純度の金を得ていた。

東大寺の大仏建立にはアマルガム法による金メッキが行われ、使われた練金1万436両（約0・45t）、水銀5万8602両（約2・5t）という記録が残っている。アマルガム配合比は1対5・6ということになる。

水銀化合物は医療にも広く用いられていた。+2水銀イオンは殺菌作用や収斂作用（皮膚や粘膜の組織をかたくする作用）があり、その作用を利用して塩化第二水銀（昇汞、$HgCl_2$）が古くから消毒薬として用いられていた。しかし、+2無機水銀化合物は皮膚への刺激性が強いわりには細菌への浸透性が弱いので、浸透性が高く殺菌作用が強い化合物として、多くの+2有機水銀化合物の開発が進められ、マーキュロクロム（通称、赤チン）が開発されたが、2020年末に生産

80 Hg 水銀

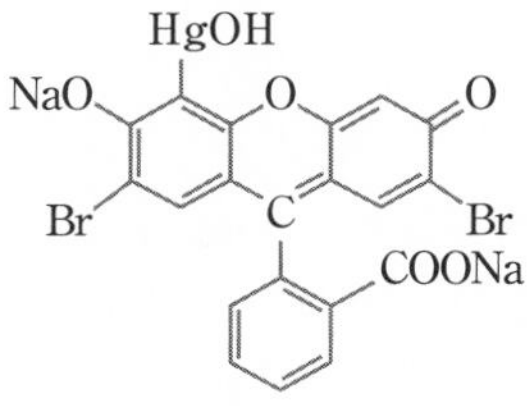

HgOH, NaO, O, O, Br, C, Br, COONa

マーキュロクロム（赤チン）
（殺菌消毒剤）

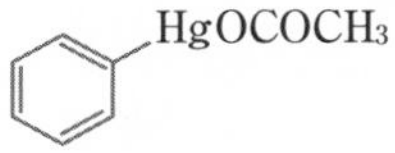

$HgOCOCH_3$

酢酸フェニル水銀
（殺菌消毒剤）

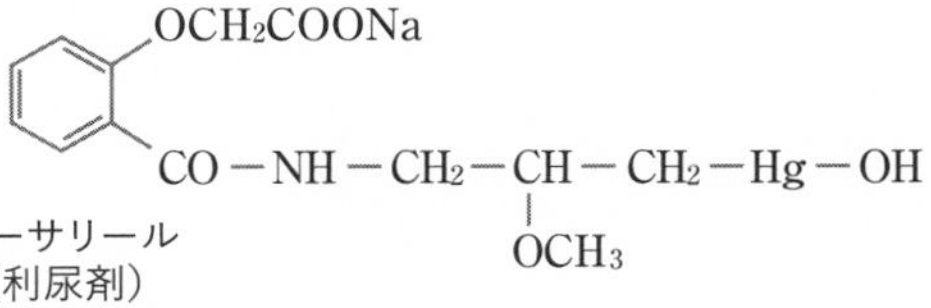

OCH_2COONa

$CO-NH-CH_2-CH-CH_2-Hg-OH$

OCH_3

マーサリール
（利尿剤）

図 80-1　医療に用いられた有機水銀化合物

が終了した。なお、その殺菌作用は、化合物が分解することによって+2水銀イオンを生成し、これが細菌体内の酵素とチオール基（—SH）の部分で結合して、酵素の働きを失わせることによって示されると考えられている。

また、マーサリール、メルカプトメリンナトリウム、クロルメロドリンなどの有機水銀化合物は利尿剤として利用された。有機水銀化合物が分解遊離して+2水銀イオン（Hg^{2+}）が生成し、それが腎臓の尿細管部にある水分などの再吸収に関与している酵素とチオール基の部分で結合して、この酵素の働きを抑えるために尿量が増加すると考えられている。

しかし、後述する水俣病などに見られるように、水銀化合物は一般に毒性が高いため、現在はほとんど使用されていない。水銀化合物は、生体内でも、環境中でも、金属水銀、無機水銀、有機水銀のあいだで相互に変換し、また、生体内での代謝や毒性はそれぞれの化学形によって異なる。

金属水銀は常温では液体であり気化しやすいため、水銀蒸気として肺から取り込まれる。取り込まれた水銀は体内で一部は代謝を受けて+1や+2のイオン形となる。しかし、水銀イオンは脂溶性が高いため細胞膜を通りやすく、脳にも移行して中枢神経系に影響をおよぼし、ふるえや不眠、記憶力の低下、極度の内向性などの症状を示す。赤血球や細胞内に取り込まれた金属水銀は、酵素により+2水銀イオンへ酸化され、細胞内のタンパク質などに結合する。この理由から、水銀使用製品は加熱焼却すると水銀が気化する危険性があるため、水銀を含む蛍光灯・体温計・血圧計、ボタン電池、朱肉などは分別回収の対象となっている（蛍光灯・体温計・血圧計などは水銀不使用製品に切り替えられている）。

+2水銀イオンは腸管吸収率が低いため、経口投与してもあまり吸収されない。しかし、体内に取り込まれてしまった水銀はおもに腎臓に蓄積する。まず、水銀イオンが、硫黄を含むグルタチオン（グルタミン酸、システイン、グリシンがこの順に結合したペプチド化合物）と結合して糸球体を通過する。尿細管部でグルタチオンが酵素により分解され、このとき生成したシステイン（硫黄を含むアミノ酸）と結合した形で水銀は腎細胞に取り込まれる。腎細胞に取り込まれた水銀はシステインの含有量が高い金属結合タンパク質であるメタロチオネインを誘導合成し、これに結合して蓄積される。このため、慢性、急性を問わず腎毒性が現れる。

一方、有機水銀化合物、特にメチル水銀は、きわめて脂溶性が高いために細胞膜を通過しやすく、したがって腸管吸収率も高く、体内のさまざまな組織に分布する。脳への移行に関しては、まずメチル水銀がシステインの硫黄原子に結合する。この錯体は、アミノ酸であるメチオニン（112ページの図16－2参照）に類似した構造となるため、メチオニンの輸送系を通して脳内に取り込まれる。

脳に取り込まれたメチル水銀は、細胞分裂や神経

80 Hg 水銀

細胞の軸索中の物質の移動に重要な役割を果たす微小管構造を崩壊させたり、神経細胞の膜構造を変化させたり、タンパク質合成の阻害などを起こして中枢神経細胞をおかし、運動失調、視覚や聴覚などの知覚障害やふるえなどの症状を示す。さらに、メチル水銀は容易に胎盤を通過して胎児に移行し胎児にも障害を与える。

１９５０年代なかばに熊本県水俣湾で、また１９６５年に新潟県阿賀野川流域で発生した「水俣病」と「第二水俣病」は、メチル水銀による環境汚染が引き起こした代表的な中毒である。メチル水銀を含む工場廃水が海や川に流れ、生物濃縮を受けて魚介類に蓄積し、これを食べた結果、体内にメチル水銀が取り込まれた。１９７１年にはイラクでも、農薬として用いた小麦の種子の防腐剤に含まれていたメチル水銀により、これを用いてつくったパンを食べた人に多くの中毒患者が出た。

世界的に広がる水銀と水銀化合物による汚染やそれらによる健康被害を防ぐため、国際的に水銀を管理することを目的として、２０１７年8月16日に「水銀に関する水俣条約」が発効し、「水銀による環境の汚染の防止に関する法律」が施行された。一部の特定水銀使用製品については、その製造、輸出および輸入の禁止が２０１８年1月1日から始まっている。２０２０年12月31日からは、一般照明用の高圧水銀ランプの製造および輸出入も、水銀含有量にかかわらず原則禁止となった。

グルタチオン、メタロチオネイン、あるいは亜セレン酸などのセレン化合物は、無機水銀化合物と結合することなどによって、無機水銀の毒性を軽減する。また、セレン化合物は有機水銀の毒性を低下させる効果がある。ラットに水銀と同時にセレンを与えると、１００％生き残るという結果が出ている。セレンは必須元素ではあるが、過度に摂取すれば毒である。セレンと水銀との関係は、毒をもって毒を制す例の一つである。

Column 26

宮沢賢治と元素の世界

宮沢賢治（以後、賢治）は小学生のころから石集めが好きで「石っこ賢さん」とよばれ、盛岡中学校入学後は鉱物・植物採集に熱中し、盛岡高等農林学校では本格的に鉱物学を学んだ。元素と周期表も学び、鉱物の本質を理解するようになった。中学生のころにつくった短歌の中に金、銀、水銀、コバルト、鉄、鉛、錫、酸素やカリウム（加里）などの元素を使っている。

検温器の　青びかりの水銀　はてもなくのぼり行くとき　目をつむれり　われ
あをあをと　なやめる室にたゞひとり　加里のほのほの白み燃えたる。
コバルトのなやみよどめる　その底に　加里の火　ひとつ　白み燃えたる
（「歌稿B」）

蒼ざめた心、燃えたぎる青春のエネルギー、将来への悩みを元素で表す方法の芽生えを感じさせている。盛岡高等農林学校時代に用いていた『化学本論』（片山正夫著、1915年）には72種の元素が書かれ、賢治は多数の元素を学んでいた。しかし、1926年に「羅須地人協会（らすちじんきょうかい）」を設立し、農村の人々への講義に使った資料『化学ノ骨組ミ』には、「原子ノ種類ハ90近クモアルケレドモワレワレハ左ノ14ヲオボエヤウ」とある。14の元素とは、酸素、水素、炭素、窒素、硫黄、リン、塩素、ケイ素、カルシウム、マグネシウム、鉄、カリ

80 Hg 水銀

ウム、ナトリウムとアルミニウムである。1925年にわが国で初めて出版された『理科年表』には87種の元素が掲載されている。賢治は最新の周期表で元素を勉強していたことがうかがえる。

賢治の作品を読むと、彼の日常体験にもとづく想像力の高さに驚く。そこにさまざまな元素が用いられ、言葉を越えた映像美が作り出され、作品をいっそう輝かせた。

「火が燃えるときは焔(ほのお)をつくる。（中略）硫黄を燃せばちょっと眼のくるっとするやうな紫いろの焔をあげる。それから銅を灼(や)くときは孔雀石(くじゃくいし)のやうな明るい青い火をつくる。」

いやあの古い西岩手火山の／いちばん小さな弟にあたるやつが／次の噴火を弗素でやらうと／いろいろ仕度をしてゐるさうだ

（「学者アラムハラドの見た着物」）

（詩ノート　「一〇七〇　科学に関する流言」）

フッ素を含む蛍石は、加熱すると蛍光を発し、さらに加熱すると割れてはじける場合がある。この蛍石を熟知していた賢治は、火山の噴火をフッ素で比喩し、独創的な表現を発明した。

蒼鉛(そうえん)いろの暗い雲から／みぞれはびちよびちよ沈んでくる／ああとし子……

（『春と修羅』〝無声慟哭〟「永訣の朝」）

蒼鉛はビスマスのことである。このように、賢治は作品や手紙、手帳に45種の元素を使い、自らの心象や自然を伝える表現法の一つとして元素を用いる方法を発明した。新鮮な感動を言葉の代わりに〝元素〟で表現することのすばらしさを実現したのである。

（参考『宮沢賢治の元素図鑑』、化学同人、2018年）

81 Tl

タリウム／Thallium

同位体と存在比(%)	
^{201}Tl	0, EC, γ, 3.0422d
^{203}Tl	[29.44, 29.59]
^{204}Tl	0, β^-, EC, 3.78y
^{205}Tl	[70.41, 70.56]
^{208}Tl	微量, β^-, γ, 3.053m

電子配置	[Xe]$4f^{14}5d^{10}6s^{2}6p^{1}$
原子量	[204.382, 204.385]
融点(K)	576.7(303.5℃)
沸点(K)	1730.15(1457℃)
密度(kg・m^{-3})	11850(固体, 293K)
	11290(液体, 融点)
地殻濃度(ppm)	0.6

酸化数	+1	Tl_2O, TlOH, Tl_2CO_3, TlF, TlCl
	+3	Tl_2O_3, TlF_3, $TlCl_3$, $TlBr_3$, $(CH_3)_2Tl^+$など

1	2	3	4	5	6	7	8	9	10	11	12	13	14	15	16	17	18
1 H																	2 He
3 Li	4 Be											5 B	6 C	7 N	8 O	9 F	10 Ne
11 Na	12 Mg											13 Al	14 Si	15 P	16 S	17 Cl	18 Ar
19 K	20 Ca	21 Sc	22 Ti	23 V	24 Cr	25 Mn	26 Fe	27 Co	28 Ni	29 Cu	30 Zn	31 Ga	32 Ge	33 As	34 Se	35 Br	36 Kr
37 Rb	38 Sr	39 Y	40 Zr	41 Nb	42 Mo	43 Tc	44 Ru	45 Rh	46 Pd	47 Ag	48 Cd	49 In	50 Sn	51 Sb	52 Te	53 I	54 Xe
55 Cs	56 Ba		72 Hf	73 Ta	74 W	75 Re	76 Os	77 Ir	78 Pt	79 Au	80 Hg	**81 Tl**	82 Pb	83 Bi	84 Po	85 At	86 Rn
87 Fr	88 Ra		104 Rf	105 Db	106 Sg	107 Bh	108 Hs	109 Mt	110 Ds	111 Rg	112 Cn	113 Nh	114 Fl	115 Mc	116 Lv	117 Ts	118 Og

ランタノイド (57～71)	57 La	58 Ce	59 Pr	60 Nd	61 Pm	62 Sm	63 Eu	64 Gd	65 Tb	66 Dy	67 Ho	68 Er	69 Tm	70 Yb	71 Lu
アクチノイド (89～103)	89 Ac	90 Th	91 Pa	92 U	93 Np	94 Pu	95 Am	96 Cm	97 Bk	98 Cf	99 Es	100 Fm	101 Md	102 No	103 Lr

１８５９年、ドイツの科学者キルヒホッフとブンゼンは分光器を発明し、元素のスペクトル分析法を開発した。彼らはこれを用いて鉱泉の水からセシウム（Cs）、次いでルビジウム（Rb）を発見した。１８６１年にイギリスのクルックスは、硫酸工場の残留物を研究しているときに、分光分析により緑色の炎光スペクトルを発する物質を発見し、これをギリシャ語の「新緑の

図81-1　クルックス
(1832 － 1919)
(Roger-Viollet／アフロ)

図81-2　ラミー
(1820 － 1878)

若々しい小枝」(thallos) にちなんでthalliumと命名した。Thallosはもともとギリシャ神話の主神ゼウスの娘タレイアに由来する語であり、タレイアは美・優雅・花盛りを象徴する女神とされている。

一方、フランスのラミーも、1862年に分光分析法によりタリウムを確認し、金属タリウムの単離に成功した。さらにタリウムが+1と+3の化合物をつくり、それぞれがアルカリ金属およびアルミニウム(Al) と類似することを見出した。学会発表はラミーが先であったため、ラミーが第一発見者とされたが、これにクルックスが反論し、現在はクルックスが第一発見者とされている。

タリウムは外観、性質、比重などが鉛 (Pb) によく似ており、ナイフで切れるくらいにやわらかい。タリウムは乾燥した空気中では安定であるが、湿度が高くなると酸化されやすくなる。水素、窒素や炭素と直接には反応しないが、フッ素や塩素などのハロゲン類とは反応し、+1を経て+3を生成する。しかし、水溶液中では+3タリウムは+1に比べて不安定であり、pH1から2・5においてもコロイド状の酸化物を生成する。

塩化タリウム（TlCl）は感光性があり、光により暗色になる。ヨウ化ナトリウム（NaI）に塩化タリウムを溶解すると、$TlCl_2^-$, $TlCl_4^{3-}$などの錯体が生成して新しい吸収帯の発光スペクトルを生じる。この錯体は放射線によって蛍光を発しやすく、また蛍光の減衰時間も常温で10^{-7}秒程度と短いため、感度よくγ線を計測することができる。こうした性質から、γ線の測定装置の検出部に利用されている。

近年、水銀とハロゲン化物（メタルハライド）の混合蒸気のアーク放電による高輝度、省電力、長寿命のメタルハライドランプが、野外照明などに用いられている。このメタルハライドランプにヨウ化タリウムを加えると、ランプが緑色に発光するため、装飾用の照明などに利用されている。

タリウム化合物は一般に毒性が高く、硫酸塩（Tl_2SO_4）は殺鼠剤、殺蟻剤として使用された。無味・無臭だが、人に危険であるため、現在では使われていない。実際、1947〜53年に、オーストラリアでタリウムによる連続毒殺事件が発生した。アガサ・クリスティーの『蒼ざめた馬』でもタリウムが毒薬として登場している。2005年にはわが国でも、タリウムを用いた殺人未遂事件が起こっている。

タリウムは生体内でおもに+1イオンとして存在し、そのイオン半径（1・50Å）はカリウムイオン（K^+）のイオン半径（1・38Å）と類似している。生体内でもK^+イオンと類似した挙動をとり、細胞内へもK^+イオンと同様に取り込まれてK^+イオンが関与する生体内反応を阻害する。これがタリウムの毒性発現のメカニズムと考えられている。

タリウムは消化管、皮膚、呼吸器から吸収される。消化管からの吸収は速やかで、全身の臓器に分布する。ゴム手袋を装着しても経皮吸収されるので、取り扱いには十分に注意する必要がある。硫酸タリウムの経口投与による平均致死量は1g（14～15mg／kg体重）である。

タリウムの放射性同位体である^{201}Tlは、半減期約3日で壊変し、その際、電子捕獲（EC、121ページのコラム6参照）によりX線およびγ線を放出する。$^{201}Tl^{+}$を生体内に投与すると、前述のようにタリウムとカリウムのイオン半径が類似しているため、心筋の細胞膜に存在するナトリウム－カリウムATPアーゼ（Na,K-ATPase：細胞内のNa^{+}をくみ出し、細胞外のK^{+}を取り込む）の作用により、心筋細胞内へ能動的に取り込まれる。^{201}Tlは心筋の血流に従って細胞に分布するため、血管拡張剤を投与した場合と安静状態での^{201}Tlの心筋細胞への集積画像を比較することから、虚血性心疾患の患者の血流と心筋細胞の生存度の評価が可能となる。わが国においても、臨床の場で広く用いられている。

また、^{201}Tlはがんへの取り込みも認められ、脳腫瘍、甲状腺腫瘍、肺腫瘍、骨・軟部腫瘍および縦隔腫瘍の画像診断にも用いられている。

なお、臨床において投与されるタリウムの量は痕跡量（2～3ppm以下）であるため、タリウムによる毒性は問題とならない。

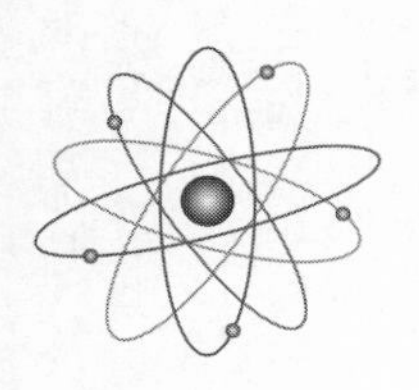

82

Pb

鉛／Lead

同位体と存在比(%)			
^{204}Pb	1.4	^{208}Pb(ThD)	52.4
^{205}Pb	0,EC,1.73×10^{7}y	^{209}Pb	0, β^-, 3.234h
^{206}Pb(RaG)	24.1	^{210}Pb	微量, β^-, γ, 22.20y
^{207}Pb(AcD)	22.1	^{211}Pb	微量, β^-, γ, 36.1m

電子配置	[Xe]$4f^{14}5d^{10}6s^{2}6p^{2}$
原子量	[206.14, 207.94]
融点(K)	600.65(327.50℃)
沸点(K)	2023(1750℃)
密度($kg\cdot m^{-3}$)	11350(固体, 293K)
	10678(液体, 融点)
地殻濃度(ppm)	14

酸化数		
	+2	PbO, PbF_2, $PbCl_2$, PbS
	+4	PbO_2, Pb_3O_4(＝$2PbO\cdot PbO_2$), PbF_4, $PbCl_4$, $PbBr_4$, $PbCl_6^{2-}$, $Pb(OH)_6^{2-}$, PbS_2

1	2	3	4	5	6	7	8	9	10	11	12	13	14	15	16	17	18
1 H																	2 He
3 Li	4 Be											5 B	6 C	7 N	8 O	9 F	10 Ne
11 Na	12 Mg											13 Al	14 Si	15 P	16 S	17 Cl	18 Ar
19 K	20 Ca	21 Sc	22 Ti	23 V	24 Cr	25 Mn	26 Fe	27 Co	28 Ni	29 Cu	30 Zn	31 Ga	32 Ge	33 As	34 Se	35 Br	36 Kr
37 Rb	38 Sr	39 Y	40 Zr	41 Nb	42 Mo	43 Tc	44 Ru	45 Rh	46 Pd	47 Ag	48 Cd	49 In	50 Sn	51 Sb	52 Te	53 I	54 Xe
55 Cs	56 Ba		72 Hf	73 Ta	74 W	75 Re	76 Os	77 Ir	78 Pt	79 Au	80 Hg	81 Tl	82 Pb	83 Bi	84 Po	85 At	86 Rn
87 Fr	88 Ra		104 Rf	105 Db	106 Sg	107 Bh	108 Hs	109 Mt	110 Ds	111 Rg	112 Cn	113 Nh	114 Fl	115 Mc	116 Lv	117 Ts	118 Og

ランタノイド(57〜71)	57 La	58 Ce	59 Pr	60 Nd	61 Pm	62 Sm	63 Eu	64 Gd	65 Tb	66 Dy	67 Ho	68 Er	69 Tm	70 Yb	71 Lu
アクチノイド(89〜103)	89 Ac	90 Th	91 Pa	92 U	93 Np	94 Pu	95 Am	96 Cm	97 Bk	98 Cf	99 Es	100 Fm	101 Md	102 No	103 Lr

鉛は金、銀、銅などとともに古代から最もよく知られていた金属の一つである。エジプトでは紀元前３４００年ごろに、またインドや中国では紀元前１０００年ごろにすでに金属あるいは化合物として知られていた。古代ローマ時代には、金属鉛を水道管や酒類の貯蔵容器に使用していた。

元素記号のPbは、鉛を意味するラテン語plumbumに由来するが、その語源は明確ではない。

天然では、おもに方鉛鉱（PbS）から産生され、重元素の中では存在量が多い。これは鉛がマジックナンバー（257、492ページ参照）である82個の陽子を有し、安定に存在するためである。鉛は^{204}Pbと天然に存在する放射性同位体であるウラン（U）、トリウム（Th）の壊変の最終生成物である^{206}Pb、^{207}Pb、^{208}Pbを含めて4種の安定同位体が認められる。これらの同位体は、もともと存在した鉛と、ウランやトリウムの壊変から生成した鉛との混合物として存在するため、安定同位体の存在比は鉱山によって異なる。これを利用して、考古資料の出土地の同定や地球の年齢の推定が行われる。スイスの泥炭地の$^{206}Pb/^{207}Pb$の同位体組成比から、ヨーロッパの農業は紀元前4000年ごろに始まったと推定されている。

鉛は元来、ろう白色の光沢をもつが、空気中では酸化されていわゆる鉛色となる。古代には顔料や医薬品として使用されていた。わが国でも、かつては「おしろい」の原料に炭酸鉛（$PbCO_3$）が使用されていた。

酢酸鉛（$Pb(CH_3COO)_2$）は+2の鉛塩で水によく溶け、甘味で鉛糖とよばれるがきわめて毒性が高い。$Pb(CH_3COO)_4$は+4の鉛塩の中で最も安定であり、175～180℃で分解せずに融解する。

鉛は多くの有機化合物を生成する。四エチル鉛$Pb(C_2H_5)_4$は、アンチノック剤としてガソリンのオクタン価を高めるために混和すると、自動車のエンジン中のガソリンの異常燃焼を抑えることができる。しかし、この化合物は猛毒であるため、環境汚染の懸念から、その使用は多くの国で2000年までに禁止された。

鉛は融点が低く、やわらかく細工しやすい金属であり、さらに水に溶けずに腐食しにくいため、古くから種々の用途に使用されてきた。鉛は表面に酸化被膜をつくり無害であると考えられ、長いあいだ水道管にも使用されていた。しかし、分析機器が進歩して微量元素の測定が可能になると、鉛が水道管から溶け出すことが判明した。酸素が存在し、かつ溶液のpHが7よりやや低くなると、鉛が微量溶け出す。このため現在では、合成樹脂やステンレスなどに置き換えられている。

鉛は高い密度をもち、X線やγ線をよく吸収するので、放射線の遮蔽（しゃへい）材料として現在も広く使用されている。レントゲン撮影の際にズシリと重い腰巻きのようなものを巻いた経験があると思うが、これには鉛が使用されている。X線から生殖機能を守るためである。

またガラスの成分である二酸化ケイ素（SiO_2）に酸化鉛（PbO）を混和した鉛ガラスは、屈折率が大きく、軟質で加工性が大きいことから、光学ガラスから装飾用のクリスタルガラスまで、幅広く使用されている。鉛ガラスは比重が大きく放射線の吸収能が高いため、鉛含量の多いガラスは透明の放射線遮蔽物としての用途もある。

鉛の用途のうちで最も身近なものは車のバッテリーに使われる鉛蓄電池である。これは、正電極に二酸化鉛（PbO_2）を、負電極に海綿状の金属鉛を用い、隔離板で隔てて希硫酸を電解液としたものである。鉛蓄電池は1859年にガストン・プランテが発明したものが改良されて現在にいたっている。

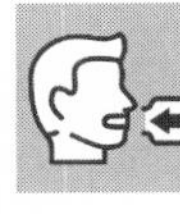

鉛は古くから使用されてきた金属だが、一方でヒポクラテスの時代からその中毒が知られている。大量の鉛の摂取による急性中毒は、疝痛（せんつう）、貧血、神経痛や脳疾患を招く。

鉛中毒が問題となったのは、鉛白（炭酸水酸化

図82-1　ヒポクラテス
（古代ギリシャの医師）

鉛（Ⅱ）、$2PbCO_3 \cdot Pb(OH)_2$）が甘いため、ガムの代わりに鉛を含む白いペンキを口にした子どもに脳疾患が認められたことによる。

わが国でも、おしろいに含まれた鉛による「おしろい中毒」が問題とされ、１９３５年に鉛を含むおしろいは販売禁止となった。

ローマ帝国時代の貴族たちは鉛の容器でワインを飲んでいたが、ワインの酸により鉛が酢酸鉛を形成して容器から溶け出した。これはワインの味をマイルドにしたが、その反面、生涯を通じて大量の鉛を体内に取り込む原因となった。

鉛を慢性的に大量に摂取すると、神経過敏で情緒不安定になる。ワインの大量摂取による鉛の慢性中毒が皇帝ネロの人格を変え、その暴政につながったとする説もある。

また四エチル鉛などの有機鉛は毒性が高く、蒸気や溶液として吸入、接触すると神経をおかすので、その取り扱いには十分な注意が必要である。エラリー・クイーンの『ローマ帽子の謎』でも悪徳弁護士の殺害に四エチル鉛が登場している。

経口摂取された鉛の吸収率は約10％と考えられ、その大部分はリン酸鉛（$Pb_3(PO_4)_2$）や炭酸鉛（$PbCO_3$）の形で糞便中へ排泄される。しかし一部の鉛は血液に入り、骨や軟組織に沈着する。また、わずかであるが毛髪にも排泄されるので、毛髪は鉛の体内濃度を測定する指標となる。

鉛イオンはチオール基（—SH）と結合しやすいため、血液へ入った鉛はチオール基をもつ酵素と結合してその働きを阻害する。たとえば、鉛イオンはヘムの合成に関与する酵素アミノレブリン酸デヒドロゲナーゼの働きを止めることが知られている。鉛と安定な結合を形成するエチレンジアミン四酢酸（ＥＤＴＡ）のカルシウム・ナトリウムキレート化合物は、鉛の急性中毒の軽減に有効とされている。

83

Bi

ビスマス／Bismuth

同位体と存在比(%)			
^{205}Bi	0,EC,β^+,γ,14.91d	^{210m}Bi	0, α, γ, 3.04×10^6y
^{206}Bi	0,EC,β^+,γ,6.24d		
^{207}Bi	0,EC,β^+,γ,31.55y	^{211}Bi(AcC)	0, α, γ, 2.14m
^{208}Bi	0, EC, γ, 3.68×10^5y	^{212}Bi(ThC)	0, α, β^-, γ, 60.55m
^{209}Bi	100, α, 2.01×10^{19}y	^{214}Bi(RaC)	0, α, β^-, γ, 19.9m
^{210}Bi	微量, β^-, γ, 5.012d		

電子配置	[Xe]$4f^{14}5d^{10}6s^26p^3$
原子量	208.98040
融点(K)	544.5(271.3℃)
沸点(K)	1833(1560℃)±5
密度(kg・m^{-3})	9747(固体, 293K)
地殻濃度(ppm)	0.048

酸化数		
	−3	BiH_3
	+1	Bi^+
	+3	Bi_2O_3, $Bi(OH)_3$, BiOCl, BiF_3, Bi_2S_3, $BiCl_3$
	+5	Bi_2O_5, $Bi(OH)_6^-$, $NaBiO_3$, BiF_5, $KBiF_6$

1	2	3	4	5	6	7	8	9	10	11	12	13	14	15	16	17	18
1 H																	2 He
3 Li	4 Be											5 B	6 C	7 N	8 O	9 F	10 Ne
11 Na	12 Mg											13 Al	14 Si	15 P	16 S	17 Cl	18 Ar
19 K	20 Ca	21 Sc	22 Ti	23 V	24 Cr	25 Mn	26 Fe	27 Co	28 Ni	29 Cu	30 Zn	31 Ga	32 Ge	33 As	34 Se	35 Br	36 Kr
37 Rb	38 Sr	39 Y	40 Zr	41 Nb	42 Mo	43 Tc	44 Ru	45 Rh	46 Pd	47 Ag	48 Cd	49 In	50 Sn	51 Sb	52 Te	53 I	54 Xe
55 Cs	56 Ba		72 Hf	73 Ta	74 W	75 Re	76 Os	77 Ir	78 Pt	79 Au	80 Hg	81 Tl	82 Pb	83 Bi	84 Po	85 At	86 Rn
87 Fr	88 Ra		104 Rf	105 Db	106 Sg	107 Bh	108 Hs	109 Mt	110 Ds	111 Rg	112 Cn	113 Nh	114 Fl	115 Mc	116 Lv	117 Ts	118 Og

ランタノイド(57〜71)	57 La	58 Ce	59 Pr	60 Nd	61 Pm	62 Sm	63 Eu	64 Gd	65 Tb	66 Dy	67 Ho	68 Er	69 Tm	70 Yb	71 Lu
アクチノイド(89〜103)	89 Ac	90 Th	91 Pa	92 U	93 Np	94 Pu	95 Am	96 Cm	97 Bk	98 Cf	99 Es	100 Fm	101 Md	102 No	103 Lr

ビスマスは光沢のある銀白色の半金属で、結晶はきわめてもろい。その存在は、古く15世紀ごろから知られていたが、その当時は、アンチモン（Sb）、鉛（Pb）、スズ（Sn）と混同されていた。錬金術を薬物づくりへと転換させた中世の錬金術師で医師でもあったパラケルススも「2種類のアンチモンが存在し、黒色のものは金の精製に使われ鉛に似ており、白色のものは

図83-1　パラケルスス（1493 − 1541）

ビスマスとかマグネシアとよばれてスズと似た性質をもつ」と考えた。独立した金属としてビスマスの化学的性質が明らかにされたのは18世紀になってからである。

フランスのジェフロアは1753年、ビスマスと鉛の違いを明らかにし、その後ドイツのポット、スウェーデンのベルイマンにより単体ビスマスの特徴が明らかになった。英語名のbismuthは、古代ドイツ語のWissmuth（Wismut）に由来するらしい。Wissmuthはアラビア語のwiss majaht（安息香のように容易に溶ける金属）によるらしいが詳しいことはわかっていない。

天然には硫化物である輝蒼鉛鉱（きそうえんこう）（Bi_2S_3）に最も多く存在するほか、ビスマイト（Bi_2O_3）として、あるいは遊離の状態でも存在する。ビスマスは銀（Ag）、ニッケル（Ni）やスズと鉱脈をつくり、ビスマスの下から銀が見つかることが多かったため、中世の鉱山職人は、ビスマスを「銀の屋根」とよんだ。日本では、ビスマスは蒼鉛とよばれている。宮沢賢治のよく知られている心象スケッチ『春と修羅』の中の「永訣の朝」では、妹のトシが亡くなった無念の悲しみと怒りを「蒼鉛いろ」に喩えているのが印象的である（372ページのコラム26参照）。

天然に存在するビスマスの同位体は、すべて放射性同位体である。^{209}Biは長い間、最も重い安定同位体と考えられてきたが、2003年に2.01×10^{19}年（宇宙の年齢138億年の約10億倍！）の長い半減期をもつ放射性同位体であることがわかった。ビスマスには多くの放射性同位体が知られており、^{210}Bi、

^{211}Bi、^{212}Bi、^{214}Biはウラン（U）、アクチニウム（Ac）、トリウム（Th）の壊変生成物で^{210}Biは天然にも微量ながら存在する。

ビスマスは、鉛、スズ、カドミウム（Cd）、インジウム（In）などと合金をつくる。これらの合金は、融点が低くて鋳造しやすく、比較的硬くて摩耗変形に耐えるため、特殊なハンダ、ボンベの安全弁、火災報知器などに用いられる。鉄鋼に少量のビスマスを加えると、加工性がよくなる。また、ビスマス化合物を材料に加えると高温でも材質が劣化しにくくなるため、ビスマイト（Bi_2O_3）がセラミックスやガラス製品の製造に用いられる。ビスマスは、電気伝導体や半導体中で熱エネルギーと電気エネルギーを相互に変換できる効果をもつ元素であることが知られている。

ビスマスと銅、またはビスマスとアンチモンを接合して電気回路をつくり、一方の接合部を加熱すると、他の接合部とのあいだに温度差が生じて、回路に電流が流れる。これをゼーベック効果という。逆に、この回路に電流を流すと、一方の接合部には吸熱が、他方の接合部には発熱が起こる。電流の向きを変えると、この関係が逆転する。これをペルティエ効果という。この効果を利用して、クーラーやパソコンの冷却装置がつくられている。

ある温度以下になると電気抵抗がゼロになる超伝導材料にも、ビスマスは利用されている。液体窒素（マイナス196℃）冷却で超伝導状態となる高温超伝導体としてビスマス2223およびビスマス2212が日本で開発された。ビスマス2223およびビスマス2212は、ともにビスマス、ストロンチウム、カルシウム、銅、酸素から構成されるが、それぞれ酸素以外の組成が2：2：2：3と2：2：1：2であることから、このように命名されている。

ビスマスを含む銅酸化物の超伝導体は、マイナス163℃で超伝導となるため、現在、超伝導送電線ケーブルとして使われている。

プラズマテレビのパネルに使われているガラスには、透明度を上げ、加工温度の調整が容易な鉛が使われていた（37インチのテレビに約70g）。しかし世界的な鉛使用の規制から、鉛の代用品の一つとして、安定剤を加えたビスマスが採用されている。

次硝酸ビスマス（硝酸水酸化ビスマス、すなわち硝酸ビスマス五水和物を熱分解または加水分解した化合物Bi_2O_3・N_2O_5・$2H_2O$）は古くから胃潰瘍、十二指腸潰瘍などの消化性潰瘍や慢性胃炎の治療薬として用いられ、「日本薬局方」にも収載されている。この薬は、胃の塩酸を中和する能力はほとんどないが、潰瘍面に付着して患部を覆い、塩酸による粘膜への刺激を防ぐ作用がある。また次硝酸ビスマスは、大腸内の細菌による異常発酵で発生した硫化水素（H_2S）と結合して硫化ビスマスとなり、硫化水素ガスの刺激による大腸の蠕動運動の亢進を防ぐため、止瀉薬（下痢止め）として用いられる。

ビスマス化合物の投与は、メタロチオネインとよばれる分子量6000～7000の金属結合性タンパク質の発現を誘導する。これを利用して、次硝酸ビスマスを前投与して腎臓のメタロチオネイン発現を誘導することにより、抗がん剤であるシスプラチンの重篤な副作用である腎毒性が軽減できる。

胃潰瘍・十二指腸潰瘍の病原菌であるヘリコバクター・ピロリの除菌にも、ビスマス化合物と抗生物質などからなる併用療法が有効と報告された。しかしビスマス化合物の長期投与は、意識障害などの中枢神経障害を誘発する危険性があり、またその効果の評価から、最近では胃酸分泌抑制剤（プロトンポンプ阻害薬）と抗生物質との併用療法が行われている。

Column 27

人体中の元素濃度と微量元素の必須性

	元素				体内存在量 (%)		体重70kgの人の体内存在量	体重1gあたりの存在量
多量元素	酸素	O			65.0	98.5%	45.5kg	650mg
	炭素	C			18.0		12.6	180
	水素	H			10.0		7.0	100
	窒素	N			3.0		2.1	30
	カルシウム	Ca			1.5		1.05	15
	リン	P			1.0		0.70	10
少量元素	硫黄	S			0.25	0.9%	175g	2.5mg
	カリウム	K			0.20		140	2.0
	ナトリウム	Na			0.15		105	1.5
	塩素	Cl			0.15		105	1.5
	マグネシウム	Mg			0.15		105	1.5
微量元素	鉄	Fe	○	□			6	85.7μg
	フッ素	F	○				3	42.8
	亜鉛	Zn	○	□			2.3	32.9
	ケイ素	Si	○	□			2	28.5
	ストロンチウム	Sr	○				320mg	4.57
	ルビジウム	Rb					320	4.57
	臭素	Br	○				200	2.86
	鉛	Pb	○				120	1.71
	銅	Cu	○	□			80	1.14
超微量元素	アルミニウム	Al					60	857ng
	カドミウム	Cd					50	714
	マンガン	Mn	○	□			20	286
	スズ	Sn	○				20	286
	バリウム	Ba					17	243
	水銀	Hg					13	186
	セレン	Se	○	□			12	171
	ヨウ素	I	○	□			11	157
	モリブデン	Mo	○	□			10	143
	ニッケル	Ni	○				10	143
	ホウ素	B	○	□			10	143
	クロム	Cr	○	□			2	28.5
	ヒ素	As	○				2	28.5
	コバルト	Co	○	□			1.5	21.4
	バナジウム	V	○				1.5	21.4

○：実験哺乳動物で必須性が明らかにされている微量元素

□：ヒトにおいて必須性が認められている微量元素

（資料によってデータに変動がある場合もある）

84

Po

ポロニウム／Polonium

同位体と存在比(%)			
^{204}Po	0, EC, α, γ, 3.53h	^{211}Po(AcC′)	微量, α, γ, 0.516s
^{206}Po	0, EC, α, γ, 8.8d	^{212}Po(ThC′)	0, α, 0.3 μs
^{207}Po	0,EC,α,β^+,γ,5.80h	^{214}Po(RaC′)	0, α, γ, 163.6 μs
^{208}Po	0,EC, α, γ, 2.898y	^{215}Po(AcA)	0, α, β^-, γ, 1.781ms
^{209}Po	0,EC, α, γ, 102y	^{216}Po(ThA)	微量, α, γ, 0.15s
^{210}Po(RaF)	微量, α, γ, 138.376d	^{218}Po(RaA)	微量, α, β^-, 3.098m

電子配置	[Xe]$4f^{14}5d^{10}6s^26p^4$
原子量	[210]
融点(K)	527(254℃)
沸点(K)	1235(962℃)
密度(kg・m^{-3})	9320(固体, 293K)
地殻濃度(ppm)	超微量

酸化数		
	−2	H_2Po, Na_2Po
	+2	PoO, $PoCl_2$, $PoBr_2$
	+4	PoO_2, PoO_3^{2-}, $PoCl_4$, $PoBr_4$, PoF_4, $PoCl_6^{2-}$
	+6	PoO_3, PoF_6

1	2	3	4	5	6	7	8	9	10	11	12	13	14	15	16	17	18
1 H																	2 He
3 Li	4 Be											5 B	6 C	7 N	8 O	9 F	10 Ne
11 Na	12 Mg											13 Al	14 Si	15 P	16 S	17 Cl	18 Ar
19 K	20 Ca	21 Sc	22 Ti	23 V	24 Cr	25 Mn	26 Fe	27 Co	28 Ni	29 Cu	30 Zn	31 Ga	32 Ge	33 As	34 Se	35 Br	36 Kr
37 Rb	38 Sr	39 Y	40 Zr	41 Nb	42 Mo	43 Tc	44 Ru	45 Rh	46 Pd	47 Ag	48 Cd	49 In	50 Sn	51 Sb	52 Te	53 I	54 Xe
55 Cs	56 Ba		72 Hf	73 Ta	74 W	75 Re	76 Os	77 Ir	78 Pt	79 Au	80 Hg	81 Tl	82 Pb	83 Bi	84 Po	85 At	86 Rn
87 Fr	88 Ra		104 Rf	105 Db	106 Sg	107 Bh	108 Hs	109 Mt	110 Ds	111 Rg	112 Cn	113 Nh	114 Fl	115 Mc	116 Lv	117 Ts	118 Og

ランタノイド(57〜71)	57 La	58 Ce	59 Pr	60 Nd	61 Pm	62 Sm	63 Eu	64 Gd	65 Tb	66 Dy	67 Ho	68 Er	69 Tm	70 Yb	71 Lu
アクチノイド(89〜103)	89 Ac	90 Th	91 Pa	92 U	93 Np	94 Pu	95 Am	96 Cm	97 Bk	98 Cf	99 Es	100 Fm	101 Md	102 No	103 Lr

メンデレーエフが「エカテルル」として予言した84番目の元素は、キュリー夫妻によって1898年に発見された。

ポーランド生まれの物理学者マリー・キュリーは、ウラン（U）やトリウム（Th）を含む天然の鉱石の放射能を測定していたとき、そのいくらかはウランやトリウムの含有量から求められるよりもはるかに強い放射線を放出することを発見した。彼女は鉱石試料の中には、ウランやトリウムよりもはるかに放射能の大きい元素が存在すると考え、その探索を行った。

彼女は夫ピエールの協力を得て、ピッチブレンド（閃ウラン鉱）を化学分析の手法で各成分に分離し、放射活性がこの中のどの成分中にあるかを調べた。そして1898年、ついに彼らは、塩酸酸性溶液からビスマス（Bi）と一緒に硫化物として沈殿し、さらに水酸化物の分別沈殿によってビスマスから単離される新しい元素を発見した。

マリー・キュリーは当時、ポーランドをロシア帝国の支配から解放する運動に強い関心を寄せており、祖国の名前にちなんで天然から得られた最初の放射性元素をポロニウムと命名した。しかし、キュリー夫妻は純金属を取り出すことや、その相対原子量の決定はできなかった。

1902年、ドイツの化学者マルクヴァルトは、ピッチブレンドを分離して得られるビスマス画分の溶液に浸したビスマス板に金属状の析出物を得た。彼はこの物質を放射性テルルとよんだ。ポロニウムと放射性テルルの性質について激しい議論がなされたが、のちに二つの物質が同一物であることが明らかとなった。

天然放射性系列（435ページのコラム31参照）に存在するポロニウムには、ウラン（U）系列（図84－1）に属するラジウムC′（^{214}Po）、ラジウムF（^{210}Po）のほか、アクチニウム（Ac）系列（400ページの図87－2）に属するアクチニウムA（^{215}Po）、アクチニウムC′（^{211}Po）、またトリウム（Th）系列（414ページの図90－2）に属するトリウムA（^{216}Po）、トリウムC′（^{212}Po）の6種が存在する。しかし、^{210}Po以外はすべて半減期がきわめて短い。^{210}Poはウラン壊変生成物としてウラン鉱石中に約138・4日の半減期で存在し、その存在度は10^{-4} ppm程度である。純粋なポロニウム金属が単離されたのは、キュリー夫妻の発見から約半世紀が経過した1946年のことであっ

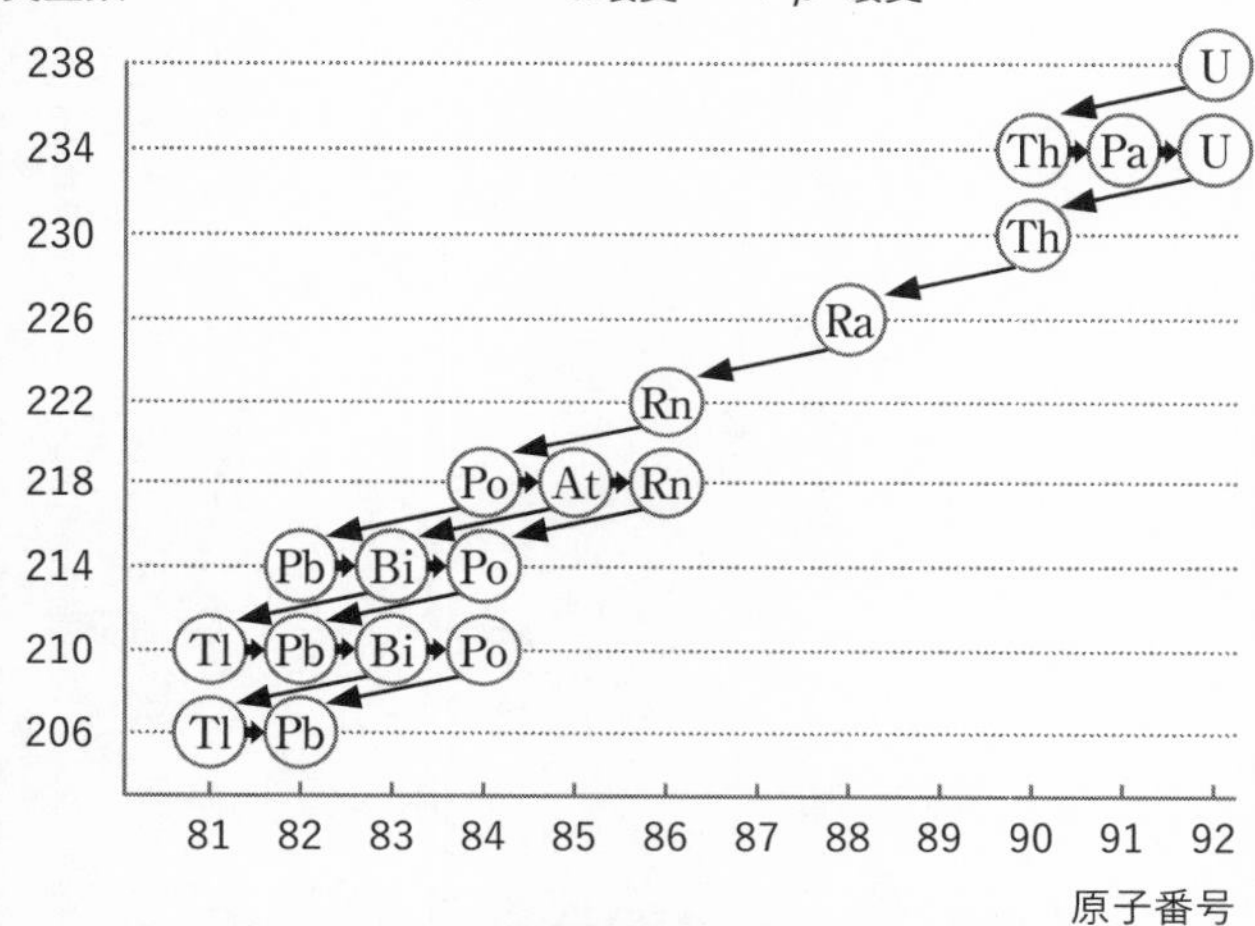

図 84-1　天然放射性系列の一例（ウラン系列）

た。

ポロニウムは周期表16族に属し、金属性を示す半金属である。多くの元素と−2、+2、+4、+6の酸化数の化合物をつくる。溶液中で最も安定なのは+4であり、ハロゲンイオン（X）とPoX_6^{2-}の錯体を形成し、アルカリ金属とM_2PoX_6の沈殿を生じる。水溶液中では加水分解を受けて、$Po(OH)_4$コロイドを形成する傾向にある。

ポロニウムは高い比放射能（単位質量あたりの放射能の強さでBq／g等で表記される）でα線を放出するため、極微量であっても体内に取り込まれると危険である。ヒヒを用いた研究によると、ポロニウムをクエン酸化合物として投与した場合、肝臓、腎臓、脾臓へそれぞれ投与した量の29％、7％、0・6％が取り込まれた。また体内から消失する生物学的半減期は15～50日と個体差が大きかった。^{210}Poの毒性はその放射線によるものであり、ヒトでの致死量は10μg未満と推定されている。

Poは既知の物質のなかで最も毒性の強い物質の一つである。かつてキュリー夫妻の研究室で$^{210}\mathrm{Po}$が誤って流出し、これを体内に取り込んだ研究者が死亡した。マンハッタン計画の作業従事者が、ビスマスからポロニウムを化学分離する際にポロニウムを体内に取り込み、その放射線により障害を受けた。

２００６年にロンドンでロシア連邦保安庁の元中佐リトビネンコの不審死体が発見されたが、彼の尿中から$^{210}\mathrm{Po}$が検出され、その死因が$^{210}\mathrm{Po}$による内部被曝と推測されている。なお、Poは微量ではあるがタバコに蓄積されることが知られている。Poは揮発しやすいことから、喫煙が$^{210}\mathrm{Po}$による肺組織の被曝を増加する可能性を愛煙家は考慮すべきかもしれない。

85

At

アスタチン／Astatine

同位体と存在比(%)	
^{207}At	0, β^+, EC, α, γ, 1.8h
^{208}At	0, β^+, EC, α, γ, 1.63h
^{209}At	0, EC, α, γ, 5.42h
^{210}At	0, EC, α, β^+, γ, 8.1h
^{211}At	0, EC, α, γ, 7.214h

電子配置	[Xe]$4f^{14}5d^{10}6s^26p^5$
原子量	[210]
融点(K)	575(302℃)
沸点(K)	610(337℃)
密度(kg・m^{-3})	――
地殻濃度(ppm)	微量

酸化数		
	−1	At^-(水中)
	+1	$AtBr_2^-$, AtO^-
	+5	AtO_3^-(水中)

メンデレーエフによりヨウ素（I）に似た性質をもつと予言された85番目の元素「エカヨウ素」の探索が長年行われていたが、それは結局、サイクロトロンを用いて人工的につくられた。1937年にテクネチウム（Tc）が人工合成されたが、そのとき使われたサイクロトロンではエネルギーが低く、原子番号80程度の原子核で核反応を起こすには不十分であった。

1	2	3	4	5	6	7	8	9	10	11	12	13	14	15	16	17	18
1 H																	2 He
3 Li	4 Be											5 B	6 C	7 N	8 O	9 F	10 Ne
11 Na	12 Mg											13 Al	14 Si	15 P	16 S	17 Cl	18 Ar
19 K	20 Ca	21 Sc	22 Ti	23 V	24 Cr	25 Mn	26 Fe	27 Co	28 Ni	29 Cu	30 Zn	31 Ga	32 Ge	33 As	34 Se	35 Br	36 Kr
37 Rb	38 Sr	39 Y	40 Zr	41 Nb	42 Mo	43 Tc	44 Ru	45 Rh	46 Pd	47 Ag	48 Cd	49 In	50 Sn	51 Sb	52 Te	53 I	54 Xe
55 Cs	56 Ba		72 Hf	73 Ta	74 W	75 Re	76 Os	77 Ir	78 Pt	79 Au	80 Hg	81 Tl	82 Pb	83 Bi	84 Po	85 At	86 Rn
87 Fr	88 Ra		104 Rf	105 Db	106 Sg	107 Bh	108 Hs	109 Mt	110 Ds	111 Rg	112 Cn	113 Nh	114 Fl	115 Mc	116 Lv	117 Ts	118 Og

ランタノイド（57～71）	57 La	58 Ce	59 Pr	60 Nd	61 Pm	62 Sm	63 Eu	64 Gd	65 Tb	66 Dy	67 Ho	68 Er	69 Tm	70 Yb	71 Lu
アクチノイド（89～103）	89 Ac	90 Th	91 Pa	92 U	93 Np	94 Pu	95 Am	96 Cm	97 Bk	98 Cf	99 Es	100 Fm	101 Md	102 No	103 Lr

85 At アスタチン

カリフォルニア大学に建設された新しいサイクロトロン（図85－1）を用いて、コールソン、マッケンジー、セグレは1940年に、

$$^{209}_{83}\mathrm{Bi} + \alpha\,(^{4}_{2}\mathrm{He}) \rightarrow {}^{211}_{85}\mathrm{At} + 2\,^{1}_{0}\mathrm{n}$$

の反応によって85番目の元素を得ることに成功した。発見された元素はきわめて不安定なため、ギリシャ語の不安定（astatos）という言葉にちなんでアスタチンと名づけられた。

この同位体の半減期は約7・2時間であり、電子捕獲、α壊変により、それぞれ約60％、40％が壊変する。現在では、そのほかにも30種以上の同位体が知られている。すべての同位体は加速器でつくられるが、天然壊変系列のごくわずかな分岐として^{219}At、^{215}At（アクチニウム系列）および^{218}At（ウラン系列）が存在する。しかしその量は少なく、半減期も短い。

最も半減期の長い同位体である^{210}Atでもその半減期は8・1時間であるので、アスタチンの化学的性質

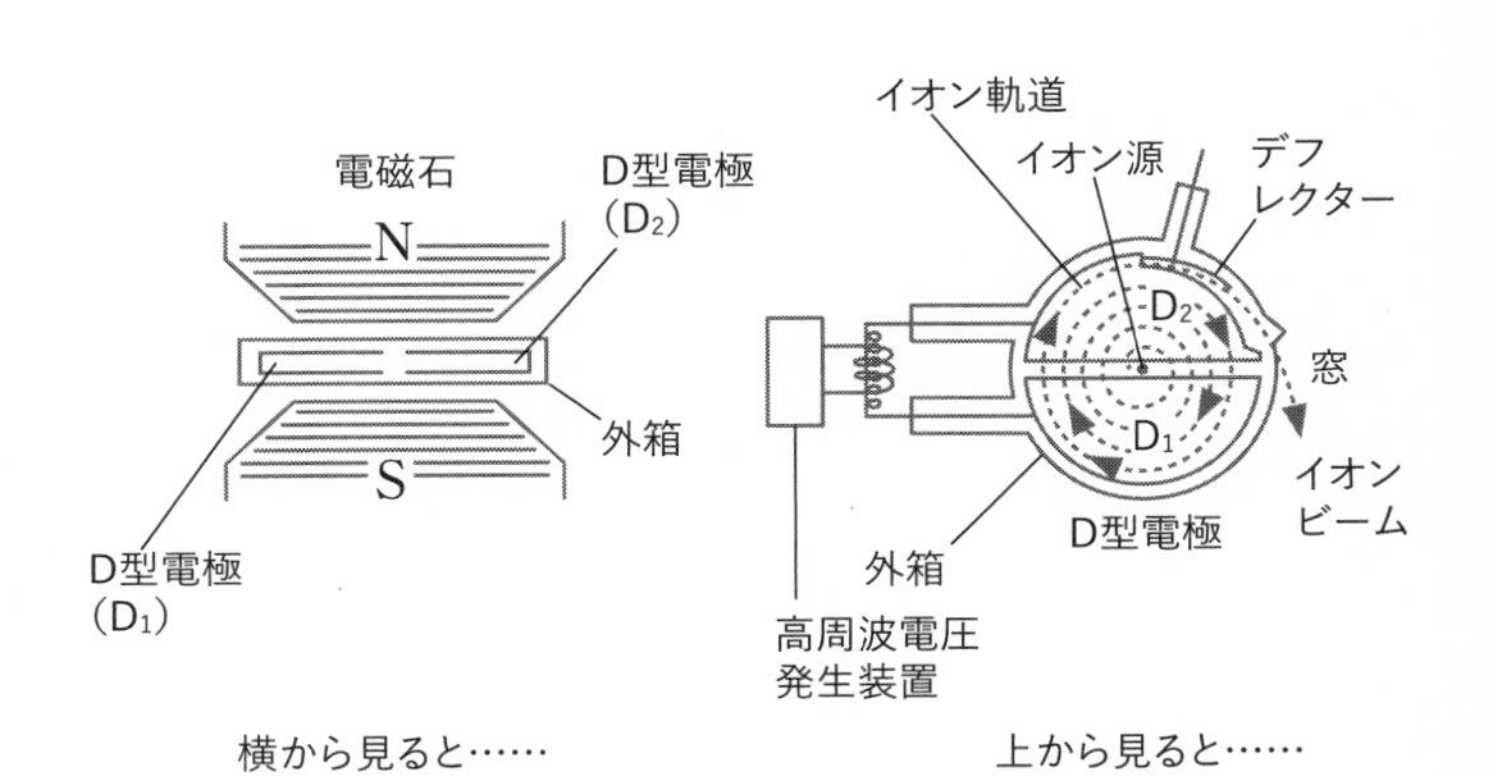

図 85-1　サイクロトロンの構造

はすべて痕跡量の放射性物質を用いた研究によるものである。アスタチンについての研究や医療への応用には^{211}Atが用いられる。

単体はかなり揮発性が高く、水にいくらか溶け、ベンゼンあるいは四塩化炭素に抽出できる。単体のアスタチンを臭素で酸化するとAtO^{-}となり、次亜塩素酸で酸化するとAtO^{3-}が生じる。またアスタチンの有機化合物としてはCH_3At, C_2H_5Atなどが知られている。

^{211}Atは細胞殺傷性の強い高エネルギーα線を放出するため、これをがんの治療に応用する研究が進められている。α線は体の外から照射しても腫瘍組織まで到達しないので、体内に^{211}At化合物を投与して、これを腫瘍細胞に選択的に集める必要がある。アスタチンを腫瘍へ送達する〝運び屋〟としては、抗体やペプチドがその候補に挙げられる。

アスタチンアニオン(At^{-})は、ヨウ素アニオン(I^{-})と同様に甲状腺へ集積する性質があるため、アスタチン化合物をがんの治療薬として応用するには、アスタチンと〝運び屋〟とを生体内で安定に結合した状態に保つことが必要である。タンパク質との結合反応では、ヨウ素はおもにタンパク質の構成アミノ酸の一つであるチロシンと結合するが、アスタチンではタンパク質のチオール基(—SH)と結合する。しかし、この結合は体内で不安定であるため、アスタチンとタンパク質やペプチドとを直接結合させるのは困難である。

ホウ素と炭素のクラスターであるカルボランの一種は^{211}Atと安定な結合を形成する。ネオペンチルグリコールに導入された^{211}Atも生体内で安定に存在する。これらを用いる^{211}Atのがん治療への応用が進められている。α線の飛程(406ページのコラム29参照)はたいへん短いため、血液循環中の骨髄への影響が少ないのは^{211}Atの大きな利点である。

86 Rn

ラドン／Radon

同位体と存在比(%)	
^{219}Rn	微量, α, γ, 3.96s
^{220}Rn	微量, α, γ, 55.6s
^{222}Rn	微量, α, γ, 3.8235d

電子配置	$[Xe]4f^{14}5d^{10}6s^{2}6p^{6}$
原子量	[222]
融点(K)	202(−71℃)
沸点(K)	211.4(−61.8℃)
密度(kg・m^{-3})	4400(液体, 融点)
	9.73(気体, 273K)
地殻濃度(ppm)	微量

酸化数	0	Rnガス
	+2	RnF_2

1	2	3	4	5	6	7	8	9	10	11	12	13	14	15	16	17	18
1 H																	2 He
3 Li	4 Be											5 B	6 C	7 N	8 O	9 F	10 Ne
11 Na	12 Mg											13 Al	14 Si	15 P	16 S	17 Cl	18 Ar
19 K	20 Ca	21 Sc	22 Ti	23 V	24 Cr	25 Mn	26 Fe	27 Co	28 Ni	29 Cu	30 Zn	31 Ga	32 Ge	33 As	34 Se	35 Br	36 Kr
37 Rb	38 Sr	39 Y	40 Zr	41 Nb	42 Mo	43 Tc	44 Ru	45 Rh	46 Pd	47 Ag	48 Cd	49 In	50 Sn	51 Sb	52 Te	53 I	54 Xe
55 Cs	56 Ba		72 Hf	73 Ta	74 W	75 Re	76 Os	77 Ir	78 Pt	79 Au	80 Hg	81 Tl	82 Pb	83 Bi	84 Po	85 At	86 Rn
87 Fr	88 Ra		104 Rf	105 Db	106 Sg	107 Bh	108 Hs	109 Mt	110 Ds	111 Rg	112 Cn	113 Nh	114 Fl	115 Mc	116 Lv	117 Ts	118 Og

ランタノイド (57～71)	57 La	58 Ce	59 Pr	60 Nd	61 Pm	62 Sm	63 Eu	64 Gd	65 Tb	66 Dy	67 Ho	68 Er	69 Tm	70 Yb	71 Lu
アクチノイド (89～103)	89 Ac	90 Th	91 Pa	92 U	93 Np	94 Pu	95 Am	96 Cm	97 Bk	98 Cf	99 Es	100 Fm	101 Md	102 No	103 Lr

キュリー夫妻はポロニウム（Po）とラジウム（Ra）とを発見したとき、ラジウムに接した空気が放射線を放出することに気づいたが、その原因がわからなかった。ドイツのドーンは１９００年に、この放射線がラジウムの壊変で生成する放射性の気体に由来することを発見した。

１９０２年にラザフォードらは、この気体が貴ガス元素（周期表18族元素）であることを明らかにした。さらにラムゼーとグレイは、この気体が最も重い貴ガス元素であることを1910年に示した。多くの科学者がこの気体にさまざまな名前を与えたが、1923年の国際会議で、ラジウムの壊変によって生成することからラドンと命名された。

ラドンは質量数222のウラン（U）系元素、質量数219のアクチニウム（Ac）系元素、質量数220のトリウム（Th）系元素として天然に存在する（天然放射性系列については435ページのコラム31参照）。^{222}Rnは、塩化ラジウム溶液から発生する気体を吸引して得られる。そのほかにも放射性同位体は多く存在するが、すべて短寿命であるため、ラドンに関するこれまでの研究はすべて^{222}Rnを用いたものである。

ラドンは単原子の気体で、安定な電子構造（閉殻電子構造）をとるため、化学的な活性は低い。また、すべて放射性同位体であるので、化学的性質はあまり知られていない。フッ化ラドンの生成が認められているが、ラドンの放出する放射線による分解のため、その構造は明らかではない。ラドンは二硫化炭素、エーテルなどの有機溶媒に溶けやすい。

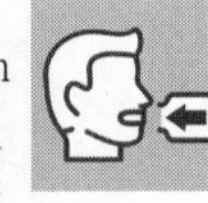

かつてラドンは、安価で便利なα線源として非破壊検査や医療に使われてきた。ラドンガスを外径0・8㎜、内径0・2㎜の金管の中に封入したラドンシードは、腫瘍内へ直接刺入するがん内部照射治療に用いられてきた。しかし、取り扱いが困難で半減期が短いことから、現在では他の放射性物質が用いられている。

ウラン鉱労働者を追跡調査したところ、肺がんの過剰な発生が認められた。ウラン鉱にはラジウムが存在し、その壊変でラドンが生成する。気体であるラドンは呼吸により容易に体内に吸入されて肺に放射線被曝をもたらす。これがウラン鉱労働者に肺がんが多い原因と考えられてきた。

最近ではラドンによる直接の障害よりも、ラドンの放射壊変で生成する^{210}Pb（鉛）などの娘、孫核種による影響が考えられている。しかし、これらの調査結果はラドン以外の影響（喫煙や粉塵等）も受けており、不確かさをともなっている。

生活様式が戸外から家屋内へと移行するにつれて、家屋内のラドン濃度と肺がん発生の関係が注目されている。これは、建築材として用いられている土や岩石などに存在するラドンが、空気中に放出されるためと考えられる。実際に家屋内のラドン濃度は地域によって大きく異なることから、世界中の多くの地域で肺がんとの関連についての疫学的調査が進められている。

わが国においても全国的な調査が進められているが、これまでの結果では世界の平均よりかなり少なく、特に心配することはないと考えられている。なお、家屋内のラドンを低減するには、窓を閉め切らないで、ときどき家屋内の換気を行えばよい。

ラドンは放射性鉱物に含まれ、温泉水や地下水に溶けている。また地下水中のラドン濃度は地殻変動や地下水の変動により変化するため、地震の前兆現象の一つとして注目されている。

ラドン含有量の多い温泉をラジウム泉というが、わが国では、秋田県の玉川温泉や鳥取県の三朝（みささ）温泉がよく知られている。海外においても、ドイツのバード・ブラームバッハ、オーストリアのバード・ガシュタイン、ギリシャのカメナ・ブーラなど多くのラジウム泉が存在し、医療施設が併設されている温泉も多い。微量の放射線が生体内の免疫系や新陳代謝などを活性化するとされているが（ホルミシス効果）、科学的にはまだ解明されていない。なお、ラジウム泉は天然のラドンによるが、人工的に発生させたラドンを浴槽内へ送り込んだ場合はラドン泉とよばれ、区別されている。

87

Fr

フランシウム／Francium

同位体と存在比(%)	
^{221}Fr	0, α, γ, 4.806m
^{223}Fr	少量, β^-, α, γ, 21.8m

電子配置	[Rn]$7s^1$
原子量	[223]
融点(K)	300(27℃)
沸点(K)	950(677℃)
密度($kg \cdot m^{-3}$)	1870
地殻濃度(ppm)	超微量

酸化数	+1	$FrClO_4$

周期表でセシウム（Cs）の下に属する最も重いアルカリ金属「エカセシウム」を単離する試みは、古くから多くの研究者によって行われていた。パリのキュリー研究所のペレーは1939年、^{227}Ac（アクチニウム）の壊変産物を分離したところ、β^-線が出ていることに気づいた。このことは、大部分の^{227}Acはβ^-壊変して^{227}Thとなることを示した。一方^{227}Acの1・38％はα壊変するこ

1	2	3	4	5	6	7	8	9	10	11	12	13	14	15	16	17	18
1 H																	2 He
3 Li	4 Be											5 B	6 C	7 N	8 O	9 F	10 Ne
11 Na	12 Mg											13 Al	14 Si	15 P	16 S	17 Cl	18 Ar
19 K	20 Ca	21 Sc	22 Ti	23 V	24 Cr	25 Mn	26 Fe	27 Co	28 Ni	29 Cu	30 Zn	31 Ga	32 Ge	33 As	34 Se	35 Br	36 Kr
37 Rb	38 Sr	39 Y	40 Zr	41 Nb	42 Mo	43 Tc	44 Ru	45 Rh	46 Pd	47 Ag	48 Cd	49 In	50 Sn	51 Sb	52 Te	53 I	54 Xe
55 Cs	56 Ba		72 Hf	73 Ta	74 W	75 Re	76 Os	77 Ir	78 Pt	79 Au	80 Hg	81 Tl	82 Pb	83 Bi	84 Po	85 At	86 Rn
87 Fr	88 Ra		104 Rf	105 Db	106 Sg	107 Bh	108 Hs	109 Mt	110 Ds	111 Rg	112 Cn	113 Nh	114 Fl	115 Mc	116 Lv	117 Ts	118 Og

ランタノイド (57〜71)	57 La	58 Ce	59 Pr	60 Nd	61 Pm	62 Sm	63 Eu	64 Gd	65 Tb	66 Dy	67 Ho	68 Er	69 Tm	70 Yb	71 Lu
アクチノイド (89〜103)	89 Ac	90 Th	91 Pa	92 U	93 Np	94 Pu	95 Am	96 Cm	97 Bk	98 Cf	99 Es	100 Fm	101 Md	102 No	103 Lr

とも見出した。この事実は、アクチニウムよりも原子番号が2だけ小さい質量数223の「エカセシウム」が存在することを示すものである。彼女は、この物質の化学的性質を研究し、新元素であることを証明した。そしてこの物質を祖国フランスにちなんでフランシウムと命名した。

なお、フランシウムは自然界から見つけられた最後の元素である。

ペレーが発見した放射性^{223}Frは、21・8分の半減期で壊変して^{223}Raを生成するが、^{223}Raは^{227}Acの壊変生成物である^{227}Thのα壊変によっても生成する。^{227}Acはおもにβ^-壊変で^{227}Thへと壊変するため、同じ壊変生成物を与えるフランシウムの存在が長年にわたって見落とされていたのである。

図 87-1 ペレー
(1909 − 1975)
(Science Source/アフロ)

天然には^{223}Frのみがウラン鉱にアクチニウム系列(図87−2)の一員として生成するが、半減期が短いため、その存在量は地殻全体で約30gと推定される。このほか17種の人工放射性核種が知られているが、いずれも半減期は20分以下である。

フランシウムは半減期21・8分の^{223}Frが最も半減期の長い放射性元素であるため、その化学的性質は痕跡量の放射性物質についてのみ知られている。一般的な性質はセシウムに類似し、過塩素酸塩、ヨウ素酸塩、塩化白金酸塩は不溶性である。

現在^{223}Frは人工的につくることが可能であるが、この場合も直接^{223}Frが得られるのではなく、人工的に製造された^{227}Ra(半減期42・2分)のβ^-壊変で生じる^{227}Ac

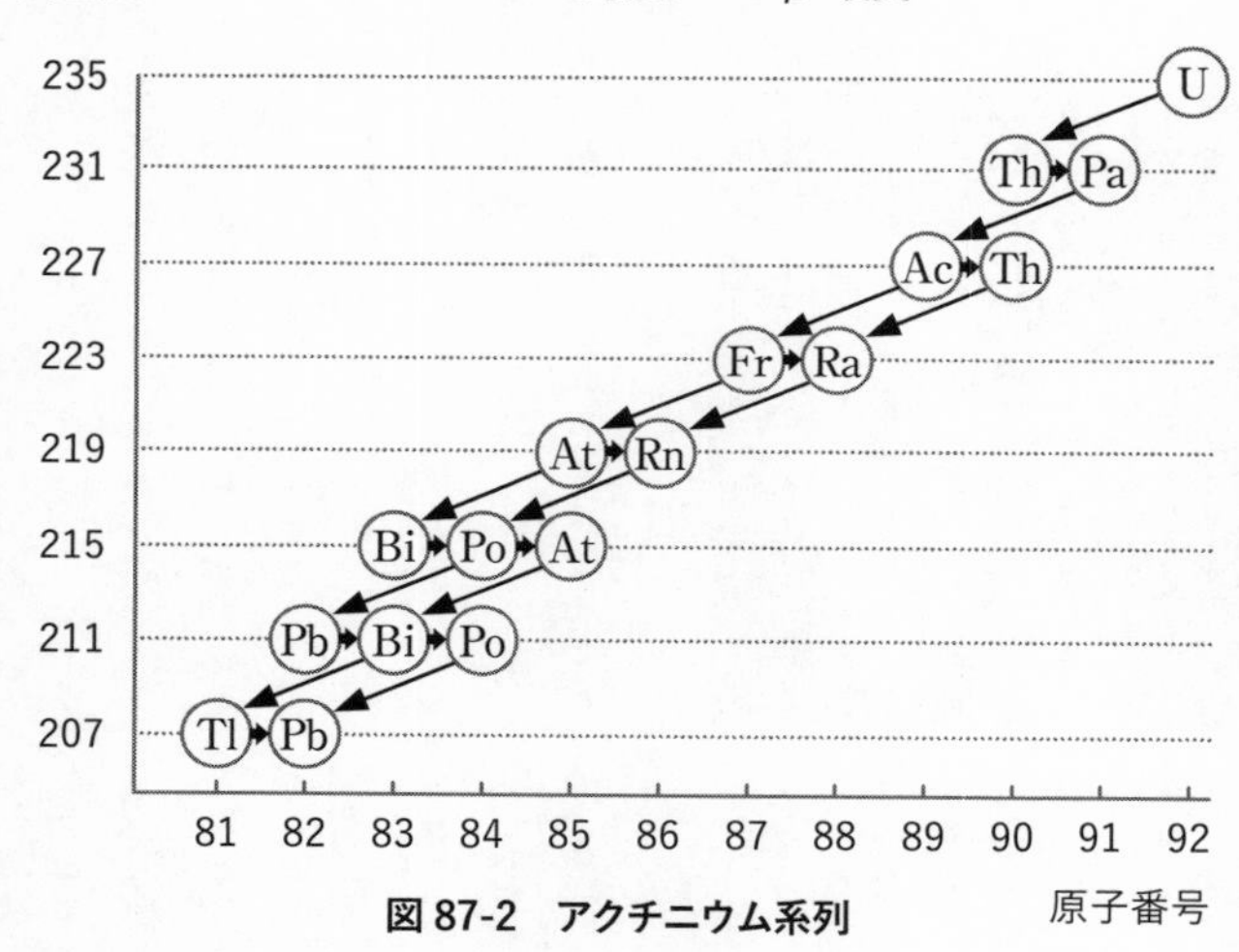

図 87-2　アクチニウム系列

から^{223}Frを分離することで得られる。^{227}Acのおもな壊変生成物は^{227}Thであり、また^{223}Frは半減期が短いため、時間が経過すると^{223}Raと^{219}Atへ壊変する。さらに^{219}Atはすみやかに壊変して（半減期56秒）、最終的には^{211}Pbとその壊変物の^{211}Biが生じる。したがって、^{227}Acから^{223}Frを分離する操作は、実際には^{227}Ac、^{227}Th、^{223}Ra、^{211}Pb、^{211}Biから^{223}Frを分離することになる。

すみやかに壊変していくさまざまな放射性元素の分離操作を痕跡量の元素を用いて行っていたペレーのその作業が、いかに技術的に困難をきわめたものであったかがうかがわれる。その後、陽イオン交換クロマトグラフィー法（303ページ参照）やペーパークロマトグラフィーを用いる^{223}Frの簡便かつ迅速な分離法が開発された。

Column 28

フランシウムを発見したペレー

フランシウムを発見したマルグリット・ペレーはマリー・キュリーの愛弟子で、大学に入学しないままキュリーの研究室で助手として働き始めたという経歴をもつ。

その研究室で、アクチニウムの原料鉱物中にフランシウムを発見した。しかし、フランシウムは地殻全体でわずか約30gしか存在せず、しかも不安定な放射性元素であるため、純物質の分離は現在もできていない。

ペレーはのちにストラスブール大学の教授となり、フランス科学アカデミー初の女性会員に選出された。残念ながら、自ら発見したフランシウムや他の放射性元素の影響を受け、マリー・キュリーと同様に放射線障害により65歳で生涯の幕を閉じた。

88

Ra

ラジウム／Radium

同位体と存在比(%)	
^{223}Ra	少量, α, γ, 11.43d
^{224}Ra	少量, α, γ, 3.6319d
^{225}Ra	0, β^-, γ, 14.9d
^{226}Ra	少量, α, γ, 1600y
^{227}Ra	0, β^-, γ, 42.2m
^{228}Ra	少量, β^-, γ, 5.75y
^{230}Ra	0, β^-, γ, 93m

電子配置	[Rn]$7s^2$
原子量	[226]
融点(K)	973(700℃)
沸点(K)	1413(1140℃)
密度($kg \cdot m^{-3}$)	約5000(固体, 293K)
地殻濃度(ppm)	0.0000006

酸化数	+2	$RaCl_2$, $RaSO_4$

	1	2	3	4	5	6	7	8	9	10	11	12	13	14	15	16	17	18
	1 H																	2 He
	3 Li	4 Be											5 B	6 C	7 N	8 O	9 F	10 Ne
	11 Na	12 Mg											13 Al	14 Si	15 P	16 S	17 Cl	18 Ar
	19 K	20 Ca	21 Sc	22 Ti	23 V	24 Cr	25 Mn	26 Fe	27 Co	28 Ni	29 Cu	30 Zn	31 Ga	32 Ge	33 As	34 Se	35 Br	36 Kr
	37 Rb	38 Sr	39 Y	40 Zr	41 Nb	42 Mo	43 Tc	44 Ru	45 Rh	46 Pd	47 Ag	48 Cd	49 In	50 Sn	51 Sb	52 Te	53 I	54 Xe
	55 Cs	56 Ba		72 Hf	73 Ta	74 W	75 Re	76 Os	77 Ir	78 Pt	79 Au	80 Hg	81 Tl	82 Pb	83 Bi	84 Po	85 At	86 Rn
	87 Fr	88 Ra		104 Rf	105 Db	106 Sg	107 Bh	108 Hs	109 Mt	110 Ds	111 Rg	112 Cn	113 Nh	114 Fl	115 Mc	116 Lv	117 Ts	118 Og
ランタノイド(57〜71)				57 La	58 Ce	59 Pr	60 Nd	61 Pm	62 Sm	63 Eu	64 Gd	65 Tb	66 Dy	67 Ho	68 Er	69 Tm	70 Yb	71 Lu
アクチノイド(89〜103)				89 Ac	90 Th	91 Pa	92 U	93 Np	94 Pu	95 Am	96 Cm	97 Bk	98 Cf	99 Es	100 Fm	101 Md	102 No	103 Lr

キュリー夫妻と助手のベモンがピッチブレンド（閃ウラン鉱）から元素の分離を行っていたとき、ポロニウム（Po）が含まれるビスマスの画分とは別のバリウム（Ba）と似た化学的挙動を示す画分に、高い放射活性を見出した。彼らはこの中にポロニウムとは別の放射性物質が存在すると考えた。

放射活性を指標として、この画分に存在する新物質をバリウムから分離、精製する操作を繰り返し、ついに、新しいスペクトル線を発する新物質を見出した。彼らが分離した塩化ラジウムは、暗闇の中で美しいリン光を発する物質であり、夜半に研究室を訪れると、実験に使ったビンや蒸発皿にその残光を認めることができた。昼間の光で励起されたラジウムが、ゆっくりと基底状態になっていくときに放たれる黄緑色の光がリン光である。リン光が見られる寿命は、1ミリ秒から1日におよぶものが知られている。

図88-1　ピエール・キュリー（1859－1906）
（Heritage Image／アフロ）

　こうして、放射線の測定と分光学的測定から新しい放射性元素の存在が示された。1898年9月のことであった。新しい元素は、放射線を放出しているため、ラテン語 radius（放射）に由来してラジウムと名づけられた。キュリー夫妻は、この命名と同時に放射能（radioactivity）という言葉も創った。

　この発見後も、彼らはラジウムを純粋に精製する目的で精力的に研究を続けた。チェコスロバキア（当時）のヨアヒムシュタール鉱山のウラン鉱石の抽出残渣約10tから、ラジウムの分離、精製を何回も繰り返し、ついに0.1gの塩化ラジウムを得た。1902年のことであった。このとき報告したラジウムの原子量は225.9であり、こんにち報告されている値とほとんど相違がない。

　しかしそれは、過酷な仕事であり、この研究の間にマリー・キュリーの体重は約10kgも減少した。また、排気口などの設備のないたいへん粗末な実験室で研究を続けたため、放射線による被曝を強く受けた。こうした身を削る努力が認められ、1903年、キュリー夫妻はベクレルとともにノーベル物理学賞を受賞した。彼らは放射能が化合物としての性質ではなく、一つの原子そのものの性質であることを明らかにした。この発見を契機に、放射能の研究が大きく進展し、ひいては新しい科学分野の開拓へとつながったのである。

ピエール・キュリーは気位の高いフランス生まれの物理学者で、本来は磁性の研究を行っていたが、妻マリーの願いを受けて新しい分野へと転身した。彼はノーベル賞を受賞した翌年、ソルボンヌ大学の物理学の教授に招かれたが、その2年後の1906年4月、暴走した馬車にはねられ、命を落とした。享年46であった。マリー・キュリーはこの衝撃のため重い病に倒れたが、その後も研究を続け、塩化ラジウムの電気分解から金属ラジウムを得ることに成功した。1911年には2度目のノーベル賞（化学賞）を受けている。

1gの^{226}Raは毎秒3.61×10^{10}個のα粒子を放出する。かつては^{226}Raの放射能がその発見者の名前にちなんで放射能強度の単位（Ci、キュリー）として使用されていた。その後、1キュリーは1秒あたり3.7×10^{10}個の壊変と定義され、壊変率の単位として長年用いられた。現在では1秒あたり1個の原子の壊変が1ベクレル（Bq）と変更されている。

ラジウムは+2をとり、水溶液中ではRa^{2+}イオンとなると考えられる。バリウム（Ba）と類似の化学的性質を示し、ほぼ同様の化合物を生成する。

安定同位体は存在せず、すべて放射性同位体である。質量数226のウラン（U）系元素、質量数223のアクチニウム（Ac）系元素、質量数224、質量数228のトリウム（Th）系元素として天然に存在する。そのほか、8種の人工放射性元素が知られている。地球表面のラジウムの総量は約1800万tと推定される。

88 Ra ラジウム

金属ラジウムは、水銀電極を用いた塩化ラジウムの電気分解によってアマルガムとして分離し、水素気流中で蒸留して得られる。この製法は、マリー・キュリーらにより金属ラジウムが初めて製造された方法である。

この金属は白色で、金属光沢をもち、最も重いアルカリ土類金属の性質を示し、最も反応性に富む。空気中に放置すれば窒化物（Ra_3N_2）と考えられる暗色となる。水と反応して水酸化ラジウム（$Ra(OH)_2$）を生成し、容易に水溶液となる。酸素と触れると酸化物RaOを生成する。

ラジウムは放射線源として利用されてきたが、1950年ごろから人工の放射線源が用いられるようになり、しだいに利用されなくなってきた。かつては放射線治療にも使用されていたが、ラジウムは壊変により気体の放射性物質ラドンを発生する欠点があり、現在では^{60}Co（コバルト60）に置き換えられている。

またラジウム化合物とベリリウム化合物の混合物は、実験室規模の中性子線源に使用されることがある。ラジウムの放出するα粒子がベリリウム原子と反応し、次の反応から中性子を発生する。

$$ {}^{9}_{4}Be + \alpha\,({}^{4}_{2}He) \rightarrow {}^{12}_{6}C + {}^{1}_{0}n $$

ラジウムが細胞に何らかの影響をおよぼすことは、その発見の初期からわかっていた。ベクレルはラジウムによる放射線で火傷（やけど）をした一人である。彼は、美しいラジウムの光を友人に見せようとして、キュリー夫妻から借り受けたラジウムをベストに入れていたときこの災難にあった。

やがて、ラジウムやラドンをがんの治療に利用する試みがなされ、マリー・キュリーはパスツール研究所との共同研究に力を注いだ。しかし、ラジウムはしだいにマリーの体をむしばみ、1934年7月、彼女は白血病のためこの世を去った。

Column 29

元素崩壊を利用したがん治療薬

ラジウム（Ra）の同位元素の一つである^{223}Raは、約11日の半減期で4回のα壊変と2回のβ^-壊変を経て安定同位元素の^{207}Pbへ壊変する。Raはカルシウム（Ca）と同族であり、代謝の活発な骨に集積することから、^{223}Raは骨転移性去勢抵抗性前立腺がんの治療薬として、2016年にわが国でも承認を受けた。^{223}Raが放出するα線は飛程（集積部位から放出されたα粒子が運動エネルギーを失って停止するまでの距離）が短いため、骨腫瘍をα線で照射する一方で、骨髄への照射はきわめて低い利点がある。この薬の投与により、生存期間の延長や骨関連事象発現の遅延が認められている。

^{223}Raの骨転移に対する優れた治療効果が契機となり、^{211}Atや^{225}Ac等のα線を放出する放射性核種を用いたがん治療薬剤の開発が世界的に活発に推進されている。

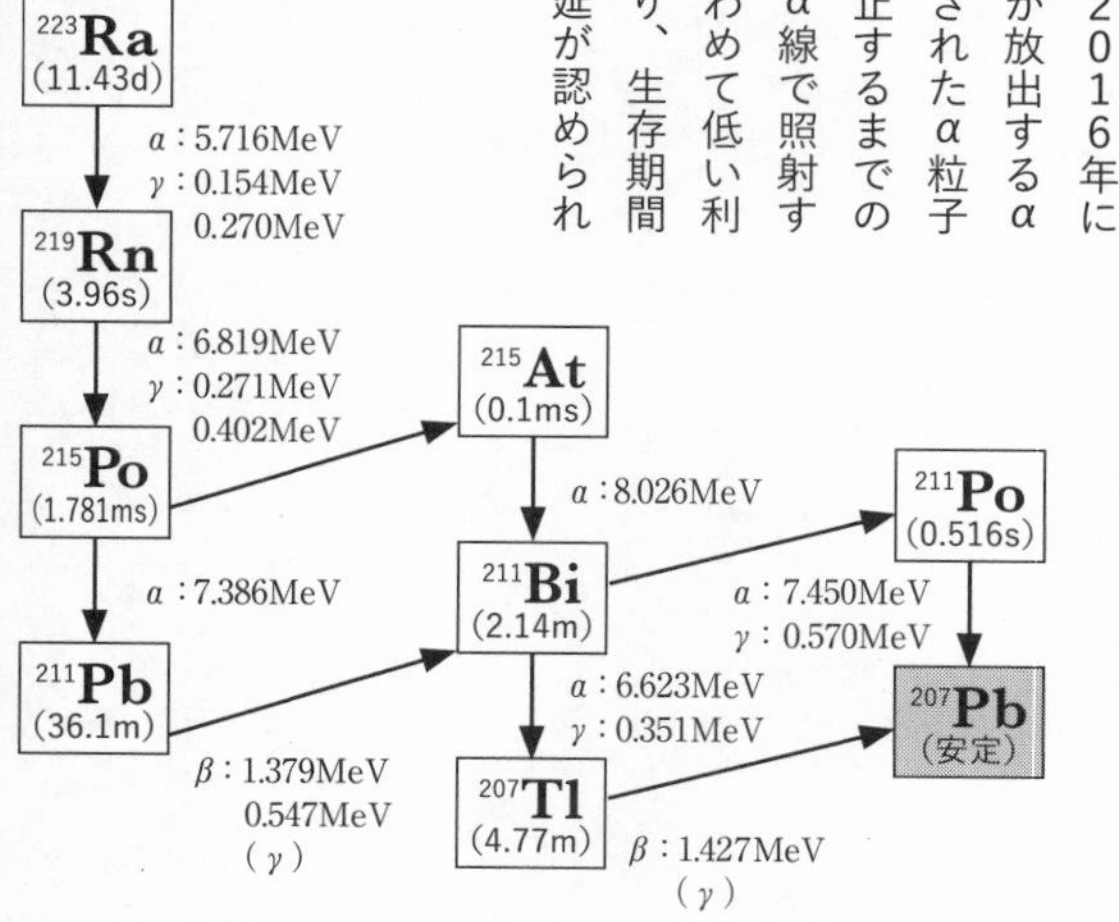

89

Ac

アクチニウム／Actinium

同位体と存在比(%)	
^{225}Ac	0, α, γ, 9.920d
^{226}Ac	0, β^-, EC, γ, 29.37h
^{227}Ac	微量, β^-, α, γ, 21.772y
^{228}Ac	微量, β^-, γ, 6.15h
^{229}Ac	微量, β^-, γ, 62.7m

電子配置	[Rn]$6d^1 7s^2$
原子量	[227]
融点(K)	1320(1047℃)±50
沸点(K)	3470(3197℃)±300
密度(kg・m^{-3})	10060(固体, 293K)
地殻濃度(ppm)	微量

酸化数	+3	Ac_2O_3, $Ac(OH)_3$

1	2	3	4	5	6	7	8	9	10	11	12	13	14	15	16	17	18
1 H																	2 He
3 Li	4 Be											5 B	6 C	7 N	8 O	9 F	10 Ne
11 Na	12 Mg											13 Al	14 Si	15 P	16 S	17 Cl	18 Ar
19 K	20 Ca	21 Sc	22 Ti	23 V	24 Cr	25 Mn	26 Fe	27 Co	28 Ni	29 Cu	30 Zn	31 Ga	32 Ge	33 As	34 Se	35 Br	36 Kr
37 Rb	38 Sr	39 Y	40 Zr	41 Nb	42 Mo	43 Tc	44 Ru	45 Rh	46 Pd	47 Ag	48 Cd	49 In	50 Sn	51 Sb	52 Te	53 I	54 Xe
55 Cs	56 Ba		72 Hf	73 Ta	74 W	75 Re	76 Os	77 Ir	78 Pt	79 Au	80 Hg	81 Tl	82 Pb	83 Bi	84 Po	85 At	86 Rn
87 Fr	88 Ra		104 Rf	105 Db	106 Sg	107 Bh	108 Hs	109 Mt	110 Ds	111 Rg	112 Cn	113 Nh	114 Fl	115 Mc	116 Lv	117 Ts	118 Og

ランタノイド (57〜71)	57 La	58 Ce	59 Pr	60 Nd	61 Pm	62 Sm	63 Eu	64 Gd	65 Tb	66 Dy	67 Ho	68 Er	69 Tm	70 Yb	71 Lu
アクチノイド (89〜103)	89 Ac	90 Th	91 Pa	92 U	93 Np	94 Pu	95 Am	96 Cm	97 Bk	98 Cf	99 Es	100 Fm	101 Md	102 No	103 Lr

キュリー夫妻と親しくしていた化学者ドビエルヌ（当時25歳、1874～1949年）は、ピッチブレンド（閃ウラン鉱）中に新しい放射性元素が存在することを1899年に発見した。

元素名アクチニウム（actinium）は、この元素が放射能をもつことからギリシャ語のaktis, aktinos（光線）に由来して名づけられた。この前年にキュリー夫妻は、やはりピッチブレンドからポロニウム（Po）とラジウム（Ra）の抽出に成功している。これとは別に、1902年にドイツのギーゼルが放射性の新元素としてエマニウムを発見したが、のちにアクチニウムと同一物であることがわかった。

アクチニウムの同位体は質量数206から236まで36核種が知られており、すべて放射性である。天然に存在する最も長寿命の核種は^{227}Acで、半減期は21・772年である。

^{235}Uから始まる放射性核種の壊変系列をアクチニウム系列（400ページの図87－2参照）とよぶが、この系列の中で^{227}Acは2回のα壊変、1回のβ^-壊変の後に生成される。ピッチブレンド中に存在するアクチニウムは、このような壊変系列の産物であるが、ピッチブレンド1tあたり0・2mg程度の含有量しかなく、純粋な分離は困難であった。

後年、数gのラジウムに原子炉内で中性子照射することによってmg量の^{227}Acが得られるようになり、ようやく化学的性質を調べることが可能となった。

核反応は、次式に示すように、^{226}Raに中性子を照射するとγ線が放出され、^{227}Raが得られる。^{227}Raは半減期42・2分でβ^-壊変して^{227}Acが生成される。

$$^{226}_{88}\mathrm{Ra} + ^{1}_{0}\mathrm{n} \rightarrow ^{227}_{88}\mathrm{Ra} + \gamma$$
$$^{227}_{88}\mathrm{Ra} \rightarrow ^{227}_{89}\mathrm{Ac}\ (\beta^-\text{壊変})$$

天然に存在する核種^{228}Acは、^{232}Thから始まるトリウム系列（414ページの図90－2参照）の中に含まれている。^{228}Acは半減期6・15時間のβ放射体であり、放射性トレーサー（放射能を目印として、物質の変化や反応を追跡するために用いる放射性核種）としての可能性をもっている。

なお、天然に存在する放射性核種の壊変系列には、アクチニウム系列、トリウム系列、ウラン（U）系列の三つの系列がある。アクチニウム系列は、^{235}Uから始まり^{227}Acを通り、安定同位体^{207}Pbに終わる系列で、ウラン－アクチニウム系列ともよばれる。

トリウム系列は^{232}Thから始まって安定同位体^{208}Pbに終わり、ウラン系列は^{238}Uから始まって安定同位体^{206}Pbに終わる系列である。そして各系列に位置する核種の質量は、nを整数とするとそれぞれ$4n+3$, $4n$, $4n+2$で表すことができる。

また、^{237}Npに始まり^{209}Biに終わる人工放射性核種の壊変系列であるネプツニウム系列に属する各核種の質量は、$4n+1$で表すことができる（435ページのコラム31参照）。

他のアクチニウムの同位体は原子炉や加速器を用いて直接人工的に、または人工的につくられた核種の壊変生成物として間接的に得られたものである。

金属アクチニウムは銀白色であり、水と反応すると水素ガスを放出し、自らは酸化され酸化アクチニウム（Ac_2O_3）となる。

アクチニウムは周期表上で対応するランタノイドのランタン（La）と化学的性質が似ている。+3アクチニウム溶液は無色であり、その化合物はすべて白色である。

アクチノイドは原子番号89から103までの15元素の総称であり、アクチニウムはその最初の元素である。アクチニウム（Ac）、トリウム（Th）、プロトアクチニウム（Pa）、ウラン（U）、ネプツニウム（Np）、プルトニウム（Pu）は天然に存在するが、原子番号95以降の元素は人工的につくられたものである（ネプツニウムおよびプルトニウムは天然に極微量存在する）。

表89－1に示すように、アクチノイドはランタノイドとともに、f軌道に電子をもつ元素（fブロック元素）であり、電子配置はラドンの配置の上にまず7s軌道が満たされ、次に5fまたは6d軌道のエネルギーの低いレベルに電子が順次つまっていく。アクチニウム以外の14元素はアクチニドとよばれていたが、アクチノイドの呼称が推奨されている。

アクチノイドの最後の103番元素ローレンシウムの電子配置は、イオン化エネルギーの測定結果を受け

原子番号	元素名	元素記号	内殻	外殻電子			
				5f	6d	7s	7p
89	アクチニウム	**Ac**	[Rn] *1		1	2	
90	トリウム	**Th**			2	2	
91	プロトアクチニウム	**Pa**		2	1	2	
92	ウラン	**U**		3	1	2	
93	ネプツニウム	**Np**		4	1	2	
94	プルトニウム	**Pu**		6		2	
95	アメリシウム	**Am**		7		2	
96	キュリウム	**Cm**		7	1	2	
97	バークリウム	**Bk**		9		2	
98	カリホルニウム	**Cf**		10		2	
99	アインスタイニウム	**Es**		11		2	
100	フェルミウム	**Fm**		12		2	
101	メンデレビウム	**Md**		13		2	
102	ノーベリウム	**No**		14		2	
103	ローレンシウム	**Lr**		14		2	1*2

*1 ラドン(Rn)の電子配置：$1s^2 2s^2 2p^6 3s^2 3p^6 3d^{10} 4s^2 4p^6 4d^{10} 4f^{14} 5s^2 5p^6 5d^{10} 6s^2 6p^6$

*2 ローレンシウム (Lr) の電子配置については、P.460 - 462を参照

表 89-1　アクチノイドの電子配置

原子番号	元素記号	酸化数				
		2	3	4	5	6
89	**Ac**		1.18			
90	**Th**			0.94		
91	**Pa**		1.13	0.98	0.89	
92	**U**		1.03	0.97	0.89	0.8
93	**Np**		1.11	0.95	0.88	0.82
94	**Pu**		1.08	0.93	0.87	0.81
95	**Am**		1.07	0.92	0.86	0.8
96	**Cm**	1.19	0.99	0.88		
97	**Bk**	1.18	0.98	0.87		
98	**Cf**	1.17	0.98	0.86		
99	**Es**	1.16	0.98	0.85		
100	**Fm**	1.15	0.97	0.84		
101	**Md**	1.14	0.96	0.84		
102	**No**	1.13	0.95	0.83		
103	**Lr**	1.12	0.94	0.83		

表 89-2　アクチノイドイオンのイオン半径（Å）

て、２０１５年から変更されている。これについては、「103ローレンシウム」の項（460ページ）を参照されたい。

アクチノイドイオンのイオン半径は、表89－２に示すように原子番号とともに単調に直線的に減少する傾向が見られる。

これはアクチノイド収縮とよばれ、原子番号の増加とともに1個ずつ増加する電子が最外軌道には入らず、内部にある5f軌道に入るために、プラスの電荷をもった原子核から引きつけられやすく、原子番号の増加（核電荷の増加）にともなって核へ引きつけられることによって起こる現象である。同様の現象は、4f軌道に電子が充填されるランタノイドイオンでも見られ、ランタノイド収縮とよばれている（285ページ参照）。

90

Th

トリウムは1828年（1829年という説もある）にスウェーデンの化学者ベルセーリウスによって、ノルウェーの海岸で発見された重い黒石である鉱物（トール石）中より発見された。スカンジナビアの神話の中の有名な軍神または雷神トール（Thor）にちなんでthoriumと名づけられた。ベルセーリウスがなぜこの元素名としたかは不明であるが、トールが母国の

トリウム／Thorium

同位体と存在比(%)	
^{227}Th	微量, α, γ, 18.697d
^{228}Th	微量, α, γ, 1.9125y
^{229}Th	微量, α, γ, 7920y
^{230}Th	0.02, α, γ, 7.54×10^4y
^{231}Th	微量, β^-, γ, 25.52h
^{232}Th	99.98, α, γ, SF, 1.40×10^{10}y
^{234}Th	微量, β^-, γ, 24.10d

項目	値
電子配置	[Rn]$6d^2 7s^2$
原子量	232.0377
融点(K)	2023(1750℃)
沸点(K)	5060(4787℃)
密度(kg・m^{-3})	11720(固体, 293K)
地殻濃度(ppm)	12

酸化数		
	+2	ThO, ThH_2, ThI_2
	+3	ThF_3, ThFO, $ThBr_3$, ThI_3
	+4	ThO_2, $Th(H_2O)_x^{4+}$, ThF_4, $ThCl_4$, $Th(SiO_4)$

1	2	3	4	5	6	7	8	9	10	11	12	13	14	15	16	17	18
1 H																	2 He
3 Li	4 Be											5 B	6 C	7 N	8 O	9 F	10 Ne
11 Na	12 Mg											13 Al	14 Si	15 P	16 S	17 Cl	18 Ar
19 K	20 Ca	21 Sc	22 Ti	23 V	24 Cr	25 Mn	26 Fe	27 Co	28 Ni	29 Cu	30 Zn	31 Ga	32 Ge	33 As	34 Se	35 Br	36 Kr
37 Rb	38 Sr	39 Y	40 Zr	41 Nb	42 Mo	43 Tc	44 Ru	45 Rh	46 Pd	47 Ag	48 Cd	49 In	50 Sn	51 Sb	52 Te	53 I	54 Xe
55 Cs	56 Ba		72 Hf	73 Ta	74 W	75 Re	76 Os	77 Ir	78 Pt	79 Au	80 Hg	81 Tl	82 Pb	83 Bi	84 Po	85 At	86 Rn
87 Fr	88 Ra		104 Rf	105 Db	106 Sg	107 Bh	108 Hs	109 Mt	110 Ds	111 Rg	112 Cn	113 Nh	114 Fl	115 Mc	116 Lv	117 Ts	118 Og

ランタノイド(57～71)	57 La	58 Ce	59 Pr	60 Nd	61 Pm	62 Sm	63 Eu	64 Gd	65 Tb	66 Dy	67 Ho	68 Er	69 Tm	70 Yb	71 Lu
アクチノイド(89～103)	89 Ac	**90 Th**	91 Pa	92 U	93 Np	94 Pu	95 Am	96 Cm	97 Bk	98 Cf	99 Es	100 Fm	101 Md	102 No	103 Lr

90 Th トリウム

信仰の中心であったために採用したともいわれている。純粋なトリウムは１８９０年に単離された。トリウムは、放射能という現象が知られる以前に発見された2番目の放射性元素である。第1番はウランであった。

トリウムが放射能をもつことは、１８９６年にドイツのシュミットとフランスのマリー・キュリーによってそれぞれ独自に発見された。トリウムは、モナズ石、トール石などの鉱物中に含まれ、アクチノイドの中で地殻中に最も多く存在する元素（ウランの約5倍）である。

図90-1　ベルセーリウス（1779 － 1848）

トリウムの同位体は、33核種が知られており、すべて放射性である。最も寿命の長い核種は^{232}Thで、半減期は約１４０億年である。天然に見出されるトリウムは、ほぼ１００％が^{232}Thであり、他の核種の存在量はきわめてわずかである。^{228}Thおよび^{232}Thはトリウム系列中に、^{230}Thおよび^{234}Thはウラン系列中に、^{231}Thはアクチニウム系列中に位置している。なお、^{232}Thはトリウム系列（図90－2）とよばれる放射性核種の壊変系列のもとになる核種である。以上の5核種以外の28核種はすべて人工的に産生されたものである。

金属トリウムは銀白色であり、空気中では表面に酸化被膜が形成されるため、内部は酸化から保護される。一方、金属粉末は急激に酸化され発火する。

トリウムの酸化数として+2、+3、+4が知られているが、+2、+3化合物は不安定なものが多い。アルミニウム（Al）、銅（Cu）、銀（Ag）などの金属元素とトリウムとが結合した化合物（金属間化合物）および合金も知られている。

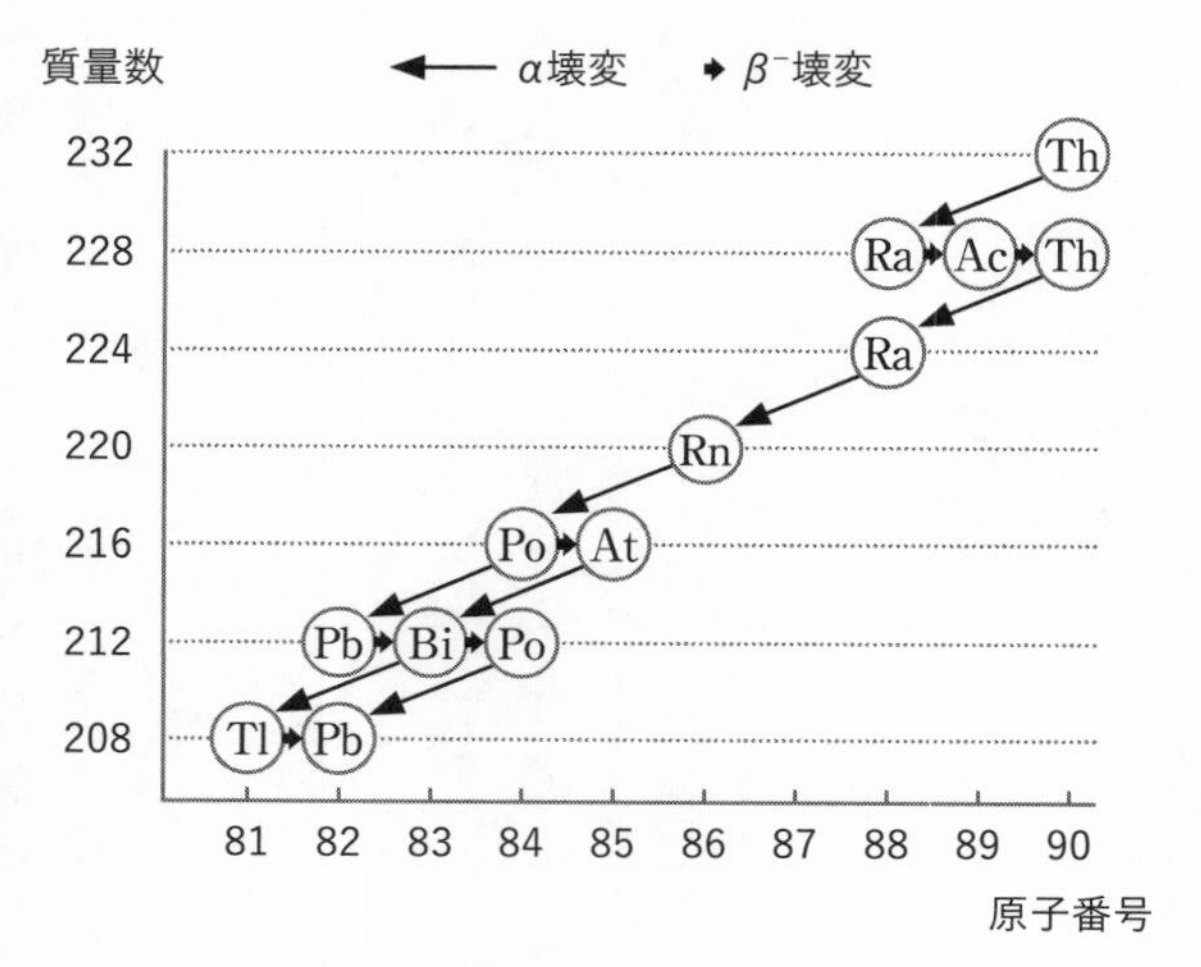

図 90-2　トリウム系列

^{232}Thを含む酸化物や炭化物に原子炉で中性子を照射すると、^{233}Pa（プロトアクチニウム）を経て、核分裂性の^{233}U（ウラン）が得られる。

$$^{232}_{90}Th + ^{1}_{0}n \rightarrow ^{233}_{90}Th + \gamma$$

$$^{233}_{90}Th \rightarrow ^{233}_{91}Pa \rightarrow ^{233}_{92}U \text{（}\beta^{-}\text{壊変）}$$

豊富に存在する^{232}Thの^{233}Uへの転換は、原子力発電に必要な核分裂性物質の供給量を増加させることになった。

二酸化トリウム（ThO_2）は融点が３３９０℃できわめて耐火性がよく、化学的に安定である。このような性質を利用して、特殊るつぼ用の材料やガス灯のマントルとして使われた。また、アーク溶接の電極、タングステンランプのフィラメントのコーティング剤や触媒または触媒支持体としての用途もある。

91 Pa

プロトアクチニウム／Protactinium

同位体と存在比(%)			
^{230}Pa	0, EC, β^-, α, γ, 17.4d	^{233}Pa	0, β^-, γ, 27.0d
^{231}Pa	100, α, γ, 3.276×10^4y	^{234}Pa	微量, β^-, γ, 6.70h
		^{234m}Pa	微量, β^-, IT, 1.159m
^{232}Pa	0, β^-, EC, γ, 1.31d		

電子配置	$[Rn]5f^2 6d^1 7s^2$
原子量	231.03588
融点(K)	2113(1840℃)
沸点(K)	約4300(約4030℃)
密度($kg \cdot m^{-3}$)	15370
地殻濃度(ppm)	微量

酸化数		
酸化数	+3	PaH_3, PaI_3
	+4	PaO_2, $Pa(H_2O)_x^{4+}$, PaF_4, PaI_4, $PaCl_4$
	+5	Pa_2O_5, PaO_2^+, PaF_5, $PaCl_5$, PaF_6^-, PaF_7^{2-}, PaF_8^{3-}

1	2	3	4	5	6	7	8	9	10	11	12	13	14	15	16	17	18
1 H																	2 He
3 Li	4 Be											5 B	6 C	7 N	8 O	9 F	10 Ne
11 Na	12 Mg											13 Al	14 Si	15 P	16 S	17 Cl	18 Ar
19 K	20 Ca	21 Sc	22 Ti	23 V	24 Cr	25 Mn	26 Fe	27 Co	28 Ni	29 Cu	30 Zn	31 Ga	32 Ge	33 As	34 Se	35 Br	36 Kr
37 Rb	38 Sr	39 Y	40 Zr	41 Nb	42 Mo	43 Tc	44 Ru	45 Rh	46 Pd	47 Ag	48 Cd	49 In	50 Sn	51 Sb	52 Te	53 I	54 Xe
55 Cs	56 Ba		72 Hf	73 Ta	74 W	75 Re	76 Os	77 Ir	78 Pt	79 Au	80 Hg	81 Tl	82 Pb	83 Bi	84 Po	85 At	86 Rn
87 Fr	88 Ra		104 Rf	105 Db	106 Sg	107 Bh	108 Hs	109 Mt	110 Ds	111 Rg	112 Cn	113 Nh	114 Fl	115 Mc	116 Lv	117 Ts	118 Og

ランタノイド(57〜71)	57 La	58 Ce	59 Pr	60 Nd	61 Pm	62 Sm	63 Eu	64 Gd	65 Tb	66 Dy	67 Ho	68 Er	69 Tm	70 Yb	71 Lu
アクチノイド(89〜103)	89 Ac	90 Th	**91 Pa**	92 U	93 Np	94 Pu	95 Am	96 Cm	97 Bk	98 Cf	99 Es	100 Fm	101 Md	102 No	103 Lr

ロシアのメンデレーエフは1871年、91番元素としてエカタンタルの存在と性質を予言していた。ポーランドのファヤンとゲーリングは、ウラン（U）系列に新しい放射性核種（のちに^{234}Paと判明）を1913年に発見し、ギリシャ語で「短命」を意味するbreviumと名づけたが、これが91番元素とは気づかなかった。

その後、1918年にドイツのハーンとマイトナー、また、イギリスのソディとクランストンが、それぞれ独自にピッチブレンド（閃ウラン鉱）から長寿命の放射性核種（のちに^{231}Paと判明）を見出した。この^{231}Paは、α壊変して^{227}Acになることから、アクチニウムに先立つ元素という意味でプロトアクチニウム（protactinium）と命名された。protは、ギリシャ語pro（前）の最上級形であるが、転じて「原始の、元の」の意味がある。

^{231}Paが^{235}Uの壊変生成物で、アクチニウム系列（400ページの図87-2参照）に位置していることが確認されたのは1934年のことであった。

プロトアクチニウムの同位体には32核種が知られており、すべて放射性である。最も寿命の長い核種は^{231}Paである。^{231}Pa、^{234}Pa、^{234m}Paの3核種が天然に存在し、他は人工的につくられた核種である。^{233}Paは「90トリウム」の項で記されているように、原子炉で^{232}Thから核分裂性の^{233}Uを生産する際の中間生成物である。

^{235}Uの壊変生成物である^{231}Paは、ウラン鉱には必ず微量含まれているが、ウラン鉱には多数の元素が混在しているために分離精製はきわめて困難である。そのため、アクチニウム（Ac）の場合と同様に原子炉内で、^{232}Thを中性子照射することによりつくられる。

$$^{232}_{90}Th + ^{1}_{0}n \rightarrow ^{231}_{90}Th + 2^{1}_{0}n$$

$$^{231}_{90}Th \rightarrow ^{231}_{91}Pa\ (\beta^{-}\text{壊変})$$

金属プロトアクチニウムは、1300～1400℃でバリウム（Ba）またはリチウム（Li）の蒸気によって金属塩（ハロゲン化物）を還元して得られる。金属は明るい銀白色をしており、空気中では酸素によって酸化されて表面が曇る。

プロトアクチニウムは、アクチノイドの他の元素よりもタンタル（Ta）と類似している。プロトアクチニウム（$5f^2 6d^1 7s^2$）の5f軌道と6d軌道のエネルギーレベルが近く、タンタル（$5d^3 6s^2$）と同様な状態となっているために、化学的性質も類似していると考えられている。

92

U

ウラン／Uranium

同位体と存在比(%)			
^{232}U	0, α, γ, SF, 68.9y	^{236}U	0, α, γ, SF, 2.342×10^{7}y
^{233}U	微量, α, γ, SF, 1.592×10^{5}y	^{237}U	0, β^{-}, γ, 6.752d
^{234}U	0.0054, α, γ, SF, 2.455×10^{5}y	^{238}U	99.2742, α, γ, SF, 4.468×10^{9}y
^{235}U	0.7204, α, γ, SF, 7.038×10^{8}y	^{239}U	0, β^{-}, γ, 23.45m

電子配置	[Rn]5f^{3}6d^{1}7s^{2}
原子量	238.02891
融点(K)	1405.5(1132.3℃)
沸点(K)	4445(4172℃)
密度(kg・m^{-3})	18950(固体, 293K)
	17907(液体, 融点)
地殻濃度(ppm)	2.4

酸化数		
	+2	UO
	+3	U$(H_2O)_x^{3+}$, UF_3, UCl_3
	+4	UO_2, U$(H_2O)_x^{4+}$, UF_4, UCl_4
	+5	U_2O_5, UO_2^+, UF_5, UCl_5, UBr_5, UF_6^-
	+6	UO_3, UO_2^{2+}, UF_6, UCl_6

1	2	3	4	5	6	7	8	9	10	11	12	13	14	15	16	17	18
1 H																	2 He
3 Li	4 Be											5 B	6 C	7 N	8 O	9 F	10 Ne
11 Na	12 Mg											13 Al	14 Si	15 P	16 S	17 Cl	18 Ar
19 K	20 Ca	21 Sc	22 Ti	23 V	24 Cr	25 Mn	26 Fe	27 Co	28 Ni	29 Cu	30 Zn	31 Ga	32 Ge	33 As	34 Se	35 Br	36 Kr
37 Rb	38 Sr	39 Y	40 Zr	41 Nb	42 Mo	43 Tc	44 Ru	45 Rh	46 Pd	47 Ag	48 Cd	49 In	50 Sn	51 Sb	52 Te	53 I	54 Xe
55 Cs	56 Ba		72 Hf	73 Ta	74 W	75 Re	76 Os	77 Ir	78 Pt	79 Au	80 Hg	81 Tl	82 Pb	83 Bi	84 Po	85 At	86 Rn
87 Fr	88 Ra		104 Rf	105 Db	106 Sg	107 Bh	108 Hs	109 Mt	110 Ds	111 Rg	112 Cn	113 Nh	114 Fl	115 Mc	116 Lv	117 Ts	118 Og

ランタノイド (57～71)	57 La	58 Ce	59 Pr	60 Nd	61 Pm	62 Sm	63 Eu	64 Gd	65 Tb	66 Dy	67 Ho	68 Er	69 Tm	70 Yb	71 Lu
アクチノイド (89～103)	89 Ac	90 Th	91 Pa	92 U	93 Np	94 Pu	95 Am	96 Cm	97 Bk	98 Cf	99 Es	100 Fm	101 Md	102 No	103 Lr

ドイツのクラプロートは１７８９年、ピッチブレンド（閃ウラン鉱）から新しい金属元素を見出し、その元素に１７８１年に発見された新惑星、天王星（Uranus）の名をとってuraniumと命名した。彼は、新元素の精製の最終段階で炭素による還元を試み、得られた黒色粉末を単体のウランと考えたが、実は二酸化ウラン（UO_2）であった。約50年後の１８４１年に、フ

ランスのペリゴーが四塩化ウラン（UCl_4）のカリウムによる還元で金属ウランの単離に初めて成功した。

ウランが放射性元素であることを見出したのはフランスのベクレルであり、1896年のことであった。ベクレルは黒い紙で包んだ写真乾板をウランの化合物のそばに置くと、乾板が感光することから、ウランの放射能の存在を発見した。ウランは最初に発見された放射性元素である。2年後の1898年にキュリー夫妻がラジウムとその放射能を発見し、放射性元素の化学がスタートした。

地殻中のウランの存在度は、多くの調査・分析の結果、地殻1g中に2・4μgと考えられている。もしこの濃度のウランが地球全体に一様に存在しているとすると、ウランの放射能によって地球の温度はたえず上昇することになる。しかし、そのような温度上昇は観測されていないので、ウランは地球上に広く分布しているが、地球の深部の濃度は低く、そのほとんどが地殻の表面付近（20km以内）に存在しているといわれている。

図92-1 ベクレル（1852－1908）

一方、ウランは海水1Lあたり3・3μgの濃度で存在している。低濃度ではあるが、海水中のウランの全量は45億tにのぼる。

ウランはあらゆる岩石中に存在するが、ウラン鉱物の中で重要なものとしては、閃ウラン鉱、カルノー石、リン灰ウラン鉱、リン銅ウラン鉱、ウラノフェンが知られている。

2021年の産出量は、カザフスタンから2万1819t、ナミビアから5753t、カナダから4693t、オーストラリアから4192t、ウズベキスタンから3500t、ロシアから2635tである（2020年時点の詳しいデータは155ページのコラム8参照）。日本国内の産地としては人形峠（岡山県と鳥取県の県境）と東濃（岐阜県南東部）が有名だが、産出量はごくわずかである。

高品位ウラン鉱石中にはウランが0.1〜1%含まれている。粗精錬工程によって得られたウラニル（UO_2^{2+}）の化合物（黄色をしておりイエローケーキとよばれる）を精製し、四フッ化ウラン（UF_4）とした後にマグネシウムで還元して金属ウランを得る。

高品位ウラン鉱石中に含まれるウランの量は約350万tと推定されているが、これは今後のウラン需要を満たすものではなく、海水からのウランの抽出が注目されている。海水中のウランを効率よく選択的に抽出することを目指した吸着剤の開発と、吸着システムの開発に関する研究が日本を中心として展開されており、有機高分子化合物（アミドキシム吸着剤など）が実用化に向けて検討されている。

ウランの同位体は質量数216から242まで30核種が知られており、すべて放射性である。最も寿命の長い核種は^{238}Uで半減期は約45億年である。同位体のうち^{234}U、^{235}U、^{238}Uは天然に存在する。^{238}Uはウラン系列（390ページの図84−1参照）とよばれる放射性核種の壊変系列のもとになる核種である。^{234}Uは同じくウラン系列中に、^{235}Uはアクチニウム系列（400ページの図87−2参照）中に位置している。

「90トリウム」の項で記されているように、核分裂性の^{233}Uは^{232}Thの中性子照射によりつくられる。^{236}Uは、^{235}Uが速い中性子を捕獲することによって産生される。後で詳しく述べるように、^{235}Uによる遅い中性子の捕獲は核分裂につながる。

金属ウランは銀白色で、粉末は空気酸化されやすく、発火し、水を分解して水素ガスを発生する。金属ウランは化学的な反応性がきわめて高く、貴ガス元素以外の全元素と反応するといわれている。

ウランの酸化数としては+2から+6が知られているが、安定な状態は+4と+6である。+2ウランは気体の酸化ウラン（UO）のみ知られている。酸化ウランは１８００℃以上で存在する。+3ウランの化合物および水溶液は赤紫色を示し、水を還元して水素を発生し、+4ウランとなる。+4ウランの化合物および水溶液は濃緑色である。空気中の酸素によって酸化されてUO_2^{2+}となる。水溶液中で+5ウランはきわめて不安定で、U^{4+}とUO_2^{2+}に不均化する。黄色の+6イオンは水溶液中で安定である。ウランのハロゲン化物はすべて揮発性であるが、蒸気圧は$UX_3 < UX_4 < UX_5 < UX_6$の順に増加する。

イタリアのフェルミは１９３４年以後、ウラン238に中性子を照射すると、中性子を取り込みウラン239となり、β^-壊変により93番元素が生成するという仮説の上での実験を行った。一時はこの実験が成功したかに見えたが、93番元素生成の確証を得ることはできなかった。

一方、ドイツのハーンとシュトラスマンは１９３８年、ウラン235に低エネルギーで速度の遅い中性子（熱中性子とよばれ、エネルギーは約０・０２５eV）を照射すると、ウラン235が分裂して放射性のバリウム141と複数の中性子（約２・５個）がつくられるという予想外の現象を発見した。また、同時に莫大なエネルギー（ウラン235原子核１個から放出されるエネルギーは約２００MeV）が放出されることも明らかにされた。このエネルギーは化学反応によって放出されるエネルギーの１００万倍にも

図92-2 ハーン
（1879 − 1968）
（Ullstein bild／アフロ）

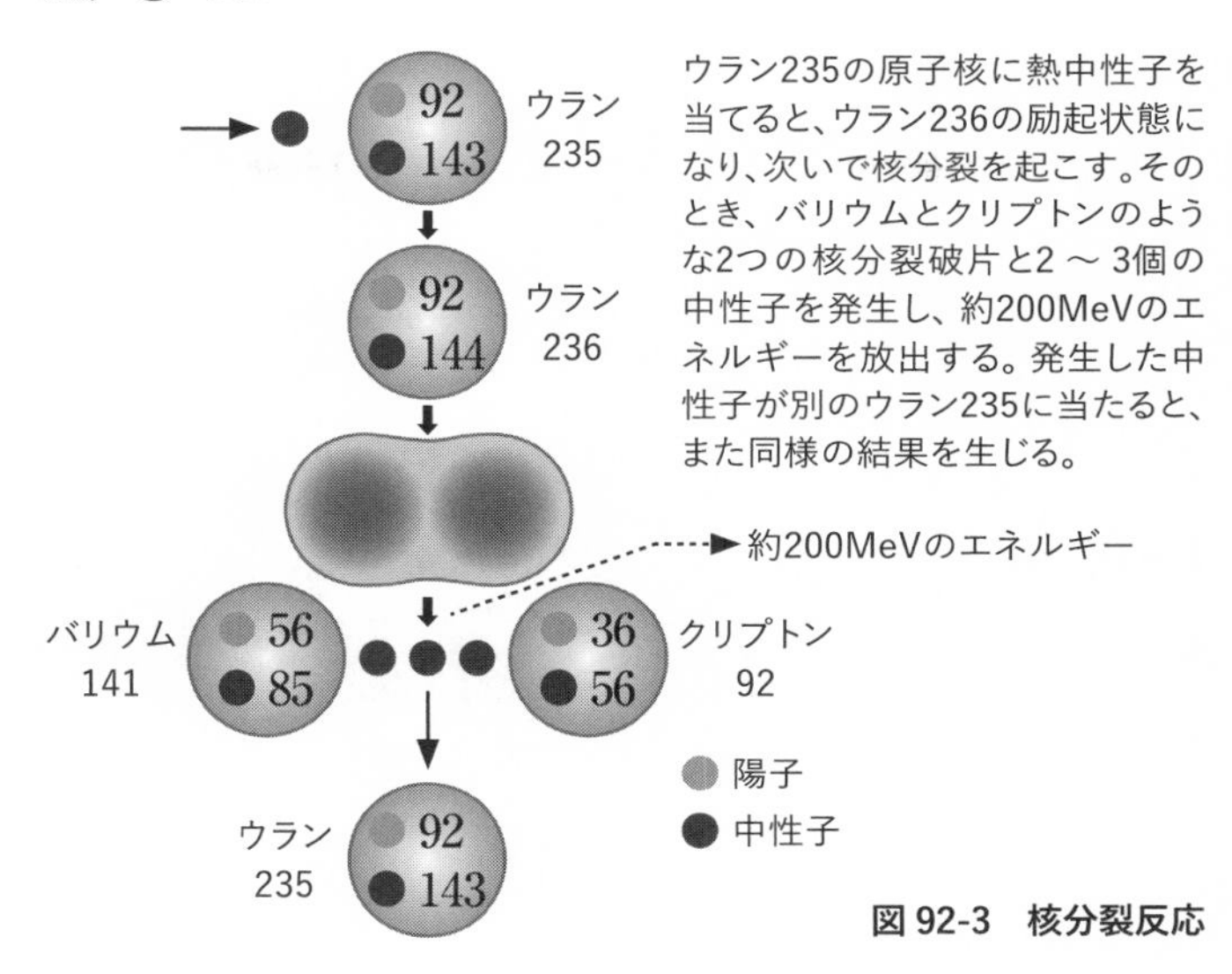

図 92-3　核分裂反応

およぶ（図92－3）。

　ウラン235の原子核は、熱中性子を吸収すると不安定なエネルギー状態となり、二つの核分裂片に分裂するが、質量数が約95と約140の元素が最も高い割合で生成されることがのちに明らかにされた。1個の中性子による1回の核分裂で1個以上の中性子が新たに発生するという事実は、発生した中性子が別のウラン235原子に核分裂を起こせば核分裂が連鎖的に持続できることを意味している。このような核分裂連鎖反応を利用すれば一挙に莫大なエネルギーを得ることが可能となる。

　1939年から翌年にかけて核分裂反応が連鎖的に持続されることが明らかにされ、核分裂にもとづく大量殺戮兵器実現の可能性が高まってきた。当時、ナチスの手を逃れてアメリカに亡命していたアインシュタインは、ナチスによる核兵器開発の可能性を危惧して、1939年に、フランクリン・ルーズベルト大統領に核開発の重要性と緊急性を訴え

図 92-4　1940 年代にアメリカのネバダ州で行われた核実験

た。これが契機となって、「ウラニウム諮問委員会」が設置され、1942年には「マンハッタン計画」へと発展していった。この間にシーボーグらによってプルトニウム239が分離され、中性子照射により核分裂を起こすことが確認された。

このような経緯から、マンハッタン計画では、天然ウランからのウラン235の濃縮と原子炉を使ったプルトニウム239の製造が最大の課題となった。ウラン濃縮は、ローレンスの指導の下にテネシー州オークリッジでガス拡散法によって行われ、濃縮されたウラン235が1945年にニューメキシコ州ロスアラモスの（原爆製造のための）研究所に送られた。

一方、フェルミらの設計した世界最初の原子炉（シカゴパイル1）が、1942年に核分裂連鎖反応に成功するとともに、プルトニウム239の生成にも成功した。この成果をもとにワシントン州ハンフォードにプルトニウム239生産用の原子炉が建設され、製造されたプルトニウム239は1945年にロスアラモスへ送られた。

ロスアラモス研究所の所長オッペンハイマーは原爆製造を精力的に進め、1945年7月16日、ニューメキシコ州アラモゴードで世界初の原爆実験が行われた。同年8月6日、広島上空にウラン235型原爆が、8月9日、長崎にプルトニウム239型原爆が投下された。

核分裂によってつくられる複数の中性子数をコントロールせず、一瞬のうちに核分裂連鎖反応を起こさせるのが原子爆弾であり、厳密にコントロールして持続的に核分裂連鎖反応を起こさせるのが原子炉である。

熱中性子によって核分裂する核種としては、ウラン235のほかにはウラン233とプルトニウム239がある。ウラン233とプルトニウム239はそれぞれ、トリウム232とウラン238の中性子照射によって人工的に生成される。現在、原子力発電所等で実用化されている原子炉はすべて熱中性子によるウラン235の核分裂を利用した「熱中性子炉」である。

核分裂で生まれる中性子は、高いエネルギーをもった高速中性子である。したがって、熱中性子炉では、高速中性子のエネルギーを減少させ（減速させ）熱中性子に変えるための物質を核燃料のあいだに置く必要がある。この物質を減速材とよぶ。原子力発電所では、核燃料中に発生した熱を冷却材により運び出し、その熱エネルギーを電気エネルギーに変換している。日本の原子力発電所で稼働している原子炉は、冷却材を兼ねた減速材に軽水（普通の水）を用いる軽水炉であり、核燃料としては4〜5%のウラン235を含む低濃縮ウランを用いている。

ところで、なぜ高いエネルギーをもった高速中性子をわざわざ減速して熱中性子にするかであるが、中性子の速度が大きすぎるとウラン235に吸収されにくく、核分裂が起きにくいからである。

2011年の福島第一原子力発電所事故以前、わが国では、原子力発電所でつくられる電力が全発電量の約3割を占めていた。

高いエネルギー（1MeV以上）をもち高速で運動している中性子（高速中性子）は、核分裂やその他の原子核反応によってつくることができるが、高速中性子の照射によってのみ核分裂を起こす核種としてウラン238、トリウム232が挙げられる。ウラン238は資源として豊富に存在するために、高速中性子によるウラン238の核分裂反応が連鎖的に持続することが可能となれば、ウラン資源を有効に活用することができる。

また、高速中性子を利用する原子炉（高速中性子炉）では、核燃料に吸収される中性子1個が発生させる中性子の数が多いので、1個の中性子を核分裂の連鎖反応を持続するために用い、残りを別のウラン238に吸収させてプルトニウム239の生産（この核反応については「94プルトニウム」の項で説明する）に利用することができる。この原子炉では、高速中性子を用いて核分裂性物質（プルトニウム239）を増殖することができるので、高速増殖炉とよばれている。

高速増殖炉では、核分裂で生まれた高速中性子をそのまま利用するので減速材は不要である。一方、冷却材には中性子のエネルギーを低下させるような物質を用いることはできず、液体ナトリウムなどの液体金属が使用される。冷却材としての液体金属は化学的反応性がきわめて高く、また原子炉材料にも解明すべき問題が残されており、さらに開発コストがかさむなど、検討の余地が数多く残されている。

前述のようにウラン235は天然のウラン中に約0.7%しか含まれていないために、核燃料として用いるためにはウラン235の濃縮が望ましい。ウラン235とウラン238の質量数の相違を利用した濃縮法としては、気化させた六フッ化ウラン（UF_6）のガス拡散法および遠心分離法がある。また新ウラン濃縮法としてレーザー濃縮技術が注目されている。

放射性核種の壊変系列、ウラン系列、アクチニウム系列、トリウム系列において、^{238}U、^{235}U、^{232}Thがそれぞれ壊変して、最終的には鉛の安定同位体^{206}Pb、^{207}Pb、^{208}Pbに変化する速度はわかっているので、岩石中の^{206}Pb／^{238}U、^{207}Pb／^{235}U、または^{208}Pb／^{232}Thの割合を調べれば、その岩石の形成された年代を決定することができる。この年代決定法をウラン－鉛法とよび、数千万〜数億年以前の年代測定に有効である。地球の年齢もこの方法により45億年と結論が出された。

ウランの生物学的な役割はわかっていない。しかしウランはα放射体であり、自発核分裂によって生成されるラドン（Rn）なども放射性物質であるため、放射線による毒性は、他のアクチノイドと同様に注意しなければならない。特に、呼吸器から吸入したり経口摂取したりした場合には、長く体内に留まることによってがんを誘起することが知られている。化学的毒性はヒ素（As）と同程度といわれ、特に腎臓をおかすことが知られているが、詳しいメカニズムはわかっていない。

人が食事から摂取しているウランの量は一日に1・3 pgほどと推定されている。ウランは血液に移行しは約5％が体に吸収される。ウランは血液に移行して骨に取り込まれる。リン酸イオンが多い骨に親和性が高いためであろう。骨に移行したウランは、排泄されにくい。イヌによる実験では、クエン酸ナトリウムを注射すると尿中への排泄が増加したと報告されている。人体には平均して約0・1 mg、骨には0・2〜70ppb、血液には約0・5ppbのウランが存在している。

93 Np

ネプツニウム／Neptunium

同位体と存在比(%)	
^{237}Np	0, α, γ, 2.144×10^6y
^{238}Np	0, β^-, γ, 2.099d
^{239}Np	微量, β^-, γ, 2.356d

電子配置	[Rn]$5f^4 6d^1 7s^2$
原子量	[237]
融点(K)	913(640℃)
沸点(K)	4175(3902℃)
密度(kg・m^{-3})	20250(固体, 293K)
地殻濃度(ppm)	超微量

酸化数	+2	NpO
	+3	NpF_3, $NpCl_3$, $NpCl_6^{3-}$, $Np(H_2O)_x^{3+}$
	+4	NpO_2, $Np(H_2O)_x^{4+}$, NpF_4, $NpCl_4$, $NpBr_4$, $NpCl_6^{2-}$
	+5	Np_2O_5, NpF_5, $CsNpF_6$, $NaNpF_6$, NpO_2^+
	+6	NpO_3, NpO_2^{2+}, NpF_6
	+7	Li_5NpO_6

	1	2	3	4	5	6	7	8	9	10	11	12	13	14	15	16	17	18
	1 H																	2 He
	3 Li	4 Be											5 B	6 C	7 N	8 O	9 F	10 Ne
	11 Na	12 Mg											13 Al	14 Si	15 P	16 S	17 Cl	18 Ar
	19 K	20 Ca	21 Sc	22 Ti	23 V	24 Cr	25 Mn	26 Fe	27 Co	28 Ni	29 Cu	30 Zn	31 Ga	32 Ge	33 As	34 Se	35 Br	36 Kr
	37 Rb	38 Sr	39 Y	40 Zr	41 Nb	42 Mo	43 Tc	44 Ru	45 Rh	46 Pd	47 Ag	48 Cd	49 In	50 Sn	51 Sb	52 Te	53 I	54 Xe
	55 Cs	56 Ba		72 Hf	73 Ta	74 W	75 Re	76 Os	77 Ir	78 Pt	79 Au	80 Hg	81 Tl	82 Pb	83 Bi	84 Po	85 At	86 Rn
	87 Fr	88 Ra		104 Rf	105 Db	106 Sg	107 Bh	108 Hs	109 Mt	110 Ds	111 Rg	112 Cn	113 Nh	114 Fl	115 Mc	116 Lv	117 Ts	118 Og
ランタノイド(57～71)			57 La	58 Ce	59 Pr	60 Nd	61 Pm	62 Sm	63 Eu	64 Gd	65 Tb	66 Dy	67 Ho	68 Er	69 Tm	70 Yb	71 Lu	
アクチノイド(89～103)			89 Ac	90 Th	91 Pa	92 U	93 Np	94 Pu	95 Am	96 Cm	97 Bk	98 Cf	99 Es	100 Fm	101 Md	102 No	103 Lr	

ウラン（U）は天然に比較的豊富に存在する元素の中で最も原子番号の大きい元素であり、93番以降の元素は超ウラン元素（429ページのコラム30参照）とよばれている。

最初の超ウラン元素、ネプツニウムは1940年、ウランに中性子を照射することにより生成される物質の中から発見された。この研究はカリフォルニア大学バークレー校のマクミランおよびアベルソンによって行われ、彼らは新元素を天王星（Uranus）の外の惑星軌道を回っている海王星（Neptune）にちなんで、ネプツニウム（neptunium）と名づけた。ところが、１９５１年および１９５２年にペパードらは、93番のネプツニウムと94番のプルトニウム（Pu）を、ウラン鉱石中から分離することに成功した。

　このように現在では、ネプツニウムとプルトニウムはきわめて微量ではあるが天然に存在することが認められている。この微量のネプツニウムやプルトニウムは、ウラン238の自発核分裂（「98カリホルニウム」の項参照）によって生成される中性子、および宇宙線によって生成される二次中性子がウラン238に吸収されて生じたものといわれている。

　マクミランとアベルソンは、ウラン238に中性子を照射することにより^{239}Npを得たが、^{239}Npは半減期２・356日でβ^-壊変して^{239}Puを生成する。この反応は、豊富に存在するウラン238から核分裂性の^{239}Puを製造するための重要な核反応である。

　現在、ネプツニウムの同位体は、25核種が知られており、すべて放射性である。その中で最も長寿命の核種は^{237}Np（半減期２１４・4万年）であり、ネプツニウムの化学的性質などはこの核種を対象として調べられている。^{237}Npは、ネプツニウム系列（図93－1）とよばれる人工放射性核種の壊変系列の基になる核種である。^{237}Npは、シーボーグらによって１９４２年に次の核反応からつくられた。

$$^{238}_{92}\mathrm{U} + {}^{1}_{0}\mathrm{n} \rightarrow {}^{237}_{92}\mathrm{U} + 2{}^{1}_{0}\mathrm{n}$$

$$^{237}_{92}\mathrm{U} \rightarrow {}^{237}_{93}\mathrm{Np}\ (\beta^-\text{壊変})$$

^{238}Uに中性子を照射した場合、おもに^{239}Puが生成される。この反応では^{237}Npは副生成物であり、^{239}Puの約０・1％の割合でつくられる。したがって、ウランを使用する原子炉の使用済み核燃料からプルトニウムとウランを回収した後に残る廃棄物の中に^{237}Npは含まれている。

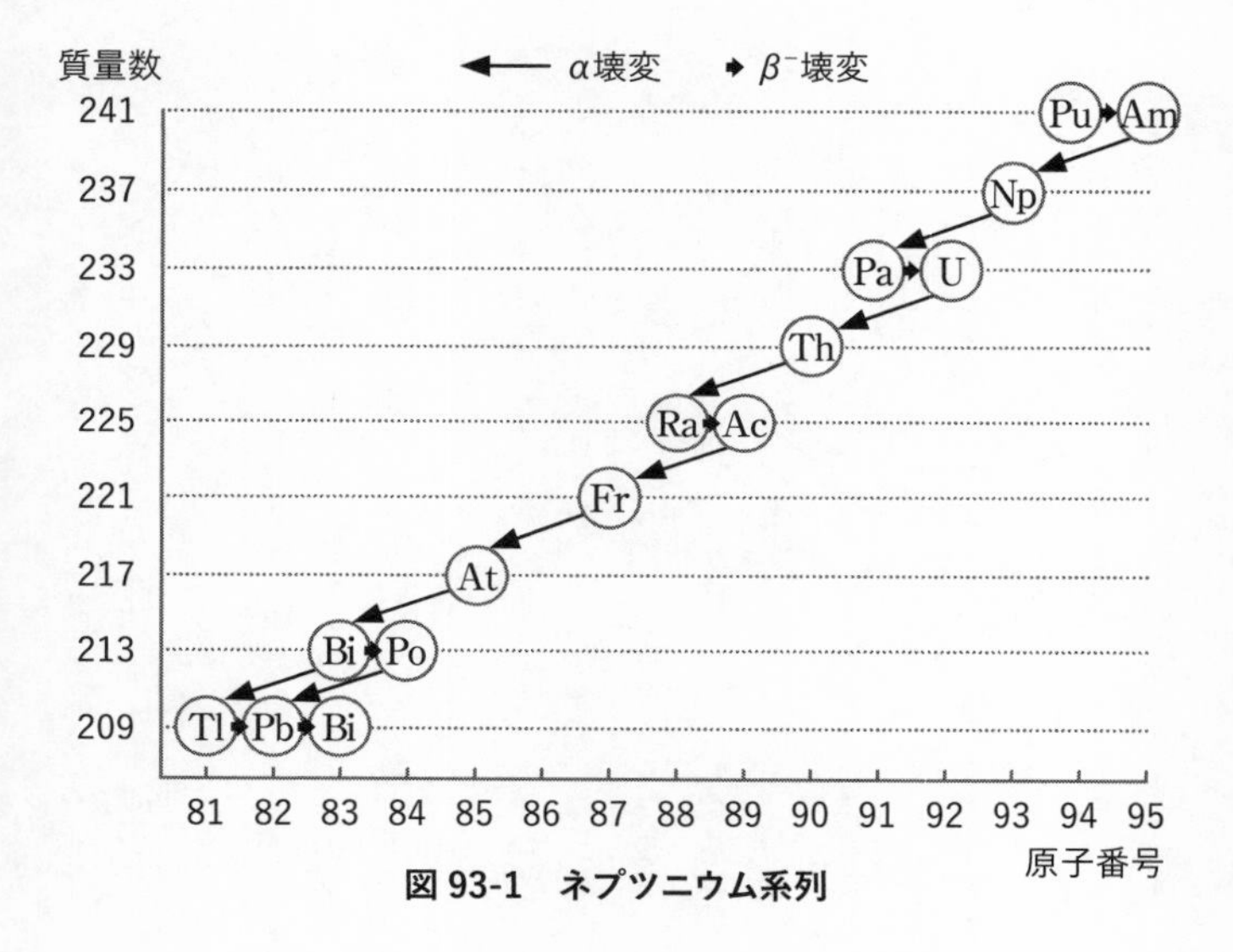

図 93-1　ネプツニウム系列

金属ネプツニウムは、三フッ化ネプツニウム（NpF_3）をバリウム（Ba）で還元して得られる。銀白色の展性のある金属である。

ネプツニウムは+2から+7までの多様な酸化数をとることが知られている。+3ネプツニウムの化合物および水溶液は青または紫色を呈し、空気中の酸素で酸化され+5ネプツニウムとなる。+4ネプツニウムの化合物および水溶液は黄緑色から青緑色である。+5ネプツニウムは、水溶液中で緑色のNpO_2^+として安定に存在している。+6ネプツニウムNpO_2^{2+}の水溶液はピンク色で、+7ネプツニウムのアルカリ性水溶液中ではNpO_5^{3-}として存在する。

Column 30

超重元素——Super-heavy elements

周期表で92番のウラン（U）よりも原子番号の大きい元素を超ウラン元素とよぶ。93番のネプツニウム（Np）と94番のプルトニウム（Pu）のみ天然にわずかに存在し、それ以外は人工的につくる。超ウラン元素の中でも、原子番号がアクチノイド元素（原子番号89～103）より大きい元素を、超アクチノイド元素とよぶ。現在、104～118番までの超アクチノイド元素が発見されている。超アクチノイド元素を、超重元素ともよぶ。

超重元素をつくるには、重イオン核反応を利用する。重イオンとは、水素やヘリウムよりも重い元素の原子から多くの電子を剝ぎ取ったイオンの総称である。たとえば^{48}Caなどの重イオンを96番元素の^{248}Cmや^{245}Cmと衝突させて、超重元素リバモリウムがつくられている。

重イオンの発生は、磁場に閉じ込めたプラズマ中で、原子に束縛された電子をマイクロ波で叩き出す作業を何度も繰り返して行われる。多価イオンとよばれる多数の電子を剝ぎ取られた重イオンが生成し、複数の価数のイオンが混じった状態となっている。

94 Pu

プルトニウム／Plutonium

同位体と存在比(%)			
^{237}Pu	0, α, γ, 45.2d	^{241}Pu	0, β^-, α, γ, 14.329y
^{238}Pu	0, α, γ, SF, 87.7y	^{242}Pu	0, α, γ, SF, 3.73×10^5y
^{239}Pu	微量, α, γ, SF, 2.4110×10^4y	^{243}Pu	0, β^-, γ, 4.956h
^{240}Pu	0, α, γ, SF, 6.561×10^3y	^{244}Pu	0, α, γ, SF, 8.11×10^7y

電子配置	[Rn]$5f^6 7s^2$
原子量	[239]
融点(K)	912.7(639.5℃)
沸点(K)	3504(3231℃)
密度(kg・m^{-3})	19840(固体, 298K)
	16623(流体, 融点)
地殻濃度(ppm)	超微量

酸化数		
酸化数	+2	PuO, PuH_2
	+3	Pu_2O_3, PuF_3, $PuCl_3$, $Pu(H_2O)_x^{3+}$
	+4	PuO_2, PuF_4, $PuCl_6^{2-}$, $Pu(H_2O)_x^{4+}$
	+5	PuO_2^+, $CsPuF_6$
	+6	PuO_2^{2+}, PuF_6
	+7	Li_5PuO_6, PuO_5^{3-}

1	2	3	4	5	6	7	8	9	10	11	12	13	14	15	16	17	18
1 H																	2 He
3 Li	4 Be											5 B	6 C	7 N	8 O	9 F	10 Ne
11 Na	12 Mg											13 Al	14 Si	15 P	16 S	17 Cl	18 Ar
19 K	20 Ca	21 Sc	22 Ti	23 V	24 Cr	25 Mn	26 Fe	27 Co	28 Ni	29 Cu	30 Zn	31 Ga	32 Ge	33 As	34 Se	35 Br	36 Kr
37 Rb	38 Sr	39 Y	40 Zr	41 Nb	42 Mo	43 Tc	44 Ru	45 Rh	46 Pd	47 Ag	48 Cd	49 In	50 Sn	51 Sb	52 Te	53 I	54 Xe
55 Cs	56 Ba		72 Hf	73 Ta	74 W	75 Re	76 Os	77 Ir	78 Pt	79 Au	80 Hg	81 Tl	82 Pb	83 Bi	84 Po	85 At	86 Rn
87 Fr	88 Ra		104 Rf	105 Db	106 Sg	107 Bh	108 Hs	109 Mt	110 Ds	111 Rg	112 Cn	113 Nh	114 Fl	115 Mc	116 Lv	117 Ts	118 Og

ランタノイド(57〜71)	57 La	58 Ce	59 Pr	60 Nd	61 Pm	62 Sm	63 Eu	64 Gd	65 Tb	66 Dy	67 Ho	68 Er	69 Tm	70 Yb	71 Lu
アクチノイド(89〜103)	89 Ac	90 Th	91 Pa	92 U	93 Np	94 Pu	95 Am	96 Cm	97 Bk	98 Cf	99 Es	100 Fm	101 Md	102 No	103 Lr

94番元素は、93番のネプツニウムに引き続き、1940年12月にカリフォルニア大学バークレー校のシーボーグ、マクミラン、ケネディー、ウォールらが発見した。彼らは、^{238}Uに重陽子（重水素の原子核）を照射した際に得られる^{238}Npのβ^-壊変の生成物として、94番元素を得た。核反応式は図94-1の①である。

新元素は、太陽系惑星の海王星（Neptune）の外

①

$$^{238}_{92}U(d,2n)\,^{238}_{93}Np \xrightarrow{\beta^- 壊変} {}^{238}_{94}Pu$$

②

$$^{238}_{92}U(n,\gamma)\,^{239}_{92}U \xrightarrow{\beta^- 壊変} {}^{239}_{93}Np \xrightarrow{\beta^- 壊変} {}^{239}_{94}Pu$$

※ $^{238}_{92}U(d,2n)\,^{238}_{93}Np \longrightarrow {}^{238}_{94}Pu$ は、次の2つの式を1つの式で表したものである。

$$^{238}_{92}U + {}^{2}_{1}d \longrightarrow {}^{238}_{93}Np + 2\,{}^{1}_{0}n,\quad {}^{238}_{93}Np \longrightarrow {}^{238}_{94}Pu + \beta^-$$

図 94-1　プルトニウム生成核反応

側を回る冥王星（Pluto）の名にちなんで、プルトニウム（plutonium）と名づけられた。

さらに、1941年にシーボーグのグループはウラン238に中性子照射することにより、新しい同位体プルトニウム239を見出した。核反応式は図94－1の②である。

このプルトニウム239は中性子照射により核分裂を起こすので、原子爆弾に使えることが明らかとなった。94番元素発見の論文は1941年に投稿されたが、軍事的な要請により、印刷されたのは第二次世界大戦終結後の1946年であった。「93ネプツニウム」の項でも記されているように、プルトニウム239は微量ではあるが、ウラン鉱石中に天然に存在することが明らかとなっている。

プルトニウムの同位体は20核種が知られており、すべて放射性である。最も寿命の長い核種は^{244}Puで半減期は8110万年である。質量数240以上の同位体は、一つ少ない質量をもつ同位体の中性子捕獲の結果生成される。

プルトニウムの物理的、化学的性質は、原子炉内で大量に生成されるプルトニウム239を使って研究されている。「92ウラン」の項でも記されているように、プルトニウム239は、その核物理学的性質から高速増殖炉の燃料および熱中性子炉の燃料として利用できる可能性がある。

天然ウランまたは濃縮ウランを使用している熱中性子炉では、ウラン235の核分裂にともない、ウラン238が中性子を捕獲する結果として、ウラン235 1原子あたり、プルトニウム239 1原子が副産物として生成される。

また、高速増殖炉ではウラン238を多量に含む天然ウランや劣化ウランを含むブランケットを炉心のまわりに置いて、ウラン238をプルトニウム239に変換することによって、核分裂性のプルトニウム239が積極的に増殖される。この場合、消費されたウラン、プルトニウムよりも生産されるプルトニウムのほうが多い。

一方、原子炉内ではプルトニウムとともに多量の高放射性の核分裂生成物も生成される。核燃料のもつ放射能は原子炉の中に3～5年間入れられているあいだに、何億倍にもなる。したがって、使用済み核燃料やブランケットなどから、プルトニウムを分離する核燃料再処理過程では、高放射性で化学的反応性が高く、かつ核分裂性である物質を取り扱う上での種々の安全上の配慮が求められる。ブランケットというのは、増殖炉で炉心（燃料）のまわりをとりまいている、燃料に転換できる物質（^{238}Uや^{232}Th）の層のことである。ブランケットでは、炉心から出てきた中性子がウラン238やトリウム232と反応すると、プルトニウム239やウラン233ができる。

また、原子炉内ではきわめて多くの核種が混在しているため、化学的な分離作業も複雑なものとなる。プルトニウムの核分裂生成物からの分離には、核分裂生成物を構成する原子番号の小さい元素とは異なり、多くの酸化状態をとるプルトニウムの化学的性質が有効に利用されている。このような酸化還元操作を繰り返すことによるプルトニウムの分離法としては、共沈法、溶媒抽出法、イオン交換法があり、単独または併用して分離が進められる。

金属プルトニウムは銀白色で、ネプツニウム（Np）と同様に反応性が高く、貴ガス元素以外の全元素と反応し、粉末は空気中で酸化され発火する。液体プルトニウムはウランよりも高い蒸気圧をもつために、プルトニウムとウランが混在しているときに選択的にプルトニウムを揮発させることが可能である。

プルトニウムの酸化数としては+2から+7が知られているが、水溶液中では+3から+6の状態をとりうる。このうち六フッ化プルトニウム（PuF_6）の性質については詳細な研究が行われており、プルトニウムの化合物の中で最も揮発性が高く、六フッ化ウラン（UF_6）、六フッ化ネプツニウム（NpF_6）よりも分解しやすく不安定である。

ウランには化合物が数多く見出されているが、プルトニウムの場合は少ない。また、プルトニウムは多くの金属と合金や金属間化合物をつくることが知られている。

+3～+6のプルトニウムイオンの溶液は特徴的な色をもっている。たとえば、+3プルトニウム水溶液は明青色から青紫色、+4は淡黄色から赤褐色、+5は淡紫色、+6はピンク色から橙赤色である。

プルトニウムは原子炉の燃料としてだけでなく、原子力電池のエネルギー源としても利用されている。プルトニウムから放出されるα線やβ線のエネルギーを電気エネルギーに変換する原子力電池は、同位体電池ともいわれ、放射線のエネルギーを半導体を用いて直接電気エネルギーに変える直接法と、放射線のエネルギーをいったん取り出し物質に吸収させて熱エネルギーとしたのちに電気エネルギーに変える間接法がある。

　心臓ペースメーカーは、心臓の動きのリズムが異常で日常生活に支障をきたす場合に、電流による刺激を行いリズムを整える装置である。ペースメーカーは、電池と、電流を心臓に伝える電極とからなっており、原子力電池は軽量小型で寿命も長いために、体内埋め込み型のペースメーカー電源として使われていたことがある。

また、原子力電池は人工衛星用電源として、あるいは無人島などでの観測装置の電源としても使われている。

　プルトニウムは放射性物質として危険であるだけでなく、化学的にもきわめて毒性が強い元素として知られている。経口摂取や吸入摂取により体内に取り込まれ、長く体内に留まる場合には、その放射能および化学的反応性によって発がんに結びつく。吸入された場合には肺に、また他の摂取形態によっても最終的には骨表面に沈着し骨肉腫を起こす可能性が高いといわれている。取り扱いには特別の配慮が必要であり、環境への漏出はあってはならないことである。
　原子力発電所の運転にともなって蓄積されるプルトニウムは、純度が高い場合は5 kgで原子爆弾が製造できるといわれており、その管理においても特別の措置が求められている。
　プルトニウムがなぜ生体に侵入するのか、細胞レベルの実験で明らかにされた。トランスフェリン（161ページの表26－2参照）に2個の鉄（Ⅲ）イオンがつくと、細胞表面のトランスフェリン受容体に結合したのち、細胞内に鉄が取り込まれる。2個の鉄イオンのうち1個がプルトニウムイオンに置き換わると、さらに取り込まれやすくなり、容易にプルトニウムが細胞内に侵入する。

Column 31

天然放射性元素の壊変

現在われわれが知っている核種はおよそ4000種あるが、このうち約300種は安定核種である。残る3700種のうち、約3630種は人工的につくられた放射性核種であり、約70種が天然の放射性核種である。

2代以上にわたって壊変することを系列壊変といい、天然に存在する放射性核種は、原子番号が81～94のあいだに存在し、三つの系列をつくることがわかった。

この3系列に共通する特徴は、

①地球の年齢に比べられるくらい長い半減期をもつ祖先の核種がある。

②系列の途中に必ず気体状のラドン（Rn）がある。

③最後の安定核種は鉛（Pb）である。

三つの系列を紹介しよう。

（a）ウラン系列もしくは$4n+2$系列（390ページの図84－1）

^{238}Uから出発し、8回のα壊変、6回のβ^-壊変を経て^{206}Pbになる。nを整数とすると、質量数が$4n+2$で表されるので$4n+2$系列ともよばれる。

（b）トリウム系列もしくは$4n$系列（414ページの図90－2）

(c) アクチニウム系列もしくは$4n+3$系列(400ページの図87-2)

^{235}Uから出発して^{207}Pbにいたる系列。

^{232}Thから出発して^{208}Pbにいたる系列。

以上のように4の倍数を基にして見た場合、$4n+1$系列が見つからず、〝失われた系列〟とよばれていた。しかし、1946年にシーボーグらによって^{241}Amから^{237}Npを経て^{209}Biにいたるネプツニウム系列が確認された。

(d) ネプツニウム系列もしくは$4n+1$系列(428ページの図93-1)

この系列は、地球が生まれたときには存在していたが、系列中で最も半減期の長い^{237}Npでも地球の年齢の1000分の1にも達しないため、現在では消滅し去ったと考えられている。ネプツニウム系列は、現在では人工放射性元素の壊変系列として知られている。

95

Am

アメリシウム／Americium

同位体と存在比(%)	
^{241}Am	0, α , γ , SF, 432.6y
^{242}Am	0, β^-, EC, γ , 16.02h
^{242m}Am	0, IT, α , SF, 141y
^{243}Am	0, α , γ, SF, 7.364×10^3y

電子配置	[Rn]$5f^7 7s^2$
原子量	[243]
融点(K)	1445(1172℃)
沸点(K)	2880(2607℃)
密度(kg・m^{-3})	13670(固体, 293K)
地殻濃度(ppm)	0

酸化数		
	+2	AmO, AmH_2, $AmCl_2$
	+3	Am_2O_3, AmF_3, $AmCl_3$, AmOCl, $AmCl_6^{3-}$
	+4	AmO_2, AmF_4, K_2AmF_6
	+5	AmO_2^+
	+6	AmO_2^{2+}

	1	2	3	4	5	6	7	8	9	10	11	12	13	14	15	16	17	18
	1 H																	2 He
	3 Li	4 Be											5 B	6 C	7 N	8 O	9 F	10 Ne
	11 Na	12 Mg											13 Al	14 Si	15 P	16 S	17 Cl	18 Ar
	19 K	20 Ca	21 Sc	22 Ti	23 V	24 Cr	25 Mn	26 Fe	27 Co	28 Ni	29 Cu	30 Zn	31 Ga	32 Ge	33 As	34 Se	35 Br	36 Kr
	37 Rb	38 Sr	39 Y	40 Zr	41 Nb	42 Mo	43 Tc	44 Ru	45 Rh	46 Pd	47 Ag	48 Cd	49 In	50 Sn	51 Sb	52 Te	53 I	54 Xe
	55 Cs	56 Ba		72 Hf	73 Ta	74 W	75 Re	76 Os	77 Ir	78 Pt	79 Au	80 Hg	81 Tl	82 Pb	83 Bi	84 Po	85 At	86 Rn
	87 Fr	88 Ra		104 Rf	105 Db	106 Sg	107 Bh	108 Hs	109 Mt	110 Ds	111 Rg	112 Cn	113 Nh	114 Fl	115 Mc	116 Lv	117 Ts	118 Og
ランタノイド（57～71）			57 La	58 Ce	59 Pr	60 Nd	61 Pm	62 Sm	63 Eu	64 Gd	65 Tb	66 Dy	67 Ho	68 Er	69 Tm	70 Yb	71 Lu	
アクチノイド（89～103）			89 Ac	90 Th	91 Pa	92 U	93 Np	94 Pu	95 Am	96 Cm	97 Bk	98 Cf	99 Es	100 Fm	101 Md	102 No	103 Lr	

93番のネプツニウムと94番のプルトニウムの二つの超ウラン元素の発見は、研究者をさらに未知の元素の発見へ駆り立てた。こうして1944年の96番のキュリウムの発見に続き、1945年に、シーボーグ、ジェームス、モーガン、ギオルソらはシカゴ大学冶金研究所（のちのアルゴンヌ国立研究所）で、^{239}Puに原子炉内で中性子を照射することにより95番元素をつくっ

①

$$ {}^{239}_{94}\mathrm{Pu}(n,\gamma)\,{}^{240}_{94}\mathrm{Pu}(n,\gamma)\,{}^{241}_{94}\mathrm{Pu} \xrightarrow{\beta^-\text{壊変}} {}^{241}_{95}\mathrm{Am} $$

②

$$ {}^{241}_{95}\mathrm{Am}(n,\gamma)\,{}^{242}_{95}\mathrm{Am} \xrightarrow{\text{EC壊変}} {}^{242}_{94}\mathrm{Pu}(n,\gamma)\,{}^{243}_{94}\mathrm{Pu} \xrightarrow{\beta^-\text{壊変}} {}^{243}_{95}\mathrm{Am} $$

（EC：電子捕獲）

③

$$ {}^{239}_{94}\mathrm{Pu}(n,\gamma)\,{}^{240}_{94}\mathrm{Pu}(n,\gamma)\,{}^{241}_{94}\mathrm{Pu}(n,\gamma)\,{}^{242}_{94}\mathrm{Pu}(n,\gamma)\,{}^{243}_{94}\mathrm{Pu} \xrightarrow{\beta^-\text{壊変}} {}^{243}_{95}\mathrm{Am} $$

図 95-1　アメリシウムがつくられる核反応式

た。反応式は図95－1の①である。

アメリシウム（americium）はアクチノイドの7番目の元素であり、元素名はランタノイドの7番目の元素のユウロピウム（ヨーロッパ大陸にちなんで命名）にならって、発見された大陸の名をとってつけられた。

アメリシウムの同位体は、23核種が知られており、すべて放射性である。

アメリシウムの物理的、化学的性質の多くは^{241}Amを用いて明らかにされている。半減期432・6年の^{241}Amはエネルギー5・5MeVの強力なα線を射出する。

アメリシウムの同位体の中で最も長寿命（半減期7364年）の核種は^{243}Amであり、図95－1の②、③のような反応でつくられる。

^{241}Amは、①式で示したように半減期約14・3年の^{241}Puの壊変によってつくられる。したがって、^{241}Puを大量に含む溶液を放置すると^{241}Amが生成される。微量の^{241}Am

を抽出精製して回収するという操作を繰り返して^{241}Amの量を増やしていく。このように、親核種（^{241}Pu）から繰り返し、娘核種（^{241}Am）を分離する操作を〝ミルキング〟という。親核種を含む溶液が乳牛に、また娘核種がミルクにたとえられている。

ウラン（U）、ネプツニウム（Np）、プルトニウム（Pu）はすべて、酸性溶液中で+5から+7などの高酸化状態が比較的安定であるが、アメリシウムの場合は+3が最も安定で、高酸化状態は強い酸化剤を加えたときのみ安定となる。この性質は、これらの元素が混在する溶液中からアメリシウムを分離する際に有効に利用される。

金属アメリシウムは１９５１年、三フッ化アメリシウム（AmF_3）を約１２００℃でバリウム（Ba）により還元して得られた。アメリシウムはプルトニウムよりも蒸気圧が高いので高温蒸留によって精製が可能である。金属アメリシウムは銀白色であり、ウランおよびネプツニウムよりも展性・延性に富ん

原子番号	89	90	91	92	93	94	95	96	97	98	99	100	101	102	103
元素記号	Ac	Th	Pa	U	Np	Pu	Am	Cm	Bk	Cf	Es	Fm	Md	No	Lr
酸化数	+3	+4	+5	+6	+5	+4	+3	+3	+3	+3	+3	+3	+3	+2	+3

表 95-1　水溶液中で最も安定なアクチノイドの酸化状態

でいる。

アメリシウムは+2から+6までの酸化状態をとりうる。+3が特に安定という性質は、ランタノイドの元素と類似している。各元素にとっての安定な酸化状態は、原子の外側付近にある電子の安定性、つまり、電子の属している軌道の性質と原子核から引きつけられる力によって決まる。アクチノイドの核種の安定な酸化状態を表95－1に示した。

酸性水溶液中で+3はピンク色のアメリシウムイオンとして、+5は黄色のAmO_2^+イオンとして、+6はラム酒色のAmO_2^{2+}イオンとして存在する。また+5と+6は、アメリシウムの強いα線により+3に還元される。この還元はα線によって生じる過酸化水素（H_2O_2）によるといわれている。

^{241}Amはプルトニウム（^{241}Pu）の副産物として安価に得られるため、放射線厚み計、煙探知器（煙のイオン化により電気信号に変えて検出する）、蛍光X線源、^{241}Am―Be混合物の形で中性子源として利用されている。

96 Cm

キュリウム／Curium

96番元素は、95番のアメリシウム（Am）に先立って発見された。1944年、カリフォルニア大学バークレー校のシーボーグ、ジェームス、ギオルソらは、サイクロトロンを使ってプルトニウム239にヘリウムイオン（α粒子）を照射することで、96番元素を得た。反応式は図96－2の①である。

元素名は、周期表上で対応するランタノイドの元

同位体と存在比(%)			
^{242}Cm	0, α, γ, SF, 162.86d	^{246}Cm	0, α, γ, SF, 4.760×10^3y
^{243}Cm	0, α, γ, EC, SF, 29.1y	^{247}Cm	0, α, γ, 1.56×10^7y
^{244}Cm	0, α, γ, SF, 18.11y	^{248}Cm	0, α, γ, SF, 3.48×10^5y
^{245}Cm	0, α, γ, SF, 8.423×10^3y		

電子配置	[Rn]$5f^7 6d^1 7s^2$
原子量	[247]
融点(K)	1610(1337℃)
沸点(K)	3383(3110℃)
密度($kg \cdot m^{-3}$)	13300(固体, 293K)
地殻濃度(ppm)	0

酸化数		
	+2	CmO
	+3	Cm_2O_3, $Cm(OH)_3$, CmF_3, $CmCl_3$
	+4	CmO_2, CmF_4

1	2	3	4	5	6	7	8	9	10	11	12	13	14	15	16	17	18
1 H																	2 He
3 Li	4 Be											5 B	6 C	7 N	8 O	9 F	10 Ne
11 Na	12 Mg											13 Al	14 Si	15 P	16 S	17 Cl	18 Ar
19 K	20 Ca	21 Sc	22 Ti	23 V	24 Cr	25 Mn	26 Fe	27 Co	28 Ni	29 Cu	30 Zn	31 Ga	32 Ge	33 As	34 Se	35 Br	36 Kr
37 Rb	38 Sr	39 Y	40 Zr	41 Nb	42 Mo	43 Tc	44 Ru	45 Rh	46 Pd	47 Ag	48 Cd	49 In	50 Sn	51 Sb	52 Te	53 I	54 Xe
55 Cs	56 Ba		72 Hf	73 Ta	74 W	75 Re	76 Os	77 Ir	78 Pt	79 Au	80 Hg	81 Tl	82 Pb	83 Bi	84 Po	85 At	86 Rn
87 Fr	88 Ra		104 Rf	105 Db	106 Sg	107 Bh	108 Hs	109 Mt	110 Ds	111 Rg	112 Cn	113 Nh	114 Fl	115 Mc	116 Lv	117 Ts	118 Og

ランタノイド(57〜71)	57 La	58 Ce	59 Pr	60 Nd	61 Pm	62 Sm	63 Eu	64 Gd	65 Tb	66 Dy	67 Ho	68 Er	69 Tm	70 Yb	71 Lu
アクチノイド(89〜103)	89 Ac	90 Th	91 Pa	92 U	93 Np	94 Pu	95 Am	96 Cm	97 Bk	98 Cf	99 Es	100 Fm	101 Md	102 No	103 Lr

素ガドリニウム（Gd）が科学者の名前に由来していることから、放射能研究の偉大な功労者キュリー夫妻の名前にちなんでキュリウム（curium）と名づけられた。

キュリウムの同位体は19核種が知られており、すべて放射性である。最も寿命の長い核種は^{247}Cmで、半減期は1560万年である。サイクロトロンでつくることのできる^{242}Cmは微量であり、より多くの^{242}Cmを得るために^{241}Amの原子炉での中性子照射の方法が用いられる（図96－2②）。

^{242}Cmは、キュリウムの性質を明らかにするための各

図96-1　マリー・キュリー（1867 − 1934）

① $^{239}_{94}\mathrm{Pu}(\alpha, \mathrm{n})^{242}_{96}\mathrm{Cm}$

② $^{241}_{95}\mathrm{Am}(\mathrm{n}, \gamma)^{242}_{95}\mathrm{Am} \xrightarrow{\beta^- 壊変} {}^{242}_{96}\mathrm{Cm}$

③ $^{239}_{94}\mathrm{Pu}(\mathrm{n}, \gamma)^{240}_{94}\mathrm{Pu}(\mathrm{n}, \gamma)^{241}_{94}\mathrm{Pu}(\mathrm{n}, \gamma)^{242}_{94}\mathrm{Pu}(\mathrm{n}, \gamma)^{243}_{94}\mathrm{Pu}$

$\xrightarrow{\beta^- 壊変} {}^{243}_{95}\mathrm{Am}(\mathrm{n}, \gamma)^{244}_{95}\mathrm{Am} \xrightarrow{\beta^- 壊変} {}^{244}_{96}\mathrm{Cm}$

図 96-2　キュリウムがつくられる核反応式

96 Cm キュリウム

種の研究に用いられた。しかし、^{242}Cmは寿命が短く（半減期162・86日）、強い放射能をもっており、最近では、長寿命（半減期18・11年）で放射能も40分の1以下の^{244}Cmが、物理的、化学的研究に用いられるようになっている。^{244}Cmは原子炉内での^{239}Puの多重中性子捕獲によって得られる（図96－2③）。

キュリウムもアメリシウムと同様に酸性水溶液中では+3が安定であり、両者は化学的に性質が似ているために、混在する溶液中からキュリウムを分離するのは容易でない。したがって、選択性の高い陽イオン交換クロマトグラフィー法（303ページ参照）および溶媒抽出法が分離法として用いられる。

金属キュリウムは、三フッ化キュリウム（CmF_3）を1275℃でバリウム蒸気により還元して得られる。金属キュリウムは銀白色で、光沢があり、展性に富んでいる。

キュリウムは+2、+3、+4の酸化状態をとることができる。金属キュリウムは無機酸に容易に溶解して発熱するとともに、+3キュリウムイオンを生成する。ランタノイドの対応する元素ガドリニウムと同様に、酸性水溶液中では+3のみ安定である。

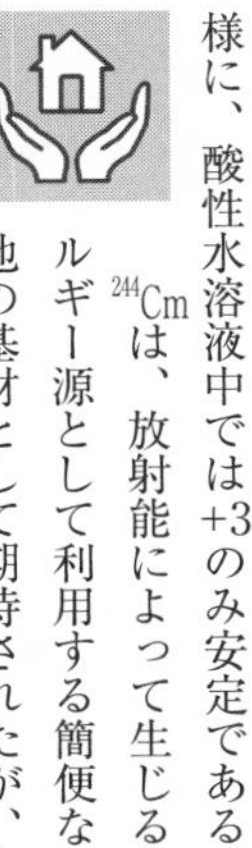

^{244}Cmは、放射能によって生じる熱をエネルギー源として利用する簡便な原子力電池の基材として期待されたが、^{238}Puがよく用いられるようになり、現在は研究用に使われるのみである。^{242}Cmは、かつて月探査ロケット「サーベイヤーV」に載せられ、α線源として用いられ、月の元素組成に関する貴重な分析結果をもたらしたことがある。

97

Bk

バークリウム／Berkelium

同位体と存在比(%)	
^{243}Bk	0, EC, γ, α, 4.5h
^{245}Bk	0, EC, α, γ, 4.95d
^{247}Bk	0, α, γ, 1.38×10^{3}y
^{249}Bk	0, β^-, α, γ, SF, 327.2d
^{250}Bk	0, β^-, γ, 3.217h

電子配置	[Rn]$5f^{9}7s^{2}$
原子量	[247]
融点(K)	1259(986℃)
沸点(K)	2900(2627℃)
密度(kg・m^{-3})	14790(固体, 293K)
地殻濃度(ppm)	0

酸化数		
	+2	BkO
	+3	Bk_2O_3, BkF_3, $BkCl_3$, $BkCl_6^{3-}$, BkFO
	+4	BkO_2, BkF_4

カリフォルニア大学バークレー校のトンプソン、ギオルソ、シーボーグらは1949年、サイクロトロンを使って^{241}Amにヘリウムイオン（α粒子）を照射することによって97番元素を得た。反応は図97－1の①である。

元素名は、周期表上で対応するランタノイドの元素テルビウム（Tb）がスウェーデンの地名に由来していることから、多数のアクチノイドが発見された

1	2	3	4	5	6	7	8	9	10	11	12	13	14	15	16	17	18
1 H																	2 He
3 Li	4 Be											5 B	6 C	7 N	8 O	9 F	10 Ne
11 Na	12 Mg											13 Al	14 Si	15 P	16 S	17 Cl	18 Ar
19 K	20 Ca	21 Sc	22 Ti	23 V	24 Cr	25 Mn	26 Fe	27 Co	28 Ni	29 Cu	30 Zn	31 Ga	32 Ge	33 As	34 Se	35 Br	36 Kr
37 Rb	38 Sr	39 Y	40 Zr	41 Nb	42 Mo	43 Tc	44 Ru	45 Rh	46 Pd	47 Ag	48 Cd	49 In	50 Sn	51 Sb	52 Te	53 I	54 Xe
55 Cs	56 Ba		72 Hf	73 Ta	74 W	75 Re	76 Os	77 Ir	78 Pt	79 Au	80 Hg	81 Tl	82 Pb	83 Bi	84 Po	85 At	86 Rn
87 Fr	88 Ra		104 Rf	105 Db	106 Sg	107 Bh	108 Hs	109 Mt	110 Ds	111 Rg	112 Cn	113 Nh	114 Fl	115 Mc	116 Lv	117 Ts	118 Og

ランタノイド (57〜71)	57 La	58 Ce	59 Pr	60 Nd	61 Pm	62 Sm	63 Eu	64 Gd	65 Tb	66 Dy	67 Ho	68 Er	69 Tm	70 Yb	71 Lu
アクチノイド (89〜103)	89 Ac	90 Th	91 Pa	92 U	93 Np	94 Pu	95 Am	96 Cm	97 Bk	98 Cf	99 Es	100 Fm	101 Md	102 No	103 Lr

97 Bk バークリウム

①

$$^{241}_{95}\mathrm{Am}(\alpha, 2\mathrm{n})^{243}_{97}\mathrm{Bk}$$

②

$$^{239}_{94}\mathrm{Pu}(\mathrm{n}, \gamma)^{240}_{94}\mathrm{Pu}(\mathrm{n}, \gamma)^{241}_{94}\mathrm{Pu}(\mathrm{n}, \gamma)^{242}_{94}\mathrm{Pu}(\mathrm{n}, \gamma)^{243}_{94}\mathrm{Pu}$$

β^-壊変

$$\longrightarrow {}^{243}_{95}\mathrm{Am}(\mathrm{n}, \gamma)^{244}_{95}\mathrm{Am}$$

β^-壊変

$$\longrightarrow {}^{244}_{96}\mathrm{Cm}(\mathrm{n}, \gamma)^{245}_{96}\mathrm{Cm}(\mathrm{n}, \gamma)^{246}_{96}\mathrm{Cm}(\mathrm{n}, \gamma)^{247}_{96}\mathrm{Cm}(\mathrm{n}, \gamma)^{248}_{96}\mathrm{Cm}(\mathrm{n}, \gamma)^{249}_{96}\mathrm{Cm}$$

β^-壊変

$$\longrightarrow {}^{249}_{97}\mathrm{Bk}$$

図 97-1　バークリウムがつくられる核反応式

バークレー市にちなんでバークリウム(berkelium)と名づけられた。

バークリウムの同位体は、19核種が知られており、すべて放射性である。最も長寿命の核種は^{247}Bkで半減期は1380年であるが、98番元素カリホルニウムの同位体^{247}Cfの電子捕獲壊変によって生成され、きわめて微量しか得ることができない。サイクロトロンでつくることのできる^{243}Bkは寿命が短く（半減期4・5時間）、強い放射能をもっている。化学的研究には長寿命（半減期327・2日）の^{249}Bkが用いられる。^{249}Bkは、アメリシウムおよびキュリウムの同位体と同様に、原子炉内での^{239}Puの長期多重中性子捕獲によって得られる（図97－1②）。

f軌道に電子をもつアクチノイドとランタノイドは性質がよく似ているが、アクチノイドの95番（アメリシウム）より大きい元素は、ランタノイドの対応する元素と化学的にいっそう類似している。アメリシウムより原子番号の小さいウラン（U）やプルトニウム（Pu）は、多くの酸化状態をとりうるため、酸化・還元の繰り返しにより他の元素から分離することができる。一方、アメリシウムより原子番号の大きいアクチノイド元素は、一般的に+3が安定であるために別の分離法を考えねばならない。

　アクチノイド元素を分離するため、シーボーグらは陽イオン交換クロマトグラフィー法（303ページ参照）を採用した。陽イオン交換樹脂を詰めたカラムにこれらの元素を含む溶液を加え、アクチノイドとキレート錯体を形成する溶離剤で溶離すると、各元素が分離して溶出する。その際、イオン半径の小さい元素ほどキレートを形成しやすいために、原子番号の大きい順に溶出する（図97－2）。

　また、バークリウムは+4も比較的安定なため、分離には陽イオン交換クロマトグラフィー法だけでなく+4イオンを選択的に分離できる溶媒抽出法も有効である。

　金属バークリウムは、他のアクチノイドと同様に、銀白色で空気酸化を受けやすい。バークリウムは+2、+3、+4の酸化状態をとることができる。水溶液中では+3（黄緑色）が安定であり、+4（黄色）は臭素酸や+4のセリウムイオンのような強い酸化剤を加えた水溶液中でのみ存在しうる。+2は酸化バークリウム（BkO）のような化合物の形でのみ見出されている。

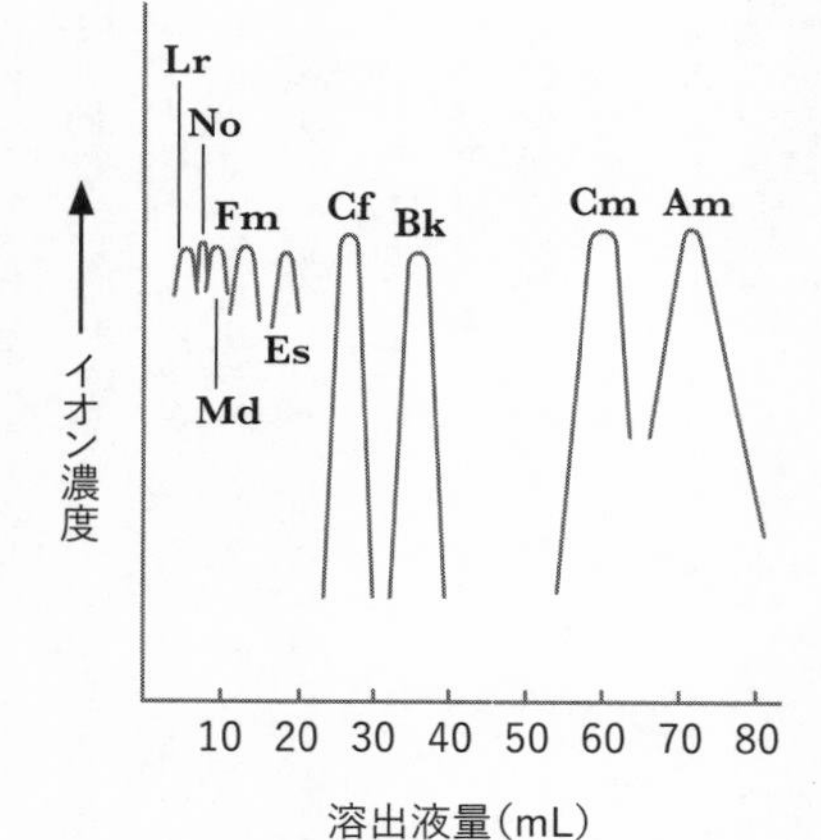

図97-2　陽イオン交換クロマトグラフィー法による＋３アクチノイドの分離例

98

Cf

カリホルニウム／Californium

同位体と存在比(%)			
^{245}Cf	0, EC, α, 45.0m	^{251}Cf	0, α, γ, 898y
^{246}Cf	0, α, γ, SF, 35.7h	^{252}Cf	0, α, γ, SF, 2.645y
^{248}Cf	0, α, γ, SF, 333.5d	^{253}Cf	0, β^-, γ, α, 17.81d
^{249}Cf	0, α, γ, SF, 351y	^{254}Cf	0, SF, α, γ, 60.5d
^{250}Cf	0, α, γ, SF, 13.08y		

電子配置	[Rn]$5f^{10}7s^2$
原子量	[252]
融点(K)	1173(900℃)
沸点(K)	1743(1470℃)
密度(kg・m^{-3})	15100(固体, 293K)
地殻濃度(ppm)	0

酸化数		
	+2	$CfBr_2$, $CfCl_2$
	+3	Cf_2O_3, CfF_3, $CfCl_3$, $Cf(C_5H_5)_3$
	+4	CfO_2, CfF_4

1																	18
1 H	2											13	14	15	16	17	2 He
3 Li	4 Be											5 B	6 C	7 N	8 O	9 F	10 Ne
11 Na	12 Mg	3	4	5	6	7	8	9	10	11	12	13 Al	14 Si	15 P	16 S	17 Cl	18 Ar
19 K	20 Ca	21 Sc	22 Ti	23 V	24 Cr	25 Mn	26 Fe	27 Co	28 Ni	29 Cu	30 Zn	31 Ga	32 Ge	33 As	34 Se	35 Br	36 Kr
37 Rb	38 Sr	39 Y	40 Zr	41 Nb	42 Mo	43 Tc	44 Ru	45 Rh	46 Pd	47 Ag	48 Cd	49 In	50 Sn	51 Sb	52 Te	53 I	54 Xe
55 Cs	56 Ba		72 Hf	73 Ta	74 W	75 Re	76 Os	77 Ir	78 Pt	79 Au	80 Hg	81 Tl	82 Pb	83 Bi	84 Po	85 At	86 Rn
87 Fr	88 Ra		104 Rf	105 Db	106 Sg	107 Bh	108 Hs	109 Mt	110 Ds	111 Rg	112 Cn	113 Nh	114 Fl	115 Mc	116 Lv	117 Ts	118 Og

ランタノイド (57〜71)	57 La	58 Ce	59 Pr	60 Nd	61 Pm	62 Sm	63 Eu	64 Gd	65 Tb	66 Dy	67 Ho	68 Er	69 Tm	70 Yb	71 Lu
アクチノイド (89〜103)	89 Ac	90 Th	91 Pa	92 U	93 Np	94 Pu	95 Am	96 Cm	97 Bk	98 Cf	99 Es	100 Fm	101 Md	102 No	103 Lr

カリフォルニア大学バークレー校のトンプソン、ストリート、ギオルソ、シーボーグらは1950年、サイクロトロンを使って^{242}Cmにヘリウムイオン（α粒子）を照射することにより98番元素を得た（図98－1①）。98番元素発見の当初、この反応は^{244}Cfを生成する反応と考えられたが、のちに^{245}Cfを生成する反応であることが確認された。元素名は、ランタノイドの元素

名との対応によらず、元素が発見された大学と州にちなんでカリホルニウム（californium）と名づけられた（カリフォルニウムと表記しないことに注意）。

カリホルニウムの同位体は20核種が知られており、すべて放射性である。最も長寿命の核種は^{251}Cfで半減期は898年である。これらの核種は、たとえば、ウランに加速した炭素または窒素イオンを照射してつくられた（図98－1②）。

① $^{242}_{96}Cm(\alpha, n)^{245}_{98}Cf$

② $^{238}_{92}U + ^{12}_{6}C \rightarrow ^{246}_{98}Cf + 4n$

図 98-1　カリホルニウムがつくられる核反応式（I）

$$^{239}_{94}Pu(n,\gamma)^{240}_{94}Pu(n,\gamma)^{241}_{94}Pu(n,\gamma)^{242}_{94}Pu(n,\gamma)^{243}_{94}Pu$$

β^-壊変

$$\rightarrow ^{243}_{95}Am(n,\gamma)^{244}_{95}Am$$

β^-壊変

$$\rightarrow ^{244}_{96}Cm(n,\gamma)^{245}_{96}Cm(n,\gamma)^{246}_{96}Cm(n,\gamma)^{247}_{96}Cm(n,\gamma)^{248}_{96}Cm(n,\gamma)^{249}_{96}Cm$$

β^-壊変

$$\rightarrow ^{249}_{97}Bk(n,\gamma)^{250}_{97}Bk$$

β^-壊変

$$\rightarrow ^{250}_{98}Cf(n,\gamma)^{251}_{98}Cf(n,\gamma)^{252}_{98}Cf(n,\gamma)^{253}_{98}Cf(n,\gamma)^{254}_{98}Cf$$

図 98-2　カリホルニウムがつくられる核反応式（II）

98 Cf カリホルニウム

質量数250以上の核種は、アメリシウムおよびキュリウムの同位体と同様に、原子炉内での^{239}Puの長期多重中性子捕獲によって得られた（図98－2）。^{252}Cfと^{254}Cfは自発核分裂性の核種である。「自発核分裂」は、外部からエネルギーを加えなくても自然に起こる核分裂であり、質量数の大きい核種で見られる特異的な壊変形式である。^{252}Cfの自発核分裂の割合は３・１％であるが、^{254}Cfの自発核分裂の割合は99・７％であり、その半減期は60・5日である。

このように、^{254}Cfの主要な壊変形式は自発核分裂であり、自発核分裂は核物理学の興味深い研究対象となっている。また、^{252}Cfのα壊変の半減期が２・６４５年であり、中性子線源として利用されている。

カリホルニウムの化学的性質は^{249}Cfなどを利用して研究されている。^{249}Cfは^{249}Bkのβ^-壊変によって得られ、半減期は３５１年である。カリホルニウムの同位体の分離は、陽イオン交換クロマトグラフィー法および溶媒抽出法によって行われている。

金属カリホルニウムは、銀色で空気中の酸素および水分によって酸化を受けやすい。

カリホルニウムは+2（$CfBr_2$ 琥珀色）、+3（CfI_3 緑色、Cf_2O_3 淡緑色）、+4（CfO_2 黒色、CfF_4 緑色）の酸化状態をとることができるが、水溶液中では+3のみ安定である。

Column 

元素記号の変遷

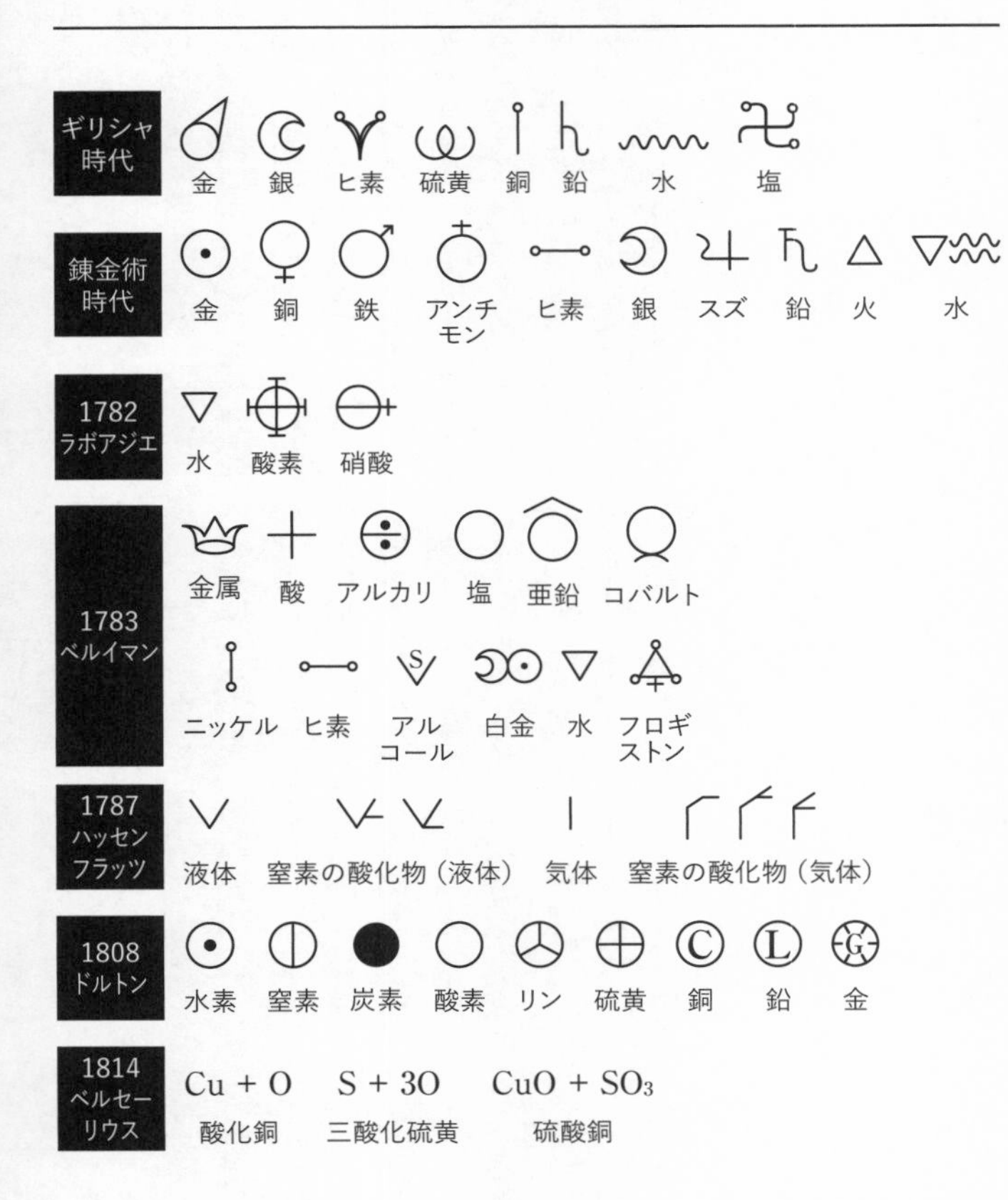

99

Es

アインスタイニウム／Einsteinium

同位体と存在比(%)	
^{252}Es	0, α, EC, γ, 471.7d
^{253}Es	0, α, SF, γ, 20.47d
^{254}Es	0, α, $β^-$, γ, 275.7d
^{255}Es	0, $β^-$, α, γ, SF, 39.8d

電子配置	[Rn]$5f^{11}7s^2$
原子量	[252]
融点(K)	1133(860℃)
沸点(K)	1269(996℃)
密度(kg・m^{-3})	——
地殻濃度(ppm)	0

酸化数		
	+2	$EsBr_2$, EsI_2
	+3	Es_2O_3, $EsCl_3$, $EsBr_3$, EsOCl

1	2	3	4	5	6	7	8	9	10	11	12	13	14	15	16	17	18
1 H																	2 He
3 Li	4 Be											5 B	6 C	7 N	8 O	9 F	10 Ne
11 Na	12 Mg											13 Al	14 Si	15 P	16 S	17 Cl	18 Ar
19 K	20 Ca	21 Sc	22 Ti	23 V	24 Cr	25 Mn	26 Fe	27 Co	28 Ni	29 Cu	30 Zn	31 Ga	32 Ge	33 As	34 Se	35 Br	36 Kr
37 Rb	38 Sr	39 Y	40 Zr	41 Nb	42 Mo	43 Tc	44 Ru	45 Rh	46 Pd	47 Ag	48 Cd	49 In	50 Sn	51 Sb	52 Te	53 I	54 Xe
55 Cs	56 Ba		72 Hf	73 Ta	74 W	75 Re	76 Os	77 Ir	78 Pt	79 Au	80 Hg	81 Tl	82 Pb	83 Bi	84 Po	85 At	86 Rn
87 Fr	88 Ra		104 Rf	105 Db	106 Sg	107 Bh	108 Hs	109 Mt	110 Ds	111 Rg	112 Cn	113 Nh	114 Fl	115 Mc	116 Lv	117 Ts	118 Og

ランタノイド(57～71)	57 La	58 Ce	59 Pr	60 Nd	61 Pm	62 Sm	63 Eu	64 Gd	65 Tb	66 Dy	67 Ho	68 Er	69 Tm	70 Yb	71 Lu
アクチノイド(89～103)	89 Ac	90 Th	91 Pa	92 U	93 Np	94 Pu	95 Am	96 Cm	97 Bk	98 Cf	99 Es	100 Fm	101 Md	102 No	103 Lr

１９５２年に西太平洋のマーシャル諸島エニウェトク環礁で行われた世界最初の水爆実験の灰の中から偶然に、99番と100番元素が発見された。発見したのはシーボーグを中心にしたカリフォルニア大学、アルゴンヌおよびロスアラモスの国立研究所の科学者16名である。しかしこの発見は、水爆の原理や製法に関わる重大な軍事機密として秘匿され、１９５４年に原子炉内で

生成されたとして発表された。99番元素は偉大な物理学者アインシュタインにちなんで、アインスタイニウム（einsteinium）と名づけられた。

この実験は人類が経験したことのない壮絶なものとなり、地球上から島一つを消滅させることとなった。晩年、核廃絶を世界中に訴えたアインシュタインの名前がこの元素に与えられたのは、皮肉かあるいは廃絶への強い願望か、どちらであろうか。

核爆発時の高エネルギー・高密度の中性子を多数捕獲したウラン238は、ウラン253となり、一連のβ^-壊変により^{253}Cfを生じ、さらにβ^-壊変して^{253}Esが生成されたと考えられる。

アインスタイニウムの同位体は22核種が知られており、すべて放射性である。最も長寿命の核種は^{252}Esで、半減期は約472日である。これらの核種は、バークリウム（Bk）の同位体に対するヘリウムイオン（α粒子）の照射、適当なターゲット元素に対する重イオンの照射、原子炉内での^{239}Puの中性子照射などの方法で製造されている。アインスタイニウムは、キュリウム以降のアクチノイドの分離に有効な陽イオン交換クロマトグラフィー法によって分離される。

図 99-1　アインシュタイン（1879 − 1955）

金属アインスタイニウムは、銀色であり、化学的反応性が高く空気中の酸素によって酸化される。アインスタイニウムは+2と+3の酸化状態をとることができる。水溶液中で+3（緑色）が安定であるが、+2も強い還元条件下で確認されている。

100 Fm

フェルミウム／Fermium

同位体と存在比(%)	
^{253}Fm	0, EC, α, γ, 3.0d
^{255}Fm	0, α, SF, γ, 20.07h
^{256}Fm	0, SF, α, 157.1m
^{257}Fm	0, α, SF, γ, 100.5d
^{258}Fm	0, SF, 0.37ms

電子配置	[Rn]$5f^{12}7s^2$
原子量	[257]
融点(K)	——
沸点(K)	——
密度(kg・m^{-3})	——
地殻濃度(ppm)	0

酸化数	+3	$Fm(H_2O)_x^{3+}$(最も安定)

1	2	3	4	5	6	7	8	9	10	11	12	13	14	15	16	17	18
1 H																	2 He
3 Li	4 Be											5 B	6 C	7 N	8 O	9 F	10 Ne
11 Na	12 Mg											13 Al	14 Si	15 P	16 S	17 Cl	18 Ar
19 K	20 Ca	21 Sc	22 Ti	23 V	24 Cr	25 Mn	26 Fe	27 Co	28 Ni	29 Cu	30 Zn	31 Ga	32 Ge	33 As	34 Se	35 Br	36 Kr
37 Rb	38 Sr	39 Y	40 Zr	41 Nb	42 Mo	43 Tc	44 Ru	45 Rh	46 Pd	47 Ag	48 Cd	49 In	50 Sn	51 Sb	52 Te	53 I	54 Xe
55 Cs	56 Ba		72 Hf	73 Ta	74 W	75 Re	76 Os	77 Ir	78 Pt	79 Au	80 Hg	81 Tl	82 Pb	83 Bi	84 Po	85 At	86 Rn
87 Fr	88 Ra		104 Rf	105 Db	106 Sg	107 Bh	108 Hs	109 Mt	110 Ds	111 Rg	112 Cn	113 Nh	114 Fl	115 Mc	116 Lv	117 Ts	118 Og

ランタノイド (57～71)	57 La	58 Ce	59 Pr	60 Nd	61 Pm	62 Sm	63 Eu	64 Gd	65 Tb	66 Dy	67 Ho	68 Er	69 Tm	70 Yb	71 Lu
アクチノイド (89～103)	89 Ac	90 Th	91 Pa	92 U	93 Np	94 Pu	95 Am	96 Cm	97 Bk	98 Cf	99 Es	100 Fm	101 Md	102 No	103 Lr

100番元素は1952年、99番とともに世界最初の水爆実験の灰の中から、シーボーグ、ギオルソ、トンプソンを中心にした16名の科学者によって発見され、イタリア出身の原子核物理学者フェルミの業績をたたえてフェルミウム（fermium）と名づけられた。核爆発時に多くの中性子を捕獲したウラン238はウラン255となり、一連のβ^-壊変によって^{255}Esを生じ、さらにβ^-壊変して

^{255}Fmが生成されたと考えられる。一方、1953年から1954年にかけて、スウェーデンのノーベル物理学研究所では、ウラン238に酸素イオン（^{16}O）を衝突させて、100番目の元素を得た。

$$^{238}_{92}U + ^{16}_{8}O \rightarrow ^{250}_{100}Fm + 4^{1}_{0}n$$

フェルミウムの同位体は21核種が知られており、すべて放射性である。最も長寿命の核種は^{257}Fmで、半減期は100.5日である。これら同位体は、カリホルニウム（Cf）の同位体に対するヘリウムイオン（α粒子）の照射、適当なターゲット元素に対する重イオン照射、原子炉内での^{239}Puの中性子照射によって製造されている。

$$^{252}_{98}Cf + ^{4}_{2}He \rightarrow ^{253}_{100}Fm + 3^{1}_{0}n$$

同位体の中で^{241}Fm、^{244}Fm、^{256}Fm、^{258}Fm、^{259}Fmを含む12核種は、自発核分裂が主要な壊変形式である。フェルミウムは、キュリウム以降のアクチノイド元素の分離に有効な陽イオン交換クロマトグラフィー法によって分離される。

フェルミウムは+2～+4の酸化状態で存在するが、水溶液中では+3が安定である。強い還元条件下で生じる+2イオンは、+2アインスタイニウム（Es）よりも安定であるが、+2メンデレビウム（Md）よりも不安定である。組成が明らかな化合物に関する報告はまだ得られていない。

図 100-1　フェルミ（1901 − 1954）

Md

メンデレビウム／Mendelevium

同位体と存在比(%)	
^{255}Md	0, EC, α, γ, 27m
^{256}Md	0, EC, α, γ, 77.7m
^{258}Md	0, α, γ, 51.50d

電子配置	[Rn]$5f^{13}7s^2$
原子量	[258]
融点(K)	——
沸点(K)	——
密度(kg・m^{-3})	——
地殻濃度(ppm)	0

酸化数	+3	$Md(H_2O)_x^{3+}$ (最も安定)

1	2	3	4	5	6	7	8	9	10	11	12	13	14	15	16	17	18
1 H																	2 He
3 Li	4 Be											5 B	6 C	7 N	8 O	9 F	10 Ne
11 Na	12 Mg											13 Al	14 Si	15 P	16 S	17 Cl	18 Ar
19 K	20 Ca	21 Sc	22 Ti	23 V	24 Cr	25 Mn	26 Fe	27 Co	28 Ni	29 Cu	30 Zn	31 Ga	32 Ge	33 As	34 Se	35 Br	36 Kr
37 Rb	38 Sr	39 Y	40 Zr	41 Nb	42 Mo	43 Tc	44 Ru	45 Rh	46 Pd	47 Ag	48 Cd	49 In	50 Sn	51 Sb	52 Te	53 I	54 Xe
55 Cs	56 Ba		72 Hf	73 Ta	74 W	75 Re	76 Os	77 Ir	78 Pt	79 Au	80 Hg	81 Tl	82 Pb	83 Bi	84 Po	85 At	86 Rn
87 Fr	88 Ra		104 Rf	105 Db	106 Sg	107 Bh	108 Hs	109 Mt	110 Ds	111 Rg	112 Cn	113 Nh	114 Fl	115 Mc	116 Lv	117 Ts	118 Og

ランタノイド(57～71)	57 La	58 Ce	59 Pr	60 Nd	61 Pm	62 Sm	63 Eu	64 Gd	65 Tb	66 Dy	67 Ho	68 Er	69 Tm	70 Yb	71 Lu
アクチノイド(89～103)	89 Ac	90 Th	91 Pa	92 U	93 Np	94 Pu	95 Am	96 Cm	97 Bk	98 Cf	99 Es	100 Fm	101 Md	102 No	103 Lr

カリフォルニア大学バークレー校のギオルソ、ハーベイ、ショパン、トンプソン、シーボーグらは1955年、サイクロトロンを使って^{253}Esにヘリウムイオン（α粒子）を照射することにより101番元素を得た（図101－1の①）。この元素は、周期表の創始者であるロシアのメンデレーエフを記念してメンデレビウム(mendelevium)と命名された。元素記号は当初Mvが使われた

$$①\ {}^{253}_{99}\mathrm{Es}(\alpha, \mathrm{n}){}^{256}_{101}\mathrm{Md}$$

$$②\ {}^{255}_{99}\mathrm{Es}(\alpha, \mathrm{n}){}^{258}_{101}\mathrm{Md}$$

図 101-1
メンデレビウムをつくる核反応式

が、のちに国際的にMdと定められた。

メンデレビウムの同位体は22核種が知られており、すべて放射性である。最も長寿命の核種は^{258}Mdで、半減期は約52日である。

フェルミウムより原子番号の大きい元素（超フェルミウム元素）は、原子炉内での^{239}Puの長期多重中性子捕獲によってつくることはできない。なぜなら中間的に生成される^{258}Fm（半減期０・３７ミリ秒）の寿命がきわめて短く、さらなる中性子捕獲に必要な濃度に達しないからである。したがって、超フェルミウム元素の製造は、サイクロトロンなどの加速器によって加速されたα粒子や重イオンの照射によって行われている。^{258}Mdは図101－１の②の核反応でつくられる。

しかし、この反応で得られる^{258}Mdは原子数にして約１００万以下であり、これは重さを測ることのできる量の１００万分の1にすぎない。このように極微量しか得られないために、超フェルミウム元素の性質に関する知識はかなり限定される。

メンデレビウムは+1〜+3の酸化状態をとることができる。水溶液中で+3が安定である。強い還元条件下では+2イオンだけでなく、+1イオンも確認されている。組成が明らかな化合物に関する報告はまだ得られていない。

図 101-2　メンデレーエフ（1834 − 1907）

102

No

ノーベリウム／Nobelium

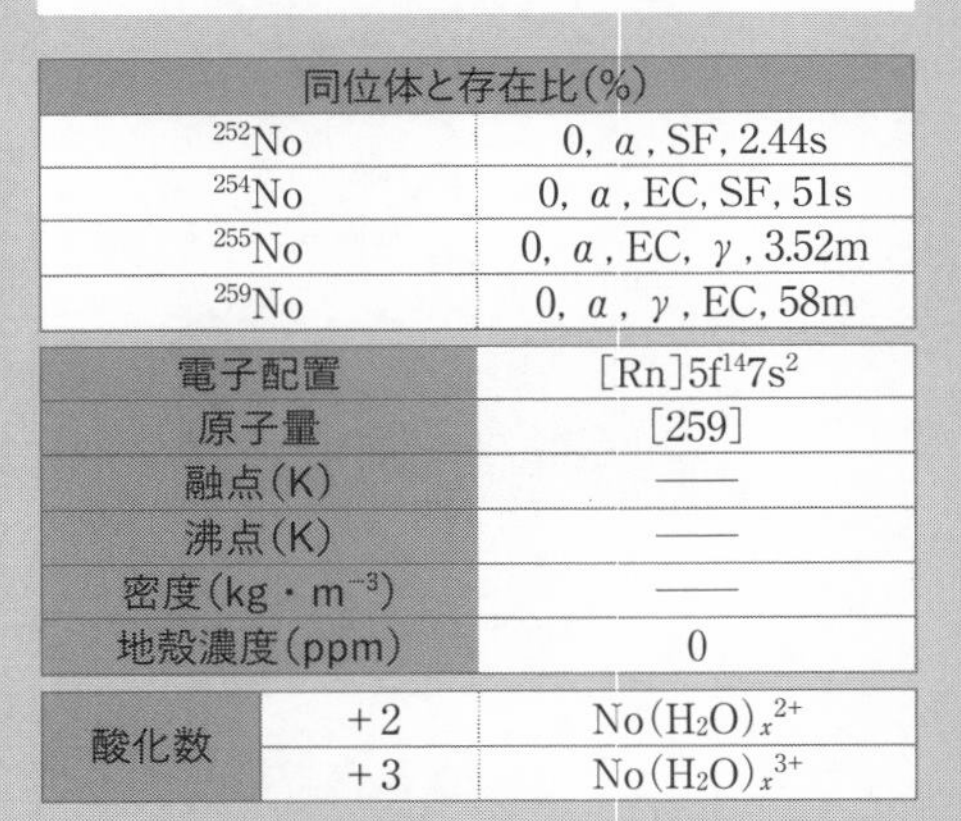

同位体と存在比(%)	
^{252}No	0, α, SF, 2.44s
^{254}No	0, α, EC, SF, 51s
^{255}No	0, α, EC, γ, 3.52m
^{259}No	0, α, γ, EC, 58m

電子配置	[Rn]$5f^{14}7s^2$
原子量	[259]
融点(K)	——
沸点(K)	——
密度($kg \cdot m^{-3}$)	——
地殻濃度(ppm)	0

酸化数	+2	$No(H_2O)_x^{2+}$
	+3	$No(H_2O)_x^{3+}$

１９５７年、スウェーデン、イギリス、アメリカの研究チームがスウェーデンのノーベル物理学研究所の重イオンサイクロトロンを使って、^{13}Cイオンを^{244}Cmに照射して102番元素を得たと報告した。しかし、カリフォルニア大学のシーボーグらのグループが追試をしたところ確認できなかった。シーボーグらは１９５８年、重イオン線形加速器を用いて^{12}Cイオンを^{246}Cmに照射し、

1	2	3	4	5	6	7	8	9	10	11	12	13	14	15	16	17	18
1 H																	2 He
3 Li	4 Be											5 B	6 C	7 N	8 O	9 F	10 Ne
11 Na	12 Mg											13 Al	14 Si	15 P	16 S	17 Cl	18 Ar
19 K	20 Ca	21 Sc	22 Ti	23 V	24 Cr	25 Mn	26 Fe	27 Co	28 Ni	29 Cu	30 Zn	31 Ga	32 Ge	33 As	34 Se	35 Br	36 Kr
37 Rb	38 Sr	39 Y	40 Zr	41 Nb	42 Mo	43 Tc	44 Ru	45 Rh	46 Pd	47 Ag	48 Cd	49 In	50 Sn	51 Sb	52 Te	53 I	54 Xe
55 Cs	56 Ba		72 Hf	73 Ta	74 W	75 Re	76 Os	77 Ir	78 Pt	79 Au	80 Hg	81 Tl	82 Pb	83 Bi	84 Po	85 At	86 Rn
87 Fr	88 Ra		104 Rf	105 Db	106 Sg	107 Bh	108 Hs	109 Mt	110 Ds	111 Rg	112 Cn	113 Nh	114 Fl	115 Mc	116 Lv	117 Ts	118 Og

ランタノイド (57〜71)	57 La	58 Ce	59 Pr	60 Nd	61 Pm	62 Sm	63 Eu	64 Gd	65 Tb	66 Dy	67 Ho	68 Er	69 Tm	70 Yb	71 Lu
アクチノイド (89〜103)	89 Ac	90 Th	91 Pa	92 U	93 Np	94 Pu	95 Am	96 Cm	97 Bk	98 Cf	99 Es	100 Fm	101 Md	102 No	103 Lr

質量数254（半減期51秒）の102番元素を得ることに成功した。一方、旧ソ連の研究者も102番元素の生成を報告した。

$$^{243}_{95}\mathrm{Am} + ^{15}_{7}\mathrm{N} \rightarrow ^{254}_{102}\mathrm{No} + 4^{1}_{0}\mathrm{n}$$

元素名は、これらのグループの合意により、ノーベル物理学研究所の命名したノーベリウム（nobelium）が採用された。この元素名は、もちろんスウェーデンの化学者ノーベルにちなんだものである。

ノーベリウムの同位体は14核種が知られており、すべて放射性である。最も長寿命の核種は^{259}Noで、半減期は58分である。これらの核種は、加速器を用いて質量数244、246、248のキュリウム（Cm）、^{242}Pu、^{238}Uなどの核種に重イオンを照射することによって生成された。

アクチノイドのノーベリウムは、周期表上で対応するランタノイドのイッテルビウム（Yb）と同様に、+2と+3の酸化状態をとるが、+2のほうが安定であることが確認されている。

図102-1　ノーベル
（1833－1896）

103

Lr

ローレンシウム／Lawrencium

同位体と存在比(%)			
^{252}Lr	0, α, 0.36s	^{257}Lr	0, α, ～4s
^{253}Lr	0, α, SF, 0.64s	^{258}Lr	0, α, 3.92s
^{253m}Lr	0, α, SF, 1.42s	^{259}Lr	0, α, SF, 6.2s
^{254}Lr	0, α, EC, γ, 18s	^{260}Lr	0, α, EC, 3.0m
^{255}Lr	0, α, EC, 31.1s	^{262}Lr	0, EC, 3.6h
^{256}Lr	0, α, γ, 27.9s	^{266}Lr	0, SF, 11h

電子配置	[Rn]$5f^{14}7s^{2}7p^{1}$
原子量	[262]
融点(K)	——
沸点(K)	——
密度(kg・m^{-3})	——
地殻濃度(ppm)	0

酸化数	＋3	Lr $(H_2O)_x^{3+}$

カリフォルニア大学バークレー校のギオルソ、シッケランド、ラーシュ、ラティマーらは1961年、重イオン線形加速器を使って質量数249、250、251、252のカリホルニウムにホウ素イオン（^{11}B）を照射することにより103番元素を得た。のちにこの核種は、半減期約3・9秒の^{258}Lrと同定された。

元素名は、サイクロトロンを発明したアメリカの

1	2	3	4	5	6	7	8	9	10	11	12	13	14	15	16	17	18
1 H																	2 He
3 Li	4 Be											5 B	6 C	7 N	8 O	9 F	10 Ne
11 Na	12 Mg											13 Al	14 Si	15 P	16 S	17 Cl	18 Ar
19 K	20 Ca	21 Sc	22 Ti	23 V	24 Cr	25 Mn	26 Fe	27 Co	28 Ni	29 Cu	30 Zn	31 Ga	32 Ge	33 As	34 Se	35 Br	36 Kr
37 Rb	38 Sr	39 Y	40 Zr	41 Nb	42 Mo	43 Tc	44 Ru	45 Rh	46 Pd	47 Ag	48 Cd	49 In	50 Sn	51 Sb	52 Te	53 I	54 Xe
55 Cs	56 Ba		72 Hf	73 Ta	74 W	75 Re	76 Os	77 Ir	78 Pt	79 Au	80 Hg	81 Tl	82 Pb	83 Bi	84 Po	85 At	86 Rn
87 Fr	88 Ra		104 Rf	105 Db	106 Sg	107 Bh	108 Hs	109 Mt	110 Ds	111 Rg	112 Cn	113 Nh	114 Fl	115 Mc	116 Lv	117 Ts	118 Og

ランタノイド (57～71)	57 La	58 Ce	59 Pr	60 Nd	61 Pm	62 Sm	63 Eu	64 Gd	65 Tb	66 Dy	67 Ho	68 Er	69 Tm	70 Yb	71 Lu
アクチノイド (89～103)	89 Ac	90 Th	91 Pa	92 U	93 Np	94 Pu	95 Am	96 Cm	97 Bk	98 Cf	99 Es	100 Fm	101 Md	102 No	103 Lr

103 Lr ローレンシウム

物理学者ローレンスの名を記念してローレンシウム（lawrencium）と命名された。発見者らは元素記号Lwを提案したが、1997年に国際純正応用化学連合（IUPAC）によってLrと定められた。

ローレンシウムの同位体は14核種が知られており、すべて放射性である。最も長寿命の核種は^{266}Lrで、半減期は11時間である。旧ソ連のドブナ（Dubna）の研究グループは、^{243}Amに^{18}Oを照射して^{256}Lrおよび^{257}Lrを得ている。このように、これらの核種は、適当な標的核種に重イオンを照射して得られている。^{256}Lrは、半減期約28秒のα放射体である。

ローレンシウムはアクチノイドの最後に位置する元素である。ローレンシウムに周期表上で対応するランタノイド元素はルテチウム（Lu）であり、+3の酸化状態をとることが予想された。バークレーのグループの化学的研究により、予想どおりローレンシウムは+3の酸化状態をとることが確認されている。

ローレンシウムの電子配置は1970年以来、理論計算にもとづいてたびたび疑問視されてきた。理論計算からは、$[Rn]5f^{14}6d^{1}7s^{2}$よりも$[Rn]5f^{14}7s^{2}7p^{1}$が示唆された。日本原子力研究開発機構を中心とする研究グループが2015年、^{256}Lrを用いてローレンシウムのイオン化エネルギーを測定したところ、4.96±0.08 eVを得た。この値は、理論値4.963±0.015 eVに近く、他のアクチノイド元素のそれらよりもかなり低い（図103−2）。さら

図 103-1　ローレンス
（1901 − 1958）

に、ナトリウムの値（5・14eV）より低いこともわかった（図103－3）。この結果は、ローレンシウムの最外殻電子の軌道はd軌道ではなく、p軌道であることを示唆した（410ページの表89－1参照）。

ところで、遷移金属元素は以前、「完全に満たされないd軌道をもつか、あるいはd軌道によって陽イオンになることができる」と定義されていた。この定義にしたがえば、ローレンシウムは遷移金属元素ではなく、典型元素となる。ローレンシウムの電子配置から、周期表上の位置を再検討する必要があると考えられている。

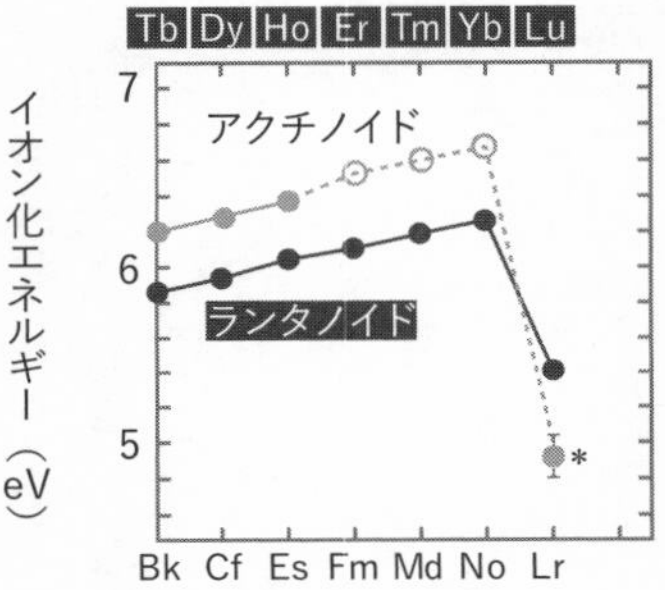

図 103-2　アクチノイドとランタノイドのイオン化エネルギー（●および●：実測値、白抜丸印：理論値、*理論値）

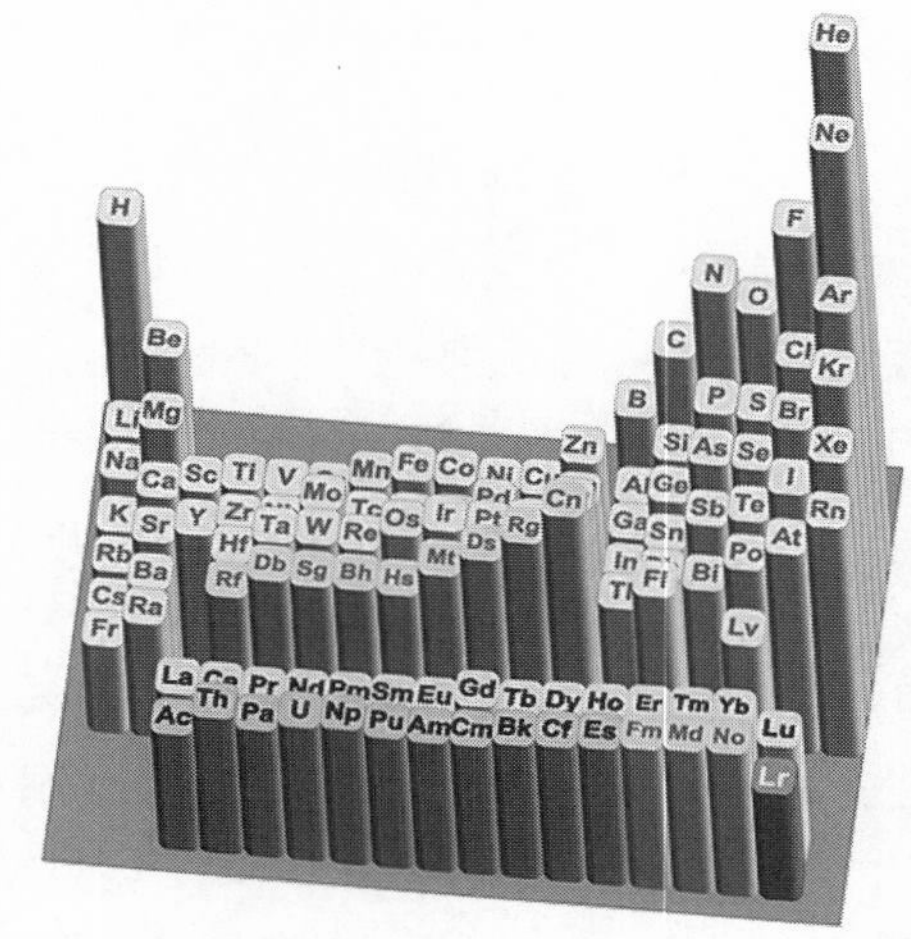

図 103-3　周期表に描いたイオン化エネルギー（カラムの高さ：イオン化エネルギー〈eV〉）（*Nature* 520, 7546　2015 年 4 月 9 日号より）

Column 33

希少元素（レアメタル）——Rare metals

希少元素（レアメタル）という言葉がある。希少元素とは、鉄、アルミニウム、銅、亜鉛、スズと鉛（これらをベースメタルとよぶ）以外の元素であり、次のいずれかの条件を満たすものをいう。

①地球上での天然存在量がきわめて少ない。
②地球上での存在量は多いが、経済的に見合う純度の鉱石が少ない。
③地球上での存在量は多いが、純粋な単体元素として抽出することが困難である。
④抽出しても特性がわからず、用途も不明である。

実際には、地球上に存在する元素のうち、存在度が0・1％以下の79元素を希少元素とよんでいる。これらは電子材料、特殊合金、エネルギー技術、半導体やファインセラミックスの材料などに用いられ、先端技術を支える重要な元素である。このうち49種類の元素が大きく三つのグループに分けられ、確保され、利用されている。

それらのグループと、対応する元素を表にまとめる。これら希少元素の埋蔵量と生産量の多い国としては、中国、アフリカ諸国、ロシア、アメリカ、カナダ、オーストラリアが上位を占め、希土類元素（レアアース）に限れば、２０２０

年の統計では中国が全世界の37％の埋蔵量を誇っている。

表中の元素のうち、ニッケル、クロム、タングステン、モリブデン、コバルト、マンガンおよびバナジウムは国家備蓄7鉱種に挙げられている（インジウム、ガリウムが検討されたこともある）。なお、「レアメタル」という用語は日本独自のもので、海外では「マイナーメタル」とよばれている。

Aグループ
先端科学技術を支える資源であり、地球上での偏在性が大きく、長期的にみて、確保が困難な元素（33種類）
ホウ素　コバルト　クロム　ヘリウム　マンガン　モリブデン　ニオブ　白金族（6種類）　希土類元素（ランタノイド15元素にスカンジウムとイットリウムを加えたもの、17種類）　タンタル　バナジウム　ジルコニウム

Bグループ
先端科学技術用材料で、非鉄金属精錬の副産物として得られ、わが国の生産・消費シェアが大きい元素（6種類）
ヒ素　ビスマス　ガリウム　インジウム　セレン　テルル

Cグループ
A、B以外の元素で、先端科学技術を支える資源（10種類）
金　バリウム　炭素　ゲルマニウム　リチウム　ニッケル　ケイ素　ストロンチウム　チタン　タングステン

104 Rf

ラザホージウム／Rutherfordium

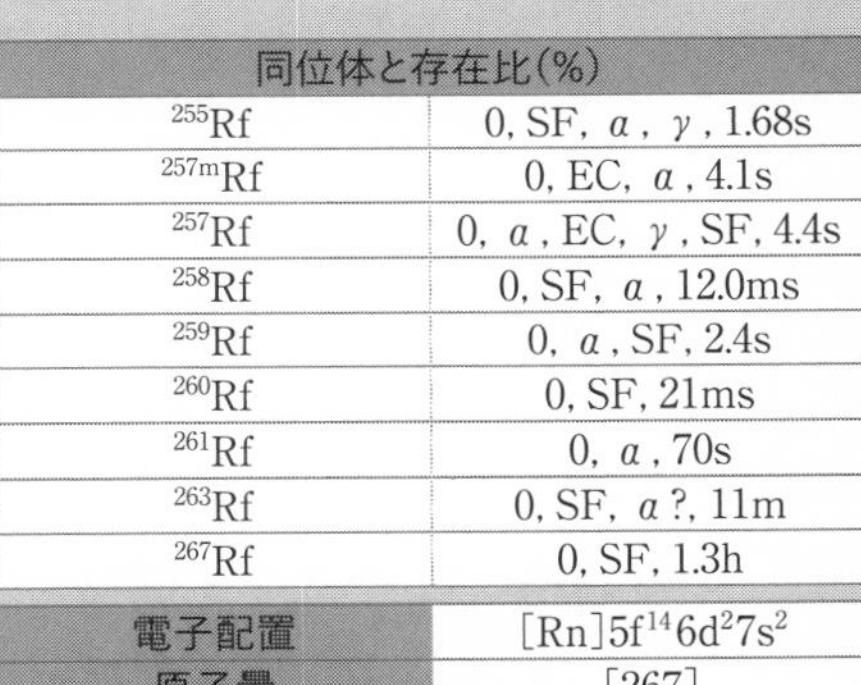

同位体と存在比(%)	
^{255}Rf	0, SF, α, γ, 1.68s
^{257m}Rf	0, EC, α, 4.1s
^{257}Rf	0, α, EC, γ, SF, 4.4s
^{258}Rf	0, SF, α, 12.0ms
^{259}Rf	0, α, SF, 2.4s
^{260}Rf	0, SF, 21ms
^{261}Rf	0, α, 70s
^{263}Rf	0, SF, α?, 11m
^{267}Rf	0, SF, 1.3h

電子配置	[Rn]$5f^{14}6d^{2}7s^{2}$
原子量	[267]
融点(K)	——
沸点(K)	——
密度($kg \cdot m^{-3}$)	——
地殻濃度(ppm)	0

酸化数	+3	(推定)
	+4	(最も安定)$RfCl_4$, $RfOCl_2$, $RfBr_4$, RfF_6^{2-}, $RfCl_6^{2-}$, $Rf(OH)_4$

1	2	3	4	5	6	7	8	9	10	11	12	13	14	15	16	17	18
1 H																	2 He
3 Li	4 Be											5 B	6 C	7 N	8 O	9 F	10 Ne
11 Na	12 Mg											13 Al	14 Si	15 P	16 S	17 Cl	18 Ar
19 K	20 Ca	21 Sc	22 Ti	23 V	24 Cr	25 Mn	26 Fe	27 Co	28 Ni	29 Cu	30 Zn	31 Ga	32 Ge	33 As	34 Se	35 Br	36 Kr
37 Rb	38 Sr	39 Y	40 Zr	41 Nb	42 Mo	43 Tc	44 Ru	45 Rh	46 Pd	47 Ag	48 Cd	49 In	50 Sn	51 Sb	52 Te	53 I	54 Xe
55 Cs	56 Ba		72 Hf	73 Ta	74 W	75 Re	76 Os	77 Ir	78 Pt	79 Au	80 Hg	81 Tl	82 Pb	83 Bi	84 Po	85 At	86 Rn
87 Fr	88 Ra		104 Rf	105 Db	106 Sg	107 Bh	108 Hs	109 Mt	110 Ds	111 Rg	112 Cn	113 Nh	114 Fl	115 Mc	116 Lv	117 Ts	118 Og

ランタノイド (57〜71)	57 La	58 Ce	59 Pr	60 Nd	61 Pm	62 Sm	63 Eu	64 Gd	65 Tb	66 Dy	67 Ho	68 Er	69 Tm	70 Yb	71 Lu
アクチノイド (89〜103)	89 Ac	90 Th	91 Pa	92 U	93 Np	94 Pu	95 Am	96 Cm	97 Bk	98 Cf	99 Es	100 Fm	101 Md	102 No	103 Lr

原子番号が104番以上の元素については従来、正確な名前がつけられていなかったが、国際純粋応用物理学連合（IUPAP）、国際純正応用化学連合（IUPAC）、およびアメリカ化学会（ACS）で検討され、109番までの名前が1994年に提案された。

しかし、IUPACとACSがそれぞれ提案した名前に不一致があり、さまざまな議論を呼び起こす

原子番号	1994年		1997年	元素記号
	発見者のグループなどによる命名	IUPAC	IUPAC（訂正）	
104	ラザホージウム（米） クルチャトビウム（ロシア）	ドブニウム	ラザホージウム	**Rf**
105	ハーニウム（米） ニールスボーリウム（ロシア）	ジョリオチウム	ドブニウム	**Db**
106	シーボーギウム（米）	ラザホージウム	シーボーギウム	**Sg**
107	ニールスボーリウム（独）	ボーリウム	ボーリウム	**Bh**
108	ハッシウム（独）	ハーニウム	ハッシウム	**Hs**
109	マイトネリウム（独）	マイトネリウム	マイトネリウム	**Mt**

表 104-1　104～109 番元素の名称決定までの経過

こととなった。

そこで、ＩＵＰＡＣ側は１９９７年、訂正した元素名を発表した。表104－１には、それらをまとめて示してある。104番から109番までの元素については、物理的、化学的性質は十分にわかっていない。

104番元素は、ニュージーランド生まれのイギリスの物理学者アーネスト・ラザフォードにちなんでラザホージウム（rutherfordium）と名づけられた。ラザフォードはα線や放射性物質の研究をし、元素は不変でないこと、こんにちのわれわれには常識となっている太陽系をかたどった原子模型、さらにα線衝撃により原子核が人工的に破壊されることなど数々の物質観の変革に偉大な業績を挙げ、１９０８年にノーベル化学賞を受賞した。

旧ソ連のドブナ（Dubna）の研究グループのフレロフらは、^{242}Puに^{22}Neイオンを衝突させて^{259}Rfと考えられる同位体の存在を１９６４年に初めて観測した。この元素の塩化物は、アクチノイド元素よりはるかに

104 Rf ラザホージウム

揮発性があり、ハフニウム（Hf）と同族であることを示した。

一方、シルヴァら米国のバークレーの研究者は1970年、半減期が70秒の^{261}Rfを陽イオン交換クロマトグラフィー法で分離したところ、その化学的性質がアクチノイドとは異なり、ハフニウムやジルコニウム（Zr）に似ていることを確認した。

これらの結果は、アクチノイド系列はローレンシウム（Lr）で終わり、104番元素は4族元素であることを明らかにした。

2021年、日本の理化学研究所で、^{261}Rfの水酸化サマリウム共沈挙動が調べられた。ラザホージウムは、ジルコニウムやハフニウムと同様に水酸化物沈殿$Rf(OH)_4$を形成するが、高い水酸化物イオン濃度では、ジルコニウムやハフニウムとは異なり、アクチノイドのトリウム（Th）に近い性質をもつという興味深い挙動が観測された。

その他の同位体として、^{249}Cfに^{12}Cイオンを衝突させてつくられる半減期が4・4秒のα放射体^{257}Rfなどの存在が認められている。

ラザホージウムの同位体は15核種が知られており、すべて放射性である。最も長寿命の核種は^{267}Rfで、半減期は1・3時間である。

図 104-1　ラザフォード（1871 − 1937）

105

Db

ドブニウム／Dubnium

同位体と存在比(%)			
^{256}Db	0, α, EC, 1.6s	^{262}Db	0, α, SF, 33.8s
^{257}Db	0, α, 2.3s	^{263}Db	0, SF, α, 27s
^{258}Db	0, α, γ, EC, 4.3s	^{266}Db	0, SF, 22m
^{260}Db	0, α, SF, 1.52s	^{267}Db	0, SF, 1.8h
^{261}Db	0, α, SF, 1.8s	^{268}Db	0, SF, 27h

電子配置	[Rn]$5f^{14}6d^{3}7s^{2}$
原子量	[268]
融点(K)	——
沸点(K)	——
密度(kg・m^{-3})	——
地殻濃度(ppm)	0

酸化数		
	+3, +4	(推定)
	+5	(最も安定) $DbCl_5$, $DbBr_5$, $DbOCl_3$, $DbCl_6^-$, $DbOCl_4^-$, $Db(OH)_2Cl_4^-$, $DbOF_5^{2-}$, DbF_6^-, DbF_7^{2-}, $HDbF_7^-$, $DbOF_5^{2-}$, $DbOBr_5^{2-}$

1	2	3	4	5	6	7	8	9	10	11	12	13	14	15	16	17	18
1 H																	2 He
3 Li	4 Be											5 B	6 C	7 N	8 O	9 F	10 Ne
11 Na	12 Mg											13 Al	14 Si	15 P	16 S	17 Cl	18 Ar
19 K	20 Ca	21 Sc	22 Ti	23 V	24 Cr	25 Mn	26 Fe	27 Co	28 Ni	29 Cu	30 Zn	31 Ga	32 Ge	33 As	34 Se	35 Br	36 Kr
37 Rb	38 Sr	39 Y	40 Zr	41 Nb	42 Mo	43 Tc	44 Ru	45 Rh	46 Pd	47 Ag	48 Cd	49 In	50 Sn	51 Sb	52 Te	53 I	54 Xe
55 Cs	56 Ba		72 Hf	73 Ta	74 W	75 Re	76 Os	77 Ir	78 Pt	79 Au	80 Hg	81 Tl	82 Pb	83 Bi	84 Po	85 At	86 Rn
87 Fr	88 Ra		104 Rf	105 Db	106 Sg	107 Bh	108 Hs	109 Mt	110 Ds	111 Rg	112 Cn	113 Nh	114 Fl	115 Mc	116 Lv	117 Ts	118 Og

ランタノイド (57～71)	57 La	58 Ce	59 Pr	60 Nd	61 Pm	62 Sm	63 Eu	64 Gd	65 Tb	66 Dy	67 Ho	68 Er	69 Tm	70 Yb	71 Lu
アクチノイド (89～103)	89 Ac	90 Th	91 Pa	92 U	93 Np	94 Pu	95 Am	96 Cm	97 Bk	98 Cf	99 Es	100 Fm	101 Md	102 No	103 Lr

105番元素は、新元素発見や原子核研究の発展に大きな功績を挙げたロシアの研究所の所在地ドブナ（Dubna）に由来して、ドブニウム（dubnium）と名づけられた。

旧ソ連のフレロフらの研究グループは、1968～1970年のあいだに^{243}Amに^{22}Neイオンを衝突させて105番元素を得たと報告した。

また、米国のギオルソらのグループによって、^{249}Cf

に^{15}Nイオンを衝突させて半減期約1・5秒の^{260}Dbもつくられることがわかった。

ドブニウムの同位体は15核種が知られており、すべて放射性である。最も長寿命の核種は^{268}Dbで、半減期は27時間である。

Column 34

人工元素のつくり方

人工元素は現在、29種類が知られており、つくり方は3期に分けられる。

第1期の1937～1950年は中性子やα粒子を原子核に衝突させる方法が、第2期の1953～1974年は炭素、ホウ素、窒素などの軽い元素のイオンを原子核に衝突させる手法が採られた。第3期となる1984年以後は、鉄、ニッケル、亜鉛、カルシウムなどの重イオンを原子核に衝突させる方法が採用されている。ウランの核分裂反応後の生成物から発見された元素も知られている。

106 Sg

シーボーギウム／Seaborgium

同位体と存在比(%)			
^{259}Sg	0, α, γ, 0.29s	^{265}Sg	0, α, 8.9s
^{260}Sg	0, α, SF, 4.95ms	^{266}Sg	0, α, SF, 21s
^{261}Sg	0, α, γ, 178ms	^{269}Sg	0, α, 3.1m
^{263}Sg	0, α, SF, 1s	^{271}Sg	0, α, SF, 1.9m

電子配置	$[Rn]5f^{14}6d^{4}7s^{2}$
原子量	[271]
融点(K)	——
沸点(K)	——
密度(kg・m^{-3})	——
地殻濃度(ppm)	0

酸化数		
	+4	(推定)
	+6	(最も安定)SgO_2Cl_2, $SgO_2(OH)_2$, $SgO_2F_3^-$, SgO_2F_2, $Sg(CO)_6$

1	2	3	4	5	6	7	8	9	10	11	12	13	14	15	16	17	18
1 H																	2 He
3 Li	4 Be											5 B	6 C	7 N	8 O	9 F	10 Ne
11 Na	12 Mg											13 Al	14 Si	15 P	16 S	17 Cl	18 Ar
19 K	20 Ca	21 Sc	22 Ti	23 V	24 Cr	25 Mn	26 Fe	27 Co	28 Ni	29 Cu	30 Zn	31 Ga	32 Ge	33 As	34 Se	35 Br	36 Kr
37 Rb	38 Sr	39 Y	40 Zr	41 Nb	42 Mo	43 Tc	44 Ru	45 Rh	46 Pd	47 Ag	48 Cd	49 In	50 Sn	51 Sb	52 Te	53 I	54 Xe
55 Cs	56 Ba		72 Hf	73 Ta	74 W	75 Re	76 Os	77 Ir	78 Pt	79 Au	80 Hg	81 Tl	82 Pb	83 Bi	84 Po	85 At	86 Rn
87 Fr	88 Ra		104 Rf	105 Db	106 Sg	107 Bh	108 Hs	109 Mt	110 Ds	111 Rg	112 Cn	113 Nh	114 Fl	115 Mc	116 Lv	117 Ts	118 Og

ランタノイド(57～71)	57 La	58 Ce	59 Pr	60 Nd	61 Pm	62 Sm	63 Eu	64 Gd	65 Tb	66 Dy	67 Ho	68 Er	69 Tm	70 Yb	71 Lu
アクチノイド(89～103)	89 Ac	90 Th	91 Pa	92 U	93 Np	94 Pu	95 Am	96 Cm	97 Bk	98 Cf	99 Es	100 Fm	101 Md	102 No	103 Lr

106番元素は、グレン・シーボーグをたたえてシーボーギウム（seaborgium）と名づけられた。

シーボーグは1912年生まれのアメリカの化学者で、94番プルトニウム、95番アメリシウム、96番キュリウム、97番バークリウム、98番カリホルニウム、99番アインスタイニウム、100番フェルミウム、101番メンデレビウム、102番ノーベリウムを人工的に

106 Sg シーボーギウム

つくったほか、第二の希土類元素がトリウム（Th）から始まることを提案して、アクチノイド系列と名づけた。これらの業績によって、１９５１年のノーベル化学賞を受賞した元素発見の巨人である。

106番元素は１９７４年、旧ソ連とアメリカの研究者がほぼ同時にその存在を発表した。旧ソ連では^{54}Crイオンを加速して^{207}Pbに衝突させて、質量数259の106番元素を得たと報告し、一方、アメリカでは^{249}Cfに重酸素（^{18}O）イオンを加速して衝突させ、106番元素を得たと発表した。

$$^{249}_{98}Cf + ^{18}_{8}O \rightarrow ^{263}_{106}Sg + 4^{1}_{0}n$$

^{263}Sgは半減期が1秒で、α壊変して^{259}Rfとなる。^{263}Sgは予想以上に長い半減期をもつことがわかったため、さらに原子番号の大きい原子核が合成できる可能性を示した結果として注目された。

シーボーギウムの同位体は13核種が知られており、すべて放射性である。最も長寿命の核種は^{269}Sgで、半減期は3.1分である。

シーボーギウムの化学的性質は、周期表で一段上の同族元素のタングステン（W）によく似ている。

２０１４年、理化学研究所で世界初の超重元素の有機金属化合物$Sg(CO)_6$が化学合成された。

図 106-1　シーボーグ（1912 − 1999）

107

Bh

ボーリウム／Bohrium

同位体と存在比(%)	
^{261}Bh	0, α, γ, 11.8ms
^{262}Bh	0, α, γ, 83ms
^{270}Bh	0, α, 61s
^{272}Bh	0, α, 12.0s
^{274}Bh	0, α, 42s

電子配置	[Rn]$5f^{14}6d^{5}7s^{2}$
原子量	[272]
融点(K)	——
沸点(K)	——
密度($kg \cdot m^{-3}$)	——
地殻濃度(ppm)	0

酸化数		
酸化数	+3	(溶液中で最も安定と推定)
	+4, +5	(推定)
	+7	(気相系で最も安定) BhO_3Cl

1	2	3	4	5	6	7	8	9	10	11	12	13	14	15	16	17	18
1 H																	2 He
3 Li	4 Be											5 B	6 C	7 N	8 O	9 F	10 Ne
11 Na	12 Mg											13 Al	14 Si	15 P	16 S	17 Cl	18 Ar
19 K	20 Ca	21 Sc	22 Ti	23 V	24 Cr	25 Mn	26 Fe	27 Co	28 Ni	29 Cu	30 Zn	31 Ga	32 Ge	33 As	34 Se	35 Br	36 Kr
37 Rb	38 Sr	39 Y	40 Zr	41 Nb	42 Mo	43 Tc	44 Ru	45 Rh	46 Pd	47 Ag	48 Cd	49 In	50 Sn	51 Sb	52 Te	53 I	54 Xe
55 Cs	56 Ba		72 Hf	73 Ta	74 W	75 Re	76 Os	77 Ir	78 Pt	79 Au	80 Hg	81 Tl	82 Pb	83 Bi	84 Po	85 At	86 Rn
87 Fr	88 Ra		104 Rf	105 Db	106 Sg	**107 Bh**	108 Hs	109 Mt	110 Ds	111 Rg	112 Cn	113 Nh	114 Fl	115 Mc	116 Lv	117 Ts	118 Og
ランタノイド(57〜71)			57 La	58 Ce	59 Pr	60 Nd	61 Pm	62 Sm	63 Eu	64 Gd	65 Tb	66 Dy	67 Ho	68 Er	69 Tm	70 Yb	71 Lu
アクチノイド(89〜103)			89 Ac	90 Th	91 Pa	92 U	93 Np	94 Pu	95 Am	96 Cm	97 Bk	98 Cf	99 Es	100 Fm	101 Md	102 No	103 Lr

107番元素は、デンマークの物理学者ニールス・ボーアにちなんで、ボーリウム（bohrium）と名づけられた。ボーアは量子力学の誕生に指導的役割を果たし、１９２２年にはノーベル物理学賞を受賞している。

107番元素は１９８１年、ドイツの重イオン研究所のグループが^{209}Biに加速した^{54}Crイオンを衝突させて合成できることを報告した。

$$^{209}_{83}Bi + ^{54}_{24}Cr \rightarrow ^{262}_{107}Bh + ^{1}_{0}n$$

ボーリウムの同位体は12核種が知られており、すべて放射性である。最も長寿命の核種は^{270}Bhで、半減期は61秒である。

ボーリウムの化学的性質は、周期表の同族元素のテクネチウム（Tc）とレニウム（Re）によく似ている。

２０００年、スイスのポール・シェラー研究所でボーリウムのオキシ酸化物BhO_3Clが化学合成された。

図 107-1　ボーア（1885 – 1962）
（AP／アフロ）

108 Hs

ハッシウム／Hassium

同位体と存在比(%)	
^{264}Hs	0, α, SF, 0.45ms
^{265}Hs	0, α, 1.9ms
^{265m}Hs	0, α, 0.3ms
^{267}Hs	0, α, SF, 52ms
^{267m}Hs	0, α, 0.80s
^{269}Hs	0, α, 9.7s
^{277b}Hs	0, SF, 3ms
^{277a}Hs	0, SF, 34s

電子配置	[Rn]$5f^{14}6d^{6}7s^{2}$
原子量	[277]
融点(K)	——
沸点(K)	——
密度(kg・m^{-3})	——
地殻濃度(ppm)	0

酸化数	+3, +4	(溶液中で最も安定と推定)
	+6	(推定)
	+8	(気相系で最も安定) HsO_4, $Na_2[HsO_4(OH)_2]$

1	2	3	4	5	6	7	8	9	10	11	12	13	14	15	16	17	18
1 H																	2 He
3 Li	4 Be											5 B	6 C	7 N	8 O	9 F	10 Ne
11 Na	12 Mg											13 Al	14 Si	15 P	16 S	17 Cl	18 Ar
19 K	20 Ca	21 Sc	22 Ti	23 V	24 Cr	25 Mn	26 Fe	27 Co	28 Ni	29 Cu	30 Zn	31 Ga	32 Ge	33 As	34 Se	35 Br	36 Kr
37 Rb	38 Sr	39 Y	40 Zr	41 Nb	42 Mo	43 Tc	44 Ru	45 Rh	46 Pd	47 Ag	48 Cd	49 In	50 Sn	51 Sb	52 Te	53 I	54 Xe
55 Cs	56 Ba		72 Hf	73 Ta	74 W	75 Re	76 Os	77 Ir	78 Pt	79 Au	80 Hg	81 Tl	82 Pb	83 Bi	84 Po	85 At	86 Rn
87 Fr	88 Ra		104 Rf	105 Db	106 Sg	107 Bh	**108 Hs**	109 Mt	110 Ds	111 Rg	112 Cn	113 Nh	114 Fl	115 Mc	116 Lv	117 Ts	118 Og

ランタノイド (57〜71)	57 La	58 Ce	59 Pr	60 Nd	61 Pm	62 Sm	63 Eu	64 Gd	65 Tb	66 Dy	67 Ho	68 Er	69 Tm	70 Yb	71 Lu
アクチノイド (89〜103)	89 Ac	90 Th	91 Pa	92 U	93 Np	94 Pu	95 Am	96 Cm	97 Bk	98 Cf	99 Es	100 Fm	101 Md	102 No	103 Lr

108番元素ハッシウム（hassium）は、ドイツのダルムシュタットにある重イオン研究所で発見された。これをたたえ、研究所のあるヘッセン（Hessen）州のラテン語名ハッシア（Hassia）にちなんでハッシウムと名づけられた。１９８４年に、^{208}Pbをターゲットとして^{58}Feイオンを加速・衝突させ、^{265}Hsがつくられた。

$$^{208}_{82}\mathrm{Pb} + ^{58}_{26}\mathrm{Fe} \rightarrow ^{265}_{108}\mathrm{Hs} + ^{1}_{0}\mathrm{n}$$

同じころ、ロシアの合同原子核研究所でも、^{207}Pb、^{208}Pbをターゲットにして^{58}Feイオンを、^{209}Biをターゲットにして^{55}Mnイオンを衝突させ、^{263}Hs、^{264}Hs、^{265}Hsがつくられた。

一方、ロシアと米国の共同研究により、^{238}Uと^{34}Sイオンとの原子核反応で^{267}Hsがつくられている。

ハッシウムの同位体は15核種が知られており、すべて放射性である。最も長寿命の核種は^{277a}Hsで、半減期は34秒である。

ハッシウムの化学的性質は、周期表で一段上のオスミウム（Os）によく似ている。

２００２年、ドイツの重イオン研究所で^{248}Cmと^{26}Mgの核反応で生成する^{269}Hsを利用して、四酸化ハッシウムHsO_4が化学合成された。

109

Mt

マイトネリウム／Meitnerium

同位体と存在比(%)	
^{266}Mt	0, α, 1.7ms
^{268}Mt	0, α, 21ms
^{274}Mt	0, α, 440ms
^{276}Mt	0, α, 0.54s
^{278}Mt	0, α, 4.4s

電子配置	[Rn]$5f^{14}6d^{7}7s^{2}$
原子量	[276]
融点(K)	——
沸点(K)	——
密度(kg・m^{-3})	——
地殻濃度(ppm)	0

酸化数	+1	(溶液中で最も安定と推定)
	+3, +6	(推定)

1	2	3	4	5	6	7	8	9	10	11	12	13	14	15	16	17	18
1 H																	2 He
3 Li	4 Be											5 B	6 C	7 N	8 O	9 F	10 Ne
11 Na	12 Mg											13 Al	14 Si	15 P	16 S	17 Cl	18 Ar
19 K	20 Ca	21 Sc	22 Ti	23 V	24 Cr	25 Mn	26 Fe	27 Co	28 Ni	29 Cu	30 Zn	31 Ga	32 Ge	33 As	34 Se	35 Br	36 Kr
37 Rb	38 Sr	39 Y	40 Zr	41 Nb	42 Mo	43 Tc	44 Ru	45 Rh	46 Pd	47 Ag	48 Cd	49 In	50 Sn	51 Sb	52 Te	53 I	54 Xe
55 Cs	56 Ba		72 Hf	73 Ta	74 W	75 Re	76 Os	77 Ir	78 Pt	79 Au	80 Hg	81 Tl	82 Pb	83 Bi	84 Po	85 At	86 Rn
87 Fr	88 Ra		104 Rf	105 Db	106 Sg	107 Bh	108 Hs	109 Mt	110 Ds	111 Rg	112 Cn	113 Nh	114 Fl	115 Mc	116 Lv	117 Ts	118 Og

ランタノイド(57〜71)	57 La	58 Ce	59 Pr	60 Nd	61 Pm	62 Sm	63 Eu	64 Gd	65 Tb	66 Dy	67 Ho	68 Er	69 Tm	70 Yb	71 Lu
アクチノイド(89〜103)	89 Ac	90 Th	91 Pa	92 U	93 Np	94 Pu	95 Am	96 Cm	97 Bk	98 Cf	99 Es	100 Fm	101 Md	102 No	103 Lr

109番元素のマイトネリウム（meitne-rium）の名は、ウィーン生まれの女性物理学者リーゼ・マイトナーに捧げられた（329ページのコラム21参照）。ハーンとともに放射能や中性子によって引き起こされる核分裂に関する研究を続け、ウランやトリウムの中性子による核分裂反応の理論物理学的な解析に成功した。マイトネリウムは1982年にドイツの重イオン研究所で、

109 Mt マイトネリウム

^{209}Biに^{58}Feイオンを衝突させて^{266}Mtが1個つくられた。

$$^{209}_{83}Bi + ^{58}_{26}Fe \rightarrow ^{266}_{109}Mt + ^{1}_{0}n$$

化学的性質はまだ研究されていないが、イリジウムに似ていると考えられている。

マイトネリウムの同位体は8核種が知られており、いずれも放射性である。最も長寿命の核種は^{278}Mtで、半減期は4・4秒である。

図 109-1　マイトナー（1878 － 1968）
（AP／アフロ）

110 Ds

ダームスタチウム／Darmstadtium

同位体と存在比(%)	
^{269}Ds	0, α, 179 μs
^{271m}Ds	0, IT, α, 69ms
^{273}Ds	0, α, 0.17ms
^{279}Ds	0, α, SF, 0.20s
^{281}Ds	0, α, SF, 11.1s

電子配置	[Rn]$5f^{14}6d^{9}7s^{1}$
原子量	[281]
融点(K)	——
沸点(K)	——
密度(kg・m^{-3})	——
地殻濃度(ppm)	0

酸化数	+2, +4, +6	(推定)

1																	18
1 H	2											13	14	15	16	17	2 He
3 Li	4 Be											5 B	6 C	7 N	8 O	9 F	10 Ne
11 Na	12 Mg	3	4	5	6	7	8	9	10	11	12	13 Al	14 Si	15 P	16 S	17 Cl	18 Ar
19 K	20 Ca	21 Sc	22 Ti	23 V	24 Cr	25 Mn	26 Fe	27 Co	28 Ni	29 Cu	30 Zn	31 Ga	32 Ge	33 As	34 Se	35 Br	36 Kr
37 Rb	38 Sr	39 Y	40 Zr	41 Nb	42 Mo	43 Tc	44 Ru	45 Rh	46 Pd	47 Ag	48 Cd	49 In	50 Sn	51 Sb	52 Te	53 I	54 Xe
55 Cs	56 Ba		72 Hf	73 Ta	74 W	75 Re	76 Os	77 Ir	78 Pt	79 Au	80 Hg	81 Tl	82 Pb	83 Bi	84 Po	85 At	86 Rn
87 Fr	88 Ra		104 Rf	105 Db	106 Sg	107 Bh	108 Hs	109 Mt	110 Ds	111 Rg	112 Cn	113 Nh	114 Fl	115 Mc	116 Lv	117 Ts	118 Og

ランタノイド (57～71)	57 La	58 Ce	59 Pr	60 Nd	61 Pm	62 Sm	63 Eu	64 Gd	65 Tb	66 Dy	67 Ho	68 Er	69 Tm	70 Yb	71 Lu
アクチノイド (89～103)	89 Ac	90 Th	91 Pa	92 U	93 Np	94 Pu	95 Am	96 Cm	97 Bk	98 Cf	99 Es	100 Fm	101 Md	102 No	103 Lr

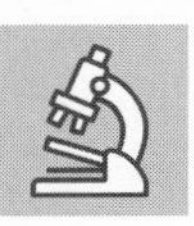

110番元素のダームスタチウム（darmstadtium）の名は、最初に発見されたドイツの重イオン研究所の所在地ダルムシュタットにちなんでいる。ホフマンらは1994年、重イオン線形加速器で加速した^{62}Niイオンを^{208}Pbに衝突させ、質量数269の110番元素3原子を発見した。

$$^{208}_{82}\mathrm{Pb} + ^{62}_{28}\mathrm{Ni} \rightarrow ^{269}_{110}\mathrm{Ds} + ^{1}_{0}\mathrm{n}$$

^{269}Dsは半減期0・179ミリ秒でα壊変した。

$^{269}_{110}\mathrm{Ds} \rightarrow ^{265}_{108}\mathrm{Hs} \rightarrow ^{261}_{106}\mathrm{Sg} \rightarrow ^{257}_{104}\mathrm{Rf} \rightarrow ^{253}_{102}\mathrm{No} \rightarrow ^{249}_{100}\mathrm{Fm}$

化学的性質はまだ明らかでない。

図110-1　ダームスタチウムの名称の由来となった都市、ダルムシュタットの市章

ダームスタチウムの同位体は10核種が知られており、すべて放射性である。最も長寿命の核種は^{281}Dsで、半減期は11・1秒である。

111

Rg

レントゲニウム／Roentgenium

111番元素レントゲニウム（roentgenium）は人工元素で、超重元素の一つである。同位体は7核種あり、すべて放射性である。最も長寿命の核種は^{282}Rgで、半減期は2・1分である。11族元素であり、その上の周期には銅（Cu）、銀（Ag）、金（Au）があるため、金属で固体元素と考えられているが、密度、融点、沸点などは不明である。

同位体と存在比(%)	
^{272}Rg	0, α, 3.8ms
^{274}Rg	0, α, 12ms
^{278}Rg	0, α, 4.2ms
^{279}Rg	0, α, 0.17s
^{280}Rg	0, α, 3.6s
^{281}Rg	0, SF, α, 17s
^{282}Rg	0, α, 2.1m

電子配置	[Rn]$5f^{14}6d^{10}7s$
原子量	[280]
融点(K)	——
沸点(K)	——
密度($kg \cdot m^{-3}$)	——
地殻濃度(ppm)	0

酸化数	−1	（推定）
	+3, +5	（気相系で最も安定と推定）

1	2	3	4	5	6	7	8	9	10	11	12	13	14	15	16	17	18
1 H																	2 He
3 Li	4 Be											5 B	6 C	7 N	8 O	9 F	10 Ne
11 Na	12 Mg											13 Al	14 Si	15 P	16 S	17 Cl	18 Ar
19 K	20 Ca	21 Sc	22 Ti	23 V	24 Cr	25 Mn	26 Fe	27 Co	28 Ni	29 Cu	30 Zn	31 Ga	32 Ge	33 As	34 Se	35 Br	36 Kr
37 Rb	38 Sr	39 Y	40 Zr	41 Nb	42 Mo	43 Tc	44 Ru	45 Rh	46 Pd	47 Ag	48 Cd	49 In	50 Sn	51 Sb	52 Te	53 I	54 Xe
55 Cs	56 Ba		72 Hf	73 Ta	74 W	75 Re	76 Os	77 Ir	78 Pt	79 Au	80 Hg	81 Tl	82 Pb	83 Bi	84 Po	85 At	86 Rn
87 Fr	88 Ra		104 Rf	105 Db	106 Sg	107 Bh	108 Hs	109 Mt	110 Ds	**111 Rg**	112 Cn	113 Nh	114 Fl	115 Mc	116 Lv	117 Ts	118 Og

ランタノイド(57〜71)	57 La	58 Ce	59 Pr	60 Nd	61 Pm	62 Sm	63 Eu	64 Gd	65 Tb	66 Dy	67 Ho	68 Er	69 Tm	70 Yb	71 Lu
アクチノイド(89〜103)	89 Ac	90 Th	91 Pa	92 U	93 Np	94 Pu	95 Am	96 Cm	97 Bk	98 Cf	99 Es	100 Fm	101 Md	102 No	103 Lr

111 Rg レントゲニウム

１９９４年にドイツの重イオン研究所で、ホフマンを中心とするドイツ、ロシア、スロバキア、フィンランドからなる国際研究チームによって発見された。重イオン研究所の線形加速器で加速した^{64}Niイオンを^{209}Biに衝突・融合させ、３個の^{272}Rg原子が合成された。

$$^{209}_{83}Bi + ^{64}_{28}Ni \rightarrow ^{272}_{111}Rg + ^{1}_{0}n$$

２０００年には、同じ重イオン研究所でさらに３個の^{272}Rg原子が合成された。２００４年には、日本の理化学研究所の重イオン線形加速器を用いて、14個もの^{272}Rgが合成され、その存在は確固たるものとなった。^{272}Rgは、次のようにα壊変を繰り返す。

$$^{272}_{111}Rg \rightarrow ^{268}_{109}Mt \rightarrow ^{264}_{107}Bh \rightarrow ^{260}_{105}Db \rightarrow ^{256}_{103}Lr \rightarrow ^{252}_{101}Md$$

正式名称は２００４年11月、ＩＵＰＡＣによって決定された。ドイツの物理学者レントゲンが１８９５年11月にX線を発見してから約１００年目

図 111-1　ドイツのダルムシュタットにある重イオン研究所

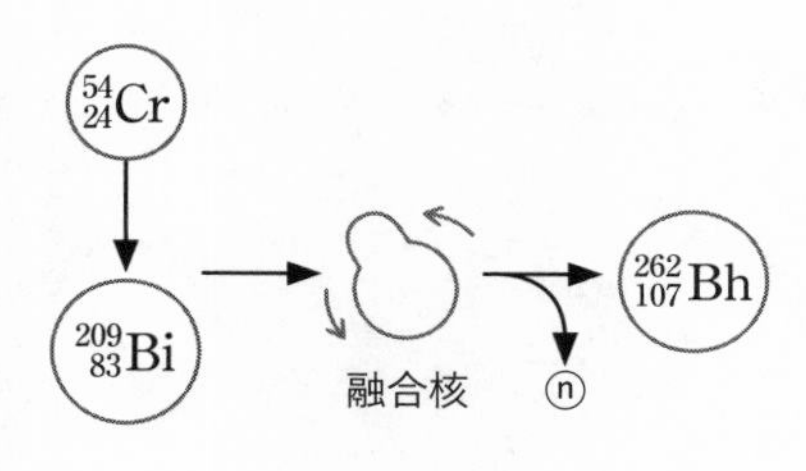

図 111-2　コールド・フュージョン法の一例

の発見であったことから、レントゲニウムと名づけられた。レントゲンは、1901年に第1回ノーベル物理学賞を受賞した。

100番を超える元素の合成には、重イオンと標的原子核の融合核が核分裂して壊れてしまう確率を下げるために、コールド・フュージョン法が用いられている。この方法を使えば、融合核は壊れずに中性子が1個放出されるだけとなる。たとえば鉛（Pb）やビスマス（Bi）を標的として、重イオンとして質量数が50～70のチタン（Ti）、クロム（Cr）、マンガン（Mn）、鉄（Fe）、ニッケル（Ni）、亜鉛（Zn）などを衝突させる方法がとられている。

ビスマス（^{209}Bi）にクロム（^{54}Cr）イオンを打ち込むと、図111－2で表される反応が進行し、107番元素ボーリウム（^{262}Bh）と中性子が1個発生する。

もしたった1個の原子核しか生成されなくても、その原子核は連続的に壊変して質量数の小さな核種となる。α壊変であれば、質量数は4、原子番号は

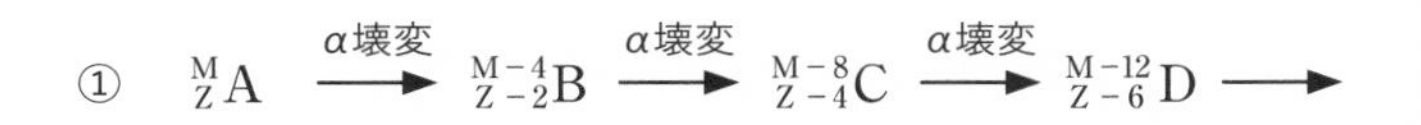

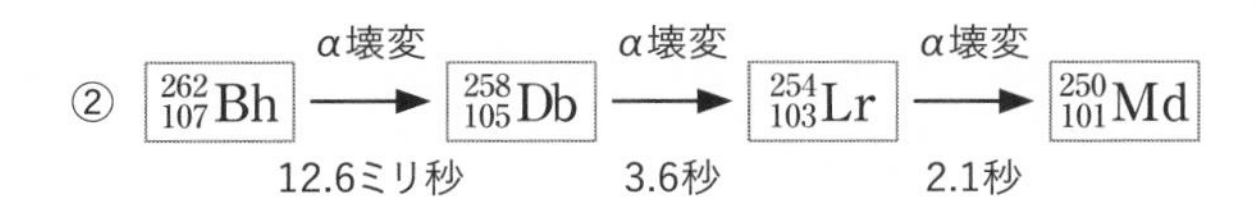

図 111-3　未知元素の原子核種を決める方法

2だけ減少していくため、この関係を検証していけば、先頭の核種を決定できる。

図111－3の①の壊変系列で、B、CあるいはDがすでに知られている核種であれば、先頭の未知元素の核種を決められる。実際に、ドイツの重イオン研究所のグループは、ビスマスにクロムを衝突させて、107番元素を確認し、図111－3の②のような壊変系列を明らかにした。

Column 35

福島第一原子力発電所事故と環境に放出された放射性元素

2011年3月11日に東北地方で発生したマグニチュード9・0の地震と津波により、福島第一原子力発電所は1～4号機の全電源が喪失、炉心の冷却が不能となった（4号機は定期検査中）。原子炉本体の損傷に加え、建屋も次々と爆発したため、大量の放射性物質が大気中、土壌中、海水中へと放出された。その総量は1・13×10^{19}Bqと見積もられ、1986年のチェルノブイリ原発事故の1・32×10^{19}Bq（広島の原爆の約400倍）に匹敵する。

この事故で放出された放射性核種は、表にまとめた31種と考えられている。このうち人体への影響が最も懸念されるのは、放射線量が多く半減期も長いCs（セシウム）とSr（ストロンチウム）、半減期は短いが揮発性で飛散しやすく人体に取り込まれやすいI（ヨウ素）の3種である。

Iは甲状腺に、Csはカリウムと性質が似るため全身に、Srはカルシウムと性質が似るため骨に集まる。主たる核種である^{131}I、^{137}Csの放出量はチェルノブイリが推定約1・8×10^{18}Bqに対し、福島は推定約1・7×10^{17}Bqでひと桁少ないものの、半減期が約30年の^{137}Csの土壌汚染によって、農作物には事故後、54ヵ国・地域で輸入規制がとられ、2022年時点で12の国・地域で何らかの規制が課されている。^{137}Csが人、特に子どもに与えた影響については、チェルノブイリ原発事故後の調査報告が、その深刻さを物語っている。

2013年に発表されていた放射性セシウムを含む直径2・6μmの球状粒子

核種	半減期	放出量（ベクレル）	核種	半減期	放出量（ベクレル）	核種	半減期	放出量（ベクレル）
^{242}Cm	162.8d	1.0×10^{11}	^{137}Cs	30.0y	1.5×10^{16}	^{129}Sb	4.3h	1.4×10^{14}
^{241}Pu	14.4y	1.2×10^{12}	^{134}Cs	2.1y	1.8×10^{16}	^{127}Sb	3.9d	6.4×10^{15}
^{240}Pu	6357y	3.2×10^{9}	^{135}I	6.6h	2.3×10^{15}	^{106}Ru	368.2d	2.1×10^{9}
^{239}Pu	24065y	3.2×10^{9}	^{133}I	20.8h	4.2×10^{16}	^{103}Ru	39.3d	7.5×10^{9}
^{238}Pu	87.7y	1.9×10^{10}	^{132}I	2.3h	1.3×10^{13}	^{99}Mo	66.0h	6.7×10^{9}
^{239}Np	2.4d	7.6×10^{13}	^{131}I	8.0d	1.6×10^{17}	^{95}Zr	64.0d	1.7×10^{13}
^{147}Nd	11.0d	1.6×10^{12}	^{133}Xe	5.2d	1.1×10^{19}	^{91}Y	58.5d	3.4×10^{12}
^{144}Ce	284.3d	1.1×10^{13}	^{132}Te	78.2h	8.8×10^{16}	^{90}Sr	29.1y	1.4×10^{14}
^{141}Ce	32.5d	1.8×10^{13}	^{131m}Te	30.0h	5.0×10^{15}	^{89}Sr	50.5d	2.0×10^{15}
^{143}Pr	13.6d	4.1×10^{12}	^{129m}Te	33.6d	3.3×10^{15}			
^{140}Ba	12.7d	3.2×10^{15}	^{127m}Te	109.0d	1.1×10^{15}			

（hは時間、dは日、yは年、経済産業省2011年10月20日発表資料による）

福島第一原発事故で放出された放射性核種

（セシウムボール）が、２０１７年に関東地方まで飛散していたことが報告された。セシウムボール一つあたりの放射線量は小さく、外部被曝源としての心配は大きくないが、吸い込んだりした場合の内部被曝源としての危険性が指摘されている。

貴ガスのキセノン（^{133}Xe）は、福島第一原発事故で1.1×10^{19}Bq（放出された放射性物質の約97％を占める）と、チェルノブイリ原発事故の２倍弱の放出量があったと推定されている。人体への影響はよくわかっていない。

燃料デブリの冷却によって発生した汚染水からトリチウム以外の放射性核種を取り除いたＡＬＰＳ処理水が原発敷地内に大量に蓄積されている。２０２２年７月、原子力規制委員会が処理水の海洋放出を認可した。科学的には安全性に問題はないとされるが、風評被害への懸念もあり、２０２３年２月末現在では放出されていない。

112 Cn

コペルニシウム／Copernicium

同位体と存在比(%)	
^{277}Cn	0, α, 0.69ms
^{281}Cn	0, α, 130ms
^{282}Cn	0, SF, 0.82ms
^{283}Cn	0, α, SF, 3.8s
^{284}Cn	0, SF, 99ms
^{285}Cn	0, α, 29s

電子配置	[Rn]$5f^{14}6d^{10}7s^2$
原子量	[285]
融点(K)	——
沸点(K)	——
密度(kg・m^{-3})	——
地殻濃度(ppm)	0

酸化数	0	Cn
	+2	(推定)
	+4	(気相系で最も安定と推定)

1	2	3	4	5	6	7	8	9	10	11	12	13	14	15	16	17	18
1 H																	2 He
3 Li	4 Be											5 B	6 C	7 N	8 O	9 F	10 Ne
11 Na	12 Mg											13 Al	14 Si	15 P	16 S	17 Cl	18 Ar
19 K	20 Ca	21 Sc	22 Ti	23 V	24 Cr	25 Mn	26 Fe	27 Co	28 Ni	29 Cu	30 Zn	31 Ga	32 Ge	33 As	34 Se	35 Br	36 Kr
37 Rb	38 Sr	39 Y	40 Zr	41 Nb	42 Mo	43 Tc	44 Ru	45 Rh	46 Pd	47 Ag	48 Cd	49 In	50 Sn	51 Sb	52 Te	53 I	54 Xe
55 Cs	56 Ba		72 Hf	73 Ta	74 W	75 Re	76 Os	77 Ir	78 Pt	79 Au	80 Hg	81 Tl	82 Pb	83 Bi	84 Po	85 At	86 Rn
87 Fr	88 Ra		104 Rf	105 Db	106 Sg	107 Bh	108 Hs	109 Mt	110 Ds	111 Rg	112 Cn	113 Nh	114 Fl	115 Mc	116 Lv	117 Ts	118 Og

ランタノイド (57〜71)	57 La	58 Ce	59 Pr	60 Nd	61 Pm	62 Sm	63 Eu	64 Gd	65 Tb	66 Dy	67 Ho	68 Er	69 Tm	70 Yb	71 Lu
アクチノイド (89〜103)	89 Ac	90 Th	91 Pa	92 U	93 Np	94 Pu	95 Am	96 Cm	97 Bk	98 Cf	99 Es	100 Fm	101 Md	102 No	103 Lr

112番元素コペルニシウム(copernicium)は、超重元素の一つである。周期表では水銀（Hg）の1周期下に位置するため、メンデレーエフの命名法にならって「エカ水銀」とよばれていた。

1996年、ドイツの重イオン研究所でホフマンらによって合成が確認された。^{70}Znイオンを重イオン線形加速器で加速、^{208}Pb標的に衝突させて1個の^{277}Cn原

112 Cn コペルニシウム

子を合成した。

$$^{208}_{82}Pb + ^{70}_{30}Zn \rightarrow ^{277}_{112}Cn + ^{1}_{0}n$$

ホフマンらは２００２年にも、^{277}Cnを１原子合成したと報告している。２００７年には、日本の理化学研究所でさらに２個の^{277}Cn原子が合成され、重イオン研究所の発見が確認された。

その後、２００９年、ＩＵＰＡＣによって112番元素が正式に新元素と認定された。発見した重イオン研究所は、「私たちの世界観を変えた傑出した科学者」であり、地動説を提唱したポーランド出身のコペルニクスにちなんで、コペルニシウム（copernicium）という名称を提案し、２０１０年、コペルニクスの誕生日である2月19日にＩＵＰＡＣから正式名称が発表された。

コペルニシウムの同位体は8種類が知られ、すべて放射性である。

コペルニシウムの化学的性質は、低温ガスクロマトグラフ法を用いて、コペルニシウム原子の金（Au）への吸着挙動が調べられ、水銀（Hg）に似ていると報告されている。

図112-1　コペルニクス
（1473 － 1543）

113 Nh

ニホニウム／Nihonium

同位体と存在比(%)	
^{278}Nh	0, α , 1.4ms
^{282}Nh	0, α , 73ms
^{283}Nh	0, α , 100ms
^{284}Nh	0, α , 0.97s
^{285}Nh	0, α , 4.2s
^{286}Nh	0, α , 7.9s

電子配置	$[Rn]5f^{14}6d^{10}7s^{2}7p^{1}$
原子量	[287]
融点(K)	——
沸点(K)	——
密度(kg・m^{-3})	——
地殻濃度(ppm)	0

酸化数	0	Nh
	+1	(推定)
	+3	(推定)

1	2	3	4	5	6	7	8	9	10	11	12	13	14	15	16	17	18
1 H																	2 He
3 Li	4 Be											5 B	6 C	7 N	8 O	9 F	10 Ne
11 Na	12 Mg											13 Al	14 Si	15 P	16 S	17 Cl	18 Ar
19 K	20 Ca	21 Sc	22 Ti	23 V	24 Cr	25 Mn	26 Fe	27 Co	28 Ni	29 Cu	30 Zn	31 Ga	32 Ge	33 As	34 Se	35 Br	36 Kr
37 Rb	38 Sr	39 Y	40 Zr	41 Nb	42 Mo	43 Tc	44 Ru	45 Rh	46 Pd	47 Ag	48 Cd	49 In	50 Sn	51 Sb	52 Te	53 I	54 Xe
55 Cs	56 Ba		72 Hf	73 Ta	74 W	75 Re	76 Os	77 Ir	78 Pt	79 Au	80 Hg	81 Tl	82 Pb	83 Bi	84 Po	85 At	86 Rn
87 Fr	88 Ra		104 Rf	105 Db	106 Sg	107 Bh	108 Hs	109 Mt	110 Ds	111 Rg	112 Cn	113 Nh	114 Fl	115 Mc	116 Lv	117 Ts	118 Og

ランタノイド (57〜71)	57 La	58 Ce	59 Pr	60 Nd	61 Pm	62 Sm	63 Eu	64 Gd	65 Tb	66 Dy	67 Ho	68 Er	69 Tm	70 Yb	71 Lu
アクチノイド (89〜103)	89 Ac	90 Th	91 Pa	92 U	93 Np	94 Pu	95 Am	96 Cm	97 Bk	98 Cf	99 Es	100 Fm	101 Md	102 No	103 Lr

113番元素ニホニウム（nihonium）は、周期表で13族元素に属し、タリウム（Tl）の下に位置する。

2004年7月、日本の理化学研究所の研究チームが、重イオン線形加速器を使って^{209}Bi標的に^{70}Znイオンを照射して、^{278}Nhを合成した。

$$^{209}_{83}Bi + ^{70}_{30}Zn \rightarrow ^{278}_{113}Nh + ^{1}_{0}n$$

１秒間に２・５兆個の^{70}Znイオンを^{209}Bi標的に約80日間照射し続け、新元素^{278}Nhを１原子合成した。^{278}Nhはα壊変を４回繰り返して^{262}Dbとなり、^{262}Dbは自発核分裂した。

$$^{278}_{113}\mathrm{Nh} \rightarrow {}^{274}_{111}\mathrm{Rg} \rightarrow {}^{270}_{109}\mathrm{Mt} \rightarrow {}^{266}_{107}\mathrm{Bh} \rightarrow {}^{262}_{105}\mathrm{Db}$$

理化学研究所では２００５年４月に２個目の、２０１２年８月に３個目の^{278}Nhの観測に成功した。２０１５年12月、ＩＵＰＡＣによって113番元素が正式に新元素と認定された。理化学研究所の研究チームは、アジア初、日本発の新元素を記念して、日本の国名にちなんだ元素名、ニホニウム（nihonium）と元素記号Nhを提案した。これらの名称は、２０１６年11月にＩＵＰＡＣによって承認された。

ロシアの合同原子核研究所、アメリカのローレンス・リバモア国立研究所とオークリッジ国立研究所の共同研究チームは、熱い核融合反応で合成した115番、117番元素同位体のα壊変生成物として、多数の113番元素の同位体を観測していた。しかし、ロシアとアメリカによる115番、117番元素の合成がＩＵＰＡＣとＩＵＰＡＰの合同作業部会によって承認されたのは２０１３年のことであり、理化学研究所のチームが113番元素の発見を決定づけた２０１２年にわずかに後れをとることとなった。

ニホニウムの放射性同位体は７種類ある。

ニホニウムは、強い相対論効果（516ページ参照）の影響で、7s軌道と$7p_{1/2}$軌道が安定化し、電子構造が閉殻となる。その結果、化学的性質は貴ガス元素のように単体原子の状態で揮発性が高く、化学的不活性を示すことが予測されている。

２０１７年、ロシアの合同原子核研究所で、低温ガスクロマトグラフ装置を用いたニホニウムの気相化学実験が行われたが、揮発性は予測よりも低いことがわかった。現在、ドイツの重イオン研究所でもニホニウム原子を対象とした同様の気相化学実験が進められている。

Column 36

元素の「系統名」とは?

新しく発見された元素は、確認作業を経て正式な名前が決定されるまでに時間がかかる。その間、一時的に「系統名」が用いられる。国際純正応用化学連合（IUPAC）が定めたその命名規則は下表の通りである。たとえば、120番元素はウンビニリウム（unbinilium）であり、元素記号はUbnと表す。

各数字のつづりは、ラテン語とギリシャ語から頭文字が重複しないように混ぜて選ばれている。

数字	つづり（1の位以外）	つづり（1の位）	日本語読み（1の位以外）	日本語読み（1の位）
0	nil	nilium	ニル	ニリウム
1	un	uniun	ウン	ウニウム
2	bi	bium	ビ	ビウム
3	tri	trium	トリ	トリウム
4	quad	quadium	クアド	クアジウム
5	pent	pentium	ペント	ペンチウム
6	hex	hexium	ヘキス	ヘキシウム
7	sept	septium	セプト	セプチウム
8	oct	octium	オクト	オクチウム
9	enn (en)	ennium	エン	エンニウム

114 Fl

フレロビウム／Flerovium

同位体と存在比(%)	
^{285}Fl	0, α, 150ms
^{286}Fl	0, SF, α, 0.12s
^{287}Fl	0, α, 0.48s
^{288}Fl	0, α, 0.58s
^{289}Fl	0, α, 1.9s

電子配置	[Rn]$5f^{14}6d^{10}7s^27p^2$
原子量	[289]
融点(K)	——
沸点(K)	——
密度($kg \cdot m^{-3}$)	——
地殻濃度(ppm)	0

酸化数	0	Fl
	+2	(推定)
	+4	(推定)

1	2	3	4	5	6	7	8	9	10	11	12	13	14	15	16	17	18
1 H																	2 He
3 Li	4 Be											5 B	6 C	7 N	8 O	9 F	10 Ne
11 Na	12 Mg											13 Al	14 Si	15 P	16 S	17 Cl	18 Ar
19 K	20 Ca	21 Sc	22 Ti	23 V	24 Cr	25 Mn	26 Fe	27 Co	28 Ni	29 Cu	30 Zn	31 Ga	32 Ge	33 As	34 Se	35 Br	36 Kr
37 Rb	38 Sr	39 Y	40 Zr	41 Nb	42 Mo	43 Tc	44 Ru	45 Rh	46 Pd	47 Ag	48 Cd	49 In	50 Sn	51 Sb	52 Te	53 I	54 Xe
55 Cs	56 Ba		72 Hf	73 Ta	74 W	75 Re	76 Os	77 Ir	78 Pt	79 Au	80 Hg	81 Tl	82 Pb	83 Bi	84 Po	85 At	86 Rn
87 Fr	88 Ra		104 Rf	105 Db	106 Sg	107 Bh	108 Hs	109 Mt	110 Ds	111 Rg	112 Cn	113 Nh	**114 Fl**	115 Mc	116 Lv	117 Ts	118 Og

ランタノイド(57～71)	57 La	58 Ce	59 Pr	60 Nd	61 Pm	62 Sm	63 Eu	64 Gd	65 Tb	66 Dy	67 Ho	68 Er	69 Tm	70 Yb	71 Lu
アクチノイド(89～103)	89 Ac	90 Th	91 Pa	92 U	93 Np	94 Pu	95 Am	96 Cm	97 Bk	98 Cf	99 Es	100 Fm	101 Md	102 No	103 Lr

1999年、ロシアの合同原子核研究所とアメリカのローレンス・リバモア国立研究所は共同で、^{244}Pu標的に^{48}Caイオンを衝突させて114番元素^{289}Flを1原子合成した。

$$^{244}_{94}Pu + ^{48}_{20}Ca \rightarrow ^{289}_{114}Fl + 3^{1}_{0}n$$

合同原子核研究所ではその後、^{242}Pu標的に^{48}Caイオンを衝突させて別の同位体^{287}Flをつくった。この^{287}Flがα

壊変して生成する娘核の中から、^{283}Cnが検出された。^{283}Cnが既知の核種と見なせることから、IUPACによって2011年、^{287}Flの存在が承認された。

IUPACは2012年に、114番元素の名前をロシアの核物理学者フレロフにちなんでフレロビウム(flerovium) と決定した。

2009年、アメリカのローレンス・バークレー国立研究所でも、^{242}Pu標的に^{48}Caイオンを衝突させ、^{287}Flと^{286}Flが合成された。一方、ドイツの重イオン研究所では2010年、^{244}Pu標的に^{48}Caイオンを衝突させ、^{288}Flと^{289}Flが合成されている。放射性同位体は7種類。

1949年、アメリカのメイヤーとドイツのイェンゼンは、原子核には、原子核が安定となる特定の陽子と中性子の数が存在すると考え、これを魔法数(マジックナンバー)とよんだ。広く認められている魔法数は、陽子数2、8、20、28、50、82と126、中性子数2、8、20、28、50、82と126である。

その後、理論計算が進み、1960年代に陽子数114、中性子数184をもつ原子核^{298}Flが二重魔法数で、この付近の核種が100万年以上の長い寿命をもつという理論予測が示された。それ以来^{298}Flの発見に期待がもたれているが、^{298}Flを合成するには、中性子数が豊富な放射性同位体(RI：Radioactive Isotope)をビームとして大強度で発生できる加速器が必要である。

フレロビウムは、周期表の14族元素で、鉛(Pb)の下に位置する元素であるため「エカ鉛」とよばれ、鉛に似た性質が予想されている。一方、強い相対論効果(516ページ参照)の影響によってフレロビウムは揮発性で、18族の貴ガス元素に似た性質を示すという予測もある。フレロビウム原子の金(Au)の表面への吸着温度から、その性質は水銀(Hg)やコペルニシウム(Cn)に類似しているという研究結果がある。

115 Mc

モスコビウム／Moscovium

同位体と存在比(%)	
^{287}Mc	0, α, 32ms
^{288}Mc	0, α, 171ms
^{289}Mc	0, α, 0.33s
^{290}Mc	0, α, 0.75s

電子配置	[Rn]$5f^{14}6d^{10}7s^{2}7p^{3}$
原子量	[289]
融点(K)	——
沸点(K)	——
密度($kg \cdot m^{-3}$)	——
地殻濃度(ppm)	0

酸化数		
	+1	(気相系で最も安定と推定)
	+3	(推定)

２００４年、ロシアの合同原子核研究所とアメリカのローレンス・リバモア国立研究所の共同研究チームが ^{243}Am 標的に ^{48}Ca イオンを衝突させ、半減期１７１ミリ秒の ^{288}Mc を３原子、半減期32ミリ秒の ^{287}Mc を1原子合成した。

$$^{243}_{95}Am + ^{48}_{20}Ca \rightarrow ^{288}_{115}Mc + 3^{1}_{0}n$$

$$^{243}_{95}Am + ^{48}_{20}Ca \rightarrow ^{287}_{115}Mc + 4^{1}_{0}n$$

1																	18
1 H	2											13	14	15	16	17	2 He
3 Li	4 Be											5 B	6 C	7 N	8 O	9 F	10 Ne
11 Na	12 Mg	3	4	5	6	7	8	9	10	11	12	13 Al	14 Si	15 P	16 S	17 Cl	18 Ar
19 K	20 Ca	21 Sc	22 Ti	23 V	24 Cr	25 Mn	26 Fe	27 Co	28 Ni	29 Cu	30 Zn	31 Ga	32 Ge	33 As	34 Se	35 Br	36 Kr
37 Rb	38 Sr	39 Y	40 Zr	41 Nb	42 Mo	43 Tc	44 Ru	45 Rh	46 Pd	47 Ag	48 Cd	49 In	50 Sn	51 Sb	52 Te	53 I	54 Xe
55 Cs	56 Ba		72 Hf	73 Ta	74 W	75 Re	76 Os	77 Ir	78 Pt	79 Au	80 Hg	81 Tl	82 Pb	83 Bi	84 Po	85 At	86 Rn
87 Fr	88 Ra		104 Rf	105 Db	106 Sg	107 Bh	108 Hs	109 Mt	110 Ds	111 Rg	112 Cn	113 Nh	114 Fl	115 Mc	116 Lv	117 Ts	118 Og

ランタノイド(57～71)	57 La	58 Ce	59 Pr	60 Nd	61 Pm	62 Sm	63 Eu	64 Gd	65 Tb	66 Dy	67 Ho	68 Er	69 Tm	70 Yb	71 Lu
アクチノイド(89～103)	89 Ac	90 Th	91 Pa	92 U	93 Np	94 Pu	95 Am	96 Cm	97 Bk	98 Cf	99 Es	100 Fm	101 Md	102 No	103 Lr

同研究チームは、2010年から2012年にかけて、より中性子数の多い^{289}Mcを4原子合成した。

$$^{243}_{95}\mathrm{Am} + ^{48}_{20}\mathrm{Ca} \rightarrow ^{289}_{115}\mathrm{Mc} + 2^{1}_{0}\mathrm{n}$$

2010年、合同原子核研究所、ローレンス・リバモア国立研究所にアメリカのオークリッジ国立研究所を加えた共同研究チームが^{249}Bk標的に^{48}Caイオンを衝突させ、117番元素^{294}Ts、^{293}Tsの合成を報告した。

2015年、IUPACとIUPAPの合同作業部会は、^{293}Tsのα壊変によって生じた^{289}Mcの壊変特性が、^{243}Amと^{48}Caの反応によって直接合成された^{289}Mcと矛盾しないことから、115番と117番元素発見の優先権が合同原子核研究所、ローレンス・リバモア国立研究所、オークリッジ国立研究所の共同研究チームにあるとした。

IUPACは2016年、115番元素の名前をロシアの合同原子核研究所があるモスクワ州にちなんでモスコビウム（moscovium）と決定した。

モスコビウムの同位体は4種類が知られ、すべて放射性である。

モスコビウムは、周期表で15族元素に属する超重元素であり、ビスマス（Bi）の下に位置するが、化学的性質は不明である。

Column 37

素粒子――Elementary particles

現在、物質を構成する究極の粒子は、クォーク、レプトンとよばれる素粒子であることがわかっている（下表参照）。原子を構成する陽子はアップ、アップ、ダウン、中性子はアップ、ダウン、ダウンの三つのクォークからつくられている。電子はそれ自体が素粒子で、レプトンの一員である。

力を伝える素粒子もある。宇宙には「弱い力」「強い力」「電磁気力」「重力」という異なる四つの力があり、それぞれウィークボゾン（Z^0粒子、$W^{\pm}$粒子）、グルーオン、フォトン（光子）、グラビトン（重力子）とよばれる素粒子によって力が伝えられる。

クォーク、レプトン、そして重力以外の三つの力を伝える素粒子は、標準理論という素粒子の理論で記述される。標準理論が存在を予言して最後まで未発見だったヒッグス粒子が2012年、欧州原子核研究機構（CERN）によってついに発見され、2013年にヒッグスとアングレール両博士はノーベル物理学賞を受賞した。

	フェルミオン			ボソン	
クォーク	u アップ	c チャーム	t トップ	γ 光子	
	d ダウン	s ストレンジ	b ボトム	g グルーオン	
レプトン	ν_e 電子ニュートリノ	ν_μ ミューニュートリノ	ν_τ タウニュートリノ	W Wボソン	
	e 電子	μ ミューオン	τ タウ	Z Zボソン	H ヒッグス

116 Lv

リバモリウム／Livermorium

同位体と存在比(%)	
^{290}Lv	0, α, 8.3ms
^{291}Lv	0, α, 18ms
^{292}Lv	0, α, 13ms
^{293}Lv	0, α, 57ms

電子配置	[Rn]$5f^{14}6d^{10}7s^{2}7p^{4}$
原子量	[293]
融点(K)	——
沸点(K)	——
密度(kg・m^{-3})	——
地殻濃度(ppm)	0

酸化数		
酸化数	+2	(気相系で最も安定と推定)
	+4	(推定)

116番元素のリバモリウム（livermorium）は、超重元素の一つである。

2000年、ロシアの合同原子核研究所とアメリカのローレンス・リバモア国立研究所は共同で、^{248}Cm標的に^{48}Caイオンを衝突させて、新元素の同位体^{292}Lv、^{293}Lvを合成した。

$$^{248}_{96}Cm + ^{48}_{20}Ca \rightarrow ^{292}_{116}Lv + 4^{1}_{0}n$$

1	2	3	4	5	6	7	8	9	10	11	12	13	14	15	16	17	18
1 H																	2 He
3 Li	4 Be											5 B	6 C	7 N	8 O	9 F	10 Ne
11 Na	12 Mg											13 Al	14 Si	15 P	16 S	17 Cl	18 Ar
19 K	20 Ca	21 Sc	22 Ti	23 V	24 Cr	25 Mn	26 Fe	27 Co	28 Ni	29 Cu	30 Zn	31 Ga	32 Ge	33 As	34 Se	35 Br	36 Kr
37 Rb	38 Sr	39 Y	40 Zr	41 Nb	42 Mo	43 Tc	44 Ru	45 Rh	46 Pd	47 Ag	48 Cd	49 In	50 Sn	51 Sb	52 Te	53 I	54 Xe
55 Cs	56 Ba		72 Hf	73 Ta	74 W	75 Re	76 Os	77 Ir	78 Pt	79 Au	80 Hg	81 Tl	82 Pb	83 Bi	84 Po	85 At	86 Rn
87 Fr	88 Ra		104 Rf	105 Db	106 Sg	107 Bh	108 Hs	109 Mt	110 Ds	111 Rg	112 Cn	113 Nh	114 Fl	115 Mc	116 Lv	117 Ts	118 Og

ランタノイド（57～71）	57 La	58 Ce	59 Pr	60 Nd	61 Pm	62 Sm	63 Eu	64 Gd	65 Tb	66 Dy	67 Ho	68 Er	69 Tm	70 Yb	71 Lu
アクチノイド（89～103）	89 Ac	90 Th	91 Pa	92 U	93 Np	94 Pu	95 Am	96 Cm	97 Bk	98 Cf	99 Es	100 Fm	101 Md	102 No	103 Lr

$$^{248}_{96}\mathrm{Cm} + ^{48}_{20}\mathrm{Ca} \rightarrow ^{293}_{116}\mathrm{Lv} + 3^{1}_{0}\mathrm{n}$$

２００４年には標的を^{245}Cmに変え、^{48}Caイオンを衝突させて別の同位体^{291}Lv、^{290}Lvを合成した。

$$^{245}_{96}\mathrm{Cm} + ^{48}_{20}\mathrm{Ca} \rightarrow ^{291}_{116}\mathrm{Lv} + 2^{1}_{0}\mathrm{n}$$

$$^{245}_{96}\mathrm{Cm} + ^{48}_{20}\mathrm{Ca} \rightarrow ^{290}_{116}\mathrm{Lv} + 3^{1}_{0}\mathrm{n}$$

^{291}Lvは2回α壊変して^{287}Flに、さらに既知の同位体^{283}Cnとなった。ＩＵＰＡＣとＩＵＰＡＰの合同作業部会は２０１１年、113番から116番および118番元素の合成実験について調査を行い、その結果、114番と116番元素については新元素と認定すると発表した。

同年、共同研究チームは、116番元素の名前として、ローレンス・リバモア国立研究所があるカリフォルニア州の都市名リバモア（Livermore）にちなみ、リバモリウム（livermorium）を提案した。この名称は翌２０１２年、正式に承認された。

リバモリウムは16族元素に属し、周期表でポロニウム（Po）の下に位置するため「エカポロニウム」とよばれることもある。化学実験に利用できる長寿命の同位体は知られておらず、化学的性質は不明だが、同族元素のポロニウムに似ていると考えられている。リバモリウムの放射性同位体は4種類ある。

図 116-1　ローレンス・リバモア国立研究所

117 Ts

テネシン／Tennessine

同位体と存在比(%)	
^{293}Ts	0, α, 22ms
^{294}Ts	0, α, 51ms

電子配置	$[Rn]5f^{14}6d^{10}7s^{2}7p^{5}$
原子量	[293]
融点(K)	——
沸点(K)	——
密度($kg \cdot m^{-3}$)	——
地殻濃度(ppm)	0

酸化数	−1, +1, +5	(推定)
	+3	(気相系で最も安定と推定)

２０１０年、ロシアの合同原子核研究所、アメリカのローレンス・リバモア国立研究所とオークリッジ国立研究所は共同で、^{249}Bk標的に^{48}Caイオンを衝突させて、新元素の同位体^{294}Ts、^{293}Tsを合成した。

$$^{249}_{97}Bk + ^{48}_{20}Ca \rightarrow ^{293}_{117}Ts + 4^{1}_{0}n$$

$$^{249}_{97}Bk + ^{48}_{20}Ca \rightarrow ^{294}_{117}Ts + 3^{1}_{0}n$$

1	2	3	4	5	6	7	8	9	10	11	12	13	14	15	16	17	18
1 H																	2 He
3 Li	4 Be											5 B	6 C	7 N	8 O	9 F	10 Ne
11 Na	12 Mg											13 Al	14 Si	15 P	16 S	17 Cl	18 Ar
19 K	20 Ca	21 Sc	22 Ti	23 V	24 Cr	25 Mn	26 Fe	27 Co	28 Ni	29 Cu	30 Zn	31 Ga	32 Ge	33 As	34 Se	35 Br	36 Kr
37 Rb	38 Sr	39 Y	40 Zr	41 Nb	42 Mo	43 Tc	44 Ru	45 Rh	46 Pd	47 Ag	48 Cd	49 In	50 Sn	51 Sb	52 Te	53 I	54 Xe
55 Cs	56 Ba		72 Hf	73 Ta	74 W	75 Re	76 Os	77 Ir	78 Pt	79 Au	80 Hg	81 Tl	82 Pb	83 Bi	84 Po	85 At	86 Rn
87 Fr	88 Ra		104 Rf	105 Db	106 Sg	107 Bh	108 Hs	109 Mt	110 Ds	111 Rg	112 Cn	113 Nh	114 Fl	115 Mc	116 Lv	117 Ts	118 Og

ランタノイド (57〜71)	57 La	58 Ce	59 Pr	60 Nd	61 Pm	62 Sm	63 Eu	64 Gd	65 Tb	66 Dy	67 Ho	68 Er	69 Tm	70 Yb	71 Lu
アクチノイド (89〜103)	89 Ac	90 Th	91 Pa	92 U	93 Np	94 Pu	95 Am	96 Cm	97 Bk	98 Cf	99 Es	100 Fm	101 Md	102 No	103 Lr

２０１２年にも同じ核反応により、^{294}Ts、^{293}Tsの合成の追試に成功している。ＩＵＰＡＣとＩＵＰＡＰの合同作業部会は２０１５年、^{293}Tsのα壊変によって生じた^{289}Mcの壊変特性が、^{243}Amと^{48}Caの反応によって直接合成された^{289}Mcに矛盾しないことから、115番と117番元素発見の優先権がロシアとアメリカの共同研究チームにあるとした。

ＩＵＰＡＣは、周期表の第1族から第16族までの新元素の名前について、元素名としてわかりやすいように「-ium（イウム）」で終わることを求めている。一方で、第17族と第18族の新元素に関しては、慣例にしたがって、それぞれハロゲン元素になじみの深い「-ine（イン）」、貴ガス元素になじみの深い「-one（オン）」で終わることを定めている。

ＩＵＰＡＣは２０１６年、元素周期表の第17族元素として誕生した117番元素の名前をテネシン（tennessine）に決定した。この名前は、アメリカの共同研究者が所属するオークリッジ国立研究所、ヴァンダービルト大学、テネシー大学があるテネシー州（Tennessee）の州名にちなむ。

テネシンの同位体は２種類が知られ、ともに放射性である。

テネシンの化学的性質は不明だが、周期表上でアスタチン（At）の下に位置することから、ハロゲンの性質をもつと考えられる。

118 Og

オガネソン／Oganesson

同位体と存在比(%)	
^{294}Og	0, α, 0.69ms

電子配置	$[Rn]5f^{14}6d^{10}7s^{2}7p^{6}$
原子量	[294]
融点(K)	——
沸点(K)	——
密度(kg・m^{-3})	——
地殻濃度(ppm)	0

酸化数		
酸化数	+2, +4	(気相系で最も安定と推定)
	+6	(推定)

1	2	3	4	5	6	7	8	9	10	11	12	13	14	15	16	17	18
1 H																	2 He
3 Li	4 Be											5 B	6 C	7 N	8 O	9 F	10 Ne
11 Na	12 Mg											13 Al	14 Si	15 P	16 S	17 Cl	18 Ar
19 K	20 Ca	21 Sc	22 Ti	23 V	24 Cr	25 Mn	26 Fe	27 Co	28 Ni	29 Cu	30 Zn	31 Ga	32 Ge	33 As	34 Se	35 Br	36 Kr
37 Rb	38 Sr	39 Y	40 Zr	41 Nb	42 Mo	43 Tc	44 Ru	45 Rh	46 Pd	47 Ag	48 Cd	49 In	50 Sn	51 Sb	52 Te	53 I	54 Xe
55 Cs	56 Ba		72 Hf	73 Ta	74 W	75 Re	76 Os	77 Ir	78 Pt	79 Au	80 Hg	81 Tl	82 Pb	83 Bi	84 Po	85 At	86 Rn
87 Fr	88 Ra		104 Rf	105 Db	106 Sg	107 Bh	108 Hs	109 Mt	110 Ds	111 Rg	112 Cn	113 Nh	114 Fl	115 Mc	116 Lv	117 Ts	118 Og

ランタノイド (57～71)	57 La	58 Ce	59 Pr	60 Nd	61 Pm	62 Sm	63 Eu	64 Gd	65 Tb	66 Dy	67 Ho	68 Er	69 Tm	70 Yb	71 Lu
アクチノイド (89～103)	89 Ac	90 Th	91 Pa	92 U	93 Np	94 Pu	95 Am	96 Cm	97 Bk	98 Cf	99 Es	100 Fm	101 Md	102 No	103 Lr

ロシアの合同原子核研究所とアメリカのローレンス・リバモア国立研究所の共同研究チームは２００２年、^{249}Cf標的に^{48}Caイオンを照射し、質量数294の^{294}Ogを1原子合成したことを発表した。２００５年には、より高いビームエネルギーで照射を行い、^{294}Ogをさらに2原子合成した。

118 Og オガネソン

$$^{249}_{98}\mathrm{Cf} + ^{48}_{20}\mathrm{Ca} \rightarrow ^{294}_{118}\mathrm{Og} + 3^{1}_{0}\mathrm{n}$$

さらに^{249}Bk＋^{48}Ca反応による長期の117番元素合成実験の際、標的の^{249}Bk（半減期３２７．２日）の一部がβ^-壊変して^{249}Cfとなり、これに^{48}Caが融合して^{294}Ogが１原子観測された。^{294}Ogは発見されている唯一の元素である。

２０１５年、ＩＵＰＡＣとＩＵＰＡＰの合同作業部会は、^{294}Ogがα壊変して生じた^{290}Lv、^{286}Flの壊変特性が、それぞれ^{245}Cmと^{48}Ca、^{242}Puと^{48}Caの反応で直接合成された^{290}Lv、^{286}Flの壊変特性に一致することから、118番元素発見の優先権が合同原子核研究所とローレンス・リバモア国立研究所の共同研究チームにあるとした。

２０１６年、ＩＵＰＡＣは、118番元素の名前をオガネソン（oganesson）に決定した。この名前は、元素の発見者であるオガネシアン（Oganessian）の超アクチノイド元素研究における長年の貢献に敬意を表し、彼の名前にちなんで命名されたものである。

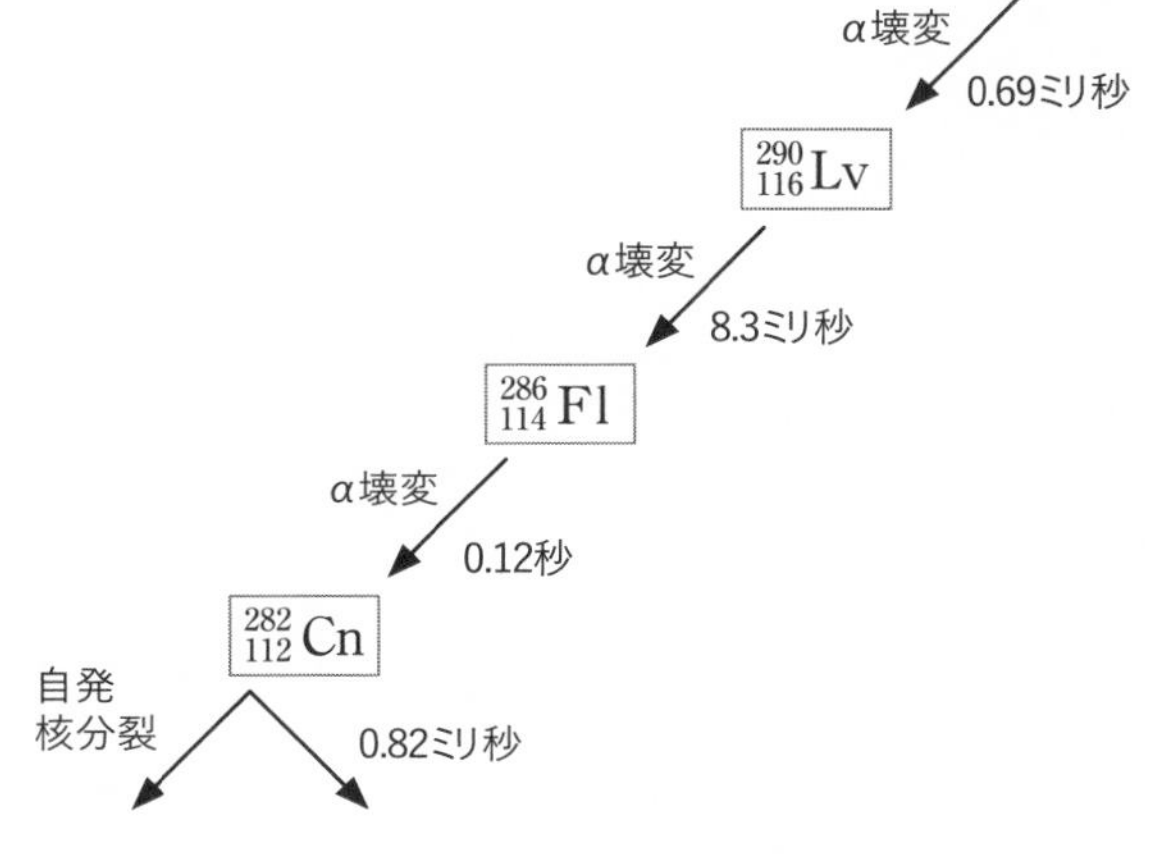

図 118-1　118 番元素 ^{294}Og の壊変過程

オガネソンは、周期表では18族元素、すなわち貴ガス元素の族に置かれている。電子配置の理論的予測から見て、他の貴ガス元素と同様に閉殻電子構造をとり、化学的に安定であると考えられている。しかし、他の貴ガス元素よりは反応性が高いと考えられ、キセノンやラドンのように安定した化合物（塩化物やフッ化物）を形成すると予測されている。

図118-2　2017年3月、オガネソンの命名公式発表会見に臨むオガネシアン（1933－）（TASS／アフロ）

＊

今後も、新しい元素が続々と発見されていくだろう。しかし、新元素がいくつ発見されようと、本書に収めた118元素に関する膨大な知識は、決して色あせることはない。本書をお読みになって、さらに元素について知りたいと感じていただけたなら幸いである。

質量数12の炭素原子^{12}Cの原子核は、陽子6個と中性子6個からできている。実際の質量は約1・99×10^{-23}gだが、日常で用いるには小さすぎて不便である。そのため、^{12}Cの質量を12（新定義では11・9999999958g）として、これを基準に他の原子の質量を相対的に比べた値が相対質量として用いられる（^{12}Cを6・022×10^{23}個集めると、質量は11・9999999958gになる。

Column 38

原子量とはなんだろう?

6・022×10^{23}はアボガドロ数という)。

多くの原子には同位体が存在する。各同位体の相対質量に、それぞれの存在比をかけて合計した値が原子量である。たとえば、カリウム原子には安定同位体の^{39}K（相対質量39、存在比93・2581%）と^{41}K（相対質量41、存在比6・7302%）がある。このとき、カリウムの原子量は39×93.2581/100+41×6.7302/100＝39.13004となる。しかし、この計算値（39・13004）と122ページに掲載した原子量の値（39・0983）とが異なり、実際の原子量は0・03174小さくなっている。なぜだろうか?

原子核では、陽子と中性子が強い力（核力）で結合して存在している。結合するにはエネルギーが必要である。質量とエネルギーを等価とする$E=mc^2$を思い出そう。0・03174は核内の結合エネルギーとして使われ、原子量はそのぶん計算値より小さくなっているのである（質量欠損という）。

原子量はまた、時に変更されることがある。なぜか? 原子量は各元素を構成している同位体の存在比に依存する。同位体の存在比は、地球規模で起こるさまざまな現象や分析精度により変動することがある。このため、国際純正応用化学連合（IUPAC）では、新しく測定されたデータを収集・検討し、2年ごと（奇数年）に原子量表を改定している。原子量や同位体の存在比が変動しうることを知っておくことは重要である。

Column 39

元素の誕生

元素は、今から137億年前に誕生したと考えられている。宇宙が膨張しはじめてから0・0001秒後に、クォークとよばれる素粒子から陽子と中性子ができた。その陽子と中性子から重水素の原子核が、さらに陽子と中性子2個から三重水素の原子核が、さらに2個の陽子と2個の中性子からヘリウムの原子核が生まれた。1万秒後に、重量比で水素原子核75%とヘリウム原子核25%となった。宇宙がさらに膨張して温度が下がり、電子が原子核に捕らえられ、38万年後に水素原子、ヘリウム原子、さらにリチウム原子が生まれた。

水素原子とヘリウム原子が集まりはじめて恒星ができ、その中で原子どうしが結合する核融合反応が繰り返されて、ヘリウムから炭素原子ができた。次いで酸素やネオン、ケイ素が生まれた。恒星が大きくなって中心核が縮むと、温度が上がって超新星爆発を起こした。鉄よりも重い元素は、このときにつくられた。さらに、中性子星が合体したときには、高密度・高温度（10億℃）下で中性子捕獲反応によって金や銀、白金、ウランやプルトニウムなどの重い元素がつくられたと考えられている。

太陽系の星は、重量比で水素71%とヘリウム27%でできている。地球の重さの35%は鉄、30%は酸素、15%はケイ素である。地殻変動や生物誕生、酸素分子誕生などにより、現在の大気には窒素75・5%、酸素23%、アルゴン1・5%と二酸化炭素、ネオンなどが含まれる。

新元素の展望

新元素の分離装置の発明

新元素探索は、サイクロトロンなどの加速器を使って重イオンを光速の10分の1程度にまで加速し、これを標的原子核に衝突させることで、超重元素の原子核（超重核）を人工的に合成して行われる。

たとえば、113番元素ニホニウム（^{278}Nh）を合成する場合、83番元素の^{209}Biを標的原子核として、これに重イオン^{70}Znを衝突させる。すると、二つの原子核が融合して、複合核とよばれる一つの原子核が形成される。複合核は励起しているため、超重元素のような重い元素の場合には、励起した核が核分裂して壊れてしまう確率が非常に高い。しかし、中性子やγ線を放出して励起状態を脱し、目的の原子番号をもつ超重元素として生き残る確率がわずかに存在する。

こうして生成した超重核はすべて放射性で、α線を放出したり、核分裂したりして壊変していく。半減期は数十秒からマイクロ秒のオーダーで、きわめて短い。

新元素を合成して確認するためには、目的の超重元素原子を迅速に効率よく収集し、1個の原子でも新元素として同定できる精巧な放射線計測装置を準備する必要がある。

光速の10分の1程度まで加速された重イオンが標的原子核に衝突することによって、生成した超重元素の原子核はビーム軸方向に向かって、標的物質から飛び出してくる。この原子核を反跳核（はんちょう）とよぶ。

１９７０年代後半、ドイツの重イオン研究所における反跳核分離装置の発明は、新元素探索に大きなブレイクスルーをもたらした。

反跳核分離装置は、重イオンビームと標的原子核との核融合反応で生成した超重核を、磁場や電場の組み合わせで数マイクロ秒のうちに選択的に取り出すことができる。分離装置の焦点面に飛行時間検出器と位置有感型のシリコン半導体検出器を配置することによって、高感度で超重核の質量、α壊変や自発核分裂壊変の寿命と壊変エネルギーを測定することができる。

107番元素ボーリウム（^{262}Bh）から118番元素オガネソン（^{294}Og）までの発見には、すべてこの反跳核分離装置が用いられてきた。反跳核分離装置の例として、日本の理化学研究所の重イオン線形加速器施設に設置された気体充塡型反跳核分離装置（GARIS）を図Aに示す。

新元素を合成するための核反応

超重元素を合成するための核反応には、冷たい核

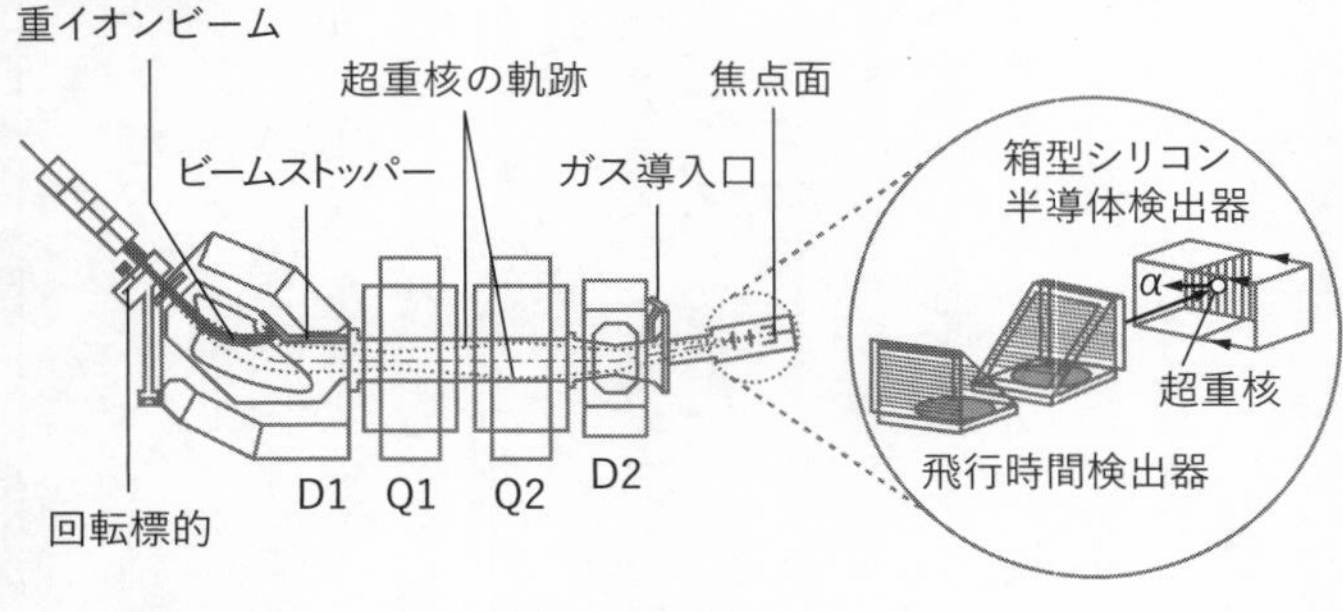

図A　理化学研究所の気体充塡型反跳核分離装置（GARIS）と超重核検出装置

融合反応（コールド・フュージョン法、482ページの図111－2参照）と熱い核融合反応（ホット・フュージョン法）の二つの手法が試みられてきた。

前者は、1974年、ロシアのオガネシアンによって提唱され、ドイツ重イオン研究所が進めてきた方法で、鉛（^{208}Pb）やビスマス（^{209}Bi）の原子核を標的とし、^{54}Cr、^{58}Fe、^{62}Ni、^{64}Niや^{70}Znなどの重イオンを衝突させて超重核を合成する方法である。

重イオンビームの原子核と標的原子核が融合するためには、正の電荷をもつこれら二つの原子核の間に働くクーロン力（クーロン障壁）に打ち勝ち、原子核どうしが互いに接触しなければならない。冷たい核融合反応では、結合エネルギーの大きな鉄近傍の原子核をクーロン障壁程度のエネルギーにまで加速し、二重魔法数の^{208}Pb近傍の標的原子核に衝突させる。

その結果、入射原子核と標的原子核が融合してできる複合核の励起エネルギーを低く抑えることができ（12～15MeV）、核分裂して壊れてしまう確率を下げ、中性子を1個だけ放出させて目的の超重核を合成することができる。

ドイツ重イオン研究所のミュンツェンベルクとホフマンらは、ＳＨＩＰ（Separator for Heavy Ion Reaction Products）とよばれる反跳核分離装置を用い、1980年代から1990年代にかけて、107番元素ボーリウム（^{262}Bh）、108番元素ハッシウム（^{265}Hs）、109番元素マイトネリウム（^{266}Mt）、110番元素ダームスタチウム（^{269}Ds（のちに^{271}Dsも））、111番元素レントゲニウム（^{272}Rg）、112番元素コペルニシウム（^{277}Cn）の6元素を次々と発見していった。

日本の理化学研究所の森田浩介らも、同様な冷たい核融合反応を用いて、ドイツ重イオン研究所が発見した^{265}Hs、^{271}Ds、^{272}Rg、^{277}Cnなどの確認実験を行い、2004年、

$$^{209}_{83}\mathrm{Bi} + ^{70}_{30}\mathrm{Zn} \rightarrow ^{278}_{113}\mathrm{Nh} + ^{1}_{0}\mathrm{n}$$

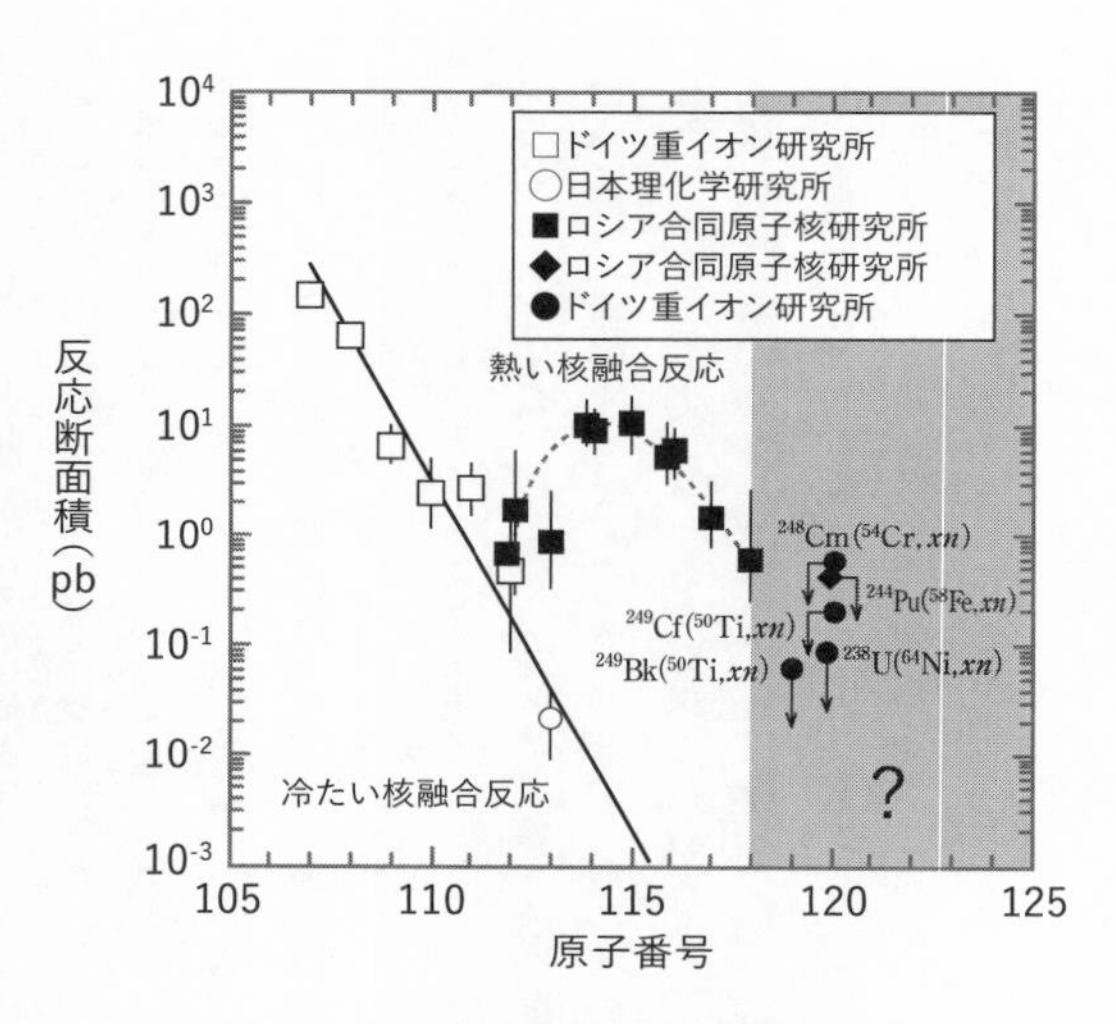

図B　新元素合成の反応断面積

の反応によって質量数278の113番元素ニホニウム（^{278}Nh）の発見に成功している。

核反応の起こりやすさは、一般的に反応断面積という物理量で表される。反応断面積の単位は、バーン（b）で、1bは、10^{-24} cm^{2}に相当する。冷たい核融合反応による107番元素ボーリウム（Bh）合成から113番元素ニホニウム合成までの反応断面積を、図Bに白抜きの四角記号で示す。

反応断面積は、原子番号の増加とともに指数関数的に急激に減少していく。すなわち、重い元素になればなるほどその合成は困難になる。理化学研究所の113番元素の反応断面積0・022pb（ピコバーン：10^{-12} b）は現在、新元素合成における最小値を記録している。ちなみに、この断面積で生成する^{278}Nhを1原子検出するためには、重イオンビーム照射をなんと6ヵ月間連続で行う必要がある。

一方、入射重イオン（原子番号Z_1）と標的原子核（原子番号Z_2）の核融合反応において、Z_1とZ_2の積

$Z_1 \cdot Z_2$が1600~1800を超えると融合しにくくなり、この値の増加とともに融合確率が指数関数的に減少することが知られている。すなわち、同じ原子番号の超重核をつくる場合、Z_1とZ_2ができるだけ離れている非対称な反応系が有利となる。

そこで、ロシアのドブナにある合同原子核研究所、アメリカのローレンス・リバモア国立研究所とオークリッジ国立研究所の共同研究チームは、重いアクチノイド元素を標的に選び、これに重イオンの中でも比較的軽い^{48}Caイオンを衝突させて超重核を合成する方法を進めてきた。この入射核と標的核の組み合わせでは、融合してできる複合核の励起エネルギーが先述の冷たい核融合反応に比べて高くなり(35~45MeV)、熱い核融合反応とよばれ、2~5個の中性子を放出して超重核が合成される。中性子の放出は核分裂と競争するため、放出される中性子数が増えるごとに核分裂の機会が増え、超重核として生き残る確率が小さくなるおそれがある。そこで、できるだけ中性子が豊富なアクチノイド核を標的に選び、二重魔法数で中性子が豊富な^{48}Caと核融合させる。これによって、中性子数184の魔法数近傍のより安定な超重核領域に到達することができ(513ページ参照)、超重核が核分裂して壊れてしまう確率を下げ、超重核として生き残る確率を増大できると考えられている。

ロシアの合同原子核研究所のオガネシアンらは、1999年から2013年にかけて、^{48}Caイオンをウラン(^{233}U、^{238}U)、ネプツニウム(^{237}Np)、プルトニウム(^{242}Pu、^{244}Pu)、アメリシウム(^{243}Am)、キュリウム(^{245}Cm、^{248}Cm)、バークリウム(^{249}Bk)、カリホルニウム(^{249}Cf)などのアクチノイド元素標的に照射し、ドブナ気体充塡型反跳核分離装置(DGFRS)を用いて、112番元素コペルニシウム(^{282}Cn、^{283}Cn)、113番元素ニホニウム(^{282}Nh)、114番元素フレロビウム(^{286}Fl~^{289}Fl)、115番元素モスコビウム(^{287}Mc~^{289}Mc)、116番元素リバモリウム(^{290}Lv~^{293}Lv)、117番元素テネシン(^{293}Ts、^{294}Ts)、118番元素オガネソン（^{294}Og）の合成に成功している。

図Bに、黒塗りの四角記号で^{48}Caビームを用いた熱い核融合反応の反応断面積を示した。熱い核融合反応の反応断面積は、0・5～10pb程度と報告されており、断面積が原子番号とともに指数関数的に減少していく冷たい核融合反応と比較して、一桁以上大きな値である。ドイツ重イオン研究所、アメリカのローレンス・バークレー国立研究所、日本の理化学研究所のグループも、^{48}Caビームを用いた熱い核融合実験に着手し、コペルニシウム（^{283}Cn）、フレロビウム（^{285}Fl～^{289}Fl）、モスコビウム（^{287}Mc、^{288}Mc）、リバモリウム（^{291}Lv～^{293}Lv）などの合成に成功している。

119番以降の新元素合成は？

２０２３年2月末現在、118番までの元素が発見され、周期表の第7周期が完成している。すでに119番以降の新元素を求めて、激しい新元素探索レースが始まっている。図Bに示したように、冷たい核融合反応の反応断面積は、原子番号とともに急激に減少し、この反応系による114番以降の元素合成は非常に困難であると考えられている。

そこで、119番以降の新元素合成には、アクチノイド元素を標的とした熱い核融合反応が用いられている。ロシアの合同原子核研究所のグループは、ＤＧＦＲＳを用いて２００９年、

$$^{244}_{94}\mathrm{Pu} + ^{58}_{26}\mathrm{Fe} \rightarrow ^{302-x}120 + x\,^{1}_{0}\mathrm{n}$$

（xは核反応で放出される中性子の数）

の反応による120番元素の合成を試み、反応断面積の上限値として０・４pbを報告している（図B参照）。

一方、ドイツ重イオン研究所のグループは、２００９年、ＳＨＩＰを用いて、

$$^{238}_{92}\mathrm{U} + ^{64}_{28}\mathrm{Ni} \rightarrow ^{302-x}120 + x\,^{1}_{0}\mathrm{n}$$

の反応による120番元素の探索を行い、１１６日間の照射実験の末、反応断面積の上限値として０・０９

pbを報告している（図B参照）。

２０１６年には、別の核反応、

$$^{248}_{96}\mathrm{Cm} + ^{54}_{24}\mathrm{Cr} \rightarrow ^{302-x}120 + x\,^{1}_{0}\mathrm{n}$$

による120番元素の探索を開始し、33日間の実験で上限値０・５８pbを報告している（図B参照）。

さらに、ドイツ重イオン研究所では、ＴＡＳＣＡとよばれる新型の気体充填型反跳核分離装置を開発し、それぞれ、

$$^{249}_{97}\mathrm{Bk} + ^{50}_{22}\mathrm{Ti} \rightarrow ^{299-x}119 + x\,^{1}_{0}\mathrm{n}$$

$$^{249}_{98}\mathrm{Cf} + ^{50}_{22}\mathrm{Ti} \rightarrow ^{299-x}120 + x\,^{1}_{0}\mathrm{n}$$

の反応による119、120番元素の合成実験に着手している。２０２０年の時点で、それぞれ０・０６５、０・２pbの反応断面積まで探索が進められている。

理化学研究所でも、

$$^{248}_{96}\mathrm{Cm} + ^{51}_{23}\mathrm{V} \rightarrow ^{299-x}119 + x\,^{1}_{0}\mathrm{n}$$

の反応による119番元素の合成実験に着手している。

121番元素以降は、119番と120番のように、アクチノイド標的と重イオンビームとの核融合反応によって合成されていくと考えられる。119番や120番が合成されれば、その実験結果と理論計算にもとづいて121番以降の方向性がよりはっきり見えてくるだろう。

次の10年で何番まで発見されるかを予想するのは難しいが、参考までに図Cを挙げておく。図Cは、5年ごとに、発見された超ウラン元素の数を示したものである。

118番元素オガネソンまでは、5年あたり１～２元素のペースで発見されてきた。しかし、２０１５年以降は、新元素発見の報告はない。119番以降の新元素を合成するためには、より大強度のビームを発生できる加速器に加え、大強度ビーム照射による熱負荷に耐える強靱な標的、短寿命の超重元素の同位体を効率よくビームや副反応生成物から分離する装置、超重元素同位体の放射壊変を高感度で捉える検

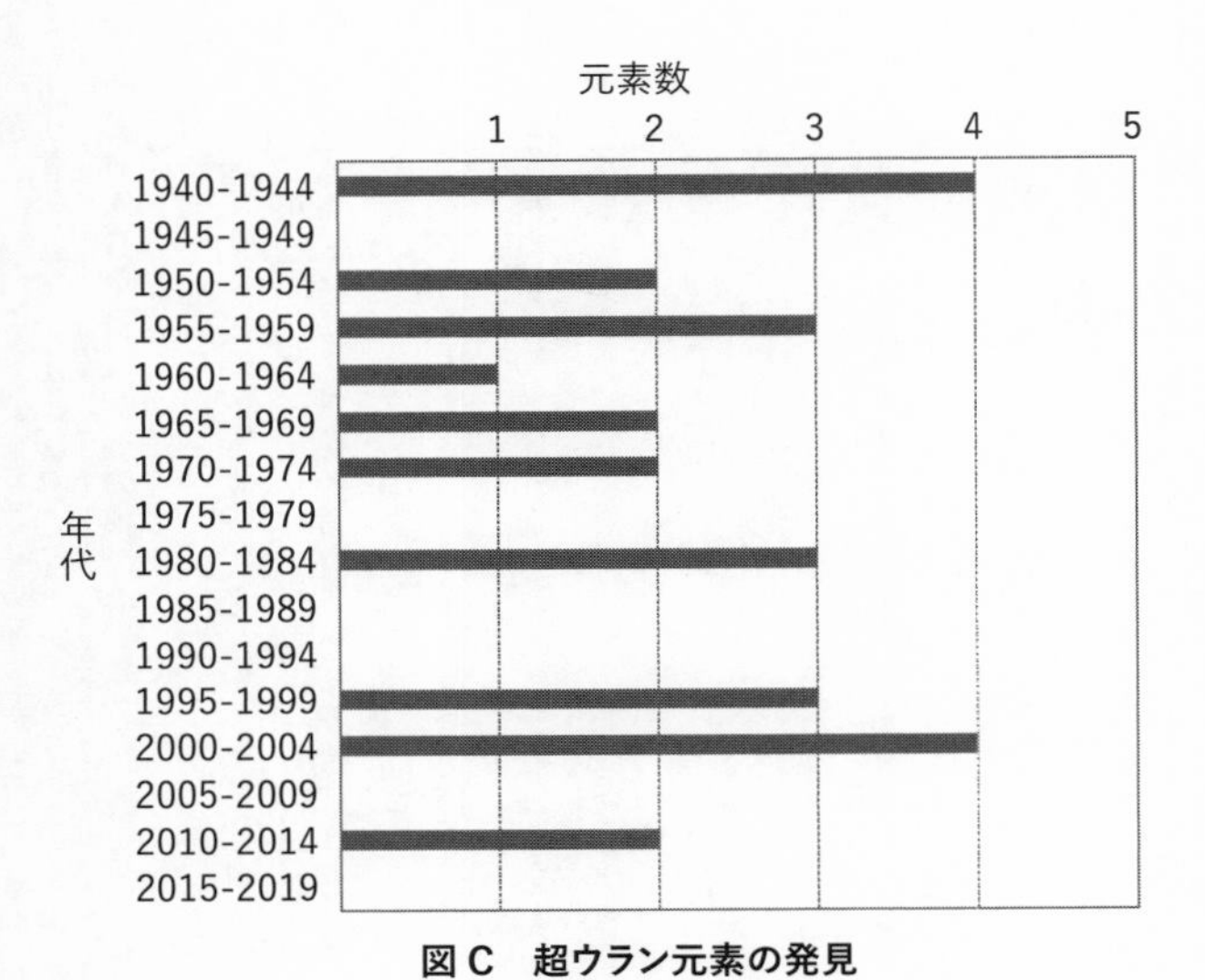

図C　超ウラン元素の発見

出器、短寿命の原子核壊変を記録するデータ収集機器など、さまざまな技術開発が必要となっている。

核図表と安定の島

原子核の存在限界にある超重元素の領域は、新元素の発見はもちろんとして、新たな魔法数の発見、原子核の異常な変形や多様な壊変様式など、原子核物理学のさまざまなフロンティアを含んでいる。

図Dに核図表を示す。核図表とは、縦軸に陽子の数、横軸に中性子の数をとって同位体を分類したものである。２０２３年2月末現在、黒塗りのマスで示した約３００種類の安定核がならび、そのまわりには約３７００種類の不安定な放射性同位体（RI：Radioactive Isotope）が存在することが知られている。

貴ガス元素の電子配置が閉殻構造をとって安定化するように、原子核内の核子にも陽子と中性子の組み合わせによって原子核が安定化する領域がある。

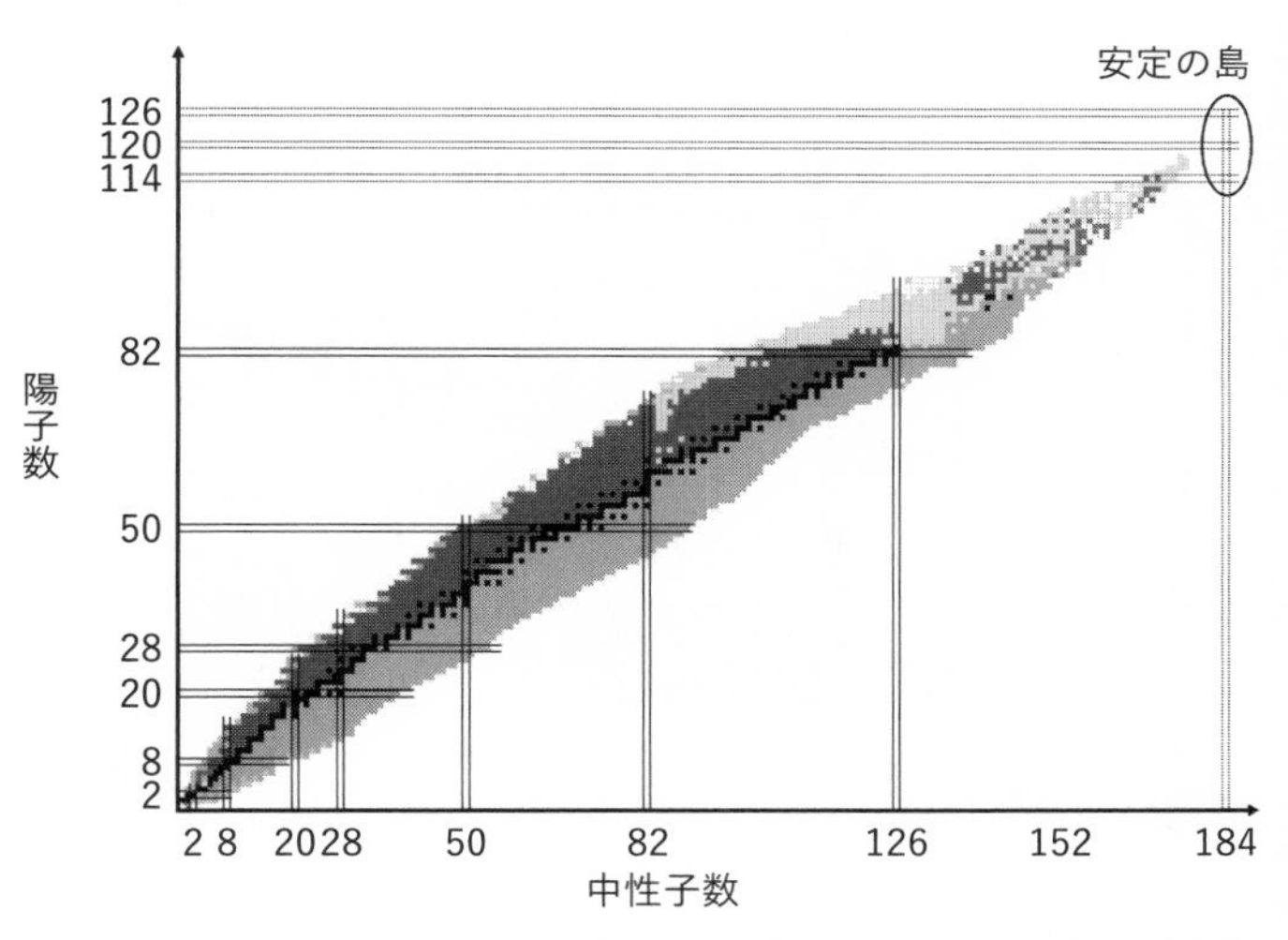

図D　核図表（Z. Sóti, J. Magill, and R. Dreher, *EPJ Nuclear Sci. Technol.* 5, 6 (2019).）

この陽子数（Z）と中性子数（N）は魔法数とよばれ、現在、Z＝2、8、20、28、50、82、N＝2、8、20、28、50、82、126が知られている。

図Dの核図表に魔法数を示す。陽子数と中性子数がともに魔法数をとる二重魔法数（ダブルマジックナンバー）の原子核は特に安定化する。二重魔法数をもつ原子核の中で最も重い原子核は、Z＝82、N＝126の^{208}Pbである。

この次の二重魔法数がいくつになるか、という問いは、現代原子核物理学の重大な研究課題の一つで、また、今後の新元素探索の重要な手がかりとなる。

さまざまな理論計算にもとづいて、Z＝114、120、126、N＝184、228などが予測されている。この二重魔法数の原子核の周辺領域は、安定の島（island of stability）とよばれ、1960年代以来、この島にたどり着くことが核物理学者や核化学者の夢となっている。

しかし、残念ながら、これまでの安定核の重イオンビームを用いた核融合反応では、合成できる超重核が安定の島からはるかに中性子不足側となってしまう。そこで、中性子数が豊富な放射性同位体（RI）をまず核反応でつくり、このRIをビームとして加速、標的原子核に衝突させて核融合反応を行う必要がある。

現在利用できるRIビームの強度は、目的の超重核を合成するには何桁も足りない。次世代のRIビーム加速器施設に期待がもたれる。

拡張周期表——元素はいくつ存在するのか？

アクチノイド系列は5f軌道に電子が満たされていくfブロック元素で、89番元素アクチニウム（Ac）に始まって103番元素ローレンシウム（Lr）で終わる。104番元素ラザホージウム（Rf）以降の重い元素群を、「アクチノイドを超える」という意味で、超アクチノイド元素とよぶ。最近では、これらの元素を超重元素とよぶことも多い（429ページのコラム30参照）。

超重元素は、すべて重イオン加速器を利用した核融合反応によって合成される。当然、化学的性質は未知である。次々に発見される新元素は、元素の周期表上でどのように並べられていくのだろうか？

104番元素ラザホージウム（Rf）から112番元素コペルニシウム（Cn）までは、6d軌道に電子が満たされていくdブロック元素として、第7周期の4～12族に置かれている。113番元素ニホニウム（Nh）から118番元素オガネソン（Og）までは、7p軌道に電子が満たされていくpブロック元素として13～18族に置かれている。

ヘルシンキ大学のピッコは2011年、172番元素までの電子状態を拡張平均レベル・ディラック－フォック法によって計算し、図Eの周期表を提案している。

いったい元素はいくつ存在するのか？　今後、119

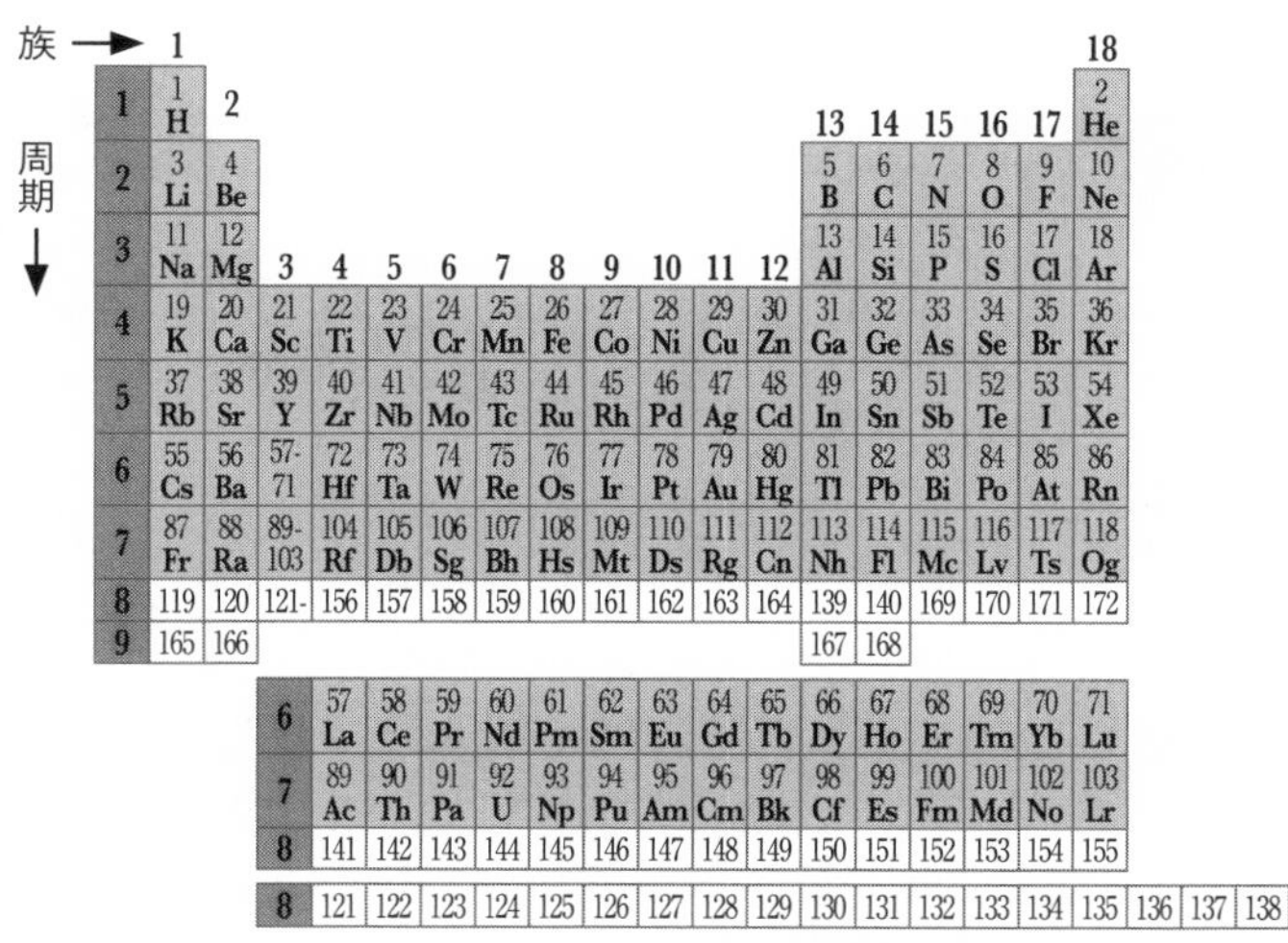

図E　1～172番元素の周期表

や120番元素が発見されれば周期表に新しい周期、すなわち第8周期が誕生することになる。121～138番元素は5g遷移元素と予測され、人類が初めてg電子軌道に触れる日も近いかもしれない。

新元素の化学的性質の決め方

新元素はどのような化学的性質をもっているのか? 周期表の縦の列、すなわち同族にある元素は互いによく似た化学的性質をもつことが知られている。これは、化学反応に大きく関与する最外殻電子(価電子)の配置の周期性にもとづいて周期表がつくられているからである(図E)。

ところが、超重元素のような重い原子では、原子の中心にある原子核の正電荷が大きくなり、負電荷をもつ電子との相互作用が非常に大きくなる。すると、原子核の近くにあるs軌道やp軌道の電子の速度は光速に近づき、相対論によって電子の質量が増大し、その結果軌道半径が収縮する。一方、d軌道

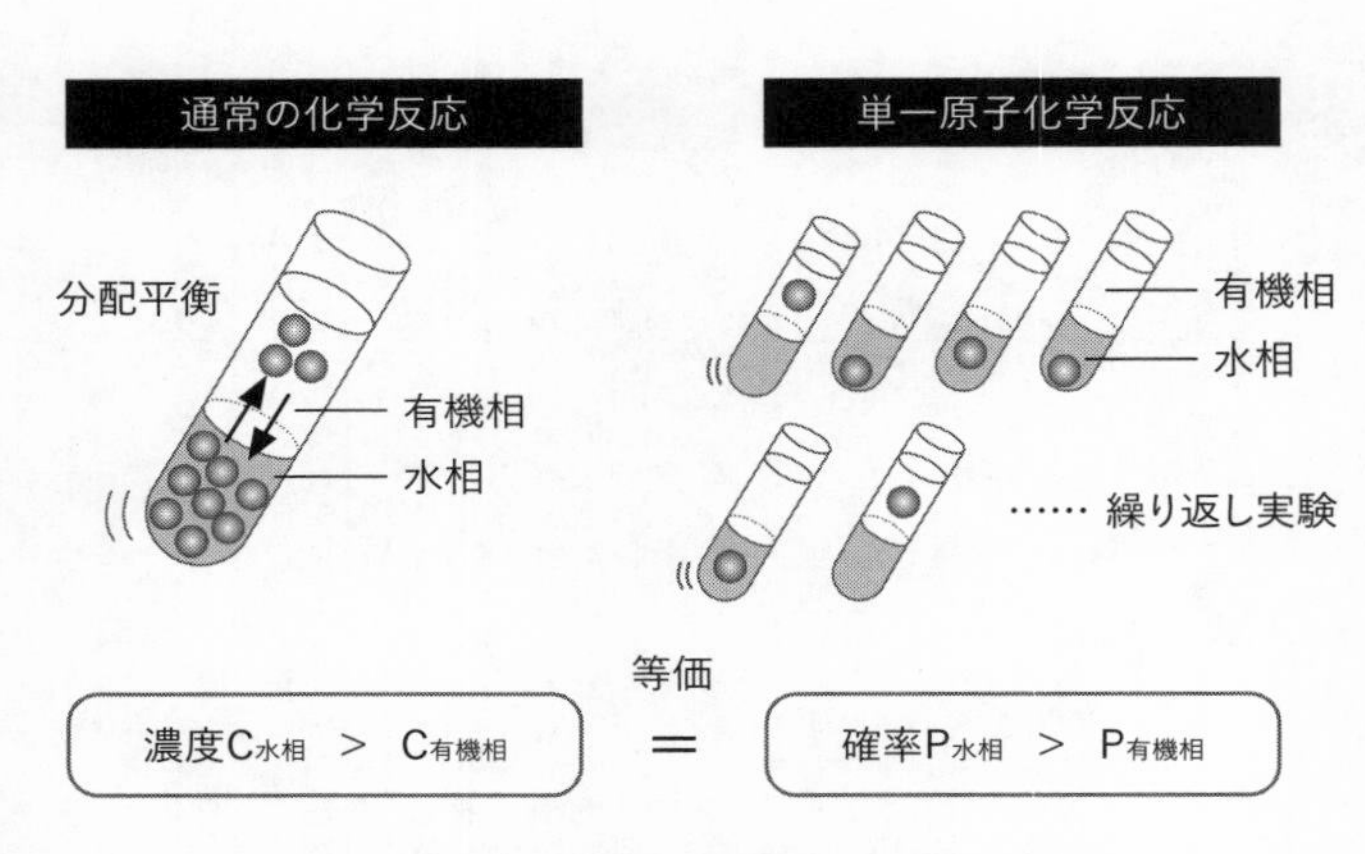

図F　通常の化学反応と単一原子化学反応の概念

やf軌道の電子の軌道半径は、s軌道やp軌道の収縮によって原子核の正電荷が遮蔽され、反対に大きくなる。

軽い元素でも相対論効果は見られるが、原子番号が大きい元素ほどこの効果は顕著に表れる。

こうして化学結合に関与する価電子の軌道が大きく変化し、超重元素は周期表の位置、すなわち縦の列に並ぶ同族の元素からは予測もつかないユニークな化学的性質をもっていることが期待されている。

超重元素の生成率はきわめて低く、寿命は1分間にも満たないくらい短いため、一度にわずか1個の原子しか取り扱うことができない。このため超重元素の化学は、「単一原子の化学」あるいは「シングルアトム化学」ともよばれ、まさに究極の微量元素分析といえる。

通常の化学ではモル量、すなわち1mol（＝6・02×10^{23}個）程度の原子数を取り扱う。わずか1個の原子で、元素の化学的性質を調べることができるのだろうか？

図Fに、ある化学種が水相と有機相の2相間に分配する溶媒抽出実験の概念を示す。通常の化学では、2相間に存在する物質量（濃度）を用いて、分配平衡が議論される。ところが単一原子の化学では、1個の原子が同時に二つの相に存在することはあり得ないため、1個の原子を用いた実験を何度も繰り返すことによって、どちらかの相で観測される確率として、2相間の分配反応が議論される。

特に、何段もの分配過程を経るクロマトグラフ法は、超重元素の化学分析法として適している。こんにちまで、超重元素の単体あるいは化合物の揮発性などを調べるガスクロマトグラフ法や、イオン交換や溶媒抽出挙動などを調べる液体クロマトグラフ法を用いて、超重元素の化学的性質が調べられてきた。

重イオン加速器施設において、放射線計測器に結合した特殊な迅速シングルアトム化学分析装置が開発され、現在までに、溶液系の化学で106番元素シーボーギウム（Sg）まで、気相系で108番元素ハッシウム（Hs）までと112番元素コペルニシウム（Cn）、113番元素ニホニウム（Nh）と114番元素フレロビウム（Fl）についての報告がある。

119番以降の元素の研究状況（合成が試みられた元素のみ記載）

原子番号／元素記号／系統名／電子配置*	発表年	発表研究機関	原子核反応・参考事項
119 Uue ウンウンエンニウム [Og] $8s^1$	1985	アメリカ・ローレンス・バークレー国立研究所（LBNL）	$^{254}_{99}Es+^{48}_{20}Ca$
	2020	ドイツ・重イオン研究所（GSI）	$^{249}_{97}Bk+^{50}_{22}Ti$
	いずれの実験でもまだ119番元素の存在は確認されていない。		
120 Ubn ウンビニリウム [Og] $8s^2$	2009	ロシア・合同原子核研究所（JINR）	$^{244}_{94}Pu+^{58}_{26}Fe$
	2009	ドイツ・重イオン研究所	$^{238}_{92}U+^{64}_{28}Ni$
	2016	ドイツ・重イオン研究所	$^{248}_{96}Cm+^{54}_{24}Cr$
	2020	ドイツ・重イオン研究所	$^{249}_{98}Cf+^{50}_{22}Ti$
	いずれの実験でもまだ120番元素の存在は確認されていない。陽子数120の原子核は魔法数をもつと予測されており、安定性が高いと期待されている。さらに、中性子数184の120番元素（$^{304}_{120}Ubn$）は二重魔法数をもち、特に安定であると予想されている。		
121 Ubu ウンビウニウム [Og] $8s^28p^1$			

* [Og] = [Rn] $5f^{14}6d^{10}7s^27p^6$　各元素の電子配置は推定。

原子番号／元素記号／系統名／電子配置*	発表年	発表研究機関	原子核反応・参考事項
122 Ubb ウンビビウム [Og] $7d^1 8s^2 8p^1$	1972	ロシア・ 合同原子核研究所	$^{238}_{92}U + ^{66}_{30}Zn$
	1978	ドイツ・ 重イオン研究所	$^{nat}_{68}Er + ^{136}_{54}Xe$ （nat：天然同位体組成）
	2000	ドイツ・ 重イオン研究所	$^{238}_{92}U + ^{70}_{30}Zn$
	いずれの実験でもまだ122番元素の存在は確認されていない。		
123 Ubt ウンビトリウム [Og] $6f^1 7d^1 8s^2 8p^1$			
124 Ubq ウンビクアジウム [Og] $6f^3 8s^2 8p^1$			
125 Ubp ウンビペンチウム [Og] $5g^1 6f^3 8s^2 8p^1$			

原子番号／元素記号／系統名／電子配置*	発表年	発表研究機関	原子核反応・参考事項
126 Ubh ウンビヘキシウム [Og] $5g^2 6f^2 7d^1 8s^2 8p^1$	1971	欧州原子核研究機構（CERN）	$^{232}_{90}Th$に$^{84}_{36}Kr$を衝突させて、126番元素の合成が試みられたが、確認はされていない。陽子数126の原子核は魔法数をもつと予測されており、安定性が高いと期待されている。さらに、中性子数184の126番元素（$^{310}_{126}Ubh$）は二重魔法数をもつため、特に安定であると予想されている。
127 Ubs ウンビセプチウム [Og] $5g^3 6f^2 8s^2 8p^2$	1978	ドイツ・重イオン研究所	天然同位体組成の$^{nat}_{73}Ta$に$^{136}_{54}Xe$を衝突させて127番元素の合成が試みられたが、確認はされていない。
128 Ubo ウンビオクチウム [Og] $5g^4 6f^2 8s^2 8p^2$			
129 Ube ウンビエンニウム [Og] $5g^5 6f^2 8s^2 8p^2$			

* [Og] = [Rn] $5f^{14} 6d^{10} 7s^2 7p^6$　各元素の電子配置は推定。

原子番号／元素記号／系統名／電子配置*	発表年	発表研究機関	原子核反応・参考事項
130 Utn ウントリニリウム [Og] $5g^{6}6f^{2}8s^{2}8p^{2}$			
131 Utu ウントリウニウム [Og] $5g^{7}6f^{2}8s^{2}8p^{2}$			
132 Utb ウントリビウム [Og] $5g^{8}6f^{2}8s^{2}8p^{2}$			
133 Utt ウントリトリウム [Og] $5g^{8}6f^{3}8s^{2}8p^{2}$			
134 Utq ウントリクアジウム [Og] $5g^{8}6f^{4}8s^{2}8p^{2}$			
135 Utp ウントリペンチウム [Og] $5g^{9}6f^{4}8s^{2}8p^{2}$			

参考文献

●『理科年表 令和5年 第96冊』国立天文台編、丸善出版、2022年
●『元素の話』(化学の話シリーズ1) 斎藤一夫著、培風館、1982年
●『新・元素と周期律』井口洋夫/井口眞著、裳華房、2013年
●『元素と周期表の世界』京極一樹著、実業之日本社、2010年
●『元素とはなにか』吉沢康和著、講談社ブルーバックス、1975年
●『元素発見の歴史』(1~3巻) M・E・ウィークス/H・M・レスター著、大沼正則監訳、朝倉書店、1988~1990年
●『百万人の化学史――「原子」神話から実体へ』筏英之著、アグネ承風社、1989年
●『化学元素発見のみち』D・N・トリフォノフ/V・D・トリフォノフ著、阪上正信/日吉芳朗訳、内田老鶴圃、1994年
●『元素の王国』(サイエンス・マスターズ6) P・アトキンス著、細矢治夫訳、草思社、1996年
●『元素がわかる』小野昌弘著、技術評論社、2008年
●『イラスト図解 元素』羽場宏光監修、日東書院、2010年
●『元素検定』『元素検定2』桜井弘編著、化学同人、2011年、2018年
●『金属なしでは生きられない――活性酸素をコントロールする』桜井弘著、岩波書店、2006年
●『薬学のための無機化学』桜井弘編著、化学同人、2005年
●『世界で一番美しい元素図鑑』T・グレイ著、N・マン写真、若林文高監修、武井摩利訳、創元社、2010年

- 『元素の小事典』高木仁三郎著、岩波ジュニア新書、１９８２年
- 『元素の事典』大沼正則編、三省堂、１９８５年
- 『元素の事典』馬淵久夫編、朝倉書店、１９９４年
- 『元素を知る事典――先端材料への入門』村上雅人編著、海鳴社、２００４年
- 『レアメタル便覧』足立吟也監修・編集代表、丸善出版、２０１１年
- 『生物無機化学』山内脩／鈴木晋一郎／櫻井武著、朝倉書店、２０１２年
- 『生命元素事典』桜井弘編、オーム社、２００６年
- 『元素大図鑑』桜井弘監修、ニュートンプレス、２０２１年
- 『周期表 完全図解１１８元素事典』ニュートンプレス、２０２２年
- 『地理統計要覧 ２０２２（２０２２年版 vol.62）』二宮書店、２０２２年
- 『The elements, third edition』J. Emsley, Oxford University Press, 1998
- 『Nature's building blocks, everything you need to know about the elements, new edition』J. Emsley, Oxford University Press, 2011
- 『The periodic table, its story and its significance』E. R. Scerri, Oxford University Press, 2007
- 『Karlsruher Nuklidkarte, 10th edition』J. Magill, R. Dreher, Zs. Sóti, Nucleonica, 2018
- 『CRC Handbook of chemistry and physics, 95th edition 2014-2015』W. M. Haynes editor-in-chief, CRC Press, 2014

元素記号さくいん

その他

元素日本語名さくいん

人名さくいん

ま行

や行

ら・わ行

事項さくいん

か行

さ行

た行

な行

は行

ま行

や行

ら・わ行

地殻の元素存在度

順位	原子番号	元素記号	濃度（ppm）
1	8	**O**	474000
2	14	**Si**	282000
3	13	**Al**	82000
4	26	**Fe**	41000
5	20	**Ca**	41000
6	11	**Na**	23000
7	12	**Mg**	23000
8	19	**K**	21000
9	22	**Ti**	5600
10	1	**H**	1520
11	15	**P**	1000
12	25	**Mn**	950
13	9	**F**	950
14	56	**Ba**	500
15	6	**C**	480
16	38	**Sr**	370
17	16	**S**	260
18	40	**Zr**	190
19	23	**V**	160
20	17	**Cl**	130
21	24	**Cr**	100
22	37	**Rb**	90
23	28	**Ni**	84
24	30	**Zn**	70
25	58	**Ce**	68
26	29	**Cu**	60
27	60	**Nd**	38
28	57	**La**	32
29	39	**Y**	30
30	7	**N**	25
31	3	**Li**	20
32	27	**Co**	20
33	41	**Nb**	20
34	31	**Ga**	19
35	21	**Sc**	16
36	82	**Pb**	14
37	90	**Th**	12
38	5	**B**	10
39	59	**Pr**	9.5
40	62	**Sm**	7.9
41	64	**Gd**	7.7
42	66	**Dy**	6
43	68	**Er**	3.8
44	70	**Yb**	3.2
45	72	**Hf**	3
46	55	**Cs**	3
47	4	**Be**	2.6
48	92	**U**	2.4
49	50	**Sn**	2.2
50	63	**Eu**	2.1
51	73	**Ta**	2
52	33	**As**	1.8
53	32	**Ge**	1.5
54	42	**Mo**	1.5
55	67	**Ho**	1.4
56	18	**Ar**	1.2
57	65	**Tb**	1.1
58	74	**W**	1
59	81	**Tl**	0.6
60	71	**Lu**	0.51
61	69	**Tm**	0.48
62	35	**Br**	0.37
63	51	**Sb**	0.2
64	53	**I**	0.14
65	48	**Cd**	0.11
66	47	**Ag**	0.07
67	34	**Se**	0.05
68	80	**Hg**	0.05
69	49	**In**	0.049
70	83	**Bi**	0.048
71	2	**He**	0.008
72	52	**Te**	0.005
73	79	**Au**	0.0011
74	44	**Ru**	0.001
75	78	**Pt**	0.001
76	46	**Pd**	0.0006
77	75	**Re**	0.0004
78	45	**Rh**	0.0002
79	76	**Os**	0.0001
80	10	**Ne**	0.00007
81	36	**Kr**	0.00001
82	77	**Ir**	0.000003
83	54	**Xe**	0.000002
84	88	**Ra**	0.0000006

基底状態にある各元素の原子の電子配置

元素	K	L		M			N		O
	1s	2s	2p	3s	3p	3d	4s	4p	5s
1 **H**	1								
2 **He**	2								
3 **Li**	2	1							
4 **Be**	2	2							
5 **B**	2	2	1						
6 **C**	2	2	2						
7 **N**	2	2	3						
8 **O**	2	2	4						
9 **F**	2	2	5						
10 **Ne**	2	2	6						
11 **Na**	2	2	6	1					
12 **Mg**	2	2	6	2					
13 **Al**	2	2	6	2	1				
14 **Si**	2	2	6	2	2				
15 **P**	2	2	6	2	3				
16 **S**	2	2	6	2	4				
17 **Cl**	2	2	6	2	5				
18 **Ar**	2	2	6	2	6				
19 **K**	2	2	6	2	6		1		
20 **Ca**	2	2	6	2	6		2		
21 **Sc**	2	2	6	2	6	1	2		
22 **Ti**	2	2	6	2	6	2	2		
23 **V**	2	2	6	2	6	3	2		
24 **Cr**	2	2	6	2	6	5	1		
25 **Mn**	2	2	6	2	6	5	2		
26 **Fe**	2	2	6	2	6	6	2		
27 **Co**	2	2	6	2	6	7	2		
28 **Ni**	2	2	6	2	6	8	2		
29 **Cu**	2	2	6	2	6	10	1		
30 **Zn**	2	2	6	2	6	10	2		
31 **Ga**	2	2	6	2	6	10	2	1	
32 **Ge**	2	2	6	2	6	10	2	2	
33 **As**	2	2	6	2	6	10	2	3	
34 **Se**	2	2	6	2	6	10	2	4	
35 **Br**	2	2	6	2	6	10	2	5	
36 **Kr**	2	2	6	2	6	10	2	6	
37 **Rb**	2	2	6	2	6	10	2	6	1
38 **Sr**	2	2	6	2	6	10	2	6	2
	2	8		18					

元素	K	L	M	N				O				P
				4s	4p	4d	4f	5s	5p	5d	5f	6s
39 **Y**	2	8	18	2	6	1		2				
40 **Zr**	2	8	18	2	6	2		2				
41 **Nb**	2	8	18	2	6	4		1				
42 **Mo**	2	8	18	2	6	5		1				
43 **Tc**	2	8	18	2	6	5		2				
44 **Ru**	2	8	18	2	6	7		1				
45 **Rh**	2	8	18	2	6	8		1				
46 **Pd**	2	8	18	2	6	10						
47 **Ag**	2	8	18	2	6	10		1				
48 **Cd**	2	8	18	2	6	10		2				
49 **In**	2	8	18	2	6	10		2	1			
50 **Sn**	2	8	18	2	6	10		2	2			
51 **Sb**	2	8	18	2	6	10		2	3			
52 **Te**	2	8	18	2	6	10		2	4			
53 **I**	2	8	18	2	6	10		2	5			
54 **Xe**	2	8	18	2	6	10		2	6			
55 **Cs**	2	8	18	2	6	10		2	6			1
56 **Ba**	2	8	18	2	6	10		2	6			2
57 **La**	2	8	18	2	6	10		2	6	1		2
58 **Ce**	2	8	18	2	6	10	1	2	6	1		2
59 **Pr**	2	8	18	2	6	10	3	2	6			2
60 **Nd**	2	8	18	2	6	10	4	2	6			2
61 **Pm**	2	8	18	2	6	10	5	2	6			2
62 **Sm**	2	8	18	2	6	10	6	2	6			2
63 **Eu**	2	8	18	2	6	10	7	2	6			2
64 **Gd**	2	8	18	2	6	10	7	2	6	1		2
65 **Tb**	2	8	18	2	6	10	9	2	6			2
66 **Dy**	2	8	18	2	6	10	10	2	6			2
67 **Ho**	2	8	18	2	6	10	11	2	6			2
68 **Er**	2	8	18	2	6	10	12	2	6			2
69 **Tm**	2	8	18	2	6	10	13	2	6			2
70 **Yb**	2	8	18	2	6	10	14	2	6			2
71 **Lu**	2	8	18	2	6	10	14	2	6	1		2
72 **Hf**	2	8	18	2	6	10	14	2	6	2		2
73 **Ta**	2	8	18	2	6	10	14	2	6	3		2
74 **W**	2	8	18	2	6	10	14	2	6	4		2
75 **Re**	2	8	18	2	6	10	14	2	6	5		2
76 **Os**	2	8	18	2	6	10	14	2	6	6		2
				32								

元素	K	L	M	N	O				P			Q	
					5s	5p	5d	5f	6s	6p	6d	7s	7p
77 **Ir**	2	8	18	32	2	6	7		2				
78 **Pt**	2	8	18	32	2	6	9		1				
79 **Au**	2	8	18	32	2	6	10		1				
80 **Hg**	2	8	18	32	2	6	10		2				
81 **Tl**	2	8	18	32	2	6	10		2	1			
82 **Pb**	2	8	18	32	2	6	10		2	2			
83 **Bi**	2	8	18	32	2	6	10		2	3			
84 **Po**	2	8	18	32	2	6	10		2	4			
85 **At**	2	8	18	32	2	6	10		2	5			
86 **Rn**	2	8	18	32	2	6	10		2	6			
87 **Fr**	2	8	18	32	2	6	10		2	6		1	
88 **Ra**	2	8	18	32	2	6	10		2	6		2	
89 **Ac**	2	8	18	32	2	6	10		2	6	1	2	
90 **Th**	2	8	18	32	2	6	10		2	6	2	2	
91 **Pa**	2	8	18	32	2	6	10	2	2	6	1	2	
92 **U**	2	8	18	32	2	6	10	3	2	6	1	2	
93 **Np**	2	8	18	32	2	6	10	4	2	6	1	2	
94 **Pu**	2	8	18	32	2	6	10	6	2	6		2	
95 **Am**	2	8	18	32	2	6	10	7	2	6		2	
96 **Cm**	2	8	18	32	2	6	10	7	2	6	1	2	
97 **Bk**	2	8	18	32	2	6	10	9	2	6		2	
98 **Cf**	2	8	18	32	2	6	10	10	2	6		2	
99 **Es**	2	8	18	32	2	6	10	11	2	6		2	
100 **Fm**	2	8	18	32	2	6	10	12	2	6		2	
101 **Md**	2	8	18	32	2	6	10	13	2	6		2	
102 **No**	2	8	18	32	2	6	10	14	2	6		2	
103 **Lr**	2	8	18	32	2	6	10	14	2	6		2	1
104 **Rf**	2	8	18	32	2	6	10	14	2	6	2	2	
105 **Db**	2	8	18	32	2	6	10	14	2	6	3	2	
106 **Sg**	2	8	18	32	2	6	10	14	2	6	4	2	
107 **Bh**	2	8	18	32	2	6	10	14	2	6	5	2	
108 **Hs**	2	8	18	32	2	6	10	14	2	6	6	2	
109 **Mt**	2	8	18	32	2	6	10	14	2	6	7	2	
110 **Ds**	2	8	18	32	2	6	10	14	2	6	9	1	
111 **Rg**	2	8	18	32	2	6	10	14	2	6	10	1	
112 **Cn**	2	8	18	32	2	6	10	14	2	6	10	2	
113 **Nh**	2	8	18	32	2	6	10	14	2	6	10	2	1
114 **Fl**	2	8	18	32	2	6	10	14	2	6	10	2	2
115 **Mc**	2	8	18	32	2	6	10	14	2	6	10	2	3
116 **Lv**	2	8	18	32	2	6	10	14	2	6	10	2	4
117 **Ts**	2	8	18	32	2	6	10	14	2	6	10	2	5
118 **Og**	2	8	18	32	2	6	10	14	2	6	10	2	6

各元素の名前の由来一覧①

発見された国名に由来する		
フランシウム	**Fr**	フランス
ガリウム	**Ga**	フランスのラテン名ガリア
ゲルマニウム	**Ge**	ドイツのラテン名ゲルマニア
ルテニウム	**Ru**	ロシア（小ロシア）のラテン名ルテニア
スカンジウム	**Sc**	スウェーデン南部の地方のラテン名スカンジア
ポロニウム	**Po**	発見者マリー・キュリーの故国ポーランドのラテン名ポロニア
ニホニウム	**Nh**	日本
発見された地名に由来する		
ハッシウム	**Hs**	ドイツのヘッセン州のラテン名ハッシア
ストロンチウム	**Sr**	スコットランドのストロンチアン地方
ユウロピウム	**Eu**	ヨーロッパ大陸
アメリシウム	**Am**	アメリカ大陸
レニウム	**Re**	ライン川のラテン名レヌス
カリホルニウム	**Cf**	アメリカのカリフォルニア州（カリフォルニア大学）
バークリウム	**Bk**	アメリカのカリフォルニア州のバークレー（カリフォルニア大学バークレー校）
ハフニウム	**Hf**	コペンハーゲンのラテン名ハフニア
ホルミウム	**Ho**	ストックホルムのラテン名ホルミア
ルテチウム	**Lu**	パリのラテン名ルテチア
イットリウム	**Y**	スウェーデンの町イッテルビー
テルビウム	**Tb**	〃
イッテルビウム	**Yb**	〃
エルビウム	**Er**	〃
ツリウム	**Tm**	スカンジナビア半島の古い地名ツーレ
ドブニウム	**Db**	ロシアのドブナ
マグネシウム	**Mg**	原鉱石の産出地ギリシャのマグネシア
ダームスタチウム	**Ds**	ドイツのダルムシュタット
リバモリウム	**Lv**	アメリカのカリフォルニア州の都市リバモア
モスコビウム	**Mc**	ロシアのモスクワ州
テネシン	**Ts**	アメリカのテネシー州
原料に由来する		
カリウム	**K**	草木灰(そうもくばい)（potash）
カルシウム	**Ca**	石灰（ラテン語calx）

各元素の名前の由来一覧②

炭素	C	木炭（ラテン語carbo）
窒素	N	硝石（ギリシャ語nitrum）
リチウム	Li	石（ギリシャ語lithos）
ラドン	Rn	ラジウム（radium）から生まれたことによる
ストロンチウム	Sr	原鉱石ストロンチアン
ベリリウム	Be	原鉱石ベリル
ホウ素	B	ホウ砂（borax）
ケイ素	Si	ケイ砂（ラテン語silex）
フッ素	F	ホタル石（fluorite）
アルミニウム	Al	ミョウバン（ラテン語alumen）
マンガン	Mn	原鉱石マンガナス
ヒ素	As	黄色の顔料（ギリシャ語arsenikon）
ジルコニウム	Zr	原鉱石ジルコン
タングステン	W	原鉱石タングステン（ドイツ語Wolframite、スウェーデン語tungsten）
サマリウム	Sm	サマルスキー石
天体の名前に由来する		
テルル	Te	地球（ラテン語tellus）
セレン	Se	月（ギリシャ語selene）
ヘリウム	He	太陽（ギリシャ語helios）
ウラン	U	天王星（Uranus）
セリウム	Ce	準惑星ケレス（Ceres）
パラジウム	Pd	小惑星パラス（Pallas）
ネプツニウム	Np	海王星（Neptune）
プルトニウム	Pu	冥王星（Pluto）
神の名前に由来する		
チタン	Ti	巨神族タイタン
ニオブ	Nb	タンタロスの娘ニオベ
タンタル	Ta	タンタロス
プロメチウム	Pm	火の神プロメテウス
バナジウム	V	スカンジナビア神話の美の女神バナジス
トリウム	Th	スカンジナビア神話の神トール
人名に由来する		
アインスタイニウム	Es	アルベルト・アインシュタイン
フェルミウム	Fm	エンリコ・フェルミ
サマリウム	Sm	ワシーリー・サマルスキー＝ビホヴェッツ

各元素の名前の由来一覧③

メンデレビウム	Md	ドミトリー・メンデレーエフ
ノーベリウム	No	アルフレッド・ノーベル
ローレンシウム	Lr	アーネスト・ローレンス
キュリウム	Cm	キュリー夫妻
ラザホージウム	Rf	アーネスト・ラザフォード
ボーリウム	Bh	ニールス・ボーア
シーボーギウム	Sg	グレン・セオドア・シーボーグ
マイトネリウム	Mt	リーゼ・マイトナー
レントゲニウム	Rg	ウィルヘルム・レントゲン
コペルニシウム	Cn	ニコラウス・コペルニクス
フレロビウム	Fl	ゲオルギー・フレロフ
ガドリニウム	Gd	ヨハン・ガドリン
オガネソン	Og	ユーリー・オガネシアン
臭いを表す言葉に由来する		
臭素	Br	悪臭を意味するギリシャ語bromos
オスミウム	Os	臭いを意味するギリシャ語osme
色を表す言葉に由来する		
金	Au	金色（ラテン語aurum）
塩素	Cl	黄色がかった緑色（ギリシャ語chloros）
ヨウ素	I	蒸気がスミレ色（ギリシャ語iodes）
ルビジウム	Rb	炎の中で燃やすとルビーのように赤い（ラテン語rubidus）
セシウム	Cs	炎の中で燃やすと青色（ラテン語caesius）
タリウム	Tl	炎の中で燃やすと若木の緑色（ギリシャ語thallos）
インジウム	In	炎の中で燃やすと藍色インジゴ（ラテン語indicum）
イリジウム	Ir	虹の女神イリス（Iris）
クロム	Cr	化合物がさまざまな色（ギリシャ語chroma）を示す
ロジウム	Rh	水溶液がバラ色（ギリシャ語rhodeos）をしている

※分類できないものもある。重複もあるので厳密な分類ではない。

立体周期表

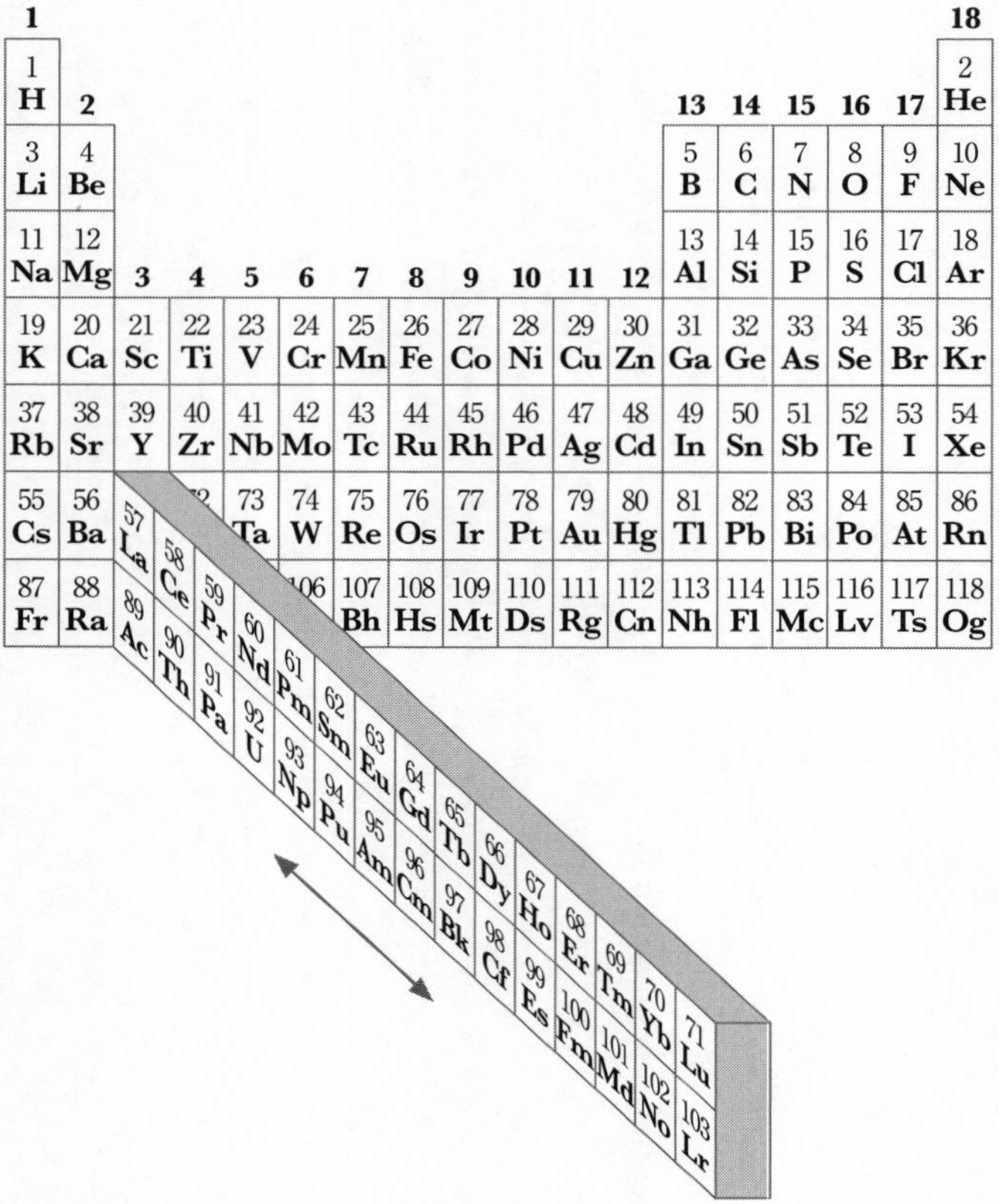

1	2	3	4	5	6	7	8	9	10	11	12	13	14	15	16	17	18
1 H																	2 He
3 Li	4 Be											5 B	6 C	7 N	8 O	9 F	10 Ne
11 Na	12 Mg											13 Al	14 Si	15 P	16 S	17 Cl	18 Ar
19 K	20 Ca	21 Sc	22 Ti	23 V	24 Cr	25 Mn	26 Fe	27 Co	28 Ni	29 Cu	30 Zn	31 Ga	32 Ge	33 As	34 Se	35 Br	36 Kr
37 Rb	38 Sr	39 Y	40 Zr	41 Nb	42 Mo	43 Tc	44 Ru	45 Rh	46 Pd	47 Ag	48 Cd	49 In	50 Sn	51 Sb	52 Te	53 I	54 Xe
55 Cs	56 Ba		72	73 Ta	74 W	75 Re	76 Os	77 Ir	78 Pt	79 Au	80 Hg	81 Tl	82 Pb	83 Bi	84 Po	85 At	86 Rn
87 Fr	88 Ra				106	107 Bh	108 Hs	109 Mt	110 Ds	111 Rg	112 Cn	113 Nh	114 Fl	115 Mc	116 Lv	117 Ts	118 Og

57 La	58 Ce	59 Pr	60 Nd	61 Pm	62 Sm	63 Eu	64 Gd	65 Tb	66 Dy	67 Ho	68 Er	69 Tm	70 Yb	71 Lu
89 Ac	90 Th	91 Pa	92 U	93 Np	94 Pu	95 Am	96 Cm	97 Bk	98 Cf	99 Es	100 Fm	101 Md	102 No	103 Lr

アクチノイドおよびランタノイドは互いによく似た性質をもっているため、ひとまとめにして、引き出しを出し入れするようにして楽しむとよい。

N.D.C.431.11　558p　18cm

ブルーバックス　B-2226

元素118の新知識〈第2版〉
引いて重宝、読んでおもしろい

2023年 3 月20日　第1刷発行
2023年 7 月10日　第2刷発行

編著者　桜井　弘
発行者　鈴木章一
発行所　株式会社講談社
〒112-8001 東京都文京区音羽2-12-21
電話　出版　03-5395-3524
販売　03-5395-4415
業務　03-5395-3615
印刷所　(本文印刷) 株式会社ＫＰＳプロダクツ
(カバー表紙印刷) 信毎書籍印刷株式会社
製本所　株式会社国宝社
本文データ制作　ブルーバックス

定価はカバーに表示してあります。

ISBN978－4－06－531316－9

発刊のことば

科学をあなたのポケットに

二十世紀最大の特色は、それが科学時代であるということです。科学は日に日に進歩を続け、止まるところを知りません。ひと昔前の夢物語もどんどん現実化しており、今やわれわれの生活のすべてが、科学によってゆり動かされているといっても過言ではないでしょう。

そのような背景を考えれば、学者や学生はもちろん、産業人も、セールスマンも、ジャーナリストも、家庭の主婦も、みんなが科学を知らなければ、時代の流れに逆らうことになるでしょう。

ブルーバックス発刊の意義と必然性はそこにあります。このシリーズは、読む人に科学的に物を考える習慣と、科学的に物を見る目を養っていただくことを最大の目標にしています。そのためには、単に原理や法則の解説に終始するのではなくて、政治や経済など、社会科学や人文科学にも関連させて、広い視野から問題を追究していきます。科学はむずかしいという先入観を改める表現と構成、それも類書にないブルーバックスの特色であると信じます。

一九六三年九月

野間省一